D0987005

LA PENSÉE HIÉRARCHIQUE ET L'ÉVOLUTION

DU MEME AUTEUR

WARBURTON, ESSAI SUR LES HIÉROGLYPHES DES ÉGYPTIENS, précédé de TRANSFIGURATIONS : ARCHÉOLOGIE DU SYMBOLIQUE (Aubier-Flammarion).

LINGUISTIQUE, PÉRIPHÉRIE ET TRANSFORMATIONS, dans *LES DIEUX DANS LA CUISINE* (Aubier).

MAUPERTUIS, VENUS PHYSIQUE, précédé de L'ORDRE DU CORPS (Aubier).

LA CONSTELLATION DE THOT *–HIÉROGLYPHE ET HISTOIRE–* (Aubier).

ÉVOLUTIONNISME ET LINGUISTIQUE (Vrin).

PHYSIQUE DE L'ÉTAT *–EXAMEN DU CORPS POLITIQUE DE HOBBES–* (Vrin).

L'ORIGINE DU PARADOXE SUR LE COMÉDIEN *–LA PARTITION INTÉRIEURE–* (Vrin).

SCIENCES HUMAINES ET PHILOSOPHIE EN AFRIQUE *–LA DIFFÉRENCE CULTURELLE–* (Hatier).

L'ORDRE ET LES MONSTRES (Le Sycomore).

LA PATIENCE DU DÉSIR *–PROGRAMME D'UNE AUTRE ANALYSE DES CONTES–*, préface aux CONTES ROUMAINS des frères Schott (Maisonneuve et Larose).

PATRICK TORT

les complexes discursifs

LA PENSÉE HIÉRARCHIQUE ET L'ÉVOLUTION

RES
série
Résonnances

AUBIER MONTAIGNE

Si vous souhaitez
être tenu au courant
de nos publications,
il vous suffit
d'envoyer
vos nom et adresse
aux

Editions Aubier Montaigne
13, Quai de Conti
75006 PARIS.

ISBN 2-7007-0312-X

Acteur du débat contemporain autour du Darwinisme, et destiné à construire sur des bases justes l'analyse des rapports qu'y entretiennent science et idéologie, ce livre de méthode et d'histoire retient les principales conférences prononcées de 1980 à 1982 dans le cadre du **Séminaire d'Histoire des Sciences** *que j'ai* ouvert – *mon insistance sur ce terme doit s'interpréter comme une invitation à ne pas laisser* vacant *le lieu laissé* libre *par mon propre retrait – à l'***École Normale Supérieure** *d'Abidjan.*

Que le public du Séminaire, les élèves et les professeurs de cette École, et particulièrement son Directeur, Monsieur **Touré Vakaba**, *grâce à qui l'édition de cet ouvrage a pu être menée à bien, trouvent ici l'expression continuée d'une volonté et d'un espoir.*

P. T.
1982

Introduction

Ce livre –le premier d'une série dont le terme à ce jour ne saurait être fixé– est aussi le premier temps de l'expérimentation ouverte du concept de *complexe discursif,* dans un "domaine" dont il élargit indéfiniment, jusqu'à les annuler, les limites institutionnelles et imaginaires : celui de l'ancienne "histoire des idées".

Du fait d'un choix résolu, ce livre est celui d'une méthode *en acte.* Pas une longue introduction théorique différant de toute son étendue et de son éternelle et nécessaire incomplétude la production des échantillons d'analyse qui seuls permettraient de juger sa pertinence.

Ici, pas une thèse qui ne soit *illustrée.*

L'*illustration* d'une thèse n'est pas à confondre avec une preuve de validité universelle : ce qu'elle *prouve,* c'est que dans tel cas précis et suffisamment spécifié, la thèse est juste. Ce qui ne surprendra pas, puisque chacun peut savoir par simple expérience que la thèse ne précède l'illustration que dans l'ordre qui gouverne le procès de l'*exposition.* Son avantage supplémentairc –encore n'est-il pas toujours calculé– est d'indiquer parfois par quelles voies il deviendra possible de découvrir les autres cas à propos desquels la thèse sera de nouveau justifiée.

Les *thèses théoriques* de ce livre, peu nombreuses, mais cruciales pour l'intelligence de sa position en épistémologie et de la position de l'épistémologie elle-même, sont l'*effet* des analyses qui ont abouti à la production de ses thèses *historiques.* Un *principe d'empirisme* est ici revendiqué, si l'on veut bien entendre par là la primordialité de la réflexion sur les *faits* historico-discursifs par rapport à la codification légale de leur système de causation ou de fonctionnement sous forme d'énoncés théoriques de portée potentiellement générale.

A la base, cependant, figure un corpus d'axiomes, dont le premier, qui sera formulé en son lieu, concerne le statut de l'épistémologie. On peut le résumer grossièrement en disant que l'épistémologie *doit être* elle-même, en un sens rigoureux, une *pratique scientifique.* Non pas *science de la science,* ce qui ne veut rien dire. Mais science des pratiques scientifiques dans leurs rapports complexes avec des pratiques non scientifiques et des forces socio-historiques. Un argument logique simple préside à cette *déclaration* de l'épistémologie comme science : si l'on place le maximum de vérité dans les sciences, et si l'épistémologie se donne comme un discours de vérité sur les théories et les pratiques scientifiques dans leurs rapports avec la moindre vérité ou la non-vérité des énoncés de la non-science, à quoi servirait, portant sur les sciences, un discours *moins vrai* qu'elles ? L'épistémologie se dénie tout rôle et toute valeur si elle ne se pose pas comme *devant être scientifique.* De même pour l'histoire des sciences –la distinction entre ces deux "disciplines" n'étant qu'un effet de quelques commodités institutionnelles de l'enseignement et de la recherche.

En conséquence, s'il est vrai qu'une science instaure un régime de vérité qui n'appartient qu'à elle, l'épistémologie (comme l'histoire des sciences) aura, en tant qu'elle doit être scientifique, son propre régime de vérité –ou plus exactement, *les* épistémologies présenteront, dans leur tâche d'élucidation historico-discursive, selon leur objet, des démarches heuristiques qui donneront un accès spécial à l'heuristique propre des sciences qu'elles étudient, ce qui n'exclut nullement, et même appelle la production ultérieure de thèses théoriques de portée potentiellement générale.

Tout discours cohérent sur les sciences présuppose l'acceptation de la distinction-opposition entre science (s) et idéologie (s). Car s'il y avait des vérités idéologiques que les sciences pussent reconnaître en approuvant leur mode de production et d'énonciation, les sciences perdraient ainsi ce par quoi elles ressentent et définissent leur spécificité, savoir : leur *propre* régime de vérité. Or l'existence de ce régime de vérité particulier à chaque science et exclusif, dans l'exercice de chaque science, de toute "vérité" allogène, est un fait *logique* et un fait *historique :*

– Fait *logique,* car l'identité distincte d'une science, définie par l'application d'un type déterminé de connaissance et d' investigation à un objet déterminé, implique l'*altérité* des discours portant sur le même objet –qui est toujours en fait *illusoirement* le même– et n'appliquant pas (ou appliquant sans rigueur) à cet objet ce mode déterminé de connaissance et d'investigation. Aussi bien que par ses données positives, la méthode scientifique, où qu'elle s'exerce, se définit négativement par l'exclusion de ce qui n'est pas elle.

– Fait *historique :* ce que démontre l'histoire des sciences, par-delà toute opposition d'écoles, c'est que le régime de vérité –ou de production de vérité– d'une science "constituée" ne s'atteint qu'après la dissociation de son ancien dire métaphysique comme *extérieur à la science.* "Continuistes" et "discontinuistes" contemporains s'accorderont au moins à reconnaître qu'ici ou là, une science *s'affranchit* –par exemple– de la métaphysique, c'est-à-dire du mode dominant de l'idéologie d'un certain âge de son histoire.

L'idéologie est donc nécessairement l'*autre radical de la science,* bien que l'ensemble de leurs rapports ne puisse s'enfermer dans la formule trop brève de cette opposition. L'idéologie ne peut être valablement caractérisée qu'à travers ce qui constitue en elle le fonctionnement *illégal* de sa référence à la science ou aux sciences auxquelles elle tente, par des tactiques déterminées et repérables, de ressembler.

La science ne "réfute" ou n' "invalide" l'idéologie qu'autant que celle-ci n'est considérée que comme le *passé* non scientifique de *cette* science. En tant que prospective –anticipation sur l'avenir de la science en question et de ses applications–, l'idéologie ne peut être réfutée par elle, dans la mesure où la science *en tant que telle* –c'est-à-dire excluant les convictions idéologiques du savant lui-même– ne saurait parler *scientifiquement* que de ses certitudes et incertitudes *présentes.*

En conséquence, *aucune idéologie ne peut naître d'une science. L'idéologie naît de l'idéologie.*

Ce premier livre aura donc, entre autres buts, celui d'illustrer ces thèses, et d'indiquer la possibilité qu'elles ont de devenir des vérités générales de l'épistémologie. L'axe autour duquel il s'est ordonné –en vertu de choix dont les limites étaient imposées à la fois par le volume d'écriture alloué à chaque analyse et par les impératifs d'une démonstration optimale–, c'est l'*évolution.*

Quelques mises au point sont, à ce propos, d'entrée de jeu nécessaires, quitte à revenir sur certains faits en principe connus des spécialistes, afin d'en arriver ensuite à évoquer ceux que les spécialistes eux-mêmes n'ont pas encore identifiés. La conscience courante et une grande partie de la conscience savante identifient *évolutionnisme* et *darwinisme.* A tort. Le *darwinisme* est une *théorie biologique transformiste* dont on peut localiser rapidement le noyau de scientificité original dans le principe de la *descendance modifiée par sélection naturelle.* L'*évolutionnisme* est une *philosophie* qui s'est manifestée sous sa forme la plus systématique dans l'Angleterre industrielle du XIXe siècle par le truchement principal des œuvres de Herbert Spencer. S'il est vrai qu'après 1859, date de publication de *L'origine des espèces,* la référence de Spencer à la biologie se fait plus insistante, il ne faut pas oublier pour autant que les idées-forces de l'évolutionnisme spencérien se sont déployées sans rupture notable de 1842, moment de ses premiers écrits sur la doctrine libérale, jusqu'en 1896. Son ralliement occasionnel et sectoriel à la théorie darwinienne a donc, certes, un *sens,* mais ce sens n'est nullement celui d'une instauration ou d'une restauration de sa philosophie.

Comme on le sait généralement, la "philosophie" évolutionniste –que l'on ne distinguera pas ici de ce qui s'est spécifié à cette époque sous la rubrique d'*anthropologie*– a servi d'idéologie de soutien pour certaines positions ou certaines entreprises politiques. Et l'on a cru, à tort, que cette idéologie était "née" du darwinisme triomphant. Nous montrerons dans la suite pourquoi et comment cette "naissance" était impossible. On a cru également, toujours à tort, en voulant instaurer des distinctions fondées sur des "coupures" imaginaires, que l'*évolution,* comme thème anthropologique et philosophique, était quelque chose de différent du *progrès,* que l'on réservait de ce fait à la caractérisation idiosyncrasique du siècle des Lumières. Or *la théorie spencérienne de l'évolution est une théorie du progrès,* et ce dont elle "naît", dans son esprit et sa forme logique, c'est essentiellement ce dix-huitième siècle dont le "progressisme" s'inscrit à différents niveaux d'énonciation dans l'œuvre de psycho-sémiologie génétique, de pédagogie et d'économie de Condillac, dans l'analyse de la valeur chez Turgot, dans l'*Esquisse d'un tableau des progrès de l'esprit humain* de Condorcet, dans la théorie de l'évolution des formes de la symbolisation graphique de Warburton, et dans le développement, après la découverte du sanscrit, de la typologie linguistique.

Ce que voudrait montrer ce livre, c'est aussi que l'objet principal de l'histoire des sciences est, tout autant que l'historicité des sciences, la *transhistoricité des idéologies.* Cela peut surprendre, dans la mesure où cela implique que l'on joigne, à un discontinuisme –critique, mais ferme– du côté de l'histoire des sciences, un continuisme relatif du côté de l'étude historique des idéologies. En effet, si l'on admet avec nous qu'aucune idéologie ne peut *naître* d'une science, mais doit nécessairement provenir par dérivation d'une idéologie préexistante –la science étant dans ce partage la seule créatrice de vérités, et nous plaçant de ce fait dans l'obligation de *faire le tri*–, alors cette position implique que "l'idéologie", comme le disait Marx dans une formule qui n'a pas été assez méditée, n'ait effectivement "pas d'histoire", ce qui pour nous signifie qu'une idéologie, sous de multiples formes, refait toujours la même opération en répétant toujours *quelque chose qui a déjà été dit.* Cela contribue à accentuer la différence radicale qui a été reconnue entre science et idéologie : la compilation scientifique de Darwin aboutit à la production d'une théorie qui a été capable de bouleverser le savoir établi de l'histoire naturelle et de la science des organismes. La compilation ethno-historique et philosophique de Gobineau, en dépit de l'absurde prétention, chez ce dernier, d'avoir été le maître de Darwin, n'aboutit qu'à répéter d'une façon incohérente Hegel et Saint Thomas.

Un mouvement de production directe et univoque d'une idéologie par une science est donc, on l'a admis, *en droit impossible.* Ce qui par contre est possible *en fait,* c'est la mystification *idéologique* qui porte à croire et à faire croire à cette production univoque et directe. L'essence de cette mystification réside dans le *mime* permanent de *gestes scientifiques* par l'énoncé idéologique, et dans sa propension obligatoire à excéder le domaine de validité des propositions scientifiques vers des *unifications trans-régionales* qui utilisent généralement le véhicule de l'*analogie.* L'idéologie n'a d'autre tactique que celle qui vise à faire croire à la *conformité* de ses énoncés avec ceux de la science qu'elle élit momentanément comme point d'appui. C'est-à-dire qu'elle tente constamment de *se faire passer pour la science elle-même, ou pour un discours au sein duquel la science garantirait l'extension et l'interprétation qu'elle y subit.* Le propre de l'idéologie est en effet de ne jamais s'en tenir au contexte d'une seule science, mais de tenter la projection des concepts, des méthodes et des propositions des sciences exactes et, plus souvent, des sciences de la nature, sur les sciences dites "humaines". Le savoir profond de l'idéologie comprend donc, ainsi que le manifeste son rattachement mimétique à l'énoncé scientifique, la conscience active du fait que *le seul régime de vérité acceptable est celui de la science* –et dans ce "la", il faut voir l'amorce de la confusion idéologique elle-même–, mais il ne saurait remplir les conditions d'une épistémologie scientifique, puisqu'il ne reconnaît pas, entre les sciences, *la pluralité et la diversité irréductibles des régimes de vérité.* Cela nous conduit à vérifier la nécessité logique d'une conclusion que nous avons déjà livrée par une autre voie : *l'épistémologie doit être scientifique,* c'est-à-dire ajuster ses concepts et ses méthodes, son type de connaissance et d'investigation, à la spécificité régionale de l'heuristique propre de chaque science. Si l'épistémologie ne se produit pas comme science, elle retombera dans l'idéologie –que nous venons de définir précisément comme *une épistémologie non scientifique.*

L'épistémologie, elle aussi, *mime* les gestes de la science, mais pour les *décrire,* non pour les continuer.

L'épistémologie, certes, ne saurait se borner à n'être qu'une description des gestes de la science, bien qu'elle doive l'être *d'abord* pour être capable ensuite de généralisations utiles. L'épistémologie commence par être une histoire, une historiographie ou une chronique, avant de se développer, selon sa vocation spéciale, en *logique de la démarche scientifique.* En accord sur ce point avec Bachelard et Canguilhem, nous dirons que l'épistémologie n'est pas dissociable de l'histoire des sciences, et nous ajouterons que dans la mesure où elle observe des mécanismes discursifs, elle est une science d'*observation.*

Or l'objet total de l'histoire des sciences –comme de l'épistémologie– n'est pas seulement le *discours* des sciences saisi dans l'histoire comme chaîne de vérités sanctionnées –chaîne toujours reconstituée d'une manière récurrente–, mais le réseau au sein duquel ce discours est articulé comme *texte.*

Par *texte,* on entendra ici l'ensemble des énoncés des savants et des non-savants sur les sciences, en tant que coexistent *en chacun d'eux* un discours scientifique et un discours idéologique. Ce *texte* comprend donc tous les énoncés, provenant ou non de sources "autorisées", qui réfèrent à l'objet des sciences en question, à leur propre *discours* (ensemble des énoncés scientifiques des savants) ou à leur propre *texte* (ensemble des énoncés scientifiques et idéologiques des savants sur les objets et les démarches des sciences).

A l'intérieur du réseau textuel qui se tisse autour de telle science déterminée, on pourra donc distinguer :

Texte du savant (1, 2) — Texte de l'idéologie (2, 3)
1) le discours (sanctionné) de la science
2) le discours idéologique du savant
3) le discours idéologique du non-savant

Ces deux derniers discours sont évidemment pour une grande part constitués d'emprunts au discours sanctionné de la science, et s'empruntent librement des éléments l'un à l'autre.

Il y aurait lieu d'ajouter ici une quatrième catégorie de discours référant à la science : celui de l'épistémologie scientifique, qui distingue, précisément, les composantes discursives de chacun de ces deux *textes* entrecroisés, en se distinguant lui-même du discours n° 3.

Dans ce schéma, l'opposition du 1) et du 2) est capitale. Car si l'une des tâches essentielles de l'histoire des sciences et de l'épistémologie est bien de *faire le tri* entre l'idéologie et la science ; si dans cette opération elles sont l'une et l'autre *du côté de la vérité de la science,* alors ce qu'elles doivent faire surgir d'abord au sein même du *texte du savant,* c'est la différence entre ce qui relève du discours de la science en acte, et ce qui relève du discours idéologique. Le discours –sanctionné ou sanctionnable– de la science forme en effet, avec celui de l'idéologie, un seul texte, un seul *complexe de discours* qui exige, d'une instance critique qui devra nécessairement se situer *du côté de la science,* la *distinction* entre ces deux composantes.

La question qui se pose dès lors à nous est celle-là même qui tente de trouver à travers ce livre une réponse généralisable : *comment l'épistémologie* –que nous disons devoir être historique et scientifique– *s'y prendra-t-elle pour faire la preuve de l'incompatibilité de l'idéologie et de la science prise comme norme de vérité ?*

Il suffit en apparence de répondre que l'on peut pour cela se contenter de suivre la science dans son geste d'exclusion de ce qui n'est pas elle. Mais l'histoire montre que ce geste n'est pas accompli hors des situations où la science est, pour diverses raisons conjoncturelles, mise en demeure de le produire.

Nous dirons donc qu'il suffira de saisir, dans le texte du savant comme dans le texte de l'idéologie –textes *entrecroisés,* comme il a été dit–, des *contradictions ou des incompatibilités logiques.* Cette proposition, avant d'être illustrée, sera justifiée logiquement par le raisonnement suivant : par définition, il ne peut y avoir de contradiction entre des énoncés empruntés au *discours* (sanctionné) de la science, puisque ce dernier se tient entièrement dans l'élément de la vérité. En revanche, il peut y avoir contradiction :

1) entre le discours de la science et le discours idéologique du savant ;

2) entre le discours de la science et le discours idéologique du non-savant :

3) entre les éléments du discours idéologique du savant ;

4) entre les éléments du discours idéologique du non-savant ;

5) entre le discours idéologique du savant et le discours idéologique du non-savant.

C'est-à-dire : 1) au sein du texte du savant ;
2) au sein du texte de l'idéologie.

C'est-à-dire encore : 1) entre l'idéologie et la science ;
2) entre les éléments de l'idéologie.

Il y a donc deux sortes d'incompatibilités possibles à mettre en lumière :

1) celles qui résident entre la science et l'idéologie ;
2) celles qui résident à l'intérieur de l'idéologie elle-même.

Les premières sont généralement plus aisées à identifier que les secondes, en raison du fait que l'épistémologie, dans ce cas, se livre à une opération de dissociation simple analogue au geste que fait la science elle-même lorsqu'elle est amenée à se prononcer sur ce qui n'est pas elle. Tandis qu'en aucun cas l'idéologie n'exclut d'elle-même ce qu'elle renferme de contradictoire, puisque c'est souvent là-dessus, comme nous le montrerons, qu'elle édifie sa "cohérence".

I

THESES THÉORIQUES

Thèse n° 1 :

C'est le procès d'opposition-dissociation entre la science et l'idéologie qui constitue l'historicité propre à l'objet de l'histoire des sciences.

Thèse n° 2 :

L'intérêt majeur et la justification de l'histoire des sciences est moins d'être une chronologie des faits scientifiques, que d'élaborer la théorie des idéologies qui en constituent le cadre historico-discursif.

Thèse n° 3 :

En vertu de cela, l'histoire des sciences –comme l'épistémologie– doit être regardée comme une "science humaine".

La science objet de l'histoire et la science de l'histoire

L'histoire des sciences la plus sincèrement préoccupée de définir son *objet* (1) se meut, en s'y essayant, dans un cercle : sa tâche principale semble être de devoir démêler, dans le cours de ce qu'elle étudie, l'idéologie de la science, tout en ne se reconnaissant pas à elle-même un statut comparable à celui de la science, et en prétendant contradictoirement que seule la science, lorsqu'elle advient, possède le pouvoir de procéder à ce démêlage (2).

(1) Cf. Georges Canguilhem, *L'objet de l'histoire des sciences* (1966), repris en introduction aux *Études d'histoire et de philosophie des sciences* (Vrin, 1968, 1970, 1975, 1979).

(2) Cf. G. Canguilhem, *Qu'est-ce qu'une idéologie scientifique ?* dans *Idéologie et rationalité dans l'histoire des sciences de la vie* (Vrin, 77). Notre référence à ces textes et à l'ensemble de l'œuvre précieuse de G. Ganguilhem se fera tantôt en direction des "vérités d'ensemble" qui peuvent se déduire de la comparaison de différentes analyses, tantôt au détail de quelques-unes de ces mêmes analyses particulières. L'effort de G. Canguilhem pour identifier le statut de l'objet de l'histoire des sciences tout en écrivant cette histoire, ne peut manquer de conduire à son tour au questionnement de son lieu et de son statut théoriques. L'intérêt et la grandeur des recherches de G. Canguilhem est de n'avoir jamais cherché à éluder ces questions et d'avoir, ce faisant, formulé, mieux qu'aucun autre historien des sciences, les problématiques inhérentes à l'existence même de sa discipline.

C'est donc avec ce profond sentiment de *reconnaissance* –en donnant à ce terme l'ensemble de ces significations morales et philosophiques– que nous discuterons ici les positions théoriques canguilhemiennes face aux conditions de possibilité et de réussite d'une *histoire* qu'il a si remarquablement illustrée.

On pourrait ici objecter que nous confondons deux niveaux de relations que cette histoire distingue :

– celui des relations de l'histoire des sciences à l'*historicité* des sciences, laquelle est proprement son objet.

Dans le cercle que nous mettons en évidence, et qui conduit de la *science reconnue par l'histoire* à la *non-reconnaissance de cette histoire comme science,* il y a toute une série de propositions implicites qu'il faut repréciser, et qui sont autant de postulations de cette histoire même :

1. Les sciences ont une histoire susceptible d'être traitée comme un chapitre spécial de ce que l'on nomme encore l'histoire des "idées", lesquelles à leur tour ont une histoire susceptible d'être traitée comme un chapitre spécial de l'histoire générale.

2. Les sciences entretiennent, dans le jugement que porte leur histoire comme dans leur propre institution, un rapport d'*opposition* avec les *idéologies.* Autrement dit, la "nature" de l'idéologie est autre que celle de la science, et c'est même cette altérité qui permet de saisir, différenciellement, leur définition respective.

3. C'est la science advenue qui, se distinguant de l'idéologie (scientifique), la distingue comme telle ("pré-science" ou "non-science") et s'en disssocie, c'est-à-dire la rejette d'un lieu qu'elle aurait usurpé : celui même que la science, justement, vient occuper.

4. Une histoire des sciences est aussi, par voie de conséquence, une histoire des idéologies.

5. L'histoire des sciences n'hérite pas du statut de ses objets. Cependant, dissociant elle aussi la science de l'idéologie pour pouvoir, le cas échant, en interroger l'articulation, elle prétend tenir, sur les causes et le processus de leur mixtion ou de leur dissociation effectives dans l'histoire, un discours de vérité dont la fonction principale serait de fonder sur des bases solides la notion exacte de leur différence de nature. Or l'histoire des sciences établit par ailleurs que *seule la science* peut, historiquement, révéler la non-science comme illégitime, et la destituer. Le problème est alors celui-ci : si l'histoire des sciences prétend extraire la vérité du rapport science/idéologie dans l'histoire, quel statut lui faudra-t-il pour accéder simultanément à la vérité de la science et à la non-vérité scientifique de l'idéologie, si ce n'est, précisément, un statut de science particulière ?

– celui de la relation des sciences à leur objet, lequel n'est pas historique.

En ce sens, c'est-à-dire du point de vue du rapport à l'objet, il est effectif que l'histoire des sciences n'a pas un statut identique à celui de ce dont elle est l'histoire –puisque les sciences ont une histoire (humaine), et que les cristaux, par exemple, n'en ont pas (3). Cependant, il faut considérer les choses à un autre niveau. L'histoire des sciences privilégie un certain nombre de faits, parmi lesquels ceux de *destitution d'une idéologie scientifique par la science* : analysant ces faits, elle découvre le pouvoir détenu par la science –et, semble-t-il, par elle seule– de *déposer* l'idéologie qui la précède en s'installant à la place que celle-ci occupait d'une manière illégitime (4). Or que fait l'histoire des sciences ? Elle est par excellence et, pourrait-on dire, par fonction, ce qui permet, à partir de la science sanctionnée, d'évaluer par rapport à elle comme "science périmée", "non-science" ou "idéologie scientifique", ce qui avant la science occupait son lieu, et de penser autant que possible le passage de cet *avant* à l'événement qui le marque d'une définitive péremption. Elle prétend tenir un discours de vérité sur la recherche de la vérité dans les sciences que Canguilhem, en un sens qui nous est étranger, qualifie d'activité "axiologique"– ainsi que sur le rapport science/idéologie, rapport qui serait en premier lieu, dans l'histoire des faits et des doctrines scientifiques, celui d'une *destitution* de la seconde par la première, lorsque sa "vérité" n'est plus recherchée, mais atteinte.

(3) Cf. G. Canguilhem, *L'objet de l'histoire des sciences*, dans *ouv. cit.*, p. 16.

(4) *Qu'est-ce qu'une idéologie scientifique ?* dans *ouv. cit.*, p. 40. Dans ce texte, sur lequel nous reviendrons, G. Canguilhem espère "trouver dans la théorie mendélienne de l'hérédité un ... exemple convaincant de procès de destitution d'une idéologie". L'idéologie, en l'occurrence, c'est Maupertuis et les hypothèses génétiques formulées dans la *Vénus physique* (voir notre édition, Aubier, 1980).

Donc, à son niveau également, l'histoire des sciences –comme l'épistémologie– *mime* (5) la science qu'elle étudie, et ce qu'elle mime, essentiellement, c'est son geste d'exclusion de l'idéologie. Elle y est en quelque sorte contrainte dans la mesure où elle se donne pour rôle de rendre compte de la manière dont la vérité advient : pour ce, elle est obligée, dans un premier temps, de *revivre* le processus dissociateur *du côté de la vérité,* c'est-à-dire *du côté de la science.* Qu'elle le dénie ou non dans ses déclarations méthodologiques ultérieures, l'histoire des sciences s'oblige *d'abord* à cette *historiographie sympathique.* Une chronologie rigoureuse des faits précède nécessairement l'interprétation des rapports discursifs entre la science qui advient et ce qu'elle supplante lorsqu'elle est advenue. Si l'efficace de la science qui advient est bien de révéler l'idéologie scientifique qu'elle supplante comme *non-science,* et si la première tâche de l'histoire des sciences est de *mimer* le plus exactement possible le mécanisme de cette révélation qui est simultanément révélation de la science et de son *autre,* il faut alors admettre entre la science et son "histoire" un *parallélisme* et un *décalage :* le parallélisme consiste en ce que l'historien, par vœu d'exactitude, doit *suivre* le trajet de l'avènement de la science ; le décalage consiste en ce que l'historien refait ce trajet dans un temps *autre,* et à une distance suffisante pour bénéficier des assurances et des validations que la science ultérieure a pu donner au fait scientifique dont il étudie l'émergence. De ce point de vue, l'histoire des sciences est à l'abri de tout *risque* –ne travaillant que sur une science vérifiée–, ce qui implique que ce risque, elle le prenne ailleurs, là précisément où elle cesse d'être parallèle à son objet. Ce risque, elle le prend *en tant qu'analyse des modalités de fonctionnement du discours idéologique.* Car rien n'oblige la science à être, en même temps qu'elle paraît, théorie des idéologies qu'elle supplante, ou théorisation de ce qui, dans ces idéologies (pré-) scientifiques, aurait pu, tant soit peu, la déterminer. Son discours est la plupart du temps celui d'une rupture en acte –ce que prend

(5) G. Canguilhem emploie cette notion de *mime* pour caractériser l'activité de l'épistémologue qui *pratique* une science pour tenter de "restituer les gestes productifs de connaissances" qui la caractérisent. Que l'épistémologue ait recours à ce *mime* à l'intérieur d'une pratique effective ou simplement au sein d'une reconstitution intellectuelle, il nous semble qu'essentiellement, *le mime est le même.*

également en compte, à son niveau, une histoire des sciences *discontinuiste.* La grande et profonde originalité du marxisme –et aussi, dans une certaine mesure, du freudisme– est d'être en même temps pourvoyeur d'armes scientifiques susceptibles d'être mises en œuvre au niveau d'édifications concrètes, et d'armes critiques par rapport à ce qu'elles dénoncent comme idéologie. Du côté de Freud, on comprend que la naissance de la psychanalyse comme théorie du refoulement se soit immédiatement affrontée aux refoulements de la bourgeoisie et les ait traités *en même temps* d'une façon scientifique, à la lumière de la théorie analytique, et, en tant que constitutifs d'une idéologie, d'une façon critique. Mais cette digression elle-même nous porte à reconnaître que nous avons ici quitté le domaine des sciences dites "pures" pour entrer dans celui des sciences dites "humaines". L'une des différences principales entre ces deux catégories de sciences ne serait-elle pas alors constituée par la possibilité, uniquement détenue par les secondes, d'être simultanément les instruments de théorisation des idéologies qu'elles affrontent ? La différence vient, à l'évidence, de ce que l'*objet* des sciences humaines est un objet *historique.* Ce qui rend nécessaire, pour l'histoire des sciences, qu'elle ait effectivement un statut de science humaine, donc qu'on lui reconnaisse un certain niveau de scientificité. La boucle se referme lorsqu'on en vient à questionner le niveau de scientificité des sciences humaines. Si leur est reconnu le caractère de *sciences,* elles auront aussi à produire ce qui, en elles, se différencie de l'idéologie. Or il est certain, par simple expérience, qu'elles se confondent plus aisément avec elle que les sciences dites "pures". Cela tient en partie à ce que les procédures de vérification y sont elles-mêmes historiques, et non instantanées : ce qui explique également que, plus que les autres, ces sciences éprouvent le besoin de se référer à une histoire antérieure, comme en manière de pré-validation : c'est, par exemple, Freud écrivant le premier chapitre de la *Traumdeutung,* dans l'espoir –qui devait être déçu– de rencontrer dans l'histoire de l'interprétation des songes quelque chose qui rendrait sa découverte à lui nécessaire.

Quoi qu'il en soit, si l'histoire des sciences et l'épistémologie –dont la distinction, à ce niveau, n'est selon nous d'aucune importance– prétendent tenir sur les sciences un discours de vérité, il faut nécessairement que cette vérité, pour exister face à celle de son objet et face à la non-vérité de l'idéologie, soit de l'ordre de la science.

Reconnaître à l'histoire des sciences un statut de science humaine – ou réclamer pour elle, à bon droit, ce statut– c'est donc exiger d'elle un mode rigoureux de théorisation de l'idéologie –de celle qu'affronte la science qu'elle étudie, *et* de celle qu'en tant que science elle-même, l'histoire des sciences vient déposer ou destituer. Or l'histoire des sciences est aussi bien celle des sciences humaines. Faire de l'histoire de l'anthropologie, de la sociologie ou de la psychanalyse, c'est toujours faire de l'histoire des sciences –de ces sciences dont l'objet, au contraire de ceux des autres sciences, a une histoire humaine. Cela implique logiquement de choisir entre deux attitudes théoriques :

– ou bien l'on considère que, comme science humaine, l'histoire des sciences humaines est apte à produire sa propre histoire et la théorisation des idéologies qu'elle supplante : on se trouve alors amené à penser qu'elle peut être à elle-même sa propre science ou, ce qui en l'occurrence revient au même, sa propre épistémologie, et l'on est ainsi renvoyé à un classique jeu de miroirs – elle pourra être histoire de l'histoire des sciences, etc. ;

– ou bien l'on considère que ne pouvant être elle-même sa propre épistémologie, elle renvoie pour son analyse au domaine plus englobant d'une *épistémologie des sciences humaines* qui serait pour elle l'analogue de ce qu'est l'épistémologie pour les sciences "pures", et dont il faudrait alors préciser le statut.

Avant d'examiner cette seconde solution, il convient de réaffirmer un principe que l'on aura déjà pu saisir dans ce qui précède. Ce que nous avons dit de l'histoire des sciences –qu'elle était nécessairement une science humaine– *vaut également pour l'épistémologie.* Nous avouons, après réflexion, n'avoir trouvé aucun moyen rigoureux de pratiquer entre ces deux "disciplines" une distinction qui fût réellement significative. Il y a même fort à parier que, pour la plupart des spécialistes comme pour la conscience commune, la différence entre elles ne consiste qu'en ce que l'objet de l'histoire des sciences est plus éloigné dans le temps. Le principe, identique pour l'une et l'autre, est qu'*aucun discours de vérité sur la science ne peut prétendre à être tenu pour tel s'il ne participe lui-même de la science.* Car si l'on place, comme il se doit, l'exactitude dans la science, de quoi serait fait et à quoi servirait, parlant de la science, un discours moins exact qu'elle ? Un tel discours ne serait ni plus, ni moins qu'une idéologie. C'est pourquoi il serait contradictoire de ne pas postuler pour l'histoire des sciences et l'épistémologie un statut de sciences humaines.

Donc, selon notre système d'implications, cette épistémologie des sciences humaines sera elle aussi une science humaine, définie par les mêmes caractéristiques, et en particulier par son aptitude à construire simultanément un édifice théorique et les modalités critiques d'un discours sur l'inadéquation de ce qui l'a précédée dans son propre champ. Cette aptitude se vérifie elle-même historiquement, au niveau de l'épistémologie en général, dans le fait que toute épistémologie –par exemple celle de Bachelard– ne s'édifie qu'en générant la critique de l'épistémologie antérieure, et en démontrant son inadéquation.

Et l'on se trouve de nouveau reconduit à l'éternel jeu de miroirs. Car si l'épistémologie des sciences "pures" et l'épistémologie des sciences humaines sont nécessairement des sciences humaines –aucun autre statut ne leur étant permis–, elles seront elles-mêmes, à l'infini, passibles d'une histoire et d'une épistémologie qui ne sauraient avoir un statut différent, etc. Il n'y a pas d'ultime méta-langage pour ces disciplines, car ce méta-langage, ne pouvant lui-même échapper au statut général des sciences, est soumis à leur condition commune d'historicité.

Le marxisme contient, comme chacun sait, de très forts éléments d'histoire et d'épistémologie critiques des sciences humaines, ainsi qu'une théorie de l'idéologie. Ces éléments sont entièrement et absolument déterminés par la science marxiste des rapports de production dans l'histoire, c'est-à-dire par la théorie économique de Marx, au point qu'ils en sont rigoureusement indissociables. L'épistémologie, au sens le plus large, y apparaît comme la conséquence, ou plutôt comme une partie solidaire de l'édifice scientifique. La victoire logique du marxisme consiste à s'être lui-même produit comme *science de l'histoire,* condition pour que le jeu de miroirs cessât de fonctionner comme une vertigineuse fatalité relativiste. Dans la science marxiste –le matérialisme historique–, l'histoire est *saisie* par l'énoncé de ses propres *lois* –ce dont l'effet n'est pas de l'*arrêter,* comme c'est le vœu général et diffus de toutes les idéologies politiques, mais de reconnaître à son mouvement une structure dialectique permettant un enregistement de ses tendances et une prévision de ses phases ultérieures. Que ce mouvement soit orienté vers –et par– un idéal stabiliste (la société sans classes), est une idée dont on gratifie Marx par ignorance ou par idéologie, oubliant que "le communisme n'est pas, en tant que tel, la fin de l'évolution humaine, – il est une forme de la société humaine" *(Manuscrits de 1844).*

L'*avantage logique* du marxisme, qui ne connaît "qu'une seule science, la science de l'histoire" *(Idéologie allemande,* 1846), quant à l'histoire des sciences qui s'inclut dans cette histoire et donc, comme objet, dans cette science, est qu'il évacue en théorie la nécessité historique d'une autre "science humaine" (histoire ou épistémologie) pour laquelle il serait un objet achevé, dépassé ou simplement passé, puisqu'il s'est donné la faculté de s'auto-développer comme histoire sous son propre regard scientifique et critique, sous son propre *contrôle* logique.

Thèse n° 4 :

La science peut, sur son propre terrain, rendre une idéologie nulle dans sa prétention à être la science. Elle ne peut, sur le terrain de l'idéologie, rendre une idéologie inopérante quant aux effets qu'elle continue à tirer de cette prétention.

Thèse n° 5 :

Comme étude historique des mécanismes de détermination intra- et interdiscursive dans les sciences, l'histoire des sciences met en évidence des phénomènes de continuité et de rupture. "Continuisme" et "discontinuisme" doivent être ainsi deux attitudes théoriques complémentaires.

La rupture et la jonction : continuisme et discontinuisme en histoire des sciences

L'époque contemporaine a été marquée en histoire des sciences, suivant ce qu'il est permis d'en dire aujourd'hui, par l'affrontement des tenants du *continuisme* –développement progressif, sans rupture, de la rationalité scientifique à travers l'histoire de ses productions– et les tenants du *discontinuisme* –développement par mutations, institutions, irruptions et ruptures, sur le terrain *des* sciences, de types de rationalité spécifiques et irréductibles à une quelconque ascendance qui en serait le préfiguration historique.

Cette seconde attitude, d'une manière générale, a prévalu dans la modernité, faisant apparaître la première comme obéissant à un schéma d'interprétation tout à la fois métaphysique dans ses fondements et idéologique quant à son choix subreptice, précisément, de la métaphysique contre l'effectivité de l'histoire particulière, et particulièrement rythmée, des disciplines scientifiques.

Pour le continuisme en effet –vu à travers la critique discontinuiste–, c'est le pouvoir *instituant* de la science (–de chaque science particulière–) qui se trouve en fait résorbé au sein du pouvoir instituant –une fois pour toutes– de la Pensée humaine. C'est pourquoi le continuisme, comme il parle de *la* Pensée, parle fréquemment de *la* Science, qu'il conçoit, dans son devenir, comme le développement homogène, sur un modèle germinatif, d'un principe de rationalité qui n'a besoin pour grandir, fructifier et se réaliser en conquêtes multiples, que du temps nécessaire aux croissances et aux maturations. Pour aller au bout de cette analogie biologique, on peut dire que de ce point de vue, le continuisme est un *préformationnisme* global (–la rationalité, ou la science, est préformée dans son germe, se développe sur le mode simple de l'accroissement, et rejoint par là l'ancienne doctrine métaphysique de la génération–), doublé, à l'intérieur, d'un principe d'engendrement, de multiplication et de différenciation par raffinement des disciplines scientifiques, sur le modèle des théories dix-huitiémistes du progrès spiralé des connaissances humaines.

Le continuisme porte ainsi la trace de tout un héritage historique : celui d'une *métaphysique innéiste et préformationniste du développement homogène* d'une part, et celui d'un *empirisme* attentif à l'observation des mécanismes d'engendrement et de relance mutuels des besoins humains et du savoir technico-scientifique (Condillac, Condorcet, etc.) (1).

On notera ici, en attente, que le continuisme, sur ce dernier versant, loin d'avoir été à ses débuts une thèse ou une attitude intellectuelle métaphysique, semble au contraire s'être constitué *contre* une certaine métaphysique ou un certain idéalisme de la disruption qui étaient, entre autres et pour ne citer que l'une de leurs composantes caractéristiques, ceux de la théorie classique du *génie.* Jusqu'à ce temps que l'on a pu nommer l' ''âge classique'' inclus, l'invention dans les arts et les sciences a été pensée conformément à une tradition qui renvoie davantage à une esthétique de type platonico-horacien reposant sur l'éloge de la singularité créatrice, qu'à une heuristique de l'investigation et de la découverte. Ce n'est qu'au XVIIIe siècle, et plus spécialement dans sa seconde moitié, qu'avec Diderot et la plupart des penseurs théoriciens du progrès des lumières, la théorie du génie fut modulée selon un infléchissement *anti-métaphysique* qui reversait à l'histoire et à une parturition successive et plurielle ce qui était à bon droit retiré à l'opération idiosyncrasique et ponctuelle de l'inventeur inspiré (2). La théorie de la collaboration historique (successive) des esprits dans l'invention, qui en résulte, est, toutes choses égales, une théorie *continuiste* qui *s'oppose* (particulièrement chez les écrivains matérialistes), à un *discontinuisme* métaphysique reposant sur l'imagerie poétique de l'inventeur génial et singulier.

Cette précision importante étant versée à l'actif d'une position plus nuancée quant au rattachement du ''continuisme'' à telle ou telle catégorie de déterminations idéologiques, on peut alors risquer la définition suivante : le *continuisme,* dans les formes

(1) La théorie comtienne des progrès de l'esprit humain renchérira, quant à elle, sur l'idée du développement germinal, réaffirmant une obédience à un modèle biologique dont G. Canguilhem a raison de dire qu'il est ''préformiste et non transformiste'' : ''Les philosophes devraient unanimement bannir l'usage de toute théorie qui force à supposer, dans l'histoire de l'esprit humain, d'autres différences réelles que celles de la maturité et de l'expérience graduellement développées.'' *Cours de philosophie positive,* V, 53, cité par G. Canguilhem, dans *Études d'histoire et de philosophie des sciences,* Vrin, p. 98.

(2) On pourra se reporter, pour l'analyse de phénomènes analogues dans l'histoire du discours esthétique au XVIIIe siècle, à notre ouvrage *L'origine du Paradoxe sur le comédien,* Vrin, 1980.

récentes qu'il a revêtues, pourrait être la *synthèse* historique d'une *métaphysique du devenir analogue à la théorie préformationniste de la croissance de l'être à partir de sa préexistence germinale,* et d'un *empirisme à ouvertures historicistes et matérialistes* dans la saisie des déterminations des faits de science. Synthèse contradictoire donc, double héritage forcément tensionnel, compromis instable à l'intérieur duquel, il est vrai, la métaphysique reste dominante.

Or le *discontinuisme* moderne, celui de Koyré et de Canguilhem, travaille précisément à ôter du discours de l'histoire des sciences les scories d'une métaphysique de la continuité –c'est-à-dire de la *précession du Même*– qui leur semble contradictoire avec l'idée que les sciences ont une *histoire*. Cet effort d'élimination de la métaphysique passe, bien entendu, par la critique radicale de l'idée de *précursion :* "A la rigueur, *écrit Georges Canguilhem,* s'il existait des précurseurs, l'histoire des sciences perdrait tout sens, puisque la science elle-même n'aurait de dimension historique qu'en apparence" (3). Mais il faut cependant ne pas perdre de vue, comme le concède Alexandre Koyré cité par Canguilhem, qu' "Il est vrai, sans doute, que les idées ont un développement *quasi* autonome, c'est-à-dire, nées dans un esprit, elles arrivent à la maturité et portent leurs fruits dans un autre, et qu'il est, de ce fait, possible de faire l'histoire des problèmes et de leurs solutions" (4). Cette concession, qui consiste d'ailleurs simplement à constater l'effectivité de relations causales entre différents moments de la recherche intellectuelle, doit être entendue, quoi qu'il en soit des problèmes nombreux qu'elle suggère –ceux de l'*influence* d'une théorie, de l'*introduction* d'un concept, etc.–, sur fond de condamnation univoque et constante de l'idéologie de la précursion, dont le ressort de fausseté est de substituer "le temps logique des relations de vérité au temps historique de leur invention" (5). A l'idéologie de la précursion, substitutive d'un temps logique (anhistorique) au temps réel de l'histoire événementielle des faits scientifiques,

(3) *L'objet de l'histoire des sciences,* conférence donnée le 28.10. 1966 à Montréal, reprise dans *Études d'histoire et de philosophie des sciences,* ouv. cit., pp. 20-21.

(4) *Ibid.*, p. 22. Le texte de Koyré est extrait de *La révolution astronomique,* p. 79.

(5) *Ibidem.*

doit être à son tour substituée la saisie de ce que nous appellerons ici les *ouvertures opératoires :* telle intuition, telle découverte, telle hypothèse ou tel fait pré-scientifique ou scientifique *rend possible* –sans préjuger de la maîtrise coextensive d'une *conscience actuelle* ou d'un projet–, telle autre acquisition dans une science déterminée. L'histoire des sciences se donne alors comme la recherche des "conditions historiques de possibilité" (6) des énoncés scientifiques. Elle poursuit et analyse ce qui, dans la science ou dans la non-science –qui est une pré-science ou une "idéologie"– *rend possible* dans le premier cas l'invention ou, dans le second, la science elle-même dont l'institution, ponctuelle, circonscrite, datable, elle-même non nécessairement consciente du réseau de causalités dont elle procède et de la rupture qu'elle marque en s'instituant à la place de ce qui la précède, sera toujours transformatrice, irruptive et effractante, instauratrice d'un ordre rénové dans la méthode de traitement de son objet.

Relevons dès à présent un problème interne, semble-t-il, à l'histoire des sciences de G. Canguilhem, mais très vraisemblablement extensible à l'ensemble du discours discontinuiste : s'il existe bien, comme on le suggère par de constantes illustrations, à l'intérieur de la "pré-science" ou "idéologie", des éléments qui "rendent possible" la science comme rupture et comme institution d'elle-même *contre* un passé ou une pré-histoire que son irruption même invalide et reverse dans l'idéologie sanctionnée comme telle, c'est nécessairement que l'idéologie pré-scientifique –qui est, rigoureusement, du point de vue de son actualité vivante, *la science d'avant la science*– détermine *positivement* la science, même si cette positivité aboutit à faire naître l'instrument de son invalidation. Notre thèse est qu'*il existe dans l'idéologie pré-scientifique* –pour reprendre jusqu'ici sans discussion les termes de G. Canguilhem– *non pas les germes de la science nouvelle* (thèse continuiste), *mais les conditions de possibilité de l'éclatement logique de l'idéologie,* à l'intérieur d'une période plus ou moins longue précédant la coupure.

C'est cette thèse essentiellement, et certaines de ses illustrations, qui seront développées dans la suite du présent chapitre, dont la fonction n'est que d'introduire à l'analyse de ce qui sera difini au chapitre suivant sous le titre général de *complexes discursifs*

(6) *Ibid.*, p. 17.

L'idée revient souvent, chez G. Canguilhem, en particulier dans l'un de ses plus récents recueils (7), que la science advenue *trompe toujours l'attente* de l'idéologie qui la précède et l'accompagne d'une impatience anticipatrice de ses résultats, et que cette idéologie se trouve, par rapport à la science, constamment *déplacée,* "parce que la promesse de l'idéologie, quand elle est réalisée par la science, l'est *autrement* et sur *un autre terrain*" (8).

L'un des exemples qui pourraient illuster la validité d'une telle assertion se trouve dans un développement que Canguilhem consacre à la naissance de l'idéologie scientifique de l'*évolutionnisme* au XIXe siècle, et particulièrement à Spencer :

> "L'œuvre d'Herbert Spencer nous offre un cas intéressant à analyser. Spencer pense pouvoir formuler une loi mécanique du progrès universel, par évolution du simple au complexe à travers des différenciations successives. Le passage de plus à moins d'homogénéité, de moins à plus d'individuation, règle universellement la formation du système solaire, de l'organisme animal, des espèces vivantes, de l'homme, de l'humanité incarnée dans la société, des produits de la pensée et de l'activité humaine, et d'abord du langage. Cette loi d'évolution, Spencer déclare expressément qu'il l'a obtenue par généralisation des principes de l'embryologie de Karl-Ernst von Baer (1828 – *Ueber Entwickelungsgeschichte der Thiere).* La publication de *L'origine des espèces* (1859) confirme Spencer dans la conviction que son système de l'évolution généralisée se développe sur le même plan de validité scientifique que la biologie darwinienne. Mais pour apporter à la loi d'évolution la caution d'une science plus apodictique que la nouvelle biologie, Spencer se flatte de déduire de la loi de conservation de la force le phénomène de l'évolution par instabilité de l'homogène. A qui suit le cheminement de la pensée de Spencer dans l'élaboration progressive de son œuvre, il apparaît que la biologie de von Baer d'abord, de Darwin ensuite, lui a fourni un patron de garantie scientifique pour un projet d'ingénieur dans la société industrielle anglaise du XIXe siècle : la légitimation de la libre entreprise, de l'individualisme politique correspondant et de la concurrence. La loi de différenciation finit par le soutien apporté à l'individu

(7) *Idéologie et rationalité dans l'histoire des sciences de la vie.*

(8) *Ibid.*, p. 62.

contre l'État. Mais, si elle finit explicitement par là, c'est peut-être qu'elle a commencé implicitement par là." (9)

Ce résumé, dans sa démarche d'ensemble, pourrait avoir été emprunté à André Lalande, qui prit Spencer pour première cible de sa critique dans sa thèse de doctorat, dont la publication sous forme allégée devait donner naissance à un volume au titre suffisamment clair : *Les illusions évolutionnistes* (10) : on ne disait pas encore couramment l' "idéologie", quoique le terme en fût depuis longtemps inventé ainsi que la notion, mais il demeure que le concept est équivalent : Spencer et son fantasme totalisateur, c'est pour Lalande l'illusion illégitimement systématisante qui s'autorise d'*un peu de science* avérée pour fêter l'avènement de la science universelle ; pour Canguilhem, c'est la précipitation anticipatrice de l'idéologie par rapport à une science destinée par son opération à décevoir son attente.

S'interrogeant sur la raison de ce vœu actif d'extension de la mécanique cartésienne, de l'embryologie épigénétiste et du transformisme biologique "à la totalité de l'expérience humaine, et à l'expérience sociale notamment", Canguilhem conclut à la fin pratique de l'idéologie qui le porte :

> "L'idéologie évolutionniste fonctionne comme auto-justification des intérêts d'un type de société, la société industrielle en conflit avec la société traditionnelle d'une part, avec la revendication sociale d'autre part. Idéologie antithéologique d'une part, anti-socialiste d'autre part. Nous retrouvons ici le concept marxiste d'idéologie, comme étant la représentation de la vérité naturelle ou sociale dont la vérité ne réside pas dans ce qu'elle dit mais dans ce qu'elle tait." (11)

Conclusion rapide, mais juste. Juste pour l'Angleterre industrielle, juste pour l'Allemagne impériale et impérialiste du *Kulturkampf,* celle de Virchow (au début) et de Haeckel (à la fin). Juste encore en ceci, qu'elle est sensible, comme l'était celle de Lalande, à ce que l'idéologie évolutionniste et spencérienne a déterminé

(9) *Ibid.*, p. 42.

(10) Alcan, 1930.

(11) *Ouv. cit.*, p. 43.

comme attitudes et comme préventions –et simultanément comme *politique*– dans le discours et dans l'action ultérieurs concernant l'homme "primitif", l'homme "évolué", et la domination ainsi justifiée du premier par le second. Lalande évoquait à ce propos les scrupules terminologiques de Lévy-Bruhl, tôt sacrifiés à la commodité de l'expression. Ayant ainsi analysé la *naissance* –il faudra revenir longuement sur cette notion– d'une idéologie scientifique, Canguilhem en saisit pour finir, et comme par manière de ré-assurement, la *destitution :*

> "Cette idéologie a pourtant coloré plus ou moins durablement les recherches de linguistes et d'ethnologues, elle a chargé d'un sens durable le concept de primitif, elle a donné bonne conscience aux peuples colonisateurs. *On en trouve encore des restes agissants dans la conduite des sociétés avancées envers les sociétés dites "en voie de développement"*, même après que l'ethnologie culturaliste, en reconnaissant la pluralité des cultures, a pu paraître interdire à l'une quelconque d'entre elles de s'ériger en norme d'appréciation et en mesure du degré d'accomplissement des autres. En liquidant leurs origines évolutionnistes, la linguistique, l'ethnologie, la sociologie contemporaines apportaient une sorte de preuve du fait qu'une idéologie disparaît quand ses conditions de possibilité historique ont changé. La théorie scientifique de l'évolution n'est pas restée exactement ce qu'était le darwinisme, mais le darwinisme est un moment intégré à l'histoire de la constitution de la science de l'évolution. *Au lieu que l'idéologie évolutionniste est un résidu inopérant de l'histoire des sciences humaines au XIXe siècle."* (12) Nous soulignons.

Or ce passage comporte deux énoncés contradictoires : le premier, d'après lequel des "restes agissants" de l'idéologie évolutionnisme grèvent encore les relations des sociétés développées avec les sociétés en cours d'assimilation –puisque c'est de cela qu'il s'agit–, est juste. Le second, selon lequel cette même idéologie ne serait plus qu'un "résidu inopérant de l'histoire des sciences au XIXe siècle", est faux, du fait, précisément, de l'exactitude du premier, et de l'existence constante et manifeste de discours hiérarchisants, portant sur des objets ethniques et culturels, et s'autorisant plus ou moins ouvertement d'une référence "scientifique"

(12) *Ibidem.*

au darwinisme. La foi en la science et en son pouvoir d'invalidation de l'idéologie n'a pas préservé G. Canguilhem de verser dans l'illusion idéologique qui réside peut-être en cette thèse même par laquelle il reconnaît à la science ce pouvoir.

Aucune science, du fait de sa simple intervention régionale, n'a jamais rendu une idéologie "inopérante". Si l'on entend par *idéologie* une constellation de représentations d'ordre concernant un objet de science avant la connaissance scientifique de cet objet, et accompagnant la naissance de la science d'une hâte caractéristique à lui faire dire ce qu'elle –l'idéologie– en attend, alors on doit reconnaître que l'invalidation de l'idéologie par la science n'opère que sur un terrain étroitement délimité –celui de l'*exercice* même de la science– et que pour le reste, la persistance et, parfois, l'accroissement momentané du discours idéologique offrent la preuve bien nette que l'idéologie demeure, *sur son terrain,* parfaitement opérante. La science peut, *sur son propre terrain,* rendre une idéologie scientifiquement caduque. Elle ne peut, sur le terrain de l'idéologie, rendre une idéologie idéologiquement "inopérante". Tout simplement parce que, de l'aveu même de la plupart des théoriciens, l'idéologie et la science, *ce n'est pas la même chose,* et cela n'opère pas dans le même *lieu,* une fois la science advenue. La science de Haeckel naturaliste ne rend pas inopérante la réaction chrétienne dogmatique qui a fait obstacle à ses conceptions anthropogéniques dérivées de Darwin et de Huxley.

A plus forte raison, elle ne rend pas inopérante, mais au contraire tend à valider constamment son idéologie du développement des sciences –dont on montrera qu'elle est un redéploiement de la théorie de l'évolution sur la théorie de la connaissance et sur l'histoire de la lutte des idées–, ainsi que son projet unificateur et totalisateur des sciences à l'intérieur d'une théorie générale moniste de l'être et du devenir. On pourrait prétendre qu'à rebours, c'est l'idéologie qui domine chez Haeckel un discours "scientiste" –classification rapide et suspecte selon nous– de part en part influencé par la lutte antithéologique du *Kulturkampf* allemand et ses suites historiques. Mais cela équivaudrait à néantiser ce qui constitue proprement l'œuvre scientifique de Haeckel, et une telle attitude serait une aberration que l'histoire de la zoologie, ou encore le fait de la naissance de la protistologie, l'hypothèse vérifiée du pithécanthrope, etc. ne sauraient admettre. Cela ne veut pas dire platement que Haeckel serait un scientifique dans ses études, menées de 1856 à 1887, à la suite de J. Müller, sur les radiolaires, et qu'il serait un idéologue dans *Le Monisme* ou dans *Religion et évolution.* Il déclare lui-même que sa conviction moniste est née en grande partie des "innombrables observations et (des) réflexions ininterrompues sur les merveilles inouïes de la vie", qui lui ont été "suggérées par ces êtres vivants, les plus petits et les plus fins de tous, en même temps que les plus beaux et les plus variés dans leurs formes" (13). Si l'on prend au sérieux cette déclaration, on doit s'obliger à penser, entre l'observation du naturaliste et la généralisation du philosophe des sciences qui sont ici le fait d'un seul personnage, une consécution et une conséquence. En outre, rien ne peut ici décider d'une façon péremptoire du caractère forcément idéologique d'une spéculation monistique qui repose sur une quantité exceptionnelle d'observations et qui ne se donne pour l'instant que comme une "conviction". Constamment confirmée et enrichie d'observations nouvelles, cette conviction, il est vrai, deviendra "science" dans les énoncés où Haeckel parle de l'état présent de la *science moniste.* Mais il parle toujours en même temps, et d'une façon équivalente, de "philosophie" moniste, et il nous faudra revenir plus loin sur ce double emploi. En fait, ce par quoi, dans tout discours excédant les frontières actuelles de la science, un savant se donne l'illusion d'être encore dans la science, c'est l'affirmation, constamment renouvelée par lui, de la primauté de l'observation par rapport à la conviction : la science détenue, et légitimement détenue, se propose comme matrice d'anticipations d'un état plus développé, plus englobant, plus universellement explicateur, d'elle-même. Est-ce là un phénomène d'*idéologie,* ou simplement la démarche même de la science qui part de ce qu'elle connaît pour forcer le secret de ce qu'elle sait confusément ou distinctement pouvoir connaître ? Certes, on ne saurait exclure l'idée que l'homme de science soit, au départ même de certaines observations, guidé par des représentations qui de toute nécessité renferment en elles autre chose que la science, laquelle ne peut y être déjà du fait qu'elle est justement ce qu'il cherche. Si ces représentations sont assez fortes pour désobjectiviser des conditions d'observation ou d'expérimentation qui eussent dû se montrer aptes à faire surgir une connaissance débarrassée d'elles, c'est que le moment de la science n'est tout simplement pas venu. Si au contraire l'observation ou l'expérimentation est apte à invalider une part des

(13) Ernst Haeckel, *Religion et évolution,* Schleicher frères, Paris, pp. 88-89.

représentations antérieures plus ou moins valorisées par un système de souhaits et d'attentes de confirmation, c'est que la démarche de connaissance a accédé aux conditions de la reconnaissance du fait *littéral* et, partant, à celles de sa propre production comme méthode scientifique. Il peut arriver enfin qu'une confirmation par l'observation vienne rétroactivement prouver que les représentations ou les hypothèses antérieures à elle appartenaient déjà au domaine des possibilités scientifiques.

Mais ce qu'il faut maintenant apercevoir –et qui rend l'histoire des sciences si difficile–, c'est que la science, qui ne cesse pourtant d'être la science, est aussi, dans certains contextes, une *arme* de la *lutte idéologique.* Il serait trop schématique, en effet, de penser qu'en de telles occurrences la science n'est qu'un instrument polémique infléchi dans son usage par la rection de l'idéologie : lorsque Haeckel, au nom de la théorie transformiste de la descendance de l'homme, emprunte à Huxley les éléments d'anatomie comparée qui ont servi à l'établir, il lutte précisément contre l'idéologie chrétienne de la création séparée et du privilège de nature dont bénéficierait l'homme à l'intérieur de l'univers vivant. *Et il lutte avec des armes scientifiques contre une idéologie anti-scientifique.* Ce qu'avait *établi* Huxley dans son mémoire de 1863 intitulé *Arguments pour établir la place de l'homme dans la nature,* c'est que "La comparaison impartiale de ces cinq squelettes *–ceux du gibbon, de l'orang-outang, du chimpanzé, du gorille et de l'homme–* montre que non seulement ils se ressemblent extrêmement dans l'ensemble, mais que, dans leur structure, dans l'ordonnance régulière et les relations de toutes les parties, il sont *identiques.* Les mêmes deux cents os composent la charpente osseuse de l'homme et des quatre singes anthropoïdes, dépourvus de queue, nos plus proches cousins. Les mêmes trois cents muscles servent à mouvoir les parties isolées du squelette. Les mêmes poils couvrent notre peau, les mêmes glandes mammaires servent à allaiter les jeunes. Le même cœur à quatre cavités sert de pompe centrale dans la circulation du sang ; les mêmes trente-deux dents forment notre denture ; les mêmes organes de reproduction permettent la conservation de l'espèce ; les mêmes groupes de neurones ou de cellules ganglionnaires constituent l'édifice merveilleux de notre cerveau et accomplissent ce travail suprême qu'on désigne du nom d' "âme" et qu'on vénère même parfois comme un être spécial et immortel. Huxley, par de minutieuses comparaisons anatomiques, a établi solidement cette *vérité fondamentale,* tandis que de nouvelles comparaisons avec les singes inférieurs et les demi-singes le conduisaient à son *principe pithécométrique,* gros de conséquences : "Considérons un organe quelconque, celui que nous voudrons, les différences qu'il présente chez l'homme et chez le singe anthropoïde sont moindres que les différences correspondantes que présente le même organe considéré chez ce dernier singe et chez les singes inférieurs."*(Ouv. cit.,* pp. 68-69.)

Ainsi, les "vérités fondamentales" de la science restent telles lorsqu'on les utilise en vue d'étendre le champ de *conviction* de la science, ou en vue d'élever les principes heuristiques nés de cette science et validés par elle pour son propre compte, au niveau de "considérations générales". Elles restent des vérités nucléaires, et ce qui est problématique n'est pas leur validité, mais leur capacité à se projeter et à s'étendre vers des domaines qui n'ont pas été initialement, ni ne sont actuellement, *leur* terrain de validité. Ce qui fait problème chez Haeckel, ce ne sont pas les contenus scientifiques polémiquement articulés dans la lutte contre le jésuitisme, mais la grande *catachrèse* qu'il opère en transposant les mots, les concepts et les énoncés de la science darwinienne dans les domaines de l'histoire et de la gnoséologie. De même, peut-être, pour Spencer –et nous reviendrons longuement dans la suite sur ces deux noms de naturaliste et de philosophe.

Les énoncés de Canguilhem sur l'idéologie spencérienne, quoique globalement pertinents et même pénétrants, ont peut-être cependant le tort de n'envisager –rapidement, il est vrai– le spencérisme que sous l'identification d'idéologie, sans trop se préoccuper de dire ce que Spencer emprunte, profondément, aux sciences *et* aux idéologies. Canguilhem restreint la science de référence à Darwin (dans le second passage cité), et même à un certain noyau d'opérativité du darwinisme dans "la constitution de la science de l'évolution", et semble renvoyer tout Spencer à l'idéologie –une idéologie que l'on peut identifier comme étant l' "idéologie évolutionniste"–, sans véritablement questionner dans l'individualité théorique de Spencer le rapport historico-discursif de ces deux instances. Or qu'en est-il en réalité de l'*idéologie évolutionniste ?*

En schématisant à l'extrême notre position, nous pouvons dire que ce que l'on nomme l'idéologie évolutionniste n'a été que secondairement rattaché au transformisme biologique proprement dit.

Dans ce livre par ailleurs fort contestable auquel nous

faisions référence plus haut, *Les illusions évolutionnistes,* André Lalande, à propos du *monisme* de Spencer –auquel il faut joindre, pour le moins, celui de Haeckel–, note, faisant allusion à ses propres recherches sur d'Holbach (14), que ce monisme "avait déjà fleuri au XVIIIe siècle", et que " l'hypothèse de l'évolution, avec les équivoques que facilite ce mot, est venue lui apporter une apparence de confirmation" (15). Cette thèse est, paradoxalement, plus vraie pour nous que pour Lalande, qui n'a saisi que parcellairement l'influence de ce que nous appellerons ici l'*évolutionnisme culturel des Lumières,* et qui n'établit pas clairement que les idées de Spencer détiennent leur force d'expansion d'une époque et d'un discours plus reculés que ceux du darwinisme qu'il ne fait que rencontrer –pour s'en renforcer avec précipitation– sur son chemin :

> "Cette influence *–du spencérisme–* est d'autant plus dangereuse qu'elle est en grande partie occulte, et que ceux-là même qui en sont le plus profondément imbus n'en ont pas toujours conscience. Ils parlent avec un certain dédain des théories de Spencer– beaucoup moins d'ailleurs, en raison des véritables erreurs du spencérisme (ils les partagent souvent) que parce qu'ils le trouvent à leur goût trop naïvement réaliste, et trop fait sur le modèle des généralisations coutumières aux sciences *–allusion à Gabriel Séailles.* P.T.-. Mais eux-mêmes croient faire fond sur les résultats de la physique ou de la biologie, alors qu'ils s'appuient sur une construction incertaine, peut-être même contradictoire, dont les *Premiers Principes* ont fourni la maîtresse pièce. Le langage même se fait le complice de cette pénétration : *différencié* s'est tellement associé, dans la mentalité courante, avec *perfectionné* qu'on finit par les prendre l'un pour l'autre, même quand le progrès dont on parle consiste évidemment dans une plus grande généralité : ainsi l'ethnologue écrivant que les langues indiennes ont des mots pour dire "placer sur", "placer le long de", "placer près de", etc., "mais aucun terme aussi *différencié* que placer". – *Évolué,* un peu plus vague, est souvent employé dans le même sens, et fait glisser de même de l'idée d'organisation biologique à celle de supériorité intellectuelle ou morale ; on voit, dès qu'on y réfléchit, de quelle

(14) *De quelques idées du baron d'Holbach,* Revue philosophique, juin 1892.

(15) *Les illusions évolutionnistes,* p. 15.

conséquence est cette confusion, quand elle sert à justifier la lutte pour la vie, soit entre individus, soit entre nations, soit entre classes sociales, quand elle soutient la conception biomorphique de la science, de l'art, voire même de la philosophie. – Le mot *primitif*, couramment appliqué aux peuples contemporains de civilisation inférieure, appartient au même vocabulaire, et véhicule implicitement les mêmes postulats. Il est devenu tellement usuel que M. Lévy-Bruhl, après l'avoir évité dans le titre d'un premier ouvrage –*les fonctions mentales dans les sociétés inférieures.* P.I.-, a renoncé dans les suivants à réagir contre cet emploi fallacieux d'un terme si commode et si courant, et s'est borné à rappeler brièvement ses anciennes réserves. Mais qui donc se souviendra de cet avertissement quand il pensera, comme on pense en réalité, avec des mots à peine conscients, et dont l'import infléchit sans qu'on y pense le mouvement de l'esprit ?" (16)

Tout ce passage est remarquablement intéressant, car il permet de saisir ce pourquoi l'évolution darwinienne n'est, pourrait-on dire, que le *relais fondateur,* et non l'acte premier de fondation réelle de ce qui est dénommé depuis l' "idéologie évolutionniste". Il est en effet question dans ce texte d'une "mentalité courante" dont l'opération propre, et souvent infra-consciente, est précisément de réinterpréter la science dans un sens qui, par nécessité, échappe à son autorité et à sa compétence pour obéir à des déterminations dont il y a tout à parier qu'elles sont *déjà là.* A ce propos, la référence à une réflexion ethno-linguistique du XIXe siècle est capitale, car son intuition évolutionniste, comme nous l'avons montré ailleurs (17), précède de longtemps la parution de *L'origine des espèces.* Si la linguistique évolutionniste de August Schleicher ne peut être ainsi dénommée qu'après 1863 en raison de sa rencontre "officielle" avec la darwinisme, effectuée sur l'injonction de Haeckel, et dont la trace s'inscrit dans deux textes que nous avons republié en français (18), on peut cependant faire crédit à Schleicher

(16) *Ibid.*, pp. 16-17.

(17) *Évolutionnisme et linguistique,* Vrin, 1980.

(18) *La théorie de Darwin et la science du langage,* 1863.
De l'importance du langage pour l'histoire naturelle de l'homme, 1864. Traduit de l'allemand par M. Pommayrol, Paris, A. Franck, 1868. Reproduit dans *Évolutionnisme et linguistique,* ouv. cit.

lorsqu'il déclare que des idées analogues aux concepts de base de la théorie darwinienne avaient déjà été mises en œuvre par lui-même dans tel ouvrage absolument contemporain de la traduction allemande de l'ouvrage de Darwin. Qu'il suffise pour l'instant, sans entrer dans plus de détails, d'expliquer la présence de cette intuition par l'influence indiscutable, sur Schleicher et sur toute la pensée linguistique du XIXe siècle, de théoriciens comme Humboldt, Wilhelm von Schlegel, Friedrich von Schlegel et Bopp, entre lesquels se constitue progressivement, après la découverte en 1798 du sanscrit et de la grande probabilité d'une parenté génétique des langues indo-européennes, la *typologie linguistique,* dont le renvoi constant à la biologie par le truchement de métaphores de l'organisme, de la croissance et de la maturation, préparait l'assimilation schleicherienne des langues à des organismes naturels subissant la loi de la lutte pour l'existence et de la survivance des plus aptes. Lorsque Schleicher, grâce aux exhortations de Haeckel, rencontre le darwinisme en lisant, *après 1860,* la première version allemande, traduite par Bronn à Stuttgart, de *L'origine des espèces,* il est déjà entièrement converti à la logique de l'évolution par la dérivation des langues à partir du sanscrit et par les problèmes spécifiques de la dialectologie indo-européenne. Darwin ne lui sert en fait que de point d'amarrage scientifique, lui permettant d'importer une terminologie qui fonde rétroactivement et, en quelque sorte, radicalise la grande intuition (bio-)logique, vieille de plus d'un demi-siècle, de la linguistique allemande. C'est en cela que Darwin est, pour Schleicher, plus un *relais fondateur* qu'une révélation ou une révolution. On pourrait objecter à cela qu'il y a *coupure* dans la mesure où l'on assiste chez Schleicher à la substitution, dans le traitement théorique des langues, d'un "modèle" darwinien à un "modèle" hégélien : mais on fera voir plus loin qu'il s'agit moins d'une substitution que d'une refonte qui conserve du hégélianisme des traits reconnaissables et constants au niveau de la subsistance d'une certaine téléologisation du devenir linguistique. On pourrait objecter aussi que l'intuition de la linguistique allemande en ce qui concerne le devenir des langues suit plus le modèle de la croissance de l'organisme individuel que celui de l'évolution interspécifique. Or le développement de la typologie linguistique ne se dissocie pas de la saisie d'un mouvement d'ascension quant à l'adéquation de plus en plus fine des idiomes aux fins de plus en plus "différenciées" de l'expression : un idiome flexionnel est, pour cette linguistique, détenteur d'une indiscutable suprématie sur les langues de type isolant ou agglutinant, dont le seul horizon de perfectibilité est l'évolution vers le type flexionnel. Cette intuition est donc, au moins, d'*essence transformiste*. Elle devient naturellement "évolutionniste" lorsque la dialectologie indo-européenne met en évidence des phénomènes de rivalité et de concurrence inter-dialectales, d'extinction d'idiomes intermédiaires, et des problèmes de délimitations des aires linguistiques et de fixation des frontières entre dialectes, sous-dialectes, etc. De même que la théorie de Darwin relativise fortement le fixisme des classifications de l'histoire naturelle, instituant des passages à la place des frontières, de même la dialectologie relativise les cartes de géographie linguistique et instaure un arbre généalogique à la place d'une représentation figée de la distribution des langues. C'est même ce parallélisme notable entre les deux démarches de relativisation du fixisme des catégories et des objets qui consacre, chez Schleicher *et chez Darwin*, la véritable rencontre des disciplines.

Cela, redisons-le, a été prouvé suffisamment ailleurs. Mais l'obligation dans laquelle se trouve l'historien des sciences et, plus généralement, des complexes. discursifs, de se répéter souvent dans ses références et de se commenter lui-même dans ses analyses tient à l'affinement progressif, par l'amplification de son champ d'étude et par la saisie de connexions de plus en plus nombreuses et délicates entre ses objets, de ses premières propositions d'interprétation concernant un phénomène qu'au départ il a été capable, simplement, d'*isoler*.

Mais l'historien n'isole que pour lier, lors même qu'il s'agit d'isoler une rupture. La *coupure épistémologique* n'est rien d'autre qu'un concept pour penser la jonction de l'hétérogène : lorsqu'il est impossible de penser la différence en termes de généalogie ou de préparation historique, on est contraint de la penser en termes d'irruption. Ce qui ne veut pas dire que le recours à la coupure soit un échec de l'historien. Il s'agirait plutôt ici de mettre en garde contre ce *risque* permanent que constitue pour lui la tentation d'instaurer autant de coupures dans l'histoire de la pensée qu'en nécessitera son propre manque de clairvoyance ou de culture en ce qui concerne l'intelligence des faits et mécanismes de causalité historique, discursive et transdiscursive.

Isoler comme un moment privilégié de l'histoire de la pensée la rencontre effective du darwinisme et de la linguistique –rencontre matérialisée par un texte comportant des éclairages sur l'événement de sa propre production, et une date– est un acte d'historien des théories scientifiques obéissant à un pressentiment né par génération équivoque de la théorie implicite qui guide sa recherche : si l'on explicitait ce pressentiment, on découvrirait que l'historien en question privilégié en réalité constamment *deux faits* discursifs essentiels dans toute l'histoire des doctrines intellectuelles : la *jonction* et la *rupture*. Dans l'exemple analysé plus haut, il s'agit d'un cas de jonction entre deux logiques considérées jusque-là comme opérant séparément à l'intérieur de deux domaines distincts : les sciences de la nature et de la vie d'une part, les sciences du langage de l'autre. La jonction de ces deux logiques dans un texte qui s'emploie à l'établir est intéressante, parce qu'elle assonne avec un vieux projet d'unification du savoir et de recours à un seul principe d'explication des phénomènes intellectuels. Ainsi la *prudence* de l'historien-analyste sera-t-elle de faire subir à cet exemple de jonction le *test de la rupture :* sous l'apparence de l'assimilation des théories et de celle des objets, quelque illusion, confuse et voilée, appartenant à la non-science, ne se dissimule-t-elle pas ?

Inversement, l'historien qui choisit d'analyser un phénomène de rupture –disons : l'irruption de l'héliocentrisme copernicien– élit la rupture comme intéressant l'histoire de la science sous l'angle, également privilégié, de la capacité d'invention absolue. Mais alors, la même *prudence* lui fera, comme à Koyré, choisir de faire subir à ladite rupture le *test de la jonction,* et le conduira, éventuellement, à relativiser plus ou moins fortement la nouveauté ou le pouvoir d'inauguration du discours qu'il étudie par le rappel de ce que ce discours conserve, d'une manière efficiente, du discours ancien.

Si l'on retrouve ici la question du *continuisme* et du *discontinuisme,* ce n'est plus, à ce niveau, pour faire saillir une fois encore leur opposition théorique. La *prudence* de l'historien du savoir est de faire jouer, en toute occasion, l'un *contre* l'autre, afin qu'ils jouent l'un *avec* l'autre le jeu de la vérité en histoire.

Thèse n° 6 :

Dans l'histoire des complexes discursifs, les oppositions et les ruptures entre des logiques (réseaux homogènes de dépendances dans l'ordre du discours), avant d'être des coupures manifestes et enregistrables comme telles, sont d'abord des conflits neutralisants internes aux logiques dominantes réagissant à des conjonctures historiques déterminées, et déterminant leur nécessaire éclatement.

Thèse n° 7 :

A l'intérieur d'une logique dominante, l'ouverture à une autre logique résulte du travail de la contradiction qui s'installe entre certains de ses énoncés du fait d'une incompatibilité survenue entre les conditions de sa cohérence interne et celles de son adéquation à une nouvelle situation historique.

Les complexes discursifs et le concept d'ouverture logique

Parler de *méthode* en histoire des idées, c'est se condamner à tenir un discours sans *charme*. Les échantillons les plus saillants de cette *histoire*, produits dans une période récente, montrent que l'opération de ce *charme*, lorsqu'elle atteint son but –c'est-à-dire réalise son *effet*–, consiste à ne faire voir de la méthode que son simulacre diffus, enfoui dans la profondeur d'un tableau ou parmi les traits disséminés qui décomposent et recomposent la beauté éparse et indéfiniment refaite d'une littérature.

Le sens à donner aujourd'hui à ce sur-investissement esthétique du champ de la théorie, qui conduit à voiler la théorisation au moyen d'une rhétorique qui l'évacue du discours exprès tout en maintenant, dans un arrière-plan insaisissable, l'idée de sa présence et *l'idée de son instance incommunicable comme telle*, pourrait évidemment donner lieu, à la fois, à une psychanalyse et à une analyse du champ de la "théorie" comme obéissant à certains conditionnements de *marché*. Il y a dans le phénomène que nous décrivons l'équivalent d'une *prime de plaisir*, partagée d'ailleurs entre l'auteur et le public, ce qui ne nuit en rien à l'entreprise éditoriale. Il y a là également le symptôme d'une considérable frayeur devant le risque pris par toute théorie : celui d'être *fausse*, et qui est proprement le risque couru par toute hypothèse scientifique. Le risque est de beaucoup diminué lorsque l'erreur éventuelle a des chances de passer pour un *effet de style*.

Mais là n'est pas exactement notre propos, qui a trop peu d'affinités réelles avec cet ordre d'énonciation de la théorie pour en vouloir systématiquement effectuer la critique.

Ce livre, et ceux qui le suivront, sont consciemment destinés à fournir des éléments méthodologiques pour l'analyse du fonctionnement des complexes discursifs dans l'histoire. L'une des tâches de ces longues prémisses introductives doit donc être de définir le concept même de *complexe discursif*, dont le choix manifeste d'une façon fort claire la volonté réfléchie de s'éloigner des notions encore passablement métaphoriques de "formation" ou de "configuration" discursives, dont la faute est peut-être de suggérer l'existence observable d'un *contour* assignable à ce qu'elles aident à décrire.

Or une analyse approfondie des fonctionnements discursifs dans l'histoire, ainsi que nous le montrerons, semble enseigner au contraire à définir des *axes* plutôt que des *contours,* et à favoriser l'image de l'entrecroisement infini du *réseau* plutôt que celle de la courbure tout à la fois totalisante et individualisante de toute ligne de démarcation. Un complexe de discours est un réseau *ouvert* de déterminations discursives et transdiscursives qui ne se laissent limiter dans leurs opérations ni par les clôtures de la disciplinarité, ni par celles de la périodisation liée à la pratique courante de l'histoire des régionalités intellectuelles.

Cette "ouverture" est précisément ce qui empêche, en toute rigueur, de penser l'histoire des idées comme une morphologie des grandes unités discursives. Il faut ici abandonner les métaphores plasticiennes de la figure et de la forme. Un complexe discursif, je le répète avant d'en faire la démonstration, ne peut avoir de *configuration,* parce qu'il ne saurait avoir de *contour*, ou, s'il en a,c'est exactement à la manière d'un *faisceau d'isoglosses* –ces lignes de "démarcation" entre les aires dialectales que l'on établit en géographie linguistique en s'appuyant sur des repères morphologiques éminemment variables, et dont le nombre est quasiment indéfini.

C'est à cette analogie avec la géographie linguistique qu'il faudrait penser lorsque l'on parle, en histoire des idées, de délimitations et de territoires. *Chaque délimitation repose sur le choix arbitraire d'un élément réel* –la prononciation de tel ou tel élément morphologique– *et chaque "territoire" est potentiellement traversé par un nombre indéfini de "frontières" établies d'après un nombre indéfinissable de critères.* Si l'on poursuit cette intéressante analogie géo-linguistique, on est conduit à mettre en rapport la *cessation de l'intercompréhension* –critère global objectif retenu, faute de mieux, par les dialectologues pour différencier des aires– et le phénomène de la *rupture* entre deux formes nettement différenciées de rationalité dans l'élément de la succession historique. Mais l'analogie implique également que cette *rupture* soit le résultat –manifeste et immédiatement sensible– d'une évolution par étapes progressives, comme c'est le cas de la différenciation dialectale, ou bien d'une révolution plus rapide et brutale, comme c'est le cas dans les situations d'invasion ou de conquête. Continuité et discontinuité sont ici deux modalités également possibles du devenir.

Mais il s'agit à présent de quitter le terrain des analogies et des métaphores. Le problème de l'histoire des sciences comme de l'histoire des "idées" en général est d'avoir substitué à un *dogmatisme de la continuité* un *dogmatisme de la rupture* : le premier a été analysé, dans des pages décisives, par Michel Foucault (1). Le second a été illustré, d'une façon moins décisive, par certains de ses élèves. Les modes théoriques se succèdent fréquemment comme se succèdent les modes artistiques et littéraires : selon le principe d'action et de réaction, et selon la technique du contre-pied.

Continuisme et discontinuisme sont deux positions dont je pense avoir montré qu'elles pouvaient cesser aujourd'hui d'être polémiques pour travailler ensemble à plus d'exactitude dans la construction des objets. Cela ne peut advenir qu'à la condition que l'on produise ce que Georges Canguilhem appelle des *échantillons* d'analyse dans le domaine de l'histoire des sciences ou des "idées". Cela ne peut advenir non plus sans que l'on se préoccupe en tout premier lieu de décrire à travers des *études de cas* certains phénomènes de *rupture.*

Imaginons qu'au lieu d' "unités" de discours circonscrites plus ou moins arbitrairement par la considération privilégiée de différents facteurs (objet, époque, système de croyances ou dogme politico-religieux, assignation à telle ou telle région reconnue du savoir, tradition doctrinale ou énonciative, etc.), on choisisse d'étudier réellement ce qui dans l'histoire de la "pensée" se manifeste le plus profondément comme *tensions* et *ruptures*. Il s'agit là d'un choix méthodologique expérimental, dont toute la portée est, bien entendu, suspendue au résultat de l'investigation. Ce choix, que j'ai souvent réitéré, permet d'établir une observation à valeur générale : *lorsqu'un discours dominant, dans quelque région que ce soit*. –moins fréquemment, il est vrai, dans les sciences "pures"–, *entre en conflit avec un autre discours qui s'oppose à sa logique et menace de la supplanter, il apparaît, précisément à ce moment où, s'attachant à sa propre défense, il joue sa propre survie, que cet ancien discours révèle les structures les plus profondes et les plus permanentes de son organisation intime, ainsi que le motif logique de son éclatement.* C'est ce phénomène que j'ai mis en évidence dans de précédents travaux analysant des *polémiques expresses,* aussi bien dans le champ de l'histoire de la dramaturgie (2), dans le

(1) Dans *L'archéologie du savoir,* Gallimard, 1969.

(2) *Masque, écriture, doublure,* dans "Poétique" n° 15, Seuil, 1973.

champ du métalangage esthétique (3) que dans celui de l'histoire de la science des monstres (4) ou des théories de l'écriture (5). Mais c'est déjà, pourrait-on objecter, s'être donné l'unité constituée d'un certain nombre de "discours". Je répondrai qu'à ce niveau, le "discours" peut légitimement être défini, dans un premier temps, par son objet explicitement désigné. Ce que j'analyse, ce n'est pas le discours de *la* littérature, de *la* philosophie, de *l'*esthétique ou de *la* science médico-chirurgicale au dix-huitième siècle –ni aucune grande catégorie relevant immédiatement de l'un quelconque de ces grands genres : mes analyses ont porté sur la représentation d'un certain nombre d'éléments techniques de la dramaturgie antique (le masque scénique, la partage de l'action dramatique entre un récitant et un mime, la notation musicale de la déclamation et du geste) au XVIIIe siècle, à l'intérieur d'un corpus de textes théoriques saisi dans son intégralité, au sein d'une période assez brève et d'un ou deux lieux de production (l'Académie Royale des Inscriptions et Belles-Lettres et les abords de l'*Encyclopédie).* Elles ont porté sur la représentation des systèmes d'écriture et particulièrement sur ce que le XVIIIe siècle appelait d'une manière assez indifférenciée les *hiéroglyphes* : là encore, bien que beaucoup plus vaste, le corpus possède des limites connaissables. Elles ont porté sur la pré-histoire dix-huitiémiste de la tératogenèse : là aussi, le corpus –et ce d'autant plus facilement qu'il se limitait à l'analyse des travaux produits à l'intérieur de l'Académie Royale des Sciences de Paris– était intégralement donné. Cette première *génération* d'analyses a tendu à *isoler* dans l'histoire un certain nombre d'incompatibilités discursives cristallisées autour d'objets précis et cristallisant ce que j'appellerai aujourd'hui des *symptômes logiques,* qui étaient respectivement ceux de l'émergence d'une esthétique matérialiste, d'une anthropologie potentiellement dé-christianisée par l'assomption d'un évolutionnisme culturel, et d'une anatomie en cours de divorce effectif avec son ancien devoir-dire métaphysique

(3) *L'origine du Paradoxe sur le comédien,* Vrin, 1980.

(4) *L'ordre et les monstres,* Le Sycomore, 1980.

(5) *Transfigurations (archéologie du symbolique),* présentation de l'*Essai sur les hiéroglyphes des Égyptiens* de Warburton, Aubier, 1978. *La constellation de Thot (hiéroglyphe et histoire)* Aubier, 1981.

grâce à une nouvelle approche des phénomènes présentés par l'organisme vivant.

Dans chacun de ces cas, une structure polémique se trouve au centre de l'analyse, et révèle à la fois l'existence effective d'une incompatibilité logique entre un ancien discours jusqu'alors dominant et un nouvel ordre de représentations qui tend à se substituer à lui en mettant à nu en même temps sa cohérence et sa défaillance. Mais ce qu'il importe de marquer ici afin de prévenir toute schématisation inexacte, c'est que, dans ces circonstances mêmes, *il serait faux de croire que la rupture se joue immédiatement et d'abord entre l'ancien discours et le nouveau* : lors même que c'est ce qui apparaît à la mémoire d'une histoire des idées traditionnelle –sur sa surface d'enregistrement des opérations discursives *manifestes*–, la véritable scission du discours s'est opérée *avant, et à l'intérieur de la logique dominante.* Chaque destitution de ce qui a été pendant un temps un ensemble cohérent de discours relatifs à un "objet", présuppose nécessairement, outre l'action du discours destituant, *la mise en place interne des conditions de sa destituabilité*, c'est-à-dire d'une défaillance logique ou d'une inadéquation relative à un nouveau conditionnement historique de sa relation à l'objet.

J'illustrerai ce phénomène par un exemple emprunté à certains de mes travaux sur l'histoire des théories de l'écriture. Cet exemple, du reste, sera plusieurs fois ré-évoqué dans la suite de ce livre, en raison de l'importance de ses caractéristiques discursives et de son lien historique avec ce que j'analyse. Sa fonction, de ce dernier point de vue, sera de mettre en évidence les caractéristiques logico-discursives d'un *complexe d'interprétations de l'histoire* que l'on peut identifier à travers la notion générale de *l'évolutionnisme culturel.*

De cet évolutionnisme culturel, l'émergence théorique n'a pas été simple. C'est dans le champ de l'histoire et de la théorie des *écritures* qu'il apparaît pour la première fois sous une forme relativement systématisée. Vers 1738-1740, le prêtre anglican William Warburton stabilise une intuition déjà flottante chez quelques-uns de ses prédécesseurs et contemporains : celle d'un mouvement progressif de perfectionnement et de raffinement qui présiderait à l'évolution historique des systèmes d'écriture. L'*Essai sur les hiéroglyphes des Égyptiens,* traduit en français en 1744 (6), est

(6) Cf. notre édition, Aubier-Flammarion, 1978.

le lieu de la formulation expresse d'un principe général d'évolution réglant d'une façon précise les transformations des systèmes de notation symbolique depuis le stade primitif des pictographies mexicaines jusqu'à celui de l'écriture phonético-alphabétique. Produisant ce diagramme, le prêtre Warburton, qui allait devenir quelque vingt années plus tard évêque de Glocester, donne naissance à un paradoxe : d'une part il présente son ouvrage comme un texte apologétique destiné à faire table rase des "erreurs", trop répandues chez les anciens païens et chez quelques modernes comme le jésuite Athanasius Kircher, selon lesquelles l'écriture hiéroglyphique aurait servi dès l'origine aux Égyptiens à cacher les mystères de leur science –et dans cette défense de l'innocence première de l'écriture obscurcie *ensuite* par l'idolâtrie et le culte des symboles, il se montre zélé représentant d'une anthropologie chrétienne qui retrouve en chaque point obscur de l'histoire l'opération paradigmatique de la *chute*– et d'autre part, à son insu, il donne une arme puissante, permettant de penser une évolution parallèle et séparée des cultures des différents peuples dans des conditions similaires de développement– à tous ceux qui entreprendront d'attaquer, au nom précisément de cette théorie de la "marche naturelle de l'esprit humain", le principe chrétien dogmatique de la *diffusion*. C'est en usant de cette arme notamment que Leroux Deshautesrayes pourra combattre quinze ans plus tard les thèses hyperdiffusionnistes de l'abbé De Guignes selon lesquelles, comme il cherchait à le prouver en s'aidant d'un comparatisme grammatologique dont il était aisé d'apercevoir qu'il était entièrement au service de l'enjeu de la démonstration, les Chinois seraient à l'origine une colonie égyptienne (7).

Il s'agit là, non à proprement parler d'une contradiction, mais d'une faute stratégique –faute dont on peut établir le déterminisme avec une rigueur qui évacuerait de toute façon la possibilité d'un autre choix argumentatif. Par conséquent, Warburton était contraint de reverser sur la nature ce que Kircher avait fondé sur l'institution. Dès lors, il devait admettre qu'il ouvrait un champ à une interprétation de l'histoire des cultures en termes d'évolution parallèle pour les groupes vivant dans des conditions grossièrement identiques et mûs nécessairement par de semblables besoins. C'est ce type de phénomène que nous désignerons ici sous

(7) Voir notre livre *La constellation de Thot (Hiéroglyphe et histoire)*, Aubier, 1981.

le concept *d'ouverture logique.*

Passons à présent au deuxième temps de l'analyse.

Une constante se remarque entre ces discours sur l'écriture. L'écriture, ses différentes modalités historiques et le mouvement même de son évolution sont toujours plus ou moins expressément pensés selon des schèmes de fonctionnement et de transformation induits de la science *rhétorique* : une écriture à "base" synecdocho-métonymique (présentant par exemple un élément simplifié pour signifier l'ensemble auquel il appartient dans la réalité) reste du côté de la transparence –de l'innocence ou de l'innocuité sémiotique–, tandis que des signes à "base" de métaphore évoluent quasi inévitablement vers le mystère, l'opacité, l'énigme, le voilement politique, le culte des idoles – donc vers une chute historique de l'homme où se lirait l'origine du paganisme. C'est pourquoi, conscient de ce phénomène, Warburton refuse aux schèmes métaphoriques toute simplicité et toute originarité, choisissant de placer en position d'antériorité absolue la synecdoque généralisée du pictogramme représentatif. Mais c'est alors que, désireux de fournir un surcroît de preuve à la collatéralité des systèmes symboliques, il établit un parallèle entre les figures des anciens hiéroglyphes et les éléments-clefs interprétés dans l'antiquité par la science des songes –l'onirocritique d'Artémidore d'Ephèse en particulier–. Or les songes, objets de l'onirocritique, sont tous nécessairement à ranger dans la catégorie des songes *allégoriques,* lesquels révèlent, sans qu'il y prenne garde, l'existence, au niveau des représentations les plus profondes et les plus originaires de l'âme humaine, de productions à base de *métaphore* –l'allégorie n'étant pour la science rhétorique de l'époque qu'une "métaphore continuée". Le malheureux parallèle unificateur de Warburton révèle ainsi, à l'analyse, une *contradiction* qui ruine toute sa stratégie explicite de réinstauration d'un "ordre naturel" –reposant sur l'antécédence de la transparence métonymique– gouvernant le devenir des formes de la symbolicité, et permettant d'innocenter l'origine en y installant la lumière de la croyance en un Dieu unique, obscurcie ensuite par la perversion historique des hommes, répétition de la chute. La logique du discours défensif de la théologie chrétienne s'effondre sur un point minuscule de son argumentation : mais le travail de cet effondrement se retrouve, identique, chez d'autres auteurs, tel l'abbé Pluche (8), qui n'ont pu faire que

(8) Voir *L'hypostase de la lettre,* dans *La constellation de Thot,* ouv. cit.

l'ouverture d'une interprétation historico-politique de l'univers religieux et symbolique par Kircher n'atteigne au moins partiellement la destination qui était nécessairement la sienne dans un siècle où l'opération politique des prêtres allait être de plus en plus nettement thématisée.

Une histoire *politique* de l'écriture se découvre alors, qui, sous l'apparence d'une histoire *naturelle*, passe par l'abbé Pluche, Court de Gébelin, Etienne Fourmont et généralement tous les mythologues de l'Académie Royale des Inscriptions et Belles-Lettres. Le mythe de Thot, secrétaire d'Osiris, inventeur des hiéroglyphes et législateur des Égyptiens, est le mythe politique par excellence. Dans le personnage mythologique de Thot, la détention/rétention du secret politique joue au sein d'une technique rhétoricienne et plasticienne du voilement : à la fois inventeur d'une pédagogie sociale et d'une démagogie mystique, législateur et statuaire, Thot *fabrique des idoles et en tire les hiéroglyphes.* C'est en tout cas la leçon rapportée par certains mythologues du dix-huitième siècle, qui réfèrent au fragment de Sanchoniaton de Béryte conservé dans le premier livre de la *Préparation évangélique* d'Eusèbe, et dont l'interprétation fournit alors la clef de tensions très révélatrices au sein du discours chrétien. Car exhiber la nature politique du mystère, surtout s'il s'agit de la symbolique religieuse, peut conduire à des systématisations dangereuses pour l'autorité du christianisme lui-même. En 1739, dans *l'Histoire du ciel,* l'abbé Pluche avait déjà rapproché l'usage fait par Pythagore et par le Christ de paraboles énigmatiques, "pour cacher la vérité aux indifférents". Aussi nombre d'historiens du XVIIIe siècle, retrouvant à leur insu le geste des anciens herméneutes, voileront-ils à leur tour ce qui ne pouvait être livré sans danger à la connaissance générale : ils dénieront l'authenticité du fragment de Sanchoniaton, qui dans l'histoire de l'humanité se trouve être le premier historien et le seul hiérophante à avoir mis à nu la généalogie –scripturaire, plastique et politique– des objets du culte religieux, en produisant, en complément d'une cosmogonie indiscutablement matérialiste, une théogonie où la sagesse politique effectue toutes les apothéoses. D'autres préféreront installer dans son commentaire des erreurs tactiques qui reconstitueront sur Sanchoniaton la même ambivalence de gestes qui s'attache désormais au nom de Thot.

Mais tout cela a été développé amplement ailleurs. Ce qu'il faut surtout en retenir, c'est que de Warburton à De Guignes, et plus généralement à travers toute cette histoire qui naît d'un christianisme menacé dans l'unité de ses dogmes, se met en place le conflit qui opposera de plus en plus nettement l'intuition générale de *l'évolution* des systèmes symboliques et des cultures à un devoir-dire chrétien dogmatique fondé sur le ralliement à la grande doctrine diffusionniste de la Bible. Mais ce conflit n'existe pas immédiatement sous la forme d'oppositions polémiques caractérisées : il s'exprime, d'abord, dans l'éclatement logique *d'un seul discours* –celui de Warburton, de Pluche, de Fourmont, de De Guignes– où se joue la survie douloureuse du dogme au sein d'une rationalité qui doit, bon gré mal gré, composer avec les progrès de la connaissance historique. C'est ainsi que, tout comme la théologie naturelle, l'anthropo-théologie introduit souvent contre son propos, au cœur de sa propre entreprise de restauration de la croyance, les contradictions logiques qui fragilisent et parfois anéantissent son pouvoir de preuve.

On se trouve ainsi devant un cas hautement symptomatique : l'évolutionnisme culturel –à fondement grammatologique– de Warburton a été *suscité par le christianisme* pour la défense de l'intégrité de ses dogmes contre les interprétations philosophiques athées de la thèse kircherienne. Or ce discours défensif, au sein même d'une sorte de nécessité argumentative à laquelle il ne peut échapper, va élaborer en lui-même les conditions d'apparition de sa crise spécifique, de son éclatement logique et de sa faute stratégique. Plus précisément, la faute stratégique –qui est de mettre en réserve des arguments qui serviront aux adversaires du dogme de la diffusion et même à ceux de l'idée de religion révélée– est tantôt déterminée par une contrainte argumentative –comme dans l'opposition à Kircher, où la "nature" devait se substituer à l'institution–, tantôt impliquée par une faute logique que l'auteur aurait pu éviter de faire apparaître –encore qu'elle n'apparaisse qu'à une analyse rationnelle et savante, comme c'est le cas pour le parallèle entre les hiéroglyphes et les symboles usités dans l'onirocritique.

Ce cas est particulièrement intéressant, car il offre l'image limite de ce que peut être, à un niveau très profond, *l'ouverture,* par destruction de sa cohérence interne, d'une logique dominante à une logique autrement orientée. Sans doute l'opposition la plus grave se trouve-t-elle dans le conflit latent qui existe entre le thème de l'"évolution naturelle" et celui de la diffusion. La preuve la plus sensible en est que moins de vingt ans plus tard, en 1758-1759, c'est *ce* conflit qui revêtira, entre l'abbé De Guignes et le laïque Leroux Deshautesrayes, la forme d'une polémique déclarée. On peut même affirmer que cette structure d'opposition, du point de vue des forces qui la composent, restera la même jusqu'aux luttes théoriques que le XXe siècle verra se dérouler entre les écoles évolutionniste et diffusionniste en anthropologie, sans que le darwinisme, pour ce qui se rapporte à la première, puisse prétendre à un rôle réellement fondateur. Ces éléments permettent de faire une observation qui a son importance dans l'analyse historique des complexes discursifs : une rupture logique peut être *plus ou moins rapidement perçue,* et employer par conséquent plus ou moins de temps à enrayer d'une façon manifeste la crédibilité du discours qu'elle habite.

Quant à la contradiction de Warburton, il se peut qu'elle ne soit jamais apparue que sous mon propre regard : cela ne voudra pas dire cependant que ce soit mon regard qui l'ait "constituée", et tient simplement à ce qu'au milieu du XVIIIe siècle, le modèle rhétorique, qui fonctionnait avec toute son efficace, n'avait pas encore été expréssement interrogé sous l'angle précis qui justifie son utilisation constante par les théoriciens et les historiens des écritures : son aptitude à rendre compte des effets de transparence et d'opacification. Il était à cet égard précisément trop *instrumental* pour que la logique de son emploi devînt simultanément l'objet d'un questionnement théorique. Aussi l'ouverture logique n'est-elle pas immédiatement opératoire au niveau de l'exhibition des contradictions et du passage à un autre discours non contradictoire. Par contre, la simple mise en place d'une logique "d'évolution naturelle" dans les champs sémiotique et anthropologique ouvre quasi immédiatement sur une dissociation effective, avec le conflit De Guignes/ Deshautesrayes, entre deux directions d'interprétation de l'histoire. Une ouverture *logique,* produit de l'éclatement objectif d'une logique dominante, peut donc souvent ne pas être d'emblée une ouverture *opératoire* –ce fait sera encore plus marqué dans l'histoire des sciences expérimentales–, mais, généralement, elle vaut comme indice ou comme symptôme majeur d'une cohérence discursive menacée.

Ainsi, *le retard* généralisé de l'inscription manifeste des ruptures par rapport à la mise en place de leurs conditions logiques –ou, si l'on préfère, et ce qui revient au même, des ouvertures opératoires par rapport aux ouvertures logiques– a pour conséquence qu'une histoire des "idées" attachée au niveau *manifeste* des opérations discursives –les "coupures" entre autres– ne sera pas obligatoirement sensible aux voies logiques par lesquelles ces opérations sont amenées à manifestation, et restera la plupart du temps aveugle devant l'identification des dispositifs latents et des rections profondes.

Ce qui, entre autres éléments stratégiques, différencie l'analyse des complexes discursifs de "l'histoire des idées" traditionnelle ou structuraliste, c'est qu'au lieu d'interpréter l'histoire à partir de l'unité artificielle d'ensembles déclarés homogènes et de ruptures manifestées, elle se donne d'abord comme *relevé des conditions objectives* –logiques– *de possibilité des compatibilités et des ruptures.*

Parler de *complexes discursifs,* c'est donc *rompre,* également, avec l'image d'unités closes sur leur propre cohérence, enfermant la somme ou le système de leurs compatibilités internes, et délimitables comme des ensembles s'auto-définissant par exclusion réciproque. Et cela dans l'ordre de la synchronie comme dans l'ordre de la diachronie. Un complexe de discours est une constellation ouverte aux éclatements des logiques compatibles qui y cohabitent pendant un certain temps et, par là même, à la production de leur incompatibilité. Il ne peut se définir que comme un réseau d'éléments liés par des relations logiques susceptibles, par le fait de leur rapport à l'histoire, de changer de signe ou d'être invalidées. Par exemple, ce que nous avons appelé *La constellation de Thot* (1981) est un complexe de discours qui se reconnaît non seulement à la position centrale réelle ou symbolique qu'y occupe le mythe de l'invention de l'écriture, mais aussi au fait que s'y trouvent liés entre eux des éléments constants dont la liaison même forme une problématique : l'écriture hiéroglyphique, l'observation du ciel, le secret, la politique, l'histoire, l'origine des idoles, l'allégorie, etc. Ce qui, dans l'histoire de ce complexe, se transforme, ce sont les relations de dépendance entre ces constantes, ou, si l'on préfère, la problématique inhérente au fait de leur liaison.

C'est donc en dernière analyse l'emploi du terme de *logique* –qu'est-ce qu' "une logique" ?– qui pose ici l'ultime problème définitionnel, car c'est lui qui recouvre le concept –où il faut bien parvenir– d'une unité nucléaire de l'articulation discursive.

On peut convenir d'une définition aussi simple que possible, à condition d'en produire immédiatement une application suffisamment exacte pour montrer que cette simplicité n'entraîne pas toujours une facilité pratique dans l'identification de son objet au sein de grandes organisations discursives.

J'entends par *logique discursive* un *réseau homogène de dépendances dans l'ordre du discours.* Elle peut se réduire à une simple *rection* entre deux éléments.

Pour revenir sur l'exemple précédemment étudié, je choisirai d'analyser la logique qui est à l'œuvre dans l'utilisation au XVIIIe siècle de modèles rhétoriques dans l'interprétation de l'évolution historique des systèmes d'écriture.

Avec le traité *Des Tropes* de Du Marsais (1730) apparaît pour la première fois nettement, dans le champ de la classification des *figures de mots,* une *division à valeur structurale entre la métonymie et la métaphore.* Une analyse approfondie, conduite ailleurs (9), a prouvé que sous l'ordre apparemment figé du classement des figures existait une autre organisation –généalogique et dérivationnelle– du catalogue. Du côté de la métonymie comme du côté de la métaphore, chaque figure définie entretient par rapport à l'un de ces deux tropes fondamentaux un rapport de composante à classe *et* un rapport de filiation logique restituant sans nul doute, dans un ordre parfois différent de celui de l'exposition, l'opération recouverte d'une diachronie.

L'exemple le plus net est celui de la métaphore, qui se poursuit en allégorie ("métaphore continuée"), laquelle donne naissance graduellement à l'apologue ou fable morale, à la parabole et à l'énigme. *La logique dérivationnelle de la métaphore est donc une logique de l'opacification graduelle du sens.*

Transposée dans le domaine des théories de l'évolution des systèmes de graphie, cette logique d'opacification progressive s'applique ouvertement à la saisie du phénomène diachronique des transformations de l'écriture. Les figures représentatives à base de métaphore sont vouées par cette logique de *transfiguralité* à un obscurcissement plus ou moins rapide de leur sens, ou à une utilisation immédiate en vue du secret. La théorie kircherienne de l'hermétisme d'institution implique donc comme une de ses dépendances régulières –et comme une de ses composantes nécessaires– le choix d'une dérivation des figures (graphiques) à partir d'une base ou d'un "code" métaphorique.

La théorie adverse (Warburton), qui défend la transparence originaire de l'écriture, choisira nécessairement une dérivation "naturelle" à base de métonymie –l'autre embranchement du catalogue des tropes–, excluant de l'origine les schèmes de nature métaphorique, qui sont alors obligatoirement pensés comme des schèmes seconds, ultérieurement introduits à la faveur d'un "oubli" historique de la première transparence.

Entre la thèse de l'hermétisme d'institution et le choix

(9) *Taxinomie et transfiguralité,* dans *La constellation de Thot,* ouv. cit.

de schèmes de signification originaire à structure de métaphore, on note donc une rection logique dont il est aisé de comprendre la nécessaire régularité. Elle est une *constante*, comme est une constante l'opération inverse qui dérive toute figure de la métonymie pour défendre l'idée de la première innocence des hiéroglyphes, comme est une constante également, à ce niveau, l'opposition de ces deux choix et des stratégies interprétatives qu'ils induisent. On comprend également que la défense du dogme chrétien n'ait pu engendrer que la logique induite d'une origine métonymique (= transparente).

Les systèmes de rections qui gouvernent d'une part le discours appartenant au type "kircherien" et d'autre part le discours de la réaction apologétique pourraient se représenter comme suit :

1.1.	1.2.	1.3.
thèse de l'hermétisme originaire (kircher)	**choix de la *métaphore* comme schème originaire de signification**	**obscurcissement politique, voilement *originaire* des savoirs**
2.1.	**2.2.**	**2.3.**
thèse apologétique (défense de l'innocence première de l'écriture)	**choix de la *métonymie* comme schème originaire de signification**	**obscurcissement politique, voilement *survenu* des savoirs**

Dans chacun de ces deux schémas, chaque étape dérivée présuppose régulièrement la précédente. Chacun des deux processus est donc l'actualisation discursive d'un système de rections logiques empruntant la forme d'une *chaîne*.

Deux observations s'imposent à ce sujet.

1. Ces deux processus présupposent à leur tour des conditions environnantes minimalcs, qui sont :

a) une situation générale d'insécurité pour le dogme chrétien, relative aux développements d'une pensée "philosophique", critique par rapport à l'exégèse conventionnelle. Ce "contexte" historico-discursif est ici une donnée fondamentale pour comprendre la nécessité du second processus de défense apologétique.

b) L'organisation du catalogue des tropes et le phénomène de transfiguralité (dérivation des figures à partir de la métaphore et de la métonymie).

c) L'utilisation par les théoriciens de l'écriture d'instruments conceptuels et classificatoires empruntés à cette science des figures de mots pour penser la nature et l'évolution des "figures" graphiques.

2. Le point 2.2. (choix par le discours apologétique de la métonymie comme point d'ancrage sémiotique des codes de la figuration graphique), pour déboucher sur le point 2.3. (voilement *survenu* des savoirs), nécessite, à la différence du premier processus, l'intercalation d'un élément susceptible d'expliquer le mystère en tant que *survenu*. Cette explication est livrée par la théorie même de l'évolution "naturelle" des systèmes d'écriture par différents paliers de dé-motivation (effacement par étapes de la "représentativité" des figures), qui a pour conséquence *l'oubli* de la signification réelle des anciennes figures représentatives dans la conscience populaire substituant un culte idolâtre né de l'incompréhension actuelle à l'usage et à l'intelligence primitifs de symboles originairement transparents.

Les faits liés de la *dé-motivation historique des symboles* et de la *récupération idolâtrique des anciennes figures représentatives* tombées dans l'oubli quant à leur fonction initiale de pure signification, forment également l'articulation d'une dépendance nécessaire à la compréhension intégrale du processus n° 2 (théorie de l'obscurcissement par degrés, alliant le thème naturaliste de *l'évolution* des conventions graphiques sous la pression du nombre excessif des signes et des limites de la mémoire humaine, et le thème théologico-historiciste de la *chute* et de la perversion née d'une fréquentation bornée et concupiscente des symboles).

Le réseau de ces déterminations historico-discursives, ainsi que l'éclatement déjà étudié de la logique du second processus —ou la résurgence du premier à l'intérieur du second, sur le mode d'un retour du refoulé théorique— forment ce que j'appelle ici un *complexe de discours*. Ce dernier, on le remarque à présent grâce à l'exemple utilisé, n'offre pas une *unité* qui permette de le circonscrire à travers la saisie —toujours métaphorique— d'une "physionomie", mais une pluralité et un entrecroisement de logiques dont la mise en œuvre s'explique par l'existence historique d'un *enjeu* : celui de la prégnance abolie ou maintenue de *l'anthropologie chrétienne comme pouvoir d'interprétation de l'histoire.* Ainsi, étant donné un dispositif de forces et de connaissances en présence à un certain moment de l'histoire, un complexe de discours se définit comme une *sélection de logiques* ordonnées à un *enjeu* né du *rapport de ces forces et de ces connaissances.*

Dernière observation : au complexe que nous venons d'analyser, il est impossible en toute rigueur d'assigner le terme d'une forclusion historique, puisque les logiques qui s'y affrontent continueront à s'affronter durant deux siècles, gouvernant encore, entre autres, l'opposition, ultérieurement reconnue et nommée, de l'évolutionnisme anthropologique –celui de l'École anglaise– et du diffusionnisme culturel –celui de l'École de Vienne.

II

THESES HISTORIQUES

Thèse n° 1

Le schéma spiralé de l'*évolution*, au sens que Spencer donnera à ce terme –processus de différenciation-intégration–, constitue déjà la forme logique de la théorie condillacienne du *progrès*. L'*évolutionnisme culturel* du XVIIIe siècle (ainsi nommé légitimement en raison de ses caractéristiques discursives), bien qu'antérieur à tout transformisme biologique, présente une remarquable identité de structure et d'orientations –systématicité, unification– avec ce que sera au siècle suivant (cf. plus loin) l'*évolutionnisme philosophique* à ancrage biologiste de Spencer.

Le chapitre qui suit est la reprise légèrement modifiée d'un texte paru, sous le titre de *Dialectique des signes chez Condillac*, dans *History of linguistic thought and contemporary linguistics,* Walter de Gruyter, Berlin-New York, 1975. Sa fonction est ici de rendre intelligible, en introduisant au texte suivant *(L'intégration économique)*, le rapport qui s'établit entre le libéralisme à différents moments de son histoire, une certaine anthropologie, une certaine éthique et une certaine théorie de la connaissance.

L'évolution spiralée : le système de Condillac

I. L'intégration psycho-sémiotique

A qui voudrait rendre compte de la cohérence systématique du discours de Condillac s'impose une lecture qui, pour attentive qu'elle soit à concevoir en termes d'évolution de la pensée les écarts chronologiques et conceptuels entre les ouvrages, n'en sera pas moins conduite d'abord à faire provisoire abstraction de cette perspective afin d'interroger dans sa complétude le jeu – constitutif de la systématicité – de l'intégration des domaines à l'intérieur même de l'œuvre.

C'est dire qu'elle aura à compter avec l'exigence d'un abord *pluriel* (au sens où elle devra peut-être se servir d'autant de clefs pour aborder le texte de Condillac, que Condillac s'est ménagé d'entrées dans la recherche ou la description de l'origine) et qu'elle sera tenue de relever bon nombre de schèmes d'inversion, de déplacements au niveau des concepts, de modifications d'ordre structurel, énonciatif, voire définitionnel, affectant d'un texte à l'autre le déroulement des analyses et les modalités singulières de l'écriture philosophique. Si par exemple, au début de l'*Essai sur l'origine des connaissances humaines,* se laisse apercevoir (sous la forme d'une annonce qui n'est que l'effet rétroactif de la démarche générale du texte) le schéma d'une dichotomie qui s'établirait entre une psychologie (1) et une sémiologie (2), un tel découpage n'aura de sens qu'à être perpétuellement remis en question par un discours qui, de l'*Essai* à *La langue des calculs*, ne cessera de combiner, dans l'élément même de la *psukhê*, des déterminations empruntées à ces deux ordres dont la dissociation n'aura été que l'artifice opératoire d'une entrée en matière. C'est cette articulation du psychologique et du sémiologique – dans une optique génétique où se constitue la singularité de son aspect *progressif* – qui sera l'objet de notre étude :

> «Les idées se lient avec les signes, et ce n'est que par ce moyen, comme je le prouverai, qu'elles se lient entre elles.» (3)

Voilà qui d'emblée, plaçant le signe à la charnière de tout travail de l'esprit, conduit toute pensée *liée* à être pensée de *signes*. Cela fait l'objet d'une multitude de commentaires à tous les niveaux de l'œuvre, aussi bien dans l'*Art de penser*, la *Logique* ou *La langue des calculs*, qu'au début de la *Grammaire* ou dans les développements plus amples de l'*Essai*.

Que tout mode suivi de la pensée dérive de cette condition liminaire qui est la comparution des signes comme relais fondant la cohérence des suites représentatives, c'est ce qui ressort, dès l'inventaire descriptif des opérations de l'âme, des premières pages de

(1) *Essai*, p. 10 (les citations, ici et dans la suite, renvoient à l'édition Houël des Oeuvres de Condillac – Paris, 1798) :

«D'un côté, je suis remonté à la perception, parce que c'est la première opération qu'on peut remarquer dans l'âme ; et j'ai fait voir comment et dans quel ordre elle produit toutes celles dont nous pouvons acquérir l'exercice.»

(2) *Ibid.*, pp. 10-11 :

D'un autre côté, j'ai commencé au langage d'action. On verra comment il a produit tous les arts qui sont propres à exprimer nos pensées ; l'art des gestes, la danse, la parole, la déclamation, l'art de noter, celui des pantomimes, la musique, la poésie, l'éloquence, l'écriture et les différents caractères des langues. Cette histoire du langage montrera les circonstances où les signes sont imaginés ; elle en fera connaître le vrai sens, apprendra à en prévenir les abus, et ne laissera, je pense, aucun doute sur l'origine de nos idées.»

(3) *Essai*, p. 9.

l'*Essai* (4) :

> «Je me suis convaincu que l'usage des signes est le principe qui développe le germe de toutes nos idées.» (5)

Cela implique que la lecture de l'*Essai* devra abolir – comme le feront aussi bien les œuvres ultérieures – le cloisonnement purement formel que Condillac installe, obéissant en cela à une loi de successivité dont il a pu thématiser les effets au niveau même du langage, entre sa première (6) et sa seconde partie (7) : il ne s'agit pas de penser séparément les progrès des opérations de l'âme et ceux de la signification et du langage, mais de les lier dans la saisie – où se joue l'essentiel de la critique de Locke – d'une évolution conjointe qui reçoit une perpétuelle relance du pouvoir architectonique des signes. Il importe donc d'examiner en les rapportant sans cesse l'une à l'autre les deux descriptions de type génétique que Condillac produit à ce propos. Il serait bon pour cela de revenir sur ce qui, dans le procès même du texte, vient motiver ce retour vers l'origine : c'est le problème, classique depuis Descartes, de l'objet de la perception comme support des qualités sensibles.

(4) La difficulté majeure de la lecture de Condillac réside dans le fait que le plus souvent, les analyses n'effectuent pas – ou n'effectuent qu'imparfaitement – le départ entre ce qui serait un aspect génétique des inventaires (progrès des opérations de l'âme, par exemple) et leur aspect systématique (tableau du fontionnement de l'esprit humain). A tous les stades de la description, des éléments qui s'inscrivent dans un ordre de la *génération* interviennent dans l'économie du système, et la pression systématique, en retour, vient contaminer l'ordre et les modalités d'apparition de ces mêmes éléments, imposant à la lecture de constants réajustements et une perpétuelle récurrence. Cela donne l'image mouvante d'un réseau qu'il faut sans cesse – effet redondant d'une écriture faisant naître à sa lecture l'exigence même qu'elle définit ? – *décomposer et recomposer,* appelant la surcharge plutôt que la rature.

(5) *Essai,* p. 16.

(6) *«Des matériaux de nos connaissances et particulièrement des opérations de l'âme.»*

(7) *«Du langage et de la méthode.»*

L'introduction et le traitement de ce thème en ce début de l'*Essai* présentent une sorte de contre-épreuve négative de la théorie du signe qui se trouvera développée dans la suite. Cherchant à circonscrire le statut de l'objet par rapport à la perception qu'il occasionne, Condillac relève l'ambiguïté de tout jugement de qualité, et en arrive très vite à associer dans une relation de dépendance immédiate l'erreur gnoséologique à la non-maîtrise des signes :

La sensation, principe de toute connaissance, pour peu qu'on entreprenne de la décomposer, découvre en elle trois opérations distinctes dont deux seulement lui peuvent être légitimement rattachées : on distingue d'abord la perception (*i.e.* le contenu perceptif livré dans son actualité sensible), puis le rapport intuitivement perçu à l'extériorité, et enfin le jugement par lequel l'ensemble des qualités perçues est pensé comme appartenant *réellement* à l'objet de la perception. (8)

Cette opération finale, erronée, semble désigner dans des facteurs purement langagiers le lieu de sa constitution et de sa provenance, le défaut d'analyse au niveau de la langue pouvant seul rendre raison de cet emploi abusif de l'assertion :

> «Ce qui nous fait croire que nos idées sont susceptibles d'obscurité, c'est que nous ne les distinguons pas assez des expressions en usage. Nous disons, par exemple, que *la neige est blanche* ; et nous faisons mille autres jugements sans penser à ôter l'équivoque des mots. Ainsi, parce que nos jugements sont exprimés d'une manière obscure, nous nous imaginons que cette obscurité retombe sur les jugements mêmes, et sur les idées qui les composent : une définition corrigerait tout. La neige est blanche, si l'on entend par *blancheur* la cause physique de notre perception ; elle ne l'est pas, si l'on entend par *blancheur* quelque chose de semblable à la perception même. Ces jugements ne sont donc pas obscurs ; mais ils sont vrais ou faux, selon le sens dans lequel on prend les termes.» (9)

Cette similitude implicitement postulée entre les caractéristiques du contenu perceptif et les propriétés réelles de l'objet, cette confusion selon laquelle la réalité de l'objet donné dans la perception ne se distinguerait pas, substantiellement, de l'ensemble des

(8) *Essai*, p. 30.

(9) *Ibid.*, p. 34.

qualia qui le représentent dans la sensation, se constituent d'une insuffisance purement langagière dans l'opération trop rapidement synthétisante des expressions prédicatives : Condillac ne fait ici rien d'autre que questionner l'équivoque et l'obscurité dans la surface signifiante, pour y reconnaître l'effet d'une indifférenciation – indice persistant de l'originaire dans la langue ? – des objets et des mots. S'il semble qu'apparaisse en creux quelque chose comme l'élaboration de la notion de référent, se pose par ailleurs le problème de l'articulation d'une structure syntaxique simple et du sens : si Condillac fait état de la nécessité d'une spécification définitionnelle des notions, ce n'est pas que la résorption de l'inexactitude des expressions linguistiques en usage puisse être entièrement opérée par une refonte sémantique du vocabulaire ; on ne saurait dissocier cette exigence de rigueur définitionnelle – toute définition supposant un préagencement syntaxique réglant son ordonnance – du souci même de la syntaxe (10). D'où la nécessité pour Condillac d'une remise en cause fondamentale du langage, qui ne doit pas se borner à de simples réajustements au niveau lexical, mais doit renvoyer à un réexamen des fonctions syntaxiques et de l'idée même de syntaxe :

> «... J'ai été obligé de me faire, en quelque sorte, un nouveau langage. Il ne m'était pas possible d'allier l'exactitude avec des signes aussi mal déterminés (11) qu'ils le sont dans l'usage ordinaire. Je n'en serai cependant que plus facile à entendre pour ceux qui me liront avec attention.» (12)

(10) Il s'agit en l'occurrence du problème de la prédication de qualité dans la phrase de base, renvoyant à celui, plus général, de la relation des catégories substantives (sujet toujours substantif, verbe être = verbe substantif, d'après la *Grammaire)* et des catégories adjectivales.

(11) La détermination maximale des signes se rencontrera dans la langue des calculs et fonctionnera, avec l'universalisation de la construction analogique, comme l'idéal vers lequel ne peut que tendre asymptotiquement le discours philosophique, où l'épuration du langage vulgaire s'efforce de réduire l'inadéquation des signes. Qu'un traité de style *(Art d'écrire)* prenne place entre une grammaire et un traité de calcul montre bien l'impossibilité d'une complète adéquation entre les langues naturelles et la syntaxe analogique du langage mathématique.

(12) Essai, p. 37.

Cette *attention*, si fréquemment réclamée par Condillac de qui entend s'instruire, se retrouve, matrice et charnière, au centre de l'exposé analytico-génétique des opérations de l'âme, dont nous construisons ci-après le schéma. Conçue comme rétrécissement du champ de conscience, et partant, comme renforcement de la conscience privilégiant un objet, elle engendre toutes les modalités de représentation *in absentia* de l'objet, et procède à l'introduction des *signes* dans la vie psychique :

(fig. I)

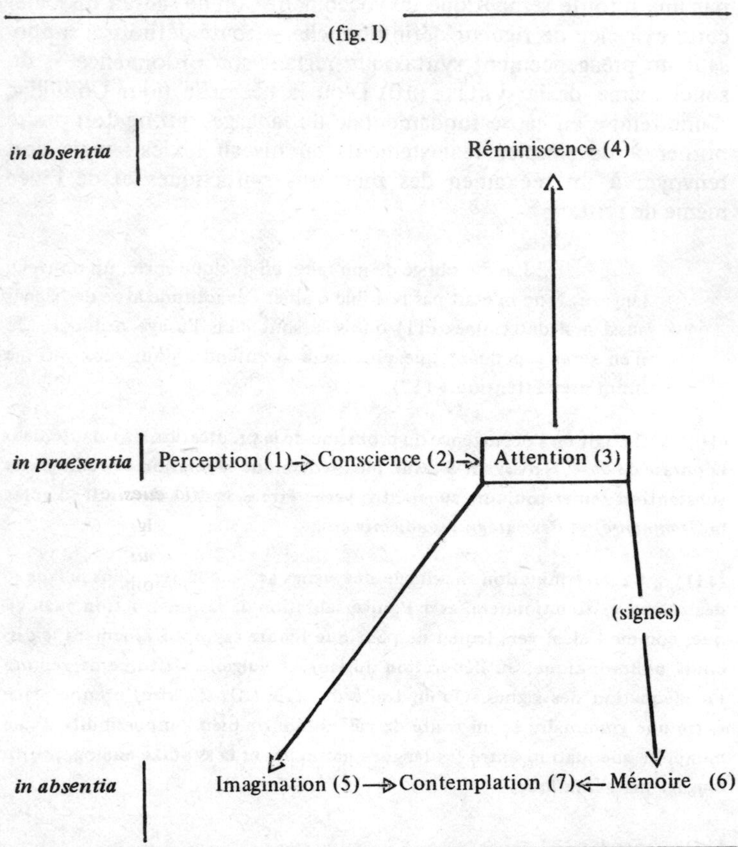

(1) «... première opération de l'entendement (...) L'idée en est telle qu'on ne peut l'acquérir par aucun discours (...) Le premier et le moindre degré de connaissance, c'est d'*apercevoir.»* (p. 38.)

(2) «... la *perception* et la *conscience* ne sont qu'une même opération sous deux noms. En tant qu'on ne la considère que comme une impression dans l'âme, on peut lui conserver celui de *perception ;* en tant qu'elle avertit l'âme de sa présence, on peut lui donner celui de *conscience.* C'est en ce sens que j'emploierai ces deux mots» (p. 50.)

(3) Les choses attirent notre *attention* par le côté où elles ont le plus de rapport avec notre tempérament, nos passions et notre état. Ce sont ces rapports qui font qu'elles nous affectent avec plus de force, et que nous en avons une *conscience plus vive.»* (p. 50.)
«Le premier effet de l'*attention,* l'expérience l'apprend ; c'est de faire subsister dans l'esprit, en l'absence des objets, les perceptions qu'ils ont occasionnées.» (p. 55.)

«... l'*attention* n'étant que la conscience qui nous avertit plus particulièrement de la présence d'une perception...» (p. 76.)
«Lorsque, de plusieurs sensations qui se font en même temps sur vous, la direction des organes vous en fait remarquer une, de manière que vous ne remarquez plus les autres : cette sensation devient ce que nous appelons attention.» (*Grammaire,* pp. LXXXIV – LXXXV.)

(4) Lorsque les objets attirent notre *attention,* les perceptions qu'elles occasionnent en nous, se lient avec le sentiment de notre être et avec tout ce qui peut y avoir quelque rapport. De là il arrive que non seulement la conscience nous donne connaissance de nos perceptions, mais encore, si elles se répètent, elle nous avertit souvent *que nous les avons déjà eues,* et nous les fait connaître comme étant *à nous,* ou comme affectant, malgré leur variété et leur succession, un être qui est constamment *le même nous.* Cette conscience est le fondement de l'expérience, sans elle, chaque moment de la vie nous paraîtrait le premier de notre existence, et notre connaissance ne s'étendrait jamais au-delà d'une première perception : je la nommerai *réminiscence (...) ; la réminiscence* est donc produite par la liaison que conserve la suite de nos perceptions.» (pp. 51-52.)

(5) Elle a lieu quand une perception, par la seule force de la liaison que l'*attention* a mise entre elle et son objet, se retrace à la vue de cet objet.» (p. 55.)

(6) Cependant il ne dépend pas de nous de réveiller toujours les perceptions que nous avons éprouvées. Il y a des occasions où tous nos efforts se bornent à en rappeler le nom, quelques-unes des ***circonstances*** qui les ont ***accompagnées,*** et ***une idée abstraite de perception.»*** (pp. 56-57.)
«La ***mémoire***... ne consiste que dans le pouvoir de nous rappeler les ***signes*** de nos idées, ou les ***circonstances*** qui les ont accompagnées.» (p. 75.)

(7) «Elle consiste à conserver, sans interruption, la ***perception,*** le ***nom*** ou les ***circonstances*** d'un objet qui vient de disparaître. Par son moyen nous pouvons continuer à penser à une chose au moment qu'elle cesse d'être présente. On peut, à son choix, la rapporter à ***l'imagination*** ou à la ***mémoire*** : à ***l'imagination,*** si elle conserve la ***perception*** même ; à la ***mémoire,*** si elle n'en conserve que le ***nom*** ou les ***circonstances.»*** (pp. 56-57.)

«La ***contemplation*** participe de l'***imagination*** ou de la ***mémoire***, selon qu'elle conserve les ***perceptions*** même d'un objet absent auquel on continue à penser, ou qu'elle n'en conserve que le ***nom*** et les ***circonstances*** où on l'a vu.» Elle ne diffère de l'une et de l'autre que parce qu'elle ne suppose point d'intervalle entre la présence d'un objet et l'attention qu'on lui donne encore, quand il est absent.» (p. 64. Nous soulignons.)

Cette disposition permet de saisir dans l'éclatement de *l'attention* le moment théorique de la naissance des trois facultés qui mettent en jeu toutes les possibilités de représentation *in absentia* de l'objet de la perception ; ce moment-seuil de l'introduction des modalités différenciées du souvenir peut être pensé, en termes derridiens, comme celui de la *différance,* qui se joue principiellement au niveau de la *conscience renforcée,* génétiquement sur l'axe *attention-réminiscence,* (13) et fonctionnellement au niveau de la mémoire. (14)

L'opération de l'attention est donc d'ouvrir le champ aux divers processus de réactivation de ce qui se révèle, dans un apparaî-

(13) Adjonction du sentiment de l'***identité*** à soi de la conscience individuelle (cf. tableau précédent, note 4).

(14) Adjonction des ***signes.***

tre résurgent, comme étant la première inscription de la *trace* (15). L'instauration matricielle de la signification s'effectue ainsi originairement dans la relation singulière de l'individu au monde, et si, plus tard, la production de signes se définit comme instrument actif de communication entre les individus, c'est que la signification aura préalablement connu une génération passive dans l'élément de l'intériorité. C'est de cette inscription passive que découle la première organisation du monde comme réalité spatio-temporelle, et la reconnaissance par le sujet de l'identité de sa propre conscience, dès lors que dans l'opération des trois facultés dérivées de l'attention (l'imagination-réveil, la mémoire-rappel, et la réminiscence-signal) une perception-support à valeur d'*index* renvoie quasi métonymiquement à une perception antécédente.

Aussi Condillac se donne-t-il, dans l'analyse de la génération des opérations langagières, l'hypothèse de l'isolement d'une conscience dont il tente de retracer les progrès *ab infantia.* (16) Dans cette situation d'isolement, les opérations de l'âme n'atteignent qu'irrégulièrement le stade de la réminiscence et de l'imagination : c'est le niveau infra-réflexif où la liaison des idées n'est produite que par le hasard, c'est-à-dire par une dépendance permanente du contexte situationnel.

Condillac poursuit alors en prenant le *couple* comme opérateur minimal permettant à la communication de s'établir. Les phases du progrès, dès ce moment, s'engendrent continûment l'une l'autre :

a) Le procès expressif de l'un des acteurs est dominé par les manifestations extérieures instinctives de la privation, et vécu par l'autre sur le mode du spectacle.

b) L'instinct assure la liaison entre le procès expressif (cris et gestes) de l'acteur se trouvant sous l'emprise du besoin, et une première forme de compréhension par l'altérité spectatrice,

(15) La *Grammaire* confirmera cette situation nodale de l'*attention* en fondant sur cette instance l'articulation décisive du discours pédagogique :

«Le grand point est de lui faire comprendre ce que c'est que l'attention : car dès qu'il le comprendra, tout le reste sera facile.» (page C.)

(16) Cf. *Essai,* seconde partie, pp. 260 et suiv. Le caractère fictionnel des analyses est beaucoup plus marqué qu'ailleurs (cf. par exemple début de la *Grammaire*, p. 6 et suiv.).

décrite comme participation émotionnelle au manque de l'autre.

Le procès expressif du premier acteur, qui se déroule en dehors de toute sollicitation d'écoute, ne saurait par conséquent être pensé comme un signal, n'assumant encore aucune fonction notificative. L'intériorisation du manque de l'autre, comme opération de mimétisme intérieur, débouche chez le second sur l'apport d'un secours «instinctif».

c) La répétition conjointe des circonstances et du procès expressif produit l'accoutumance à lier des actes expressifs à des perceptions qui de ce fait, sont rendues accessibles à l'évocation volontaire.

d) L'exercice de la mémoire et la maîtrise conquise de l'imagination produisent la *réflexion.*

e) La mutuelle compréhension de ce qui s'inscrit dans le corps de l'autre met réflexivement en relation chez chaque sujet les signes produits et le substrat émotionnel dont ils procèdent.

f) La conscience s'acquiert de l'instrumentalité des signes aux fins intersubjectives de la communication, et une communication *réfléchie* s'institue entre les participants.

g) La production des signes sort de la dépendance du contexte situationnel, et peut prendre valeur d'avertissement ou d'injonction.

De là, l'usage des signes engendre une amplification du côté des opérations de l'âme, qui contribue en retour à la maîtrise, à l'extension et au perfectionnement du système signifiant :

fig. II

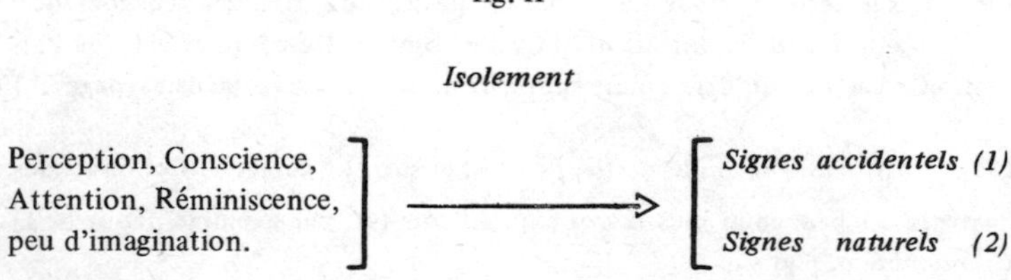

Communauté (couple)

Instinct (4), Désir	a	fonction expressive
	b	compréhension instinctive
Imagination, Mémoire	c	répétition/accoutumance/liaison/
	—▷	évocation volontaire
Réflexion	d	stade réflexif ▷***Signes naturels*** **:→*institution***
	e	compréhension réfléchie
	f	communication
	g	fonction injonctive

Société

Perfectionnement du langage par l'usage des ***signes d'institution*** (3)

---

(1) «Les ***signes accidentels,*** ou les objets que quelques circonstances particulières ont liés avec quelques-unes de nos idées, en sorte qu'ils sont propres à les réveiller.» (p. 75.)
«Avec le secours des ***signes accidentels***, son imagination et sa réminiscence pourront déjà avoir quelque exercice ; c'est-à-dire, qu'à la vue de l'objet, la perception avec laquelle il s'est lié, pourra se réveiller, et qu'il pourra la reconnaître pour celle qu'il a déjà eue. Il faut cependant remarquer que cela n'arrivera qu'autant que quelque cause étrangère lui mettra cet objet sous les yeux. Quand il est absent, l'homme que je suppose n'a point de moyens pour se rappeler de lui-même, puisqu'il n'a à sa disposition aucune des choses qui y pourraient être liées. Il ne dépend donc point de lui de réveiller l'idée qui y est attachée. Ainsi l'exercice de son imagination n'est point encore en son pouvoir.» (pp. 76-77.)

(2) «Les ***signes naturels,*** ou les cris que la nature a établis pour les sentiments de joie, de crainte, de douleur, etc.». (p. 75)
«Quant aux ***cris naturels,*** cet homme les formera aussitôt qu'il éprouvera les sentiments auxquels ils sont affectés ; mais ils ne seront pas, dès la première

fois, des signes à son égard, puisqu'au lieu de lui réveiller des perceptions, ils n'en seront que des suites. Lorsqu'il aura souvent éprouvé le même sentiment, et qu'il aura tout aussi souvent poussé le cri qui doit naturellement l'accompagner, l'un et l'autre se trouveront si vivement liés dans son imagination, qu'il n'entendra plus le cri, qu'il n'éprouve le sentiment en quelque manière. ***C'est alors que ce cri sera un signe*** ; mais il ne donnera de l'exercice à l'imagination de cet homme que quand le hasard le lui fera entendre. Cet exercice ne sera donc pas plus à sa disposition que dans le cas précédent.» (p. 77)

(3) «Les ***signes d'institution,*** ou ceux que nous avons nous-mêmes choisis, et qui n'ont qu'un rapport ***arbitraire*** avec nos idées.» (p. 75)
«Ces signes ne sont point nécessaires pour l'exercice des opérations qui précèdent la réminiscence : car la perception et la conscience ne peuvent manquer d'avoir lieu, tant qu'on est éveillé ; et l'attention n'étant que la conscience qui nous avertit plus particulièrement de la présence d'une perception, il suffit, pour l'occasionner, qu'un objet agisse sur les sens avec plus de vivacité que les autres. Jusque là les signes ne seraient propres qu'à fournir des occasions plus fréquentes d'exercer l'attention.» (p. 76)

(4) «Imagination qui, à l'occasion d'un objet, réveille les perceptions qui y sont immédiatement liées, et, par ce moyen, dirige, sans le secours de la réflexion, toutes sortes d'animaux.» (p. 83. Nous soulignons)

La confrontation des deux tableaux qui précèdent devrait conduire à une localisation plus précise du clivage entre *inscription passive et/ou production non intentionnelle de la signification, et maîtrise active des signes,* ou bien encore entre *l'usage irréfléchi* des signes *accidentels/naturels,* et l'émergence des signes *d'institution.*

Le fait qu'il y ait passage, dans l'ordre génétique, de la pure fonction expressive – instinctive et solitaire – à une fonction de communication impliquant à sa source la présence d'un signal phatique (17) par lequel l'attention de l'autre est sollicitée, amène à reconsidérer le système des facultés afin d'identifier les axes de constitution des figures successives de la *signification.* Dans le rapport des facultés à la génération des signes, il est clair à présent (cf. note 3 du tableau 2) que ce que nous avancions plus haut de la

(17) Cf. *Grammaire* p. 7 : «Ce langage (d'action) ne parle qu'aux yeux. Il serait donc inutile si, par des cris, on n'appelait pas les regards de ceux à qui on veut faire connaître sa pensée.»

différance – concept à saisir plus que jamais dans la mouvance spécifique qu'il suggère –, à savoir qu'ayant son principe dans *l'attention,* elle s'ordonne sur l'axe de la *réminiscence,* se vérifie entièrement. L'attention seule, si elle n'était, en même temps qu'intensification ponctuelle de la conscience, ébauche d'un re-tracé que, comme tel, elle diffère, ne pourrait par elle-même introduire des signes arbitraires, dont le sens est de marquer, de la réminiscence à la mémoire, une répétition dont l'enjeu mérite que s'en acquière la maîtrise.

L'attention qui engendre la mémoire est donc en quelque sorte augmentée de l'acquis de la réminiscence ; sur l'axe attention-mémoire apparaissent des signes «choisis arbitrairement» par le sujet et sur lesquels la mémoire opère, tandis que la première irruption de la conventionalité dans le langage aura lieu dès que la mémoire et l'imagination auront contribué à faire naître, à travers l'accession à l'évocation volontaire des signes et des perceptions, la *réflexion* elle-même. Le *signe* (cf. note 2 du tableau 2) ou, dans notre terminologie, la *signification,* prend corps dès que la perception réitérée du rapport émotion/expression réalise dans le sujet une accoutumance à lier certaines suites expressives à certains sentiments. Mais le niveau de la reproduction volontaire ne sera atteint qu'à travers une prise de possession par le sujet de ses propres actes expressifs, qui deviendront alors actes significatifs : cette maîtrise qui ouvre sur la prise en compte de la relation signifiant/signifié et sur l'établissement de fait de la communication ne pourra se constituer qu'à travers le passage au *stade réflexif,* qui sera aussi bien, comme on va le voir, celui de la genèse *spéculaire* du *signifiant* comme tel :

> «Ce langage (le langage d'action) est naturel à tous les individus d'une même espèce, ***cependant tous ont besoin de l'apprendre.*** Il leur est naturel, parce que si un homme qui n'a pas l'usage de la parole montre d'un geste l'objet dont il a besoin, et exprime par d'autres mouvements, le désir que cet objet fait naître en lui, c'est, comme nous venons de le remarquer, en conséquence de la conformation. Mais si cet homme n'avait pas ***observé ce que son corps fait en pareil cas (18),*** il n'aurait pas appris à reconnaître le désir dans les mouvements d'***un autre.*** Il ne comprendrait donc pas le sens des

(18) *Grammaire* p. 9. Cf. aussi *Logique* p. 55 : «Il suffit d'avoir remarqué ce qu'on fait lorsqu'on désire ou qu'on craint, pour apercevoir dans les mouvements des autres leurs désirs ou leurs craintes.»

mouvements qu'on ferait devant lui : il ne serait donc pas capable d'en faire ***à dessein*** de semblables, pour se faire entendre lui-même. ***Ce langage n'est donc pas si naturel qu'on le sache sans l'avoir appris.»*** (Nous soulignons)

La cohésion de l'aspect sémiologique et de l'aspect psychologique de la pensée condillacienne transparaît, sur son versant génétique, de la confrontation de ce texte de la *Grammaire* et du texte de l'*Essai.* Ce que nous avons nommé *stade réflexif* reçoit ici, de la notion d'*apprentissage,* une information essentielle. Il faudrait, quitte à assumer le jeu complexe d'une métaphore non linguistique, appeler ce moment *stade du miroir* dans la génération du langage. L'idée d'un apprentissage nécessaire des signes naturels semble être, depuis Géraud de Cordemoy (19), un des topiques des théories génétiques du langage.

Que la dimension – toute métaphorique, comme il va de soi – d'un renvoi spéculaire s'installe entre le monde et le sujet pour livrer à ce dernier l'image de son propre pouvoir-signifier dans le monde, et que ce moment théorique assigné à l'affleurement d'une mémoire des signes soit également le moment actif de la *réflexion* devant l'instance du *reflet,* une telle convergence conduit à penser quelque chose comme une *seconde articulation* de la *différance* (20).

(19) *Discours physique de la parole*, p. 17 : «... si un homme a bien observé ses yeux, son visage et tout l'extérieur de son corps, pendant qu'il a eu certaines passions, il a pu, voyant les mêmes mouvements dans un autre homme, juger que cet homme sentait les mêmes passions.»

(20) Il faudrait suivre avec attention les développements que Géraud de Cordemoy, bien avant Condillac, effectue sur ce sujet. La première aperception dans le renvoi spéculaire de la génération des signes naturels révèle la structure ambiguë de tout acte de communication ; l'apprentissage de la signification la plus élémentaire est d'entrée de jeu l'amorce du processus de sa *dénaturalisation* : dès que les signes naturels sont enregistrés par le sujet – c'est-à-dire s'inscrivent dans sa *mémoire* – et que la réflexion permet de comprendre leur instrumentalité, la spontanéité première de la fonction expressive s'abolit dans la différance. S'il y a commencement de *dénaturalisation* des signes par un apprentissage qui est déjà presque une procédure codifiante, il y a simultanément *dénaturation* du langage d'action, et opacification de sa transparence : apprendre la liaison des signes et de leur corrélat passionnel, c'est apprendre du même coup la possibilité de son revers : la non liaison, la

Comme spécularisation d'actes signifiants de la part du sujet, le reflet permet la saisie du rapport signes/passions et la prise de possession mémorielle de leur co-occurrence, où se découvre l'opération fondamentale de la signication.

Comme mise en perspective de soi et du monde, la distance au miroir – qui peut être aussi bien distance à soi – permet au sujet de thématiser la distance de l'extérieur à l'intérieur, et d'évaluer la portée intersubjective des signes dont il détient à présent la maîtrise.

Comme phase d'expérimentation solitaire des signes, cette auto-observation *diffère* la communication effective dans le procès de l'apprentissage.

C'est donc la réflexion, sous tous ses aspects, qui décide de l'accomplissement par le langage de sa vocation interindividuelle, et opère la jonction entre l'inscription passive et/ou la production incontrôlée de la signification, et la maîtrise active de signes qui, sans modification nécessaire de leur apparence naturelle, font néanmoins par là leur entrée dans la conventionalité. Ce qui marque ce passage, c'est la disposition intérieure du sujet à transmettre un message, alors qu'au stade pré-réflexif, aucune demande d'écoute n'était effectuée, ainsi qu'en témoigne la description de l'homme qui ne posséderait que des signes accidentels et des signes naturels :

> «Il ne faudrait pas m'opposer qu'il pourrait, à la longue, se servir de ces cris pour se retracer à son gré les sentiments qu'ils expriment. Je répondrais qu'alors ils cesseraient d'être des signes naturels, dont le caractère est de faire connaître par eux-mêmes, et indépendamment du choix que nous en avons fait, l'ipression que nous éprouvons, en

(20) *(suite)* rupture praticable entre l'affect et des manifestations extérieures qui, sitôt apprises, peuvent être livrées en son absence, la simulation : «J'ai reconnu qu'ils («ces autres corps, qui ressemblent au mien») savaient l'art de se contraindre : et souvent, après un grand nombre de signes de leur part et de la mienne, qui me faisaient voir qu'ils entendaient ma pensée, et qui me faisaient croire que j'entendais la leur, je me suis aperçu qu'ils avaient dessein de me tromper.» L'apprentissage ne s'ordonne ainsi qu'à l'intérieur d'un rapport originaire à cette perversion où engage la révélation spéculaire de l'universalité du langage naturel et de la portée intersubjective des signes – ceux-ci découvrant, en même temps que leur instrumentalité, les pouvoirs de ce que nous avons convenu d'appeler, ici, la *différance.*

> occasionnant quelque chose de semblable chez les autres. Ce seraient des sons que cet homme aurait *choisis*, comme nous avons fait ceux de crainte, de joie, etc. Ainsi il aurait l'usage de quelques *signes d'institution*, ce qui est contraire à la supposition dans laquelle je travaille actuellement.» (21) (Nous soulignons)

Cette démarche négative habituelle à Condillac (circonscrire une négativité en se donnant l'hypothèse d'une limitation) marque une nouvelle fois le seuil entre signes naturels et signes arbitraires (ou d'institution) – ceux-ci n'apparaissant, comme fonctions singulières du sujet choisissant, qu'au long de l'axe de constitution de la mémoire. Mais ce n'est qu'au stade de la *réflexion* que la signification, instituant les signes naturels du langage d'action, pourra donner à ces signes la forme du *message* :

(21) *Essai* , pp. 77-78.

fig. III

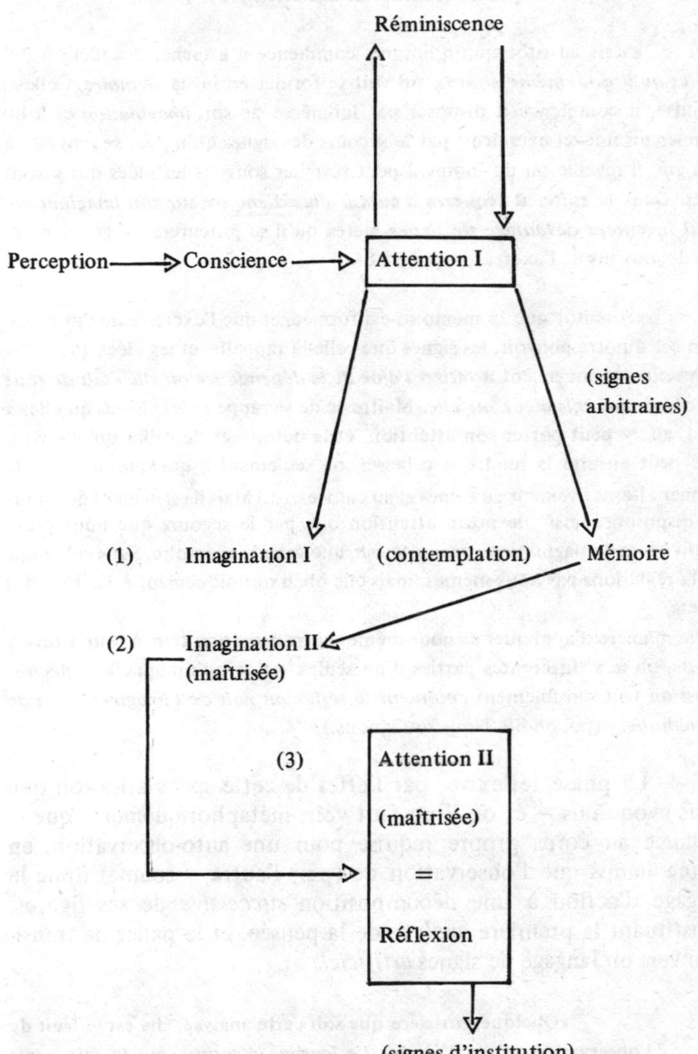
Réminiscence
Perception
Conscience
Attention I
(signes
arbitraires)
(1)
Imagination I
(contemplation)
Mémoire
(2)
Imagination II
(maîtrisée)
(3)
Attention II
(maîtrisée)
=
Réflexion
(signes d'institution)

(1) «Tant que l'imagination, la contemplation et la mémoire n'ont point d'exercice, ou que les deux premières n'en ont qu'un dont on n'est pas maître, on ne peut disposer soi-même de son attention.» (p.85.)

(2) «Mais aussitôt qu'un homme commence à attacher des idées à des ***signes qu'il a lui-même choisis,*** on voit se former en lui la ***mémoire***. Celle-ci acquise, il commence à disposer par lui-même de son ***imagination*** et à lui donner un nouvel exercice ; par le secours des signes qu'il peut se rappeler à son gré, il réveille ou du moins il peut réveiller souvent les idées qui y sont liées. ***Dans la suite, il acquerra d'autant plus d'empire sur son imagination, qu'il inventera davantage de signes,*** parce qu'il se procurera un grand nombre de moyens de l'exercer.» (pp. 85-86.)

(3) «Aussitôt que la mémoire est formée, et que l'exercice de l'imagination est à notre pouvoir, les signes que celle-là rappelle, et les idées que celle-ci réveille, commencent à ***retirer l'âme de la dépendance où elle était de tous les objets qui agissaient sur elle.*** Maîtresse de se rappeler les choses qu'elles a vues, elle y peut porter son attention, et la détourner de celles qu'elle voit. Elle peut ensuite la rendre à celles-ci, ou seulement à quelques-unes, et la donner alternativement aux unes et aux autres. (...) Mais il est évident que nous ne disposons ainsi de notre attention que par le secours que nous prête l'activité de l'imagination, produite par une grande mémoire. Sans cela nous ne la réglerions pas nous-mêmes, mais elle obéirait uniquement à l'action des objets.
Cette manière d'appliquer de nous-mêmes notre ***attention*** tour à tour à divers objets, ou aux différentes parties d'un seul, c'est ce qu'on appelle ***réfléchir.*** Ainsi on voit sensiblement ***comment la réflexion naît de l'imagination et de la mémoire.»*** (pp. 88-89. Nous soulignons.)

La phase réflexive, par l'effet de cette spécularisation que nous évoquions – et où il ne faut voir, métaphoriquement, que la distance au corps propre requise pour une auto-observation, en même temps que l'observation de (par) l'autre – soumet donc le langage d'action à une décomposition *successive* de ses figures, constituant la première *analyse* de la pensée, et le palier de transition vers un langage de signes *artificiels* :

> «Quelque grossière que soit cette analyse, elle est le fruit de l'observation et de l'étude. ***Le langage d'action, qui la fait, n'est donc plus un langage tout à fait naturel.*** Ce n'est pas une action qui, obéissant uniquement à la conformation des organes, exprime à la

> fois tout ce qu'on sent. C'est une action qu'on règle avec art, afin de présenter les idées ***dans l'ordre successif,*** le plus propre à les faire concevoir d'une manière distincte ; et, par conséquent, aussitôt que les hommes commencent à décomposer leurs pensées, le langage d'action commence aussi à devenir un langage ***artificiel.***» (22) (*n.s.*).

Il semble nécessaire, dès lors, d'éclairer autant que possible la complexité de la terminologie que Condillac applique aux diverses espèces de signes, sans toutefois en construire une typologie définitive :

Au niveau des opérations de la *mémoire,* Condillac parle indifféremment de signes *arbitraires* et de signes d'*institution :* si les deux termes fonctionnent alors comme des synonymes, il convient de remarquer qu'immédiatement après dans l'ordre génétique, c'est-à-dire au niveau de la *réflexion,* ne sera retenu que le terme de signes d'*institution,* renvoyant non plus à une ordonnance intra-subjective de la signification, mais à l'établissement d'une communication effective.

De l'*Essai* à la *Grammaire,* le concept peu analysé de signe *arbitraire* semble subir un rejet sensible.

Dans *l'Essai,* l'élaboration des signes arbitraires paraît ne pouvoir absolument franchir la frontière de l'intériorité : s'il est parlé de choix *arbitraire* pour les signes qui servent de support aux opérations de la mémoire, on ne voit nulle part que le signe *arbitraire* accède d'une manière directe à la communication ; il reste constamment dans l'élément intérieur, mais pour y assumer, comme figure archétypale de la relation signifiante, une fonction structurale par rapport à l'invention de nouveaux signes, eux-mêmes construits suivant le modèle des signes naturels :

> «Cependant ces hommes ayant acquis l'habitude de lier quelques idées à des signes arbitraires, les cris naturels leur servirent de modèle pour se faire un nouveau langage. Ils articulèrent de nouveaux sons ...» (23)

Ce progrès vers l'articulation ne saurait par conséquent faire comparaître,comme tels, des signes arbitraires, puisqu'il est com-

(22) *Grammaire,* p. 18.

(23) *Essai,* p. 264.

mandé au départ, et directement, par l'institution de signes *artificiels,* qui diffèrent essentiellement des signes arbitraires :

> «Puisque le langage d'action est une suite de la conformation de nos organes, nous n'en avons pas choisi les premiers signes. C'est la nature qui nous les a donnés : mais en nous les donnant, elle nous a mis sur la voie pour en imaginer nous-mêmes. Nous pourrions, par conséquent, rendre toutes nos pensées avec des gestes, comme nous les rendons avec des mots ; et ce langage serait formé de signes naturels et de signes artificiels. Remarquez bien, Monseigneur, que je dis de ***signes artificiels,*** et que je ne dis pas de ***signes arbitraires :*** car il ne faudrait pas confondre ces deux choses. En effet, qu'est-ce que des signes arbitraires ? Des signes choisis sans raison et par caprice. Ils ne seraient donc pas entendus. Au contraire, des signes artificiels sont des signes dont le choix est fondé en raison : ils doivent être imaginés avec tel art, que l'intelligence en soit préparée par les signes qui sont connus.» (24)

Il ressort de ce que nous avons établi plus haut et de cette dernière distinction, que l'on pourra parler de signes *artificiels* soit lorsque l'on aura affaire à des signes naturels conventionalisés, soit lorsque l'on se trouvera devant des signes construits d'après les signes naturels, selon un processus analogique.

Quoi qu'il en soit, les signes, à quelque niveau qu'ils opèrent, et quelque fonction qu'ils assurent, ne cessent de jouer leur rôle d'éléments dynamiques dans l'exercice et le développement des opérations de l'appareil psychique, ni de recevoir de ce progrès des facultés une augmentation et une spécification proportionnées. (Cf. tableau 3, note 2.)

(24) *Grammaire*, pp. 10-11.

Fig. IV.

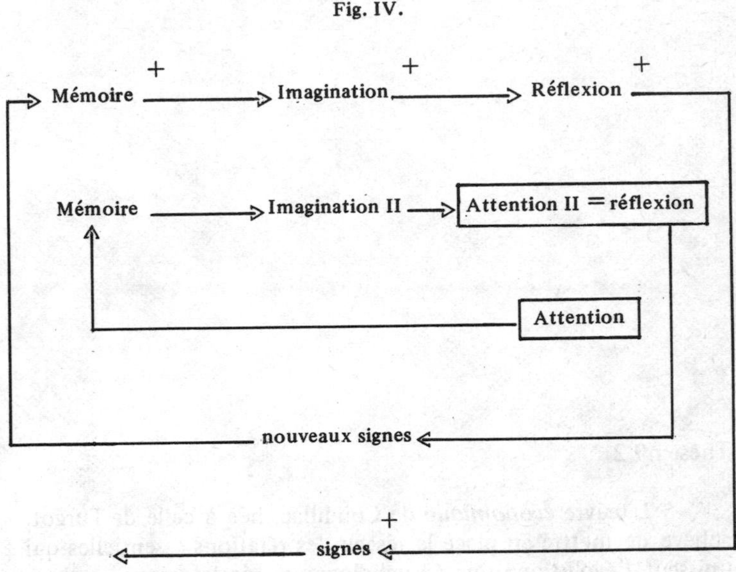

C'est ce processus d'intégration/différenciation, dont la spirale organise la totalité de l'œuvre de Condillac, qui constitue la base psycho-sémiotique de ce qui, développé en anthropologie, produira la grande figure de l'évolutionnisme culturel des Lumières, dont il faut à présent examiner les corrélations économiques.

Thèse n° 2

L'œuvre *économique* de Condillac, liée à celle de Turgot, achève de mettre en place le réseau des relations essentielles qui unissent l'évolutionnisme (psychologique, sémiologique, anthropologique, gnoséologique) des théories dix-huitiémistes du *progrès* et l'idéologie libérale.

Le texte qui suit a fait l'objet d'une communication au Colloque Condillac qui s'est tenu à l'Université de Grenoble au mois d'octobre 1980.

L'évolution spiralée : Le système de Condillac

II. L'intégration économique

Qu'il soit couramment question de *système* à propos de l'œuvre philosophique de Condillac ne doit pas faire oublier que la démonstration théorique de cette systématicité est encore loin d'avoir été produite. Si nous nous attachons ici à fournir quelques éléments de cette démonstration, c'est moins par goût des aperçus totalisateurs que par désir de discerner dans son fonctionnement réel l'un des schémas logiques les plus profondément organisateurs de l'anthropologie dix-huitiémiste, si l'on veut bien entendre par là cette anthropologie où la saisie du *dynamisme des processus culturels en acte* autorise à construire, par calcul et fiction, la représentation de leur propre origine. Procès *analogique* déjà, au sein duquel l'*origine,* par une conjecture vraisemblable, s'induit de l'*histoire* comme on va du connu à l'inconnu, et où la vision totale qui s'en trouve conçue semble devoir ouvrir, à terme, sur une *théorie générale du devenir humain,* une *anthropologie évolutive.*

De ce schéma cardinal dont il sera question ici, nous dirons, afin d'assurer sa représentation, qu'il coïncide exactement avec celle d'un graphe *spiralé.*

Ce graphe, où qu'il se construise, décrit tantôt le devenir psychologique et cognitif de l'individu isolé, tantôt l'évolution sémiotique de ses actes expressifs et communicatifs, tantôt le progrès général des connaissances, des arts et de la culture, tantôt le développement social et économique des groupes humains. La figure de la spirale s'inscrit à tous les niveaux comme celle de l'accroissement et du raffinement progressifs des compétences et des acquisitions cognitives et pratiques en devenir.

Mais aussi, où que cette figure advienne, elle intègre organiquement, consubstantiellement, fût-ce en la plupart des cas d'une manière absolument implicite, l'*ensemble* de ces devenirs.

Il faut comprendre que, de même qu'au début de l'*Essai sur l'origine des connaissances humaines* Condillac opérait une division expositionnelle et didactique entre une *psychologie* et une *sémiotique,* pour les intégrer ensuite dans la spirale de leur enrichissement réciproque et de leur relance alternée, de même, s'il donne l'impression de distinguer dans le *Traité des Sensations* le processus de l'éveil des facultés ou bien, dans *Le Commerce et le Gouvernement,* le processus de la constitution de la valeur, son discours n'est réellement *systématique* que parce que l'ensemble des processus génétiques décrits s'intègre d'une façon non dissociée dans la grande spirale du progrès qui est *une :* des multiples spires, indéfiniment détachables, des disciplines de la pédagogie condillacienne, on doit revenir ou parvenir à la spirale *unique* du progrès –spirale archimédienne à *un seul centre*– pour comprendre chez lui le sens du mot *système.*

Détaillons.

– Au niveau de l'*individu* isolément saisi dans le développement de ses facultés, de ses opérations mentales, comme dans l'évolution de ses capacités d'expression et de symbolisation, le *progrès* psycho-sémiotique décrit pas à pas par Condillac –dans l'*Essai* principalement– peut être représenté par une spirale intégrant *dialectiquement* le développement des facultés et celui des signes, selon un processus d'engendrement et d'enrichissement réciproques alternés (1).

(1) C'est de cette spirale que j'ai tracé la figure dans le précédent chapitre, qu'il faut lire comme une introduction d'ensemble à l'œuvre de Condillac et au présent chapitre, plus important pour notre actuel propos.

Au niveau de la *société* saisie dans ses développements à partir d'une forme embryonnaire –la dyade originaire de la communication ou de l'échange– et dans l'évolution de toutes ses formes de *commerce,* le *progrès* que retrace Condillac peut être lui aussi représenté par une spirale dont le point d'origine serait le *besoin,* et dont les spires développées figureraient le processus continu de multiplication et de relance des *réponses* apportées à ces besoins sous forme de réalisations culturelles, et des *nouveaux besoins* qui s'engendrent de ces réponses.

Or cette spirale aura dû nécessairement intégrer celle décrite par le développement singulier, psychologique, sémiotique et cognitif des individus. En retour, comme il faut un stade embryonnaire de socialité pour que s'effectuent certains développements individuels –par exemple la condition minimale du *couple* pour que s'instaure une communication intentionnelle par signes, ou toute autre forme de commerce–, la spirale des progrès de l'individu se confond, par force, avec celle du développement communautaire.

Nous sommes donc ici devant un phénomène de double intégration ou de *double génération dialectique,* ou encore, plus simplement, d'*articulation* de deux moments théoriques en vérité indissociables, mais couramment dissociés par l'artifice pédagogique.

Or que fait l'artifice pédagogique ?

Au lieu de présenter une spirale unique qui tracerait d'une manière successive le graphe du devenir de l'homme et de la culture, il la *fragmente* en *tours de spires homothétiques* en donnant comme origine à chacun d'entre eux, tantôt la *sensation* pour l'individu *(Traité des Sensations),* tantôt le *besoin* pour les sociétés *(Essai sur l'origine des connaissances humaines, Le Commerce et le Gouvernement).* Et Condillac souligne d'autre part dans le *Discours préliminaire* du *Cours d'Études* que le procès de l'apprentissage des connaissances par un enfant peut bénéfiquement s'appuyer sur l'analogie qu'il entretient avec ce que fut celui des peuples primitifs. Dans notre représentation géométrique, une telle *analogie* est figurée par l'*homothétie des spires.*

Or des spires homothétiques appartiennent nécessairement à la même spirale. Ainsi la spirale est-elle bien *une,* et la proportion régulière qui se découvre dans l'accroissement de ses spires montre de quelle nature est véritablement l'*analogie* condillacienne. Ce qui vient définitivement confirmer la validité de cette lecture, c'est que, de même que dans une spirale que l'on s'imagine animée d'un mouvement constant d'ouverture, les premières spires se déroulent vite et que celles qui sont éloignées du centre mettent plus de temps à recouper l'axe, de même l'apprentissage d'un enfant met moins de temps à s'accomplir que l'apprentissage d'un peuple. Aussi Condillac saisit-il ce rapport d'analogie et de différence qui réside respectivement entre les *formes* d'une part, et d'autre part les *rythmes* d'apprentissage de l'individu et des sociétés : "Or, écrit-il p. X du *Discours préliminaire,* dès qu'un enfant connaîtra l'usage des facultés de son esprit, il n'aura plus qu'à être bien conduit, pour saisir le fil des connaissances humaines, pour les suivre dans leurs progrès depuis les premières jusqu'aux dernières, *et pour apprendre en peu d'années ce que les hommes n'ont appris qu'en plusieurs siècles."* (Nous soulignons.)

Tel nous paraît être donc la figure de l'analogie fondamentale sur laquelle s'échafaude la systématicité condillacienne. Avant de l'analyser sur le terrain encore peu exploré du rapport de la théorie des signes et de la théorie économique, il importe de situer avec précision cette dernière sur son socle de discours et d'histoire.

Condillac, Turgot et la théorie de la valeur

Lorsque Condillac publie en 1776 *Le Commerce et le Gouvernement considérés relativement l'un à l'autre,* il a soixante et un ans et son œuvre philosophique est en quasi-totalité écrite et publiée. Il se peut, comme l'affirment Charles Gide et Charles Rist dans leur *Histoire des Doctrines Économiques* (1913), que l'ouvrage ait été desservi par son titre, lequel, selon ces auteurs, "n'indique nullement le sujet" (p. 56). Ces mêmes auteurs estiment qu'il s'agit d' "un traité véritable d'Économie Politique –et non plus, comme le livre des Physiocrates, de Science Sociale où les notions économiques se trouvaient pêle-mêle avec la politique, le droit et la morale". *(Ibid.).* Cette avancée de Condillac par rapport à la science physiocratique moyenne, on conviendra aisément qu'elle tient à la préséance fondatrice, dans *Le Commerce et le Gouvernement,* d'une théorie de la *valeur.* Le chapitre premier, intitulé *Fondement de la valeur des choses,* contient l'essentiel de la théorie génétique de la valeur. "Ce chapitre, note Condillac vers la fin, servira de base à cet ouvrage, c'est pourquoi je me suis peut-être trop étendu." (p. 23). Il faut donc examiner, dans un premier temps, ce qu'il en est véritablement de l'originalité supposée de cette théorie de la valeur. Nous en donnerons ici, pour simplifier, le résumé correct qu'en font Gide et Rist : "Il fonde la valeur sur l' "utilité", mais il dépouille immédiatement ce mot de sa signification vulgaire pour lui donner sa signification scientifique que désormais elle ne perdra plus : l'utilité n'est plus l'expression d'une propriété physique, intrinsèque des choses, mais celle d'une certaine correspondance entre une chose et un besoin de l'homme : "La valeur, écrit Condillac p. 15, est moins dans la chose que dans l'estime que nous en faisons, et cette estime est relative à notre besoin : elle croît et diminue comme notre besoin croît et diminue lui-même." Le fondement de la théorie de la valeur et de l'économie politique condillaciennes est tout entier du côté du sujet. Il est un *subjectivisme de la valeur,* dont nous montrerons le lien qu'il entretient avec la psychologie, la théorie de la perception et l'analyse du langage.

Mais doit-on, en toute légitimité, reconnaître à cette analyse de la valeur un caractère radicalement novateur ?

Paraphrasant la formule de Protagoras, l'abbé Galiani avait exprimé en 1750, dans son livre *Della Moneta,* un sentiment sensiblement analogue, en déclarant que "l'homme est la commune mesure de toutes les valeurs", formule dont Turgot par ailleurs relèvera l'ambiguïté. Dans la perspective généalogique qui est toujours celle de Condillac, on se trouve directement placé devant une reconstitution de l'incidence originaire, pratique et psychologique, d'un premier *fait* économique : celui de la reconnaissance par le sujet de ce qui prendra le nom de *valeur en usage,* dont le concept avait été approché par les analyses de Richard Cantillon dans son *Essai sur le Commerce* publié en 1755, et par celles de l'abbé Morellet dans le *Prospectus d'un nouveau Dictionnaire de Commerce* en 1769. Or ces influences, non ressenties par les Physiocrates, se retrouvent, condensées et ré-élaborées, chez Turgot, dont l'emprise théorique sur le discours de Condillac, pour ce qui est des matières économiques, est à notre sens hors de doute, car amplement démontrée par le parallélisme des logiques, les choix d'exemples et les emprunts textuels de toute nature.

Dans un mémoire de 1769 intitulé *Valeurs et Monnaies,* Turgot, préalablement à toute analyse de la monnaie, souligne fortement la nécessité "de se faire une idée nette de ce qu'on doit entendre ici par ce mot *valeur*" *(Oeuvres,* I, 1844, p. 79). "Il exprime, écrit Turgot p. 80, cette bonté relative à nos besoins par laquelle les dons et les biens de la nature sont regardés comme propres à nos jouissances, à la satisfaction de nos désirs."

La définition primitive de la valeur chez Turgot est donc formulable, si l'on s'attache d'abord à scruter la conscience d'un homme isolé, par un énoncé du type : Valeur est "la bonté d'un objet relativement à nos jouissances". Turgot souligne d'ailleurs qu'il s'agit là du premier moment d'une fiction didactique isolant provisoirement l'individu de tout *commerce* social : "Ce sens du mot *valeur* aurait lieu pour un homme isolé, sans communication avec les autres hommes." *(Ibid.)*

Si cet individu n'exerce ses facultés que sur un seul objet qu'il estime *bon* et qu'il recherche, cette bonté unique relative à lui seul pourra constituer en quelque sorte l'absolu de la valeur. "Mais cette valeur, indique Turgot, n'étant point comparée à d'autres *valeurs,* ne serait point susceptible de mesure, et la chose qui *vaut* ne serait point évaluée." *(Ibid.)* Si par contre –ou ensuite– le choix lui est donné entre plusieurs objets, place sera faite à une estime différentielle et préférentielle de leurs valeurs.

Jusqu'ici, cette évaluation ou estimation comparative des objets reste dans la dépendance du moment présent. En effet, pour le sauvage ou l'enfant, la valeur s'éteint dès que le besoin actuel est satisfait.

L'*expérience,* une fois dépassé ce stade de la satisfaction immédiate, enseigne à l'homme primitif que certains objets sont aptes à être conservés et accumulés pour l'avenir. La *prévoyance,* en différant la jouissance de la consommation, vient apporter alors un élément modificateur et complexificateur à la simplicité initiale du mode d'être de la valeur et entraîne la comparaison des besoins et leur hiérarchisation vitale en fonction d'une utilité à plus long terme.

"Une troisième considération, écrit Turgot (pp. 81-82). est la difficulté plus ou moins grande que l'homme envisage à se procurer l'objet de ses désirs ; car il est bien évident qu'entre deux choses également utiles et d'une égale excellence, celle qu'il aura beaucoup plus de peine à retrouver lui paraîtra bien plus précieuse, et qu'il emploiera bien plus de soins et d'efforts à se la procurer."

L'élément *rareté* intervient donc ici, avant même que l'on ne soit entré dans la sphère de l'échange.

Forte de ces trois éléments fondamentaux, la définition par Turgot de la *valeur estimative,* que l'on peut identifier comme *la valeur en usage des objets pour un individu,* s'énonce comme l'expression du degré d'estime que l'homme attache aux différents objets de ses désirs". Si l'on admet que la différence conceptuelle entre les termes de *désir* –dominant chez Turgot– et de *besoin*

–dominant chez Condillac– est ici non significative, on assiste purement et simplement à un recouvrement quasi complet des énoncés de Turgot par ceux de Condillac. Il y a donc de l'un à l'autre plus que cette influence ou cette "inspiration" éventuelle dont parlent évasivement Gide et Rist, et c'est d'autant plus clair que Condillac, dans son quinzième chapitre, fait état de son admiration pour la politique courageuse et sage de Turgot, malheureusement traversée par la désadaptation des infrastructures commerciales, l'opposition d'intérêts économiques et politiques privés, et toutes les difficultés inhérentes à un renversement brutal et complet de la stratégie économique.

S'il apparaît donc que Condillac tient le même discours que Turgot à propos de la *valeur estimative,* on apercevra bientôt que la similitude entre eux ne se borne pas là. Ce que Gide et Rist, faute d'avoir lu Turgot, donnent pour une manifestation de l'originalité théorique de Condillac, doit être pensé, bien différemment, comme une lecture applicative –et du reste tout à fait perspicace– des traités du ministre de Louis XVI. "Condillac, écrivent-ils, voit immédiatement que l'utilité n'est pas le seul élément constituant de la valeur et que la quantité, c'est-à-dire la rareté ou l'abondance, exerce aussi une action décisive. Mais il saisit admirablement le lien qui unit ces deux éléments et montre comment ils ne font qu'un, la quantité n'agissant sur la valeur que parce qu'elle agit sur l'utilité, c'est-à-dire parce qu'elle fait plus ou moins sentir l'aiguillon du besoin. "Or puisque la valeur des choses est fondée sur le besoin, il est naturel qu'un besoin plus senti donne aux choses une plus grande valeur, et qu'un besoin moins senti leur en donne une moindre. La valeur des choses croît donc dans la rareté et diminue dans l'abondance. Elle peut même dans l'abondance diminuer au point de devenir nulle. Un surabondant, par exemple, sera sans valeur toutes les fois qu'on n'en pourra faire aucun usage puisque alors il sera tout à fait inutile." *(Ouv. cit. p. 57.)*

Or cette combinaison –nécessaire à l'existence de la valeur– de l'élément *rareté* et de l'élément *utilité,* le premier se résolvant, à l'analyse, dans le second, avait été parfaitement éclairée par Turgot dans le même mémoire de 1769 : "Il faut remarquer, y écrivait-il, que cette estime attachée à la rareté est encore fondée sur un genre particulier d'utilité, car c'est parce qu'il est plus utile de s'approvisionner d'avance d'une chose difficile à trouver, qu'elle est plus recherchée et que l'homme met plus d'efforts à se l'approprier." *(Ouv. cit. p. 82.)*

C'est la réalité physique et psychologique de ces *efforts* de l'homme isolé vers l'objet ou les objets de son désir qui permet à Turgot de conclure que "la *valeur estimative* d'un objet, pour l'homme isolé, est précisément la portion du total de ses facultés qui répond au désir qu'il a de cet objet, ou celle qu'il veut employer à satisfaire ce désir." (p. 83.)

La *dépense des facultés,* correspondant à la somme des facultés susceptibles d'être investies volontairement par l'homme dans la conquête de l'objet de son désir, est donc en dernière analyse, dans le cas d'un homme isolé, la mesure de la *valeur.* Rien, conceptuellement, ne différencie la notion d' "emploi des facultés" de celle d' "efforts", qui est commune à Turgot et à Condillac. De part et d'autre, la démarche est la même, et de part et d'autre le passage à la fiction génétique de l'*échange* se produit au même moment théorique. Une différence toutefois : Turgot suppose, pour circonscrire la notion de *valeur estimative,* base de la théorie de la valeur, un homme *isolé.* Condillac, lui, parle d'emblée d'une *peuplade.* Un croisement intéressant, qui laisse penser avec vraisemblance que l'influence a pu être réciproque, se produit entre ces deux fictions d'origine. Car si Condillac s'inspire de Turgot parfois jusqu'à la paraphrase, l'homme isolé de la fiction de Turgot passe par les trois stades *condillaciens* de l'acquisition sensible des connaissances : l'*attention simple* –monoidéiste et monodésirante–, l'*attention double* ou *comparaison,* le *jugement* enfin, lequel, se manifestant dans la conscience des rapports, forme le socle de la réflexion, de la prévoyance et du choix décisionnel. Qu'il suffise de renvoyer ici à l'*Extrait raisonné du Traité des Sensations,* p. 17.

Dernière étape avant la mise en place des conditions minimales de l'*échange,* l'identification, chez Condillac comme chez Turgot, de la notion de *travail.* Chez l'un comme chez l'autre, elle survient, nominalement, après la mise en évidence de la nécessité dans laquelle se trouve l'homme isolé, pour accéder à l'objet de ses désirs, de *dépenser* une portion de ses facultés, c'est-à-dire des "soins", des "fatigues" et du "temps" : "L'homme est encore seul, *écrit Turgot,* la nature seule fournit à ses besoins, et déjà il fait avec elle un premier *commerce* où elle ne fournit rien qu'il ne paye par son travail, par l'emploi de ses facultés et de son temps." (pp. 82-83.)

"Or, qu'est-ce qu'un travail ?" demande quant à lui Condillac. "C'est une action ou une suite d'actions, dans le dessein d'en tirer un avantage."(*Ouv. cit.,* p. 15.). Puis, pour distinguer définitivement le travail d'une action quelconque, il ajoute : "Travailler, c'est donc agir pour se procurer une chose dont on a besoin." Ainsi, chez Condillac comme chez Turgot, si le *besoin* est source de l'*aperception individuelle de la valeur,* c'est le *travail* qui en constitue, subjectivement toujours, la *réalité.* Chez l'un et chez l'autre, le travail et la valeur existent, pour le sujet aux prises avec la nature –Turgot parle à ce propos, rappelons-le, d'un premier *commerce–, antérieurement* à l'apparition même de la dyade de l'échange, et *a fortiori,* de la société. Cela n'est pas contredit par le fait que Condillac parle d'emblée d'une *peuplade.* Car dans le *Traité des Sensations,* la statue qui est progressivement devenue homme au sein de son affrontement avec les forces de la nature connaît le sentiment de la *bonté* de certains objets et utilise son *industrie* à se les procurer : du point de vue du *système* général, il est indifférent que Condillac, dans *Le Commerce et le Gouvernement,* présuppose la société, puisque le *Traité des Sensations* de 1754 avait amplement servi à analyser les premiers développements du sentiment de la *valeur* et la première expérience du *travail* dans l'isolement d'une existence individuelle.

C'est sans doute dans cette antécédence de la valeur qu'il faut faire consister d'abord la singularité théorique de Turgot et de Condillac par rapport à une réflexion économique ambiante qui inversait selon eux l'ordre des instances. Condillac s'en expliquera nettement : "... il ne faudrait pas dire, avec les écrivains économistes, qu'elle *consiste dans le rapport d'échange entre telle chose et telle autre :* ce serait supposer, avec eux, l'échange avant la valeur ; ce qui renverserait l'ordre des idées." (p. 20.) Mais dès que sont fixés à la fois le concept et l'antériorité de la valeur au sein d'une subjectivité qui rapporte tout à elle-même, il est permis de passer à l'examen des conditions de l'échange. Peu importe ici que ce passage s'effectue chez Turgot à travers la supposition de la rencontre de deux hommes isolés, et, chez Condillac, à travers celle de deux hommes commerçant ensemble à l'intérieur d'un même peuple, puisque Turgot multipliera ensuite le nombre des échangeurs, et que Condillac quant à lui en reviendra au chapitre III *(Fondement du prix des choses)* à la fiction pédagogique du "vous" et du "moi" mis en situation de commercer ensemble.

"Reprenons, *propose Turgot,* le fil qui nous a conduit jusqu'à présent ; étendons notre première supposition. Au lieu de ne considérer qu'un homme isolé, rassemblons-en deux : que chacun ait en sa possession des choses propres à son usage, mais que ces choses soient différentes et appropriées à des besoins différents. Supposons, par exemple, que dans une île déserte, au milieu des mers septentrionales, deux sauvages abordent chacun de leur côté, l'un portant avec lui du poisson plus qu'il n'en peut consommer, l'autre portant des peaux au-delà de ce qu'il peut employer pour se couvrir et se faire une tente. Celui qui a apporté du poisson a froid, celui qui a apporté des peaux a faim ; il arrivera que celui-ci demandera au possesseur du poisson une partie de sa provision, et lui offrira de lui donner à la place quelques-unes de ses peaux : l'autre acceptera. Voilà l'échange, voilà le commerce." (p. 84.)

Dans cette supposition, chacun des deux échangeurs dispose d'un *superflu* –Condillac dira d'un *surabondant*– de la denrée qu'il transporte. Isolément, chacun ne peut attacher de *valeur* à ce dont il ne pourra faire *usage,* le pêcheur parce que le poisson est une denrée périssable, et le possesseur de peaux parce que ces dernières, passée la satisfaction complète de ses besoins personnels, lui deviendraient inutiles. Dans la situation d'échange, le surabondant inutile de chacun est troqué contre celui de l'autre, car il représente alors, pour l'un comme pour l'autre, une *valeur* en *usage.* Deux réflexivités alors se font face, chaque réflexion transitant par *l'estime des besoins de l'autre* pour effectuer l'*évaluation* de ce qui pour chacun n'était pas utile, et soudain le devient *par le fait de l'échange.* Dans cette première hypothèse, les deux superflus s'échangent globalement l'un contre l'autre, sans préoccupation de mesure. Une seconde hypothèse, correspondant au second temps de la fiction de départ –l'homme prenant conscience de l'intérêt qu'il trouve à conserver des denrées conservables–, vient relayer la première : "Mais changeons un peu la supposition : donnons à chacun de ces deux hommes un intérêt de garder leur superflu, un motif d'y attacher de la valeur : supposons qu'au lieu de poisson l'un ait apporté du maïs, qui peut se conserver très longtemps ; que l'autre, au lieu de peaux, ait apporté du bois à brûler, et que l'île ne produise ni grains ni bois. Un de nos deux sauvages a sa subsistance, et l'autre son chauffage pour plusieurs mois ; ils ne peuvent aller renouveler leur provision qu'en retournant sur le continent, d'où peut-être ils ont été chassés par la crainte des bêtes féroces ou d'une nation ennemie ; ils ne le peuvent qu'en s'exposant sur la mer, dans une saison orageuse, à des dangers presque inévitables ; il est évident que la totalité du maïs et la totalité du bois deviennent très précieuses aux deux possesseurs, qu'elles ont pour eux une grande valeur ; mais le bois que l'un pourra consommer dans un mois lui deviendra fort inutile si dans cet intervalle il meurt de faim faute de maïs, et le possesseur de maïs ne sera pas plus avancé, s'il est exposé à périr faute de bois : ils feront donc encore un échange, afin que chacun d'eux puisse avoir du bois et du maïs jusqu'au temps où la saison permettra de tenir la mer pour aller chercher sur le continent d'autre maïs et d'autre bois." (pp. 84-85.) Le calcul réflexif et comparatif dont font l'objet, chez chaque individu, la valeur de ce qu'il a et qu'il peut céder, et la valeur de ce qu'il n'a pas et dont il souhaite l'acquisition, débouche nécessairement sur la fixation, relativement à lui seul, d'une *valeur estimative* pour chacun des deux superflus échangeables, c'est-à-dire en fait de *deux* valeurs : "Cette valeur estimative, écrit Turgot, est proportionnée à l'intérêt qu'il a de se procurer ces deux choses ; et la comparaison des deux *valeurs* n'est évidemment que la comparaison des deux *intérêts.*" (p. 85.) Mais chacun, poursuit-il, "fait ce calcul de son côté, et les résultats peuvent être différents." Outre que les valeurs estimatives des denrées, respectivement fixées par l'un et par l'autre au cœur d'une réflexion comparative mettant en balance deux intérêts personnels, ne coïncident généralement pas, il faut tenir compte d'un troisième intérêt, commun aux deux antagonistes, et "indépendant de toute comparaison", qui est pour chacun d'eux de "garder le plus qu'il peut de sa denrée, et d'acquérir le plus qu'il peut de celle d'autrui". Voilà cette fois mises en place les conditions de ce que l'on peut appeler à présent le *marchandage,* où il s'agit purement et simplement de *tromper l'autre* sur l'estime intérieure portée séparément aux denrées de l'échange : "Dans cette vue, chacun tiendra secrète la comparaison qu'il a faite intérieurement de ses deux intérêts, des deux valeurs qu'il attache aux deux denrées à échanger, et il sondera par des offres plus faibles et des demandes plus fortes le possesseur de la denrée qu'il désire. Celui-ci tenant de son côté la même conduite, ils disputeront sur les conditions de l'échange, et comme ils ont tous deux un grand intérêt à s'accorder, ils s'accorderont à la fin". (p. 86.) Il importe de souligner cela, car c'est précisément cette situation de *marchandage* qui est l'analogue, dans la sphère du commerce, de ce qu'était chez Condillac *(Grammaire,* p. 9, et *Logique,* p. 55) et surtout chez Géraud de Cordemoy *(Discours physique de la parole,* rééd. Graphe, p. 14) la situation de l'échange communicatif par signes naturels *appris,* où le sujet, ayant atteint le stade réflexif du développement de ses facultés et celui, *réfléchissant,* de l'observation de sa propre image lors de ses propres actes expressifs, découvre dans les autres et dans lui-même la capacité de la *simulation ;* on peut ainsi formuler comme une vérité assez constante que lorsque l'on se trouve, dans une fiction génétique du XVIIIe siècle, devant l'évocation de ce stade du miroir de la communication ou de l'échange, on découvre inévitablement que l'une et l'autre ne s'instaurent entre deux sujets qu'associés aux conditions toujours déjà présentes de leur propre *perversion.* Mais l'échange commercial a ceci de particulier, qu'il déjoue *à la fin* cette perversion par *l'équilibre* né de la *réciprocité des intérêts* et de leur *égalité* nécessaire à la conclusion finale de l'échange. D'où en même temps l'optimisme et le moralisme libre-échangistes. Dans la communication par signes, l'un peut abuser l'autre du fait de l'intérêt qu'il peut prendre à le tromper, et cette tromperie peut rester univoque et déterminer un avantage unilatéral. Dans l'échange commercial au contraire, l'avantage devant de toute nécessité être bilatéral, les deux intérêts sont naturellement conduits à s'ajuster en vue de l'égalité du profit mutuel : "Cette supériorité, poursuit Turgot, de la valeur estimative attribuée par l'acquéreur à la chose acquise sur la chose cédée est essentielle à l'échange, car elle en est l'unique motif. Chacun resterait comme il est s'il ne trouvait un intérêt, un profit personnel à échanger ; si, relativement à lui-même, il n'estimait ce qu'il reçoit plus que ce qu'il donne." (p. 86.) La réciprocité de l'intérêt et du profit, sans laquelle aucun échange ne serait concevable, fait que, dans la situation terminale de l'échange réalisé, cette différence de valeur estimative se trouve être "précisément égale de chaque côté". Dans le cas contraire, l'inégalité des désirs aurait empêché l'échange, ou conduit à un réajustement de ses modalités. D'où le théorème fondamental et la profession de foi libre-échangiste de Turgot : "Il est donc toujours rigoureusement vrai que chacun donne valeur égale pour *recevoir valeur égale." (Ibid.)* Cette valeur "dont l'égalité est la condition nécessaire d'un échange libre", Turgot la nomme provisoirement *valeur échangeable.* Le passage bilatéral consenti à l'acte de l'échange est donc la reconnaissance *de facto* de cette égalité, dérivée d'une *valeur estimative moyenne* résultant elle-même de la confrontation des deux intérêts finaux : c'est donc cette *valeur estimative moyenne,* ou *valeur échangeable,* qui deviendra chez Turgot la *valeur appréciative,* qui apparaît dès que se décide la réalisation du premier acte de *commerce.* Or cet acte, Turgot le démontre contre les Physiocrates, est par lui-même créateur de richesse : "Il est bon, note-t-il, d'observer que l'introduction de l'échange entre nos deux hommes augmente la richesse de l'un et de l'autre, c'est-à-dire leur donne une plus grande quantité de jouissance avec les mêmes facultés." (p. 88.) Ainsi, le trajet suivi par les hypothèses génétiques de Turgot, qui conduit de l'élucidation de la notion de *valeur* à celle de la notion de *prix,* aboutit à contredire le dogme physiocratique selon lequel aucune valeur nouvelle ne pouvait naître du commerce.

Condillac parcourra, mais beaucoup plus vite et avec moins de souci analytique, le même chemin, identifiant dans son premier chapitre le fondement de la *valeur* des choses, et dans le second le fondement du *prix* des choses. De part et d'autre, il ressort de cette progression théorique que le rapport entre "valeur" et "prix" ne peut être conçu comme étant de pure synonymie. Là encore, Turgot et Condillac s'affrontent au même problème conceptuel et terminologique. "Dans le langage du commerce, note Turgot, on confond souvent sans inconvénient *le prix* avec *la valeur,* parce qu'effectivement l'énonciation du prix renferme toujours l'énonciation de la valeur. Ce sont pourtant des notions différentes qu'il importe de distinguer." (p. 88.) Si donc l'on assiste, dans le langage courant du commerce, à l'instauration spontanée d'un usage synonymique des deux termes, il faut y déceler plus que le symptôme d'une impropriété. Car le problème du rapport conceptuel entre "valeur" et "prix" se reverse à ce niveau dans le domaine du langage, en devenant précisément un problème d'*énonciation.* La *valeur,* pour Turgot, c'est très exactement le *non-énonçable.* La raison de la synonymie interrogée comme symptôme, c'est "l'impossibilité d'énoncer la valeur en elle-même" : "Comment trouver en effet l'expression d'un rapport dont le premier terme, le numérateur, l'unité fondamentale, est une chose inappréciable. et qui n'est bornée que de la manière la plus vague ? Comment pourrait-on prononcer que la valeur d'un objet correspond à la deux-centième partie des facultés de l'homme, et de quelles facultés parlerait-on ? Il faut certainement faire entrer dans le calcul de ces facultés la considération du temps ; mais à quel intervalle se fixera-t-on ? Prendra-t-on la totalité de la vie, ou une année, ou un mois, ou un jour ? Rien de tout cela, sans doute ; car, relativement à chaque objet de besoin, les facultés de l'homme doivent être, pour se les procurer, indispensablement employées pendant des intervalles plus ou moins longs, et dont l'inégalité est très grande. Comment apprécier ces intervalles d'un temps qui en s'écoulant à la fois pour toutes les espèces de besoins de l'homme, ne doit cependant entrer dans le calcul que *pour des durées inégales,* relativement à chaque espèce de besoins ? Comment évaluer des parties imaginaires dans une durée toujours une, et qui s'écoule, si l'on peut s'exprimer ainsi, sur une ligne indivisible ? Et quel fil pourrait guider dans un tel labyrinthe de calculs, dont tous les éléments sont indéterminés ? Il est donc impossible d'exprimer la *valeur* en elle-même ; et tout ce que peut énoncer à cet égard le langage humain, c'est que la valeur d'une chose égale la *valeur* d'une autre. L'intérêt apprécié, ou plutôt senti par deux hommes, établit cette équation dans chaque cas particulier, sans qu'on ait jamais pensé à *sommer* les facultés de l'homme pour en comparer le total à chaque objet de besoin. L'intérêt fixe toujours le résultat de cette comparaison ; mais il ne l'a jamais faite ni pu faire." (pp. 89-90.)

La *valeur* est ce qui, pour le sujet, ne peut trouver l'élément de son objectivation que dans sa comparaison avec d'autes valeurs –d'où naît le *prix–,* et dans la fixation *arbitraire* d'une unité de mesure. En effet, dans la théorie psychologiste de la valeur qui est celle de Turgot et qui sera celle de Condillac, "la valeur, déclare le premier, n'a, ainsi que l'étendue, d'autre mesure qu'elle-même". Si elle est bien le rapport intrasubjectif entre le désir de l'individu et l'immensurable emploi de ses facultés ordonné en vue de sa satisfaction, elle ne peut se faire connaître, dans cet élément, qu'à travers l' "estime" subjective qui détermine des actes et des comportements vitaux en eux-mêmes inévaluables : en quelque sorte, elle est pure présence à soi, pure auto-perception de la conscience et de l'intentionalité désirantes. Ce n'est que dans l'accord de commerce qui préside à l'échange que la valeur se concrétise, s'objective dans le don matériel réciproque d'une chose pour une autre, et plus précisément de *telle quantité d'une chose* pour *telle quantité d'une autre.* A ce stade seulement il est permis de parler, rigoureusement, de *prix ;* car la totalité de la valeur d'une chose sera alors objectivée, réalisée dans le corps quantifié de la denrée contre laquelle elle s'échange : ce qui permet dès lors, étant admise l'égalité nécessaire qui est la base de l'échange consenti, de découper dans le corps de la marchandise des unités quantitatives dont on pourra dire qu'elles "valent" telle mesure quantitative d'une autre marchandise. D'où l'usage synonymique vulgaire des termes de *valeur* et de *prix.* Ce découpage, de même que celui de l'étendue, se fait *arbitrairement,* et c'est désormais à travers lui, par *convention,* que s'exprimera la valeur. "D'où l'on voit, conclut Turgot, que le prix est toujours l'énonciation de la valeur." (p. 90.)

D'où l'on atteint à une conclusion qu'il ne faut pas se hâter d'interpréter comme un paradoxe : le *prix*, énonciation de la valeur, est à la fois "naturel" d'abord, puisque fondé sur l'équilibre intersubjectif des intérêts, et "arbitraire" ensuite comme formulation, puisque fondé alors sur une convention portant sur l'unité de mesure qui sert, précisément, à l'énoncer.

Examinons à présent la façon dont cette question de la pseudo-synonymie est traitée par Condillac. Ce dernier insiste sur le fait que dans les échanges, les choses n'ont pas un prix absolu –ce qui sera confirmé et développé par son troisième chapitre, *"De la variation des prix"*. A travers une exposition simplifiée, on retrouve chez Condillac les principaux éléments théoriques mis en lumière par l'analyse plus poussée de Turgot : "Elles n'ont donc, poursuit-il, qu'un prix relatif à l'estime que nous en faisons, au moment que nous concluons un marché, et elles sont réciproquement le prix les unes des autres." (p. 30.) Dans cette formule condensée, on aperçoit tout à la fois le concept de la subjectivité et de la relativité de la valeur, et la naissance, dans un espace d'intersubjectivité, de la *valeur estimative moyenne* ou *valeur appréciative* de Turgot, c'est-à-dire en fin de compte du *prix* s'établissant dans et par l'échange.

Cela se développe de la manière suivante :

"En premier lieu, *le prix des choses est relatif à l'estime que nous en faisons ;* ou plutôt il n'est que l'estime que nous faisons de l'une par rapport à l'autre. Et cela n'est pas étonnant, puisque, dans l'origine, *prix* et *estime* sont des mots parfaitement synonymes, et que l'idée que le premier a d'abord signifiée est identique avec l'idée que le second exprime aujourd'hui.

En second lieu, *elles sont réciproquement le prix les unes des autres.* Mon blé est le prix de votre vin, et votre vin est le prix de mon blé ; parce que le marché, conclu entre nous, est un accord par lequel nous estimons que mon blé a pour vous la même valeur que votre vin a pour moi." *(Ibid.)*

Le recours à l'histoire sémantique des termes atteste effectivement ce sens d'*aestimatio* comme évaluation du *prix*, de la valeur marchande d'une chose. Quant à la *valeur*, de *valere*, elle ne se dissocie pas d'une idée de force et d'emprise, d'influence et de pouvoir. Elle est également, dans le champ du langage –et ceci demandera à être développé–, la *signification*. Sur le terrain strictement économique, la *valeur* naît du besoin, antérieurement à tout échange, et ne devient *prix* que par l'opération de l'échange. "Le prix, conclut Condillac, suppose donc la valeur : c'est pourquoi on est si fort porté à confondre ces deux mots." (p. 31.)

C'est encore sur les *mots* que Condillac, sans autrement le signaler, reprendra correctivement la formule de Turgot rapportée ci-dessus. Ce dernier, affirmant comme un principe immuable que dans tout échange, "il est toujours rigoureusement vrai que chacun donne valeur égale pour recevoir valeur égale", confond dans sa formulation –et non dans sa pensée, puisque à cet égard Condillac ne fait que reproduire les thèses du Contrôleur Général– la *valeur,* instance subjective et relative à l'estime et au besoin particuliers, et son *appréciation* objectivée par l'échange. "En effet, dit Condillac, si on échangeait toujours valeur égale pour valeur égale, il n'y aurait de gain à faire pour aucun des contractants. Or tous deux en font, ou en doivent faire. Pourquoi ? C'est que, les choses n'ayant qu'une valeur relative à nos besoins, ce qui est plus pour l'un est moins pour l'autre, et réciproquement." (p. 56.) C'est très précisément la raison pour laquelle Condillac, comme Turgot, soutient contre les Physiocrates que le commerce est créateur de richesses : non seulement il évite la perte du surabondant, mais il donne à ce dernier une *utilité* qui lui assigne aussitôt une *valeur* et, partant, un *prix* dans l'échange. Grâce aux commerçants, qui sont les "canaux de communication par où le surabondant s'écoule", ce dernier, "partout où il se dépose, devient richesse."

Certes, la lecture de Marx (notamment I, I, 84-85, E. S.) rend évidente la confusion que fait Condillac entre la *valeur d'usage* et la *valeur d'échange.* Mais la logique qui procède à l'identification du *fétichisme* économique est fort analogue entre les deux auteurs, si l'on s'en tient par exemple au rappel, pour les métaux monétaires, de leur qualité de marchandises, aux rapports de la marchandise et de la monnaie, et à la dénonciation de l'hypostase des représentations qui apparaissent dans l'échange.

Nous nous efforcerons, en ce point de notre avancée, de présenter une première version des analogies qui relient la théorie condillacienne de la valeur –dont le rapport avec celle de Turgot ne doit jamais être perdu de vue– à d'autres éléments avec lesquels elle entretient un parallélisme méthodologique.

Premier point : la confusion que Condillac dénonce, dans le langage de l'économie, entre le *prix* et la *valeur,* ou celle qu'il relève au seul niveau de l'intelligence philosophique du terme de *valeur,* procède, comme toute confusion notionnelle, d'une "langue mal faite", appelant le réajustement définitionnel plusieurs fois réitéré et affiné au début du traité. Il faut, contre un préjugé vulgaire né de la langue, *désobjectiver la valeur,* la faire passer du côté du sujet estimant et jugeant : "(Mais) on est porté à regarder la valeur comme une qualité absolue, qui est inhérente aux choses indépendamment des jugements que nous portons, et cette notion confuse est une source de mauvais raisonnements. Il faut donc se souvenir que, quoique les choses n'aient une valeur que parce qu'elles ont des qualités qui les rendent propres à nos usages, elles n'auraient point de valeur pour nous, si nous ne jugions pas qu'elles ont en effet ces qualités." (p. 18.) Il apparaît ici que dans cette première démarche corrective, la théorie de la valeur n'est pas approchée autrement, chez Condillac, que ne l'a été la théorie de la *perception.* Dans l'une comme dans l'autre en effet, ce que débusque Condillac, c'est l'erreur d'attribution qui porte à croire et à dire que la qualité *appartient* à la chose, quand elle n'est relative qu'au jugement. Dans les assertions les plus simples portant sur l'objet de la perception, c'était déjà l'*expression courante* qui était obscure et appelait la distinction : "Ce qui nous fait croire que nos idées sont susceptibles d'obscurité, c'est que nous ne les distinguons pas assez des expressions en usage. Nous disons, par exemple, que *la neige est blanche ;* et nous faisons mille autres jugements sans penser à ôter l'équivoque des mots. Ainsi, parce que nos jugements sont exprimés d'une manière obscure, nous nous imaginons que cette obscurité retombe sur les jugements mêmes, et sur les idées qui les composent : une définition corrigerait tout. La neige est blanche, si l'on entend par *blancheur* la cause physique de notre perception ; elle ne l'est pas, si l'on entend par *blancheur* quelque chose de semblable à la perception même. Ces jugements ne sont donc pas obscurs ; mais ils sont vrais ou faux, selon le sens dans lequel on prend les termes." *(Essai,* p. 30.)

Si, dans ce dernier passage, écrit trente ans avant *Le Commerce et le Gouvernement,* la philosophie vient en quelque sorte convoquer l'activité définitionnelle à la réforme du langage de la certitude sensible, et s'adresse d'une façon critique à de fausses équivalences nées de l'équivoque des mots, c'est bien la même démarche qui va, au début de l'œuvre économique, déjouer l'équivalence fautive établie entre la chose et sa valeur à travers la fausse attribution à la chose d'une valeur absolue et indépendante du sujet.

Second point : lorsque l'on dépasse la phase théorique de l'estime solitaire de la valeur et que l'on entre dans celle de la confrontation qui préside à l'échange, l'*autre* apparaît dans la représentation des sujets comme dans un jeu de glaces, selon une loi de double réfléchissement qui pourrait se formuler ainsi : "ce que je fais par rapport à l'autre lorsque je fais une offre, l'autre le fait identiquement par rapport à moi". Le *marchandage* décrit au chapitre II suppose en effet cette spécularité que Turgot avait bien identifiée, mais que Condillac avait cernée mieux que quiconque en analysant au début de la *Grammaire* les premiers rudiments de la communication interindividuelle au moyen des signes naturels : il faut qu'un homme ait pu observer sur son propre corps les signes qu'il produit lorsqu'il est animé de certains désirs, pour pouvoir les reconnaître dans les autres et en produire *à dessein* de semblables. L'*apprentissage des signes naturels* et, par extension et *a fortiori,* de tous les signes voués à être utilisés dans la communication humaine, est donc immédiatement relié à la volonté de chacun d'obtenir d'autrui un comportement conforme à son désir. *Tout langage est véhicule d'intérêt,* donc, potentiellement, de calcul et de mensonge. Or on se sert de la langue pour commercer, et l'antécédence du marchandage par rapport à l'échange semblerait indiquer que la simulation et la tromperie sont alors plus efficientes que jamais. Mais le commerce ajoute à ce schéma la *réciprocité,* et la *spécularisation* à travers quoi s'opère la *spéculation* ne sert plus l'emprise d'un seul, mais de *deux* individus. *Le commerce déjoue ainsi l'abus des signes et l'abus des pouvoirs qui s'y enracinaient.* Par le libre jeu de l'équilibre et de la compensation, le commerce libre ne peut être que juste et bannir la tromperie. Quand apparaîtront dans l'économie des signes trompeurs, un abus de signes ou un abus par les signes (cf. Law) –la *valeur* s'y trouvant en déficit masqué–, Condillac et Turgot, ainsi d'ailleurs que la nature même de l'économie, les condamneront identiquement. Un pan considérable de l'idéologie des Lumières se découvre ici, et l'histoire du libéralisme aurait dû y être plus attentive. Pour s'y attacher avec rigueur, il est nécessaire de passer à présent à l'analyse de la *monnaie.*

La théorie de la monnaie

On ne peut comprendre l'apparition de la monnaie dans les échanges si l'on ne fait pas retour à l'une des propositions de base du traité, qui concerne une fois encore le fondement psychologique de la valeur. Condillac distingue deux sortes de *besoins :* "Les uns, *dit-il,* sont une suite de notre conformation : nous sommes conformés pour avoir besoin de nourriture, ou pour ne pouvoir pas vivre sans aliments. Les autres sont une suite de nos habitudes. Telle chose dont nous pourrions nous passer, parce que notre conformation ne nous en fait pas un besoin, nous devient nécessaire par l'usage, et quelquefois aussi nécessaire que si nous étions conformés pour en avoir besoin." (p. 7.) D'où la division opérée entre les besoins *naturels* et les besoins *factices,* ceux-ci étant cependant, dans l'ordre spiralé de l'évolution sociale, une suite de ceux-là, comme l'élevage fait suite à la capture : "On voit, *écrit Condillac dans un passage extrêmement révélateur,* que ces premiers besoins factices s'écartent du naturel le moins qu'il est possible. Mais on prévoit aussi qu'il s'en formera d'autres, qui s'en écarteront toujours de plus en plus. Ce qui arrivera lorsque notre peuplade, ayant fait des progrès dans les arts, voudra satisfaire à ses besoins naturels par des moyens plus multipliés et plus recherchés. Il viendra même un temps où les besoins factices, à force de s'écarter de la nature, finiront par la changer totalement et par la corrompre." (p. 9.) On remarque en passant qu'à travers ce dernier accent rousseauéen, la théorie condillacienne du progrès, comme nombre de théories évolutionnistes ultérieures, conçoit la probabilité, une fois dépassée une certaine limite dans le développement de la spirale anthropo-historique, d'une phase de dégénérescence et de déclin. A noter aussi que pour Condillac, le besoin social, "suite de la constitution des sociétés civiles", s'intègre à la naturalité ; *factices* en revanche sont les besoins nés d'un certain raffinement des arts, et qui ne sont nullement essentiels au maintien de l'ordre social. Cette distinction est structurale, car elle permet d'opérer, au chapitre VII, celle entre les choses "de première nécessité" et les choses "de seconde nécessité" et, plus loin encore, celle entre "richesses naturelles" et "richesses artificielles", foncières et mobilières, etc. l'ensemble de ces distinctions reformulant selon différents points de vue celle qui sépare, au niveau de la production, l'agriculture et l'artisanat. Elle recouvre bien un partage effectué entre le *physiologique* (entendu dans le double registre du corps individuel et du corps social) et le *psychologique* (l'habitude, l'opinion, etc.), mais ce partage à vague connotation moralisante et hiérarchique n'enraye en rien le mouvement de la spirale unique qui développe en facticité les spires sages et rustiques de la nature. C'est en conséquence de ce mouvement unique et irréversible que "les besoins, en se multipliant, donnent naissance aux arts", et que "les arts augmentent la masse des richesses". (Ch. VII, p. 61.) Or un peuple sans arts, c'est-à-dire qui se bornerait aux choses de première nécessité, n'aurait pas besoin de monnaie. L'apparition des arts va en effet de pair avec l'usage des choses de seconde nécessité et la multiplication des objets de la production et du commerce. D'où une division du travail qui va déterminer la division de la société en classes d'individus définies par leur type d'activité, et dont la multiplication sera proportionnelle à la croissance numérique et aux progrès des arts. On assiste ainsi à la naissance et aux développements de l'*industrie* qui, à partir des matières premières fournies par les colons, valorise des productions sans valeur primitive, crée par sa propre opération des richesses qui sans elle n'existeraient pas, et dont le bienfait se distribue parmi les autres zones de l'activité sociale, et même dans des lieux éloignés, grâce au travail des *commerçants.* "Alors, *écrit Condillac,* on sentit la nécessité d'apprécier, avec plus de précision, la valeur de chaque chose, et on trouva la monnaie." (p. 103.)

Le premier usage de la monnaie semble naître ici, tout au moins partiellement, de la libération de la fonction commerçante comme fonction séparée, distincte de l'activité productive ou artisanale, cette libération naissant elle-même du profit qu'une société qui produit dans certains domaines au-delà de ses besoins escompte de l'exportation de ses excédents. Ce n'est évidemment que grâce à l'activité de trafic et de vente des commerçants itinérants que le surabondant inutile se transforme en richesse. C'est pourquoi une société qui, désireuse de se livrer à un commerce profitable, souhaite exporter une partie de ses productions vers des régions éloignées où ces productions sont rares ou inexistantes, crée d'elle-même une classe distincte de commerçants spécialement occupée du transport des produits. Et c'est en conséquence de la division sociale du travail, de la multiplication des arts et des classes, et de l'autonomisation de la fonction commerçante que la monnaie apparaît dans le champ –élargi– de l'échange. L'invention de la monnaie, de l' "équivalent général" de Marx, ressemble ici, pour ce qui est de ce dernier aspect (échanger au loin) à l'invention de l'*écriture* telle qu'elle se trouve décrite par Warburton, que Condillac a très attentivement lu et retranscrit : "Nous avons deux manières de communiquer nos idées, *écrivait Warburton.* La première à l'aide des sons ; la seconde par le moyen des figures. En effet, l'occasion de perpétuer nos pensées, et de les faire connaître aux personnes éloignées, se présente souvent ; et comme les sons ne s'étendent pas au-delà du moment et du lieu où ils sont proférés, on a inventé les figures et les caractères, après avoir imaginé les sons, afin que nos idées pussent participer à l'étendue et à la durée." (Cf. notre édition de l'*Essai sur les hiéroglyphes des Egyptiens,* Aubier-Flammarion, p. 98.)

En fait, il ne faudrait pas tirer de cette analogie partielle une conclusion trop hâtive. En toute rigueur, les deux seuls points sur lesquels l'écriture pouvait se trouver, pour les théoriciens du XVIIIe siècle, en position d'*équivalent général* étaient les suivants :

– dans le système phonético-alphabétique, tous les messages peuvent se "monnayer" en écriture à travers l'emploi des lettres de l'aphabet ;

– dans le système idéographique, tous les dialectes d'un empire comme la Chine, par exemple, peuvent se transcrire, lors même que leurs locuteurs natifs ne parviennent pas entre eux à une intercompréhension orale, dans des idéogrammes communs intelligibles par l'ensemble des lettres des différents dialectes.

De fait, l'analogie qui doit être ici interrogée s'inscrit, plus profondément, dans la sphère des théories de la valeur : théorie de la valeur linguistique, théorie de la valeur monétaire, en général.

Pour Condillac, on l'a suffisamment montré, *la valeur économique n'est pas arbitraire* puisque, procédant de facteurs physiques et physiologiques (le besoin, l'utilité), psychologiques (l'estime subjective), quantitatifs (l'abondance, la rareté), et pratiques (l'emploi des facultés, l'effort, le travail), elle renvoie sans cesse à l'existence du sujet humain aux prises avec la nature. Bien entendu, il faut se garder de l'illusion objectiviste qui se scelle dans la confusion du *prix* et de la *valeur*, et dans l'absolutisation de cette dernière, particulièrement lorsqu'elle est fixée, par le fait du commerce, à une mesure quantitative. La variation du prix ne fait que traduire la variation de la valeur en fonction du rapport de l'offre et de la demande, prouvant par là même son caractère *relatif*. La *valeur* n'est pas arbitraire parce que le *besoin* ne l'est pas, lors même qu'il est "factice". La valeur ne s'attache pas à la *nature* de l'*objet,* mais procède des intensités ressenties dans l'instance subjective, vraie "en nature", du *besoin* ou du *désir*.

Telles sont pour l'essentiel les considérations préalables à l'établissement complet de l'analogie qui relie entre elles l'économie et la sémiologie condillaciennes.

En effet, *de même que la valeur économique, la valeur*

linguistique et, plus largement, la valeur sémiotique, pour Condillac, ne sont pas arbitraires. "Les mots, dit le chapitre II de la *Grammaire,* n'ont pas été choisis arbitrairement". Tout part de la conformation naturelle de l'homme et, singulièrement, de son appareil articulatoire : "Mais ici la nature nous laisse presque tout à faire. Cependant elle nous guide encore. C'est d'après son impulsion que nous choisissons les premiers sons articulés, et c'est d'après l'analogie que nous en inventons d'autres, à mesure que nous en avons besoin.

On se trompe donc, lorsqu'on pense que dans l'origine des langues, les hommes ont pu choisir indifféremment et arbitrairement tel ou tel mot pour être le signe d'une idée. En effet, comment, avec cette conduite, se seraient-ils entendus ?" (pp. 21-22. Nous soulignons.)

Et il est effectif que chez Condillac, c'est par le relais d'*analogies* multiples que la langue née de la nature *s'artificialise,* sans jamais tomber dans un arbitraire d'institution qui supposerait rompu le fil par lequel s'accomplit l'évolution spiralée de la compétence sémiotique : "En parlant le langage d'action, poursuit-il, on s'était fait une habitude de représenter les choses par des images sensibles : on aura donc essayé de tracer de pareilles images avec des mots. Or il a été aussi facile que naturel d'imiter tous les objets qui font quelque bruit. On trouvera sans doute plus de difficulté à peindre les autres ; cependant il fallait les peindre, et on avait plusieurs moyens.

Premièrement, l'analogie qu'a l'organe de l'ouïe avec les autres sens, fournissait quelques couleurs grossières et imparfaites qu'on aura employées.

En second lieu, on trouvait encore des couleurs dans la douceur et dans la dureté des syllabes, dans la rapidité et dans la lenteur de la prononciation, et dans les différentes inflexions dont la voix est susceptible.

Enfin si, comme nous l'avons vu, l'analogie, qui déterminait le choix des signes, a pu faire du langage d'action, un langage artificiel propre à représenter des idées de toute espèce, pourquoi n'aurait-elle pas pu donner le même avantage au langage des sons articulés ?" (pp. 22-23.)

Ce que l'on peut ici déceler d'assentiment à un naturalisme de type cratylien sera cependant immédiatement contrebalancé par une restriction importante, où l'on retrouve l'analogue de la mise en garde contre la fétichisation ou l'hypostase naturaliste du prix comme énonciation de la valeur absolue de la chose – et de la dénonciation de l'attribution illusoire à l'objet des *qualia* qui le représentent dans la perception du sujet : "Il y a des philosophes, Monseigneur, qui ont pensé que les noms de la langue primitive exprimaient la nature même des choses. Ils raisonnaient sans doute d'après des principes semblables à ceux que je viens d'exposer, et ils se trompaient. La cause de leur méprise vient de ce qu'ayant vu que les premiers noms étaient représentatifs, ils ont supposé qu'ils représentaient les choses telles qu'elles sont. C'était donner gratuitement de grandes connaissances à des hommes grossiers, qui commençaient à peine à prononcer des mots. Il est donc à propos de remarquer que lorsque je dis qu'ils représentaient les choses avec des sons articulés j'entends qu'ils les représentaient d'après des apparences, des opinions, des préjugés, des erreurs ; mais ces apparences, ces opinions, ces préjugés, ces erreurs étaient communes à tous ceux qui travaillaient à la même langue et c'est pourquoi ils s'entendaient. Un philosophe, qui aurait été capable de s'exprimer d'après la nature des choses, leur eût parlé sans pouvoir se faire entendre." (pp. 24-25.)

Ainsi, de même que la *blancheur* n'est pas, dans la neige, un être semblable à notre perception, et ne donne lieu à cette opinion qu'à travers l'équivoque des expressions prédicatives ; de même que la langue n'exprime pas la nature des choses, mais divers points de vue sur celles-ci, qui se fixent dans les dénominations par le fait de l'accord des sujectivités ; de la même manière on peut dire que la *valeur* n'est perçue comme propriété de la chose que par une équivoque langagière qui objective ce qui appartient par essence au domaine du subjectif. Pour compléter cette analogie, on dira que la détermination du *prix* dans le commerce est également une forme d'accord des subjectivités. Or relisons ce qu'écrit Condillac. Si la caractéristique d'un philosophe, dans sa tension permanente vers la vérité, est de "s'exprimer selon la nature des choses", et si de ce fait sa fonction est de réformer la langue, son intervention sera aussi nécessaire et justifiée en économie qu'en psychologie, en grammaire ou en logique, car la langue de l'économie, source des confusions notionnelles précédemment évoquées, est elle aussi une "langue mal faite". Le philosophe économiste n'échappe donc pas à la règle générale de ré-examen et de réformation du vocabulaire scientifique. Mais une différence considérable apparaît lorsque l'on compare le commerce et la langue, l'échange économique et l'échange signifiant : dans la constitution de la langue, l'accord des subjectivités s'est effectué sur des "apparences", des "opinions", des "préjugés" et des "erreurs". L'accord des subjectivités permet à la communication de fonctionner, mais les "apparences", les "opinions", les "préjugés" et les "erreurs" restent tels, à l'écart de la vérité, d'une vérité toujours restituable par la voie de l'analyse philosophique. *L'échange signifiant n'est pas le gage de la justesse signifiante. Dans le commerce au contraire, l'échange qui s'opère librement est lui-même le gage de ce que la convention est juste.*

Ainsi, de même, une fois encore, que l'acte commercial, préparé dans le mensonge, l'excluait à la fin de sa réalisation par le jeu des réciprocités, de même ici il exclut l'*erreur* par le jeu du consensus libre de l'échange, qui se donne comme son unique vérité. L' "ordre naturel" des Physiocrates, corrigé par Turgot, se retrouve ici, enrichi de cette correction, à la source d'une certitude : la critique du langage de la *théorie* économique devra conduire à un retour vers l'équilibre naturel pratique de l'échange commercial librement effectué. Tout problème est donc de langue, et il faut que la langue de la théorie ait été singulièrement faussée pour que la pratique économique s'en trouve elle-même dénaturée dans son procès et dans ses fins. L'erreur n'est pas dans le commerce, mais dans la théorie et dans la législation économiques. Le commerce, lui, fait toucher en quelque sorte directement la *nature* des choses marchandes, nature non fixe, fonction du désir traduit dans la demande économique.

On se trouve donc une fois de plus reconduit du côté de la *langue*. Or une nouvelle analogie apparaît ici. Les langues sont des instruments de *signification* et de *communication*. Comme instruments de signification elles peuvent, comme on l'a vu, eu égard à la nature des choses, être fausses ou gravement inexactes, et fonctionner cependant parfaitement comme instruments de l'intercompréhension. La *monnaie* quant à elle est un moyen de signification (ou d'expression, de traduction, de représentation) et instrument de circulation (ou d'échange, de communication) de la valeur. Mais dans ce dernier domaine, si la monnaie est fausse, les lois de la valeur le feront percevoir d'une manière plus sensible que n'est ressentie par ailleurs l'inadéquation des mots de la langue. De cela, nous ne retiendrons pour l'instant que l'analogie : de même que la valeur d'un mot dans la parole et dans la langue tient au *concept* qu'il exprime, et qui est comme son fondement de naturalité intra-subjective devenu, par l'accord des subjectivités, le "sens" linguistique, de même la fonction de la monnaie comme "signe" de la valeur tient à ce qu'elle est avant tout, elle-même, *nature* valorisée dans l'estime individuelle et sociale, et désirée comme marchandise porte-valeur : "Je remarquerai, écrit Condillac en finissant le quatorzième chapitre *(Des métaux considérés comme monnaie),* que ceux qui considèrent les monnaies comme signes représentatifs de la valeur des choses, s'expriment avec trop peu d'exactitude, parce qu'ils paraissent les regarder *comme des signes choisis arbitrairement,* et qui n'ont qu'une valeur de convention. S'ils avaient remarqué que les métaux, avant d'être monnaie, ont été une marchandise, *et qu'ils continuent d'en être une,* ils auraient reconnu qu'ils ne sont propres à être la mesure commune de toutes les valeurs, que parce qu'ils en ont une par eux-mêmes, et indépendamment de toute convention." (p. 122. Nous soulignons.) L'*arbitraire* est ici exclu de l'origine et de la nature de la monnaie comme il a été auparavant rejeté de l'origine –et, partant, de la nature– des langues. Le mot n'a de valeur dans la langue que s'il fait corps avec la plénitude du concept qui l'habite. La monnaie n'a de valeur dans le commerce qu'à travers la saturation de son propre corps par une *nature* qui réunit en elle les conditions les plus hautes (utilité, rareté, inaltérabilité) pour être objet de désir économique. La matière marchande est "derrière" la monnaie comme la valeur est "derrière" le prix, et comme la motivation est "derrière" le mot. La seule différence est que, la monnaie appartenant à la sphère des objets matériels tangibles, la solidarité de la valeur et du signe peut être appréciée de la main et du regard, alors que la chose n'est pas aussi simple dans l'élément de la langue, où les instances sont dissociées par l'évolution de la langue elle-même.

Or toute cette analyse de la monnaie, ainsi d'ailleurs que la plupart des concepts-clés de l'analyse du commerce, étaient présents chez Turgot, et souvent dans des termes que Condillac paraît n'avoir quasiment pas modifiés. L'ouvrage de Turgot qui a le plus fortement inspiré Condillac est sans aucun doute celui intitulé *Réflexions sur la formation et la distribution des richesses,* paru pour la première fois en 1766, et auquel *Le Commerce et le Gouvernement* emprunte son orientation théorique et critique, sa démarche expositionnelle et jusqu'à son appareil didactique d'exemples et d'illustrations. Mais le relevé de ces similitudes n'aurait pas en lui-même grand intérêt. C'est, beaucoup plus, le mémoire inachevé intitulé *Valeurs et Monnaies*, vraisemblablement écrit pour s'insérer dans le *Dictionnaire du Commerce* projeté par l'abbé Morellet, qui permet d'éclairer la part d'influence de Turgot sur le parachèvement du système condillacien. Il s'agit, comme on a pu le constater, avant tout d'un texte sur la *valeur,* dont la rédaction fut interrompue au moment où Turgot devait logiquement en venir à décrire l'origine de la monnaie. Toute la fin du mémoire aurait dû servir d'écho aux quelques pages introductives dans lesquelles l'auteur interroge la nature de la monnaie, et sur lesquelles il est temps à présent de revenir.

Dans les deux premières pages de ce mémoire, Turgot se livre à une mise en parallèle de la monnaie avec l'ensemble des *mesures* physiques d'une part, et avec les *langues* d'autre part. Il en résulte une comparaison conduite entre trois termes dont l'un, les *langues,* semble avoir d'abord par rapport aux deux autres une fonction de *tertium quid* référentiel :

"La monnaie a cela de commun avec toutes les espèces de mesures, qu'elle est une sorte de langage qui diffère, chez les différents peuples, en tout ce qui est arbitraire et de convention, mais qui se rapproche et s'identifie, à quelques égards, par ses rapports à un terme ou étalon commun."

Les monnaies ressemblent aux mesures *en tant* qu'elles sont une sorte de langage –Turgot ne parle pas tout de suite de "langues"– où l'on trouve de l'*arbitraire,* source de différences, et du *naturel* (le fond même de la *valeur),* "terme commun", source d'identité. Le schéma d'ensemble de l'analogie est donc le suivant :

Fig. I

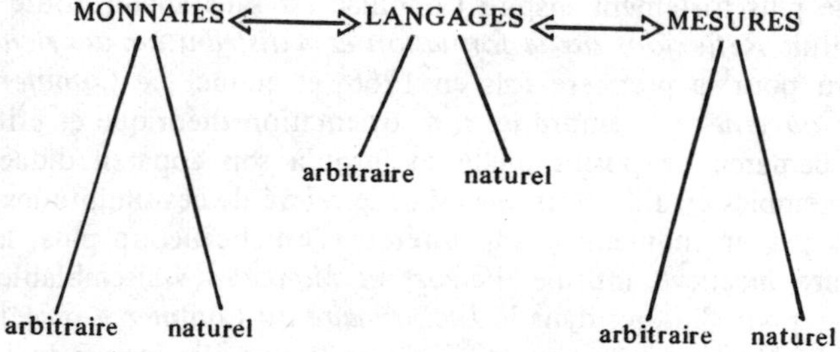

Puis Turgot décompose son analogie, commençant par l'analyse des *langues :*

"Ce terme commun qui rapproche tous les langages, et qui donne à toutes les langues un fond de ressemblance inaltérable malgré la diversité des sons qu'elles emploient, n'est autre que les idées mêmes que les mots expriment, c'est-à-dire les objets de la nature représentés par les sens à l'esprit humain, et les notions que les hommes se sont formées en distinguant les différentes faces de ces objets et en les combinant en mille manières."

Soit le schéma suivant :

Fig. II

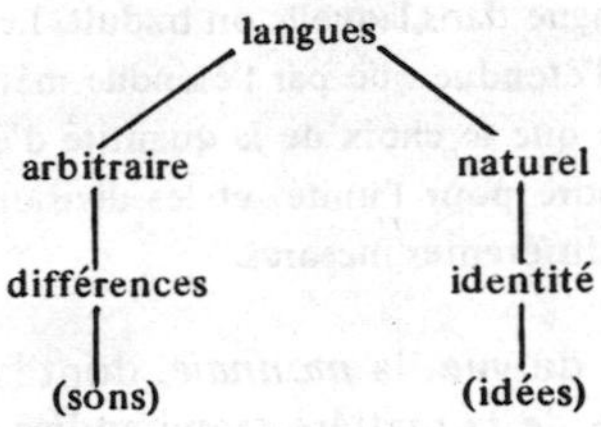

Turgot construit ensuite la même dichotomie pour les *mesures :*

"Le terme commun de toutes les mesures de longueur, de superficie, de contenance, n'est autre que l'étendue même, dont les différentes mesures adoptées chez les différents peuples ne sont que des divisions arbitraires, qu'on peut pareillement comparer et réduire les unes aux autres."

Soit le schéma parallèle :

Fig. III

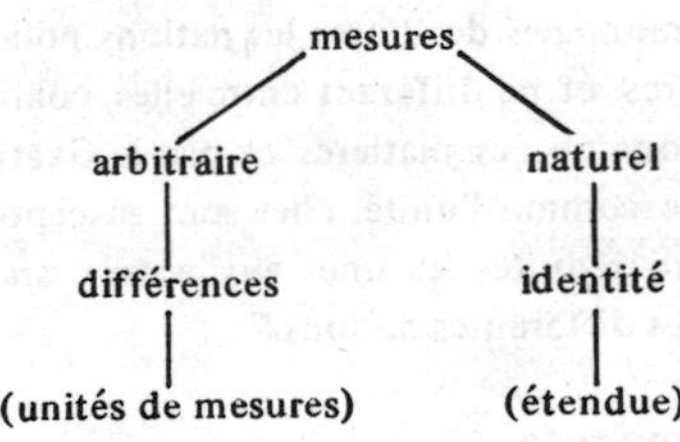

D'où l'on pourrait tirer la formule d'une première analogie, au terme de laquelle il apparaît que les langues sont un découpage arbitraire de la pensée en unités phoniques, tout comme un système de mesure est un découpage arbitraire de l'étendue en unités spatiales. Cependant cette analogie serait fausse sur un point :

> "On traduit, *écrit Turgot,* les langues les unes par les autres ; on réduit les mesures les unes aux autres. Ces différentes expressions énoncent des opérations très différentes.
>
> Les langues désignent des idées par des sons qui sont en eux-mêmes étrangers à ces idées. Ces sons, d'une langue à l'autre, sont entièrement différents, et pour les expliquer il faut substituer un son à un autre son ; au son de la langue étrangère, le son correspondant de la langue dans laquelle on traduit. Les mesures au contraire, ne mesurent l'étendue que par l'étendue même. Il n'y a d'arbitraire et de variable que le choix de la quantité d'étendue qu'on est convenu de prendre pour l'unité, et les divisions adoptées pour faire connaître les différentes mesures."

De ce point de vue, la *monnaie,* dont la valeur est fonction du poids et du titre de la matière-marchandise qui la constitue, aurait donc plus d'analogie avec la mesure physique qu'avec la langue. Cependant la double analogie est maintenue par Turgot, au vu de ce que la monnaie est passible à la fois de *traduction* –comme les sons d'une langue– et de *réduction* –comme les mesures physiques :

> "Le terme commun auquel se rapportent les *monnaies* de toutes les nations est la *valeur* même de tous les objets de commerce qu'elles servent à mesurer. Mais cette valeur ne pouvant être désignée que par la quantité des monnaies auxquelles elle correspond, il s'ensuit qu'on ne peut *évaluer* une *monnaie* qu'en une autre *monnaie* : de même qu'on ne peut interpréter les sons d'une langue que par d'autres sons.
>
> Les monnaies de toutes les nations policées étant faites des mêmes matières, et ne différant entre elles, comme les mesures, que par les divisions de ces matières et par la fixation arbitraire de ce qu'on regarde comme l'unité, elles sont susceptibles, sous ce point de vue, d'être réduites les unes aux autres, ainsi que les mesures usitées chez les différentes nations."

Soit le schéma total :

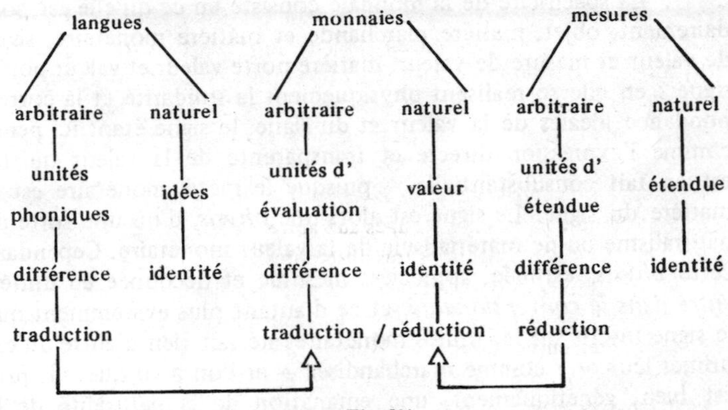

Fig. IV

Cette double analogie constitue l'idiosyncrasie de la monnaie : comme découpage arbitraire de la valeur, elle entretient une analogie avec le signifiant linguistique ; comme découpage arbitraire d'une étendue matérielle, elle en entretient une autre avec les unités conventionnelles de mesure. De ce schéma complet se déduit une série de paradigmes qui relèvent d'une identification éclairante –et peut-être nouvelle– d'analogies vécues depuis longtemps dans l'élément d'intuitions non systématisées :

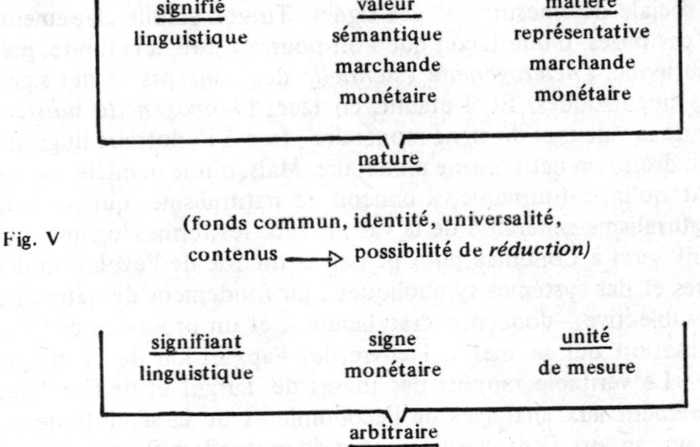

Fig. V

La spécificité de la monnaie consiste en ce qu'elle est, solidairement, objet, matière marchande et matière monétaire, signe de valeur et mesure de valeur, matière porte-valeur et valeur porte-signe : en elle se réalisent physiquement la solidarité et la correspondance idéales de la valeur et du signe, le signe étant ici pensé comme l'expression directe et transparente de la valeur qui lui est en fait consubstantielle – puisque le métal monétaire est la matière du signe. Le signe est alors une *physis,* d'où une sorte de naturalisme ou de matérialisme de la valeur monétaire. Cependant cette *physis,* estimée, appréciée, mesurée et découpée en unités, *entre dans la conventionalité,* et ce d'autant plus évidemment que le signe inscrit sur les unités monétaires ne fait rien d'autre qu'exprimer leur *prix* comme marchandises – et l'on a vu que si le prix est bien, génétiquement, une émanation de la naturalité de la *valeur,* il appartient essentiellement à la sphère de la convention. Ce que l'on doit en retenir, c'est qu'il y a là une *conventionalisation de la physis* qui est l'analogue parfait de ce que nous avons identifié chez Condillac comme étant, dans le champ du commerce de *langage,* la *conventionalisation des signes naturels* – transparents, à l'origine, aux valeurs expressives de données immédiates qui étaient les passions et les émotions subjectivement ressenties et traduites par l'homme.

Le phénomène auquel nous assistons ici est celui de la combinaison et de l'alliance d'un naturalisme de la valeur avec la prise en compte du procès de conventionalisation qui préside à l'élaboration sociale des mesures et des signes. Turgot établit clairement, dans ces pages, d'une façon que l'on pourrait dire, à la limite, présaussurienne, l'*hétérogénéité essentielle* des concepts et des signifiants linguistiques. Et il établit, en face, l'*homogénéité substantielle* de la valeur et du signe monétaire ; face à l'arbitraire linguistique, il dresse un naturalisme monétaire. Mais, d'une manière subtile autant qu'incontournable, il conçoit ce naturalisme, qui procède du naturalisme généralisé de la valeur, avec les termes logiques qui avaient servi à Condillac pour penser sa théorie de l'évolution des langues et des systèmes symboliques : un fondement de naturalité intra-subjective –donc non cratylienne–, et un procès de conventionalisation qui se met à l'œuvre dès l'apparition de l'*échange.*

Le véritable rapport des thèses de Turgot et de Condillac relativement aux analogies de l'économie et de la sémiotique est donc un rapport d'entrecroisement et de mutuelle influence, plutôt que d'inspiration univoque. Mais l'effet de *système,* qui s'en déduit, n'existe que chez Condillac. Chez Turgot, l'analogie entre langage et monnaie est illustrative et didactique, et n'atteint pas à la formulation d'une théorie générale de l'histoire et de l'évolution des fonctions représentatives, laquelle se construit au contraire chez Condillac entre 1746 et 1776. L'analogie entre langue et monnaie s'énonce chez Turgot comme la liste d'un certain nombre de caractérisations positives communes : communauté d'une composante arbitraire et d'une composante naturelle, communauté également de la propriété qui consiste à ne pouvoir se traduire que dans un autre système de valeurs arbitrairement découpées et dénommées (autre langue, autre monnaie), etc. Chez Turgot, l'arbitraire reste somme toute affecté de caractères positifs. Il n'est pas, expressément, présenté comme un élément de risque, sauf bien entendu au seul niveau économique –dans les dangers que présente une prolifération arbitrairement décidée de signes monétaires dépourvus de contenus de valeur. Chez Condillac, le système se complète par une analogie négative que l'on découvre en même temps au niveau d'une théorie de la valeur monétaire et au niveau d'une théorie de la valeur conceptuelle, linguistique et sémiotique en général : dans *Le Commerce et le Gouvernement,* le *risque* impliqué par l'*arbitraire* dans le processus de fixation de la valeur par la *monnaie* se pense comme celui d'une *fétichisation du signe monétaire,* c'est-à-dire à la fois comme l'occultation des caractéristiques naturelles et de l'histoire de la valeur (son caractère doxique, son lien indissoluble avec un *corps* économiquement désirable, ses fluctuations en fonction de l'opinion que l'on a de la rareté ou de l'abondance des matières métalliques qui la véhiculent, bref, son substrat marchand), et comme l'hypostase aveuglante de la mesure et du signe absolutisés : "On parlera, *écrit Condillac,* de valeur et de prix, sans se rendre compte de ce qu'on dit : on oubliera que les idées qu'on s'en fait ne peuvent être que relatives ; et on supposera qu'elles sont absolues." (p. 113.) Et, un peu plus loin : "Quand on crut... voir le prix (des choses) dans une mesure qui, telle qu'une once d'or ou d'argent, était toujours la même, on ne douta pas qu'elles n'eussent une valeur absolue, et on ne se fit plus, à ce sujet, que des idées confuses." (p. 118.)

L'empreinte, sur les métaux monétaires, d'un signe émanant de l'autorité publique et attestant le poids et le titre de leurs unités, si elle aide le commerce en éliminant la fraude, renforce par contre la fausse représentation des correspondances fixes et absolues entre la mesure et la valeur. Tel est bien en effet le risque de toute inscription de la mesure : elle permet d'oublier que "si l'argent est la mesure de la valeur des choses qu'on achète, la valeur des choses qu'on achète est réciproquement la mesure de la valeur de l'argent." (p. 125.) "Mais, *poursuit Condillac,* dès qu'on a eu pris l'argent pour mesure commune, on l'a bientôt regardé comme mesure absolue, c'est-à-dire, comme une mesure qui est mesure par elle-même, indépendamment de toute relation, ou comme une chose qui, par sa nature, mesure toutes les autres, et n'est mesurée par aucune." (p. 126.)

Analogie, spirale, système

Bien loin de ne concerner que le rapport de la théorie des signes et de la théorie du commerce, ce qui vient d'être dit peut être entendu comme un parcours des analogies qui structurent l'avancée systématique de Condillac entre les différentes zones de la connaissance en général. Mais qu'en est-il en fait de l'*analogie* au regard de la solidarité du système ?

L'intérêt d'une analogie découverte entre deux énoncés s'appliquant à des objets différents à l'intérieur d'un corpus théorique peut n'être pas décisif quant aux conclusions systématisantes que l'on est souvent porté à en espérer. Des analogies peuvent en effet se trouver *en constellation* en divers points d'une œuvre qui possède par ailleurs son "unité", sans avoir de fonctions autres qu'illustrative et ponctuelle. Ainsi en est-il de l'analogie entre les langues et la monnaie chez Turgot, par exemple. Mais lorsque l'analogie, dépassant le cadre de simples énoncés délimitables, se présente comme la *reconduction,* entre plusieurs traitements d'objets, d'une *logique identique* de part et d'autre, dans ses procédures de mise à jour des phénomènes, dans ses restrictions, ses apories. dans ses évictions d'éléments, dans ses exclusions et réfutations incidentes ou préventives de contre-vérités, et jusque dans ses moindres détours démonstratifs, alors elle est assurément significative d'autre chose que d'une rencontre de hasard ou d'une clause de style théorique. L'analogie qui structure un système se reconnaît, pour parler en termes hjelmsléviens, à ce qu'au-delà des constellations de hasard, elle met en place un réseau nécessaire d'*interdépendances* et de *solidarités.* Or comment, chez Condillac, opère-t-elle cette mise en place ?

Nous répondrons ici qu'elle l'opère par un mouvement

typique de *redondance*. L'analogie est en effet, chez Condillac, non seulement l'*opérateur* profond qui travaille constamment à la production du système, mais en même temps l'*objet* constant de la remarque didactique et pédagogique, ainsi que l'*instrument* d'ordination expositionnelle du savoir. Comme telle, elle guide à tous les niveaux la démarche de l'apprentissage. C'est en manipulant l'analogie tour à tour comme thème et instrument de *remarque* gnoséologique que le discours préceptoral fait identifier et comprendre l'analogie fondamentale des connaissances humaines. C'est donc par un *effet de système* qui n'est autre que celui de la *redondance analogique,* que nous sommes conduits à reconnaître dans le discours de l'œuvre les analogies profondes qui le structurent effectivement dans la solidarité de ses parties.

Nous avons fait apparaître ici que cette solidarité, construite par les analogies profondes de la nature et du savoir, pouvait voir représenter sa logique à l'intérieur d'un graphe spiralé. Le fait essentiel, c'est qu'il y a chez Condillac une spirale du développement conjoint des facultés et des signes, et qu'il y a de même une spirale du développement social, économique et culturel – et qu'il s'agit de *la même spirale*. L'essentiel, c'est que le schéma de la *communication par signes* se retrouve dans celui de l'*échange ;* c'est que le risque de l'*oubli* du fondement naturel de la valeur se retrouve dans le risque de l'oubli de l'analogie naturelle des mots de la langue : c'est que le péril d'une fétichisation des expressions abstraites se retrouve dans le fétichisme de la monnaie ; c'est que le fondement de naturalité intrasubjective de la langue se perd, dès l'apparition de l'échange communicatif, tout comme le fondement de naturalité intra-subjective de la valeur se perd, dès l'apparition de l'échange commercial ; c'est que le développement des besoins factices dans la société fait courir à celle-ci les mêmes dangers que le développement des signes artificiels fait courir à la langue, savoir : que tout *procès de conventionnalisation,* dans l'économie comme dans la langue, est un *procès de dénaturalisation* dont le prix courant est la *perte* de l'*analogie* fondamentale qui conditionne l'intelligibilité des sciences en même temps qu'elle la garantit.

Cette vision de l'histoire du savoir et de l'histoire de l'humanité, ou encore, ce qui revient au même chez Condillac, cette identification de la nature évolutive et de la démarche analogique des procédures de connaissance, obéit à l'économie de la spirale : on peut y voir, conjoints, le symbole d'ouverture propre à l'optimisme libéral et libre-échangiste de la croissance économique, et celui du rattachement physiocratique à la *nature*, qui est ici représentée par l'*analogie :* aussi la spirale n'est-elle féconde qu'à pouvoir toujours, avant d'être poursuivie, reparcourue dans le sens *inverse* de son ouverture – et telle est bien la clef de toute la pédagogie condillacienne, qui est, au sens plein, *itérative* et *ré-itérative.*

Thèse n° 3

Dans le domaine des sciences de la vie, une *idéologie (pré-) scientifique* (au sens canguilhemien) peut être caractérisée comme un discours fondant sa crédibilité sur le calcul d'un *maximum d'analogie* avec des données sanctionnées ou admises dans d'autres champs, et en l'absence de toute possibilité actuelle de vérification expérimentale dans son propre champ.

Thèse n° 4

Chez Buffon, l'*ouverture logique* au transformisme ne peut être conçue que comme une fiction, ou une "expérience" spéculative qui ne s'accompagne en définitive d'aucun ralliement. Elle n'est donc pas une ouverture *opératoire*. Le retour de Buffon à la doctrine de la Révélation n'est que secondairement une opportunité idéologique : les conditions logiques de ce geste étaient en place au commencement même de sa réflexion sur la génération.

Thèse n° 5

La théorie génétique de Buffon s'illustre par le fait qu'elle tente d'effectuer la synthèse des deux points de vue antagoniques de la *préformation* et de l'*épigénèse*. Or la contradiction entre ces deux points de vue est précisément ce qui, quant à la position de cette théorie par rapport au transformismc, paralyse son pouvoir d'assertion. La théorie de la *variation* incluse dans la description du comportement hypothétique des "molécules organiques" ne parvient pas à briser la logique essentiellement *préformationniste* de la théorie du "moule intérieur".

Quoi qu'il en soit, s'il est faux de qualifier de "transformiste" la pensée de Buffon, il est indiscutable que ses hypothèses ont largement contribué à acclimater dans l'univers des sciences de la nature un certain nombre de représentations qui s'imposeront plus tard à Lamarck.

Buffon et le transformisme : ouverture logique et refoulement de l'hypothèse

L'ébauche –mêmc hypothétique et contrôlée par une auto-censure expresse– d'un *transformisme* se trouve-t-elle effective-contenue dans le fameux chapitre de *L'Ane* de l'*Histoire Naturelle des animaux* de Buffon ? (1)

Là encore, l'ordonnancement de la classification réalise au niveau du *symptôme* ce à quoi le discours littéral sur l'*espèce* ne saurait jusqu'au bout consentir. Le chapitre consacré à l'âne suit immédiatement celui consacré au cheval. Cela n'est, à première vue, qu'un effet courant de ce que Kant appellera une classification "scolastique" fondée sur la ressemblance et constituée à l'usage de la mémoire (2). De fait, les espèces de l'âne et du cheval ont toujours été considérées comme "voisines", en raison de leur configuration générale et de leur aptitude au croisement : leur proximité dans l'ordre classificatoire n'est donc que le reflet logique de ce voisinage naturel. Cé qui est plus intéressant, c'est que le chapitre sur le cheval comporte de longs développements sur la *variabilité* des races équines. Buffon y reconnaît notamment que "Le cheval est de tous les animaux celui qu'on a le plus observé, et (qu') on a remarqué qu'il communique par la génération presque toutes ses bonnes et mauvaises qualités, *naturelles et acquises*" (3). Buffon ne s'explique pas sur cette faculté particulière, ou particulièrement accentuée, que détiendrait le cheval de transmettre ses qualités à sa descendance d'une façon plus infaillible que des animaux appartenant à d'autres espèces. Il faut apparemment accepter cette loi comme une induction à partir des observations des éleveurs, auxquels Buffon, comme plus tard Darwin, semble avoir accordé un grand prix. Il demeure qu'en toutes lettres, Buffon, dans ce court passage, admet, à propos du cheval, une hérédité

(1) L'édition de référence est ici celle des *Oeuvres Complètes de Buffon,* Legrand, Pomey et Crouzet, *s. d.* Les chapitres analysés se trouvent dans le tome III.

(2) Kant, *Des différentes races humaines* (1775-1777), I. *De la diversité des races en général,* dans *La philosophie de l'histoire* (opuscules), Aubier, 1947.

(3) *Loc. cit.,* nous soulignons.

sensible de qualités *acquises*. Bien qu'essentielle, cette reconnaissance, toutefois, n'est pas suivie d'illustrations aptes à la faire partager au lecteur. Mais le chapitre en question renferme d'autres indices d'une ouverture de Buffon à une conception au moins relativisée du fixisme général : la théorie, développée ailleurs, de l'influence informante de la nourriture sur le développement et la génération (4) s'y combine avec celle de l'influence du climat pour produire, au sein d'un discours extérieurement respectueux des décisions du créationnisme fixiste, les conditions d'installation d'un *maximum de variabilité* entre les limites assignées par la reconnaissance des frontières de l'espèce :

> "Il y a dans la nature un prototype général dans chaque espèce, sur lequel chaque individu est modelé, mais qui semble, en se réalisant, s'altérer ou se perfectionner par les circonstances ; en sorte que, relativement à de certaines qualités, il y a une variation bizarre en apparence dans la succession des individus, et en même temps une constance qui paraît admirable dans l'espèce entière. Le premier animal, le premier cheval, par exemple, a été le modèle extérieur et le moule intérieur sur lequel tous les chevaux qui sont nés, tous ceux qui existent et tous ceux qui naîtront, ont été formés ; mais ce modèle, dont nous ne connaissons que les copies, a pu s'altérer ou se perfectionner en communiquant sa forme et se multipliant : l'empreinte originaire subsiste en son entier dans chaque individu ; mais quoiqu'il y en ait des millions, aucun de ces individus n'est cependant semblable en tout a un autre individu, ni par conséquent au modèle dont il porte l'empreinte. Cette différence qui prouve combien la nature est éloignée de rien faire d'absolu, et combien elle sait nuancer ses ouvrages, se trouve dans l'espèce humaine, dans celles de tous les animaux, de tous les végétaux, de tous les êtres en un mot qui se reproduisent : et ce qu'il y a de singulier, c'est qu'il semble que le modèle du beau et du bon soit dispersé par toute la terre, et que dans chaque climat il n'en réside qu'une portion qui dégénère toujours, à moins qu'on ne la réunisse avec une autre portion prise au loin : en sorte que pour avoir de bon grain, de belles fleurs, etc., il faut en échanger les graines, et ne jamais les semer dans le même terrain qui les a produites ; et de même, pour avoir de beaux chevaux, de bons chiens, etc., il faut donner aux femelles du pays des

(4) *Histoire des animaux,* tome III, 2e partie, ch. III, *De la nutrition et du développement,* p. 386 et suiv.

mâles étrangers, et réciproquement aux mâles du pays des femelles étrangères ; sans cela les grains, les fleurs, les animaux, dégénèrent, ou plutôt prennent une si forte teinture du climat, que la matière domine sur la forme et semble l'abâtardir : l'empreinte reste, mais défigurée par tous les traits qui ne lui sont pas essentiels. En mêlant au contraire les races, et surtout en les renouvelant toujours par des races étrangères, la forme semble se perfectionner, et la nature se relever et donner tout ce qu'elle peut produire de meilleur." (5)

Quelque peu de sens que puisse paraître avoir ce rapprochement, on ne peut ici s'interdire de penser que Darwin s'exprimera de la même manière en 1859 à propos de l'utilité des croisements quant à la vigueur des produits de l'élevage et de la culture (6), et qu'en outre, au même endroit, il fera écho, en soulignant les effets d'une union consanguine fréquemment répétée, à la page de ce même chapitre du *Cheval* où Buffon, évoquant les sociétés humaines, attribue au refus du mélange la dégénérescence de la race (7). On ne peut davantage s'empêcher de penser que lorsque Gobineau, vers 1853, produira son dogme isolationniste et proclamera celui de la dégénération par fait de métissage (8), il le fera, malgré des allégations multiples visant à raccorder sa théorie à des phénomènes avérés en biologie, *contre* toute l'expérience qu'avaient accumulée l'horticulture et l'élevage, et *contre* tout ce que l'histoire naturelle en avait induit.

Dans le passage qui vient d'être cité, Buffon part des conclusions empiriques nées d'une longue pratique d'amélioration des races domestiques, pour leur trouver des fondements rationalisables du côté de la nature –ce que recommencera, à son niveau, *L'origine des espèces.* L'eugénique des éleveurs repose sur l'expérience et, dans cette mesure, vit de recettes plutôt que de théories, encore que l'ensemble de ces recettes et la conscience de leur finalité ait sans doute secrété avec le temps une théorie implicite qu'il appar-

(5) *Le Cheval*, p. 42.

(6) Darwin, *L'origine des espèces*, Marabout–Université, 1973, *Sur l'entrecroisement des individus*, pp. 107-108.

(7) *Loc. cit.*, p. 44.

(8) *Essai sur l'inégalité des races humaines*, 1853-1857.

tiendra à Darwin de formuler en lui donnant sa plus vaste extension. Comme pratique d'amélioration appliquée à la nature organisée, l'activité des éleveurs –au sens large– implique pour sa réussite qu'elle s'harmonise avec des lois naturelles qu'elle contribue, comme *effet,* à éclairer.

A partir de ce point, l'interprétation que Buffon tente de construire présente effectivement des analogies avec ce que sera la théorie darwinienne de la sélection : si l'on en fait un simple relevé, on citera l'*action des circonstances* –que l'on retrouvera d'abord chez Lamarck–, la *variation individuelle* définie soit comme "altération" (négative), soit comme perfectionnement, l'*hérédité* de ces variations, le thème des *différences individuelles,* l'*utilité des croisements* entre les variétés ; le concept même de *dégénération,* si difficile à cerner chez Darwin, semble renvoyer à la seule interprétation de ce terme qui soit concillable avec *L'origine des espèces :* celle qui s'attache à lui faire désigner l'effet d'une trop longue reproduction en vase clos. La difficulté logique du texte vient essentiellement de ce que Buffon établit au départ une double tendance indéterminée à l'altération (défavorable) et au perfectionnement, et qu'au milieu du passage, s'élevant à des considérations esthético-axiologiques sur la dispersion du beau et du bon sur toute l'étendue de la terre, il opte, "à l'intérieur de chaque climat", pour une dégénérescence inévitable et constante de la "portion" de ces déterminations que celui-ci, dans les êtres qu'il renferme, a reçues en partage. La tendance à l'altération néfaste l'emporterait donc sur la tendance au perfectionnement *dans les limites d'une espèce isolée sur un territoire.* Dans cette logique, le *croisement* entre variétés locales et variétés allogènes peut effectivement apparaître comme un facteur de renouvellement permettant d'éviter la dégénération. L'un des effets de cette pratique, appliquée notamment aux chevaux, sera de rendre de moins en moins nettes les démarcations originairement sensibles entre les caractères les plus saillants des différentes variétés.

Consécutivement à cela, tout renouvellement de l'espèce par croisement de variétés hétérogènes supposant la transplantation géographique de l'une des deux variétés, on voit s'élaborer chez Buffon une *théorie des transformations sous l'influence du changement climatique et alimentaire.* Cette influence est telle selon lui que des chevaux espagnols ou arabes transplantés par couples et conservés purs dans leur descendance deviennent des chevaux français à la troisième génération, ce qui renforce d'un argument supplémentaire la nécessité du croisement. Toute reproduction homogène à l'intérieur d'un lieu est donc, tendanciellement, une dégénération. Il faut donc s'attacher maintenant à examiner comment, selon Buffon, opère le processus même de la dégénérescence :

> "Ce changement est, à la vérité, presque insensible à la première génération, parce que les deux animaux, mâle et femelle, que nous supposons être les souches de cette race, ont pris leur consistance et leur forme avant d'avoir été dépaysés, et que le nouveau climat et la nourriture nouvelle peuvent, à la vérité, changer leur tempérament, mais ne peuvent pas influer assez sur les parties solides et organiques pour en altérer la forme, surtout si l'accroissement de leur corps était pris en entier : par conséquent la première génération ne sera point altérée ; la première progéniture de ces animaux ne dégénérera pas, l'empreinte de la forme sera pure, il n'y aura aucun vice de souche au moment de la naissance ; mais le jeune animal essuiera, dans un âge tendre et faible, les influences du climat ; elles lui feront plus d'impression qu'elles n'en ont pu faire sur le père et la mère. Celles de la nourriture seront aussi bien plus grandes, et pourront agir sur les parties organiques dans le temps de l'accroissement, en altérer un peu la forme originaire, et y produire des germes de défectuosités, qui se manifesteront ensuite d'une manière très sensible dans la seconde génération, où la progéniture a non seulement ses propres défauts, c'est-à-dire ceux qui lui viennent de son accroissement, mais encore les vices de la seconde souche, qui ne s'en développent qu'avec plus d'avantage ; et enfin à la troisième génération les vices de la seconde et de la troisième souches, qui proviennent de cette influence du climat et de la nourriture, se trouvant encore combinés avec ceux de l'influence actuelle dans l'accroissement, deviendront si sensibles, que les caractères de la première souche en seront effacés : ces animaux de race étrangère n'auront plus rien d'étranger ; ils ressembleront en tout à ceux du pays." (9)

Trois facteurs d'altération sont donc mentionnés comme concourant à une transformation de la physionomie de la race :
– l'influence du climat ;
– l'influence de la nourriture ;

(9) *Loc. cit.*, pp. 42-43.

– "l'influence actuelle dans l'accroissement".

Ce que l'animal reçoit du *milieu* comme déterminations vitales se transmet donc héréditairement : l'idée de l'hérédité des qualités acquises n'est donc pas un simple accident terminologique sous la plume de Buffon.

La production, sous l'influence prépondérante de la nourriture, de "germes de défectuosités" renvoie ici nécessairement à la théorie de l'identité essentielle des processus nutritifs et génératifs, à celle du "moule intérieur" et à l'hypothèse des molécules organiques.

La théorie buffonienne du moule intérieur est un étonnant compromis rhétorique entre l'idée d'une *préformation* et sa propre contestation à travers celle d'une *épigénèse,* réalisée dans cette théorie par une coalescence de particules affines. Cela signifie d'abord que la réflexion de Buffon sur la génération se situe, comme simultanément celle de Maupertuis *(Vénus physique,* 1745), en une époque où le conflit entre le préformationnisme chrétien –postulant la préexistence de l'être dans un germe entièrement formé et susceptible seulement de s'accroître en volume– et l'épigénèse harveyenne –qui décrivait la formation de l'embryon en termes de justaposition successive d'éléments anatomiques– n'est pas encore profondément réglé du côté de la science, s'il l'est du côté de la métaphysique par acceptation tacite d'un devoir-dire théologien naturellement favorable à la préformation. En fait, Buffon n'est ni préformationniste au sens métaphysique, ni épigénésiste au sens de Harvey. Ce qui n'exclut nullement que sa propre théorie ne soit précisément un moyen terme s'efforçant de sauver le vraisemblable de chacune des deux doctrines. A Harvey, il reprochera, s'appuyant sur les témoignages de Malpighi et de De Graaf, l'insuffisance de ses observations (10). Au préformationnisme, il reprochera d'être au nombre de ces théories "qui supposent la chose faite" (11), et ne font que renvoyer l'interprétation du déterminisme de la génération aux dogmes "moraux" de la volonté divine réintervenant lors de chaque acte de création, de l'action des causes finales ou, comme c'est ici précisément le cas, d'une préexistence germinale ouvrant sur la production indéfinie d'êtres créés au commencement du monde.

(10) *Exposition des systèmes sur la génération,* dans *Histoire des animaux,* t. III, part. 2, p. 410.

(11) *De la reproduction en général, ibid.,* p. 383.

Il s'agit donc d'abord de montrer en quoi la théorie du moule intérieur et des molécules organiques est bien un compromis entre ces deux principes opposés d'explication de l'embryogénèse.

Pour cela, il faut reprendre l'analyse du discours de Buffon au niveau où il concerne l'économie naturelle dans son ensemble. Les traces non équivoques d'une conception tendanciellement unitaire de cette économie s'y déchiffrent dès la *Comparaison des animaux et des végétaux* qui constitue le premier chapitre de son *Histoire.* Insensiblement s'y installe l'idée d'une *analogie des règnes* qui, tout en maintenant la distinction de l'animé et de l'inanimé, révèle cependant entre ses termes l'identité de certains principes transcendants de création dont l'intelligence commence à être livrée dès l'observation d'objets du monde minéral :

> "Les sels et quelques autres minéraux sont composés de parties semblables entre elles et semblables au tout qu'elles composent. Un grain de sel marin est un cube composé d'une infinité d'autres cubes que l'on peut reconnaître distinctement au microscope ; ces petits cubes sont eux-mêmes composés d'autres cubes qu'on aperçoit avec un meilleur microscope, et l'on ne peut guère douter que les parties primitives et constituantes de ce sel ne soient aussi des cubes d'une petitesse qui échappera toujours à nos yeux et même à notre imagination. Les animaux et les plantes qui peuvent se multiplier et se reproduire par toutes leurs parties sont des corps organisés composés d'autres corps organiques semblables, dont les parties primitives et constituantes sont aussi organiques et semblables, et dont nous discernons à l'œil la quantité accumulée, mais dont nous ne pouvons apercevoir les parties primitives que par le raisonnement et par l'analogie que nous venons d'établir." (12)

Le modèle est trouvé : l'analogie avec les cristaux de sel va dominer toute l'hypothèse sur la constitution moléculaire des corps vivants, et la théorie de leur reproduction. L'observation microscopique du grain de sel révèle qu'il se compose d'une multitude de grains plus petits de même figure, et ce jusqu'à un terme inobservable où s'atteindraient les parties élémentaires de la matière. De même dans les organismes qui se reproduisent après coupure, tels les polypes, chaque élément sectionné, jusqu'au terme inobservable du détachement idéal d'une particule primitive, prouve par la reconstitution

(12) *Ibid.*, pp. 379-380.

d'un organisme entier qu'il contient en lui-même le *germe* de tout nouvel être identique à lui-même. Il y a donc bien dans ce cas une *préformation* de la particule élémentaire, qui se révèle dans son aptitude à produire un organisme d'une forme déterminée, *par simple accroissement.* Ce modèle fonctionne donc parfaitement pour la caractérisation du mécanisme reproducteur des organismes les plus simples, les plus proches de l'organisme végétal, et se multipliant comme lui par boutures (13). Somptueuse, car satisfaisant simultanément plusieurs exigences démonstratives dont la moindre n'est pas celle qui s'attache à identifier l'unité de plan de la Création, la comparaison entre la réduplication des cristaux et la reproduction des polypes ou des végétaux établit dans la nature "une infinité de parties organiques actuellement existantes, vivantes, et dont la substance est la même que celle des êtres organisés, comme il y a une infinité de particules brutes semblables aux corps bruts..." (14)

Tel serait, saisi au plus près de sa belle simplicité –qui toutefois demeure insondable au niveau des causes profondes–, le "moyen caché que la nature peut employer pour la reproduction des êtres" (15). L'épistémologie de Buffon est une logique du connaissable : elle exclut l'interrogation des causes générales, inaccessibles en elles-mêmes, pour questionner le *comment* des phénomènes, et de ce point de vue esquisse un geste que le XIXe siècle achèvera par la sortie de la science expérimentale hors de toute préoccupation métaphysique expresse. La question posée par Buffon concerne les *moyens* de la reproduction, et peut être formulée à deux niveaux : celui de la génération de chaque animal ou de chaque végétal en particulier –qui ne permet que d'établir des *faits* sans en indiquer les *causes*–, et celui d'une constante probable qui se trouverait à l'origine de tout processus reproducteur en général. Le second niveau de questionnement est donc, faisant suite au stade de l'observation des processus particuliers, celui de l'hypothèse inductive concernant le *moyen caché.* Cette question du moyen, écrit Buffon, "permet de chercher et d'imaginer". Ni liée immédiatement à une cause générale, ni proprement question de fait, elle

(13) *Comparaison des animaux et des végétaux, ibid.,* p. 377.

(14) *De la reproduction en général,* p. 380.

(15) *Ibid.,* p. 383.

appelle une réponse qui se satisfera d'*imaginer* un moyen de reproduction tel qu'il soit compatible avec les "causes principales" –dont le statut reste obscur dans ce passage–, et qu'il soit, surtout, en rapport avec "les autres effets de la nature" (16).

Marque d'un discours qui ne dispose pas encore des instruments d'une validation ou d'une invalidation péremptoire des postulations de vérité, l'hypothèse analogique vient occuper tout le champ de l'interprétation de la nature. Dans une situation où sa vérité ne peut dépendre de l'efficace de l'instrumentation observationnelle –laquelle, toujours déployée autour d'un objet singulier, ne peut, d'après ce qu'en dít Buffon, s'ouvrir légitimement à une généralisation par induction, mais se borne à établir isolément des faits–, l'hypothèse se fixe le devoir d'atteindre ce *maximum de probabilité* que lui conférera l'*analogie* la plus vaste avec l'ensemble des phénomènes naturels. Dans un tel cas, *le maximum d'analogie emporte le maximum de créance.* La logique du connaissable est en réalité une logique de la connaissance *vraisemblable.*

Or la belle analogie des cristaux de sel s'applique au mécanisme reproducteur des polypes si l'on tient compte de deux facteurs qui relativisent, pour d'autres objets, son pouvoir de caractérisation : d'une part, elle est tirée de la constitution physique d'une matière qui ne possède pas en elle-même de puissance reproductrice : un corps brut, mort, un minéral dont la structure cristalline en gigogne n'est ni le lieu ni le moment d'une transmission de forme. D'autre part, elle ne convient exactement qu'à des organismes définis par leur extrême simplicité dans l'échelle graduée des êtres.

Ces deux éléments jouent un rôle non négligeable quant à la portée et aux limites de l'analogie. Le premier prépare déjà l'identité de principe que Buffon tentera d'instaurer entre la *constitution* du corps vivant (les molécules organiques rassemblées affinitairement par l'opération mystérieusement attractive et ordonnatrice du moule intérieur) et celle du *surplus séminal,* formé de celles de ces mêmes molécules qui se trouveront être en excédent après qu'aura été achevée la croissance de l'organisme. Le second implique que cette analogie *constitutionnelle* de base, entièrement *préformationniste* dans la mesure où il est question de part et d'autre de particules "primitives" et "constituantes", soit modifiée sous certains aspects lorsque l'on s'élèvera dans l'échelle des êtres, et lorsque l'on

(16) *Ibidem.*

en viendra à imaginer le processus de la génération chez les animaux supérieurs et les hommes, lesquels ne sont pas susceptibles d'une reproduction par bouturage.

C'est en ce point qu'est rendu nécessaire le recours à une hypothèse complémentaire : celle du *moule intérieur,* qui transpose dans la théorie de la reproduction un modèle emprunté à la mécanique newtonienne, et qui rompt avec l'ancienne conception préformationniste. Ce modèle est censé rendre compte de l'assemblage ordonné des molécules organiques lors de la constitution d'un nouvel être.

Or le "moule intérieur" est une métaphore qui inverse la représentation d'espace et de forme qui accompagnait la métaphore usuelle du *moule* –cohérente avec un discours préformationniste–, laquelle, en un double sens, demeurait entièrement dans l'espace du *figurable.* L'avantage de cette figure ainsi "inversée", c'est qu'elle renvoie à un désigné *irreprésentable,* mais qui présente cependant une intelligibilité *logique.* Au reste, la réussite logique de cet emploi de figure est conditionnée précisément par le fait qu'il échoue sur le plan rhétorique –c'est-à-dire qu'il ne parvient pas à faire *image,* signifiant par cette impuissance même que son désigné est effectivement de l'ordre de l'irreprésentable. La manipulation rhétorique peut *retourner* la figure comme on *retourne* un moule, il n'en restera pas moins qu'un moule retourné est toujours, de quelque côté qu'on le prenne, un moule *extérieur.* Mais le but manifeste de Buffon est justement d'échapper à la représentation pour accéder non pas à des analogies figurales et figurables, mais à de "bonnes analogies" dans le plan d'une logique de l'hypothèse. C'est ainsi que transposant de Newton, dans le champ de la théorie de la génération, la certitude des effets et l'absolue incertitude de la *nature* des forces, Buffon nomme ces dernières comme les nommait Newton, des noms d'*attraction* et d'*affinité,* renvoyant ainsi à une analogie physico-chimique où se mêlent les relations des corps dans l'espace et la constitution intime de la matière, et à la version vulgarisée que le XVIIIe siècle français a donnée du newtonisme : une théorie de propriétés –sinon des qualités– occultes des corps matériels.

L'artifice rhétorique de Buffon, postulant l'analogie de l'extérieur et de l'intérieur quant à la *figure* des corps, est donc une impropriété rhétorique par défaut de convenance entre la métaphore et ce qu'elle est censée manifester à la représentation : "De la même façon, écrit Buffon, que nous pouvons faire des moules par lesquels nous donnons à l'extérieur des corps telle figure qui nous plaît, supposons que la nature puisse faire des moules par lesquels elle donne non seulement la figure extérieure, mais aussi la forme intérieure : ne serait-ce pas un moyen par lequel la reproduction pourrait être opérée ?". Or la rhétorique elle-même, définissant la *figure* au sens *propre,* la caractérise uniquement comme "la forme extérieure d'un corps" (Du Marsais, 1730) : le passage à la "forme intérieure" ne peut être qu'une translation au métaphysique ou au moral, son identification *physique* étant de toute façon impossible. Car cette forme intérieure des corps, qui prescrit son ordre à l'intime de la matière, est-elle la forme des parties primitives ou celle, générale, de chaque corps individualisé par une forme extérieure ? Les parties primitives, en tant qu'irréductibles par définition à une pénétration plus poussée dans leur constitution, sont censées posséder une forme *extérieure* –celle, par exemple, des cubes de sel primitifs– que l'on établit par l'induction qui succède à une décomposition portée jusqu'aux limites du visible. Comment assigner à l'indécomposable une forme autre que celle qu'il est susceptible de présenter à cette observation idéale ? Que peut signifier au XVIIIe siècle une notion telle que celle de la forme intérieure de l'atome ? S'il s'agit de la "forme intérieure" de chaque corps individuel saisi dans son ensemble, le problème reste que l'on ignore si l'on doit s'attacher à la forme du volume délimité par la surface interne de ce corps –et du point de vue d'une observation idéale, cette forme ne peut encore être perçue que comme extérieure–, ou bien à l'organisation des parties qui emplissent ce volume, et ce qui apparaît alors n'est pas une forme, mais un continu formé de la juxtaposition de parties élémentaires. L'analogie se meut donc, sans bénéfice représentatif, entre le figuré, la figure et l'infigurable. De quel ordre est donc l'avantage que Buffon escompte de la pseudo-métaphore du moule intérieur ? Le texte qui tente d'en justifier l'usage mérite d'être lu avec un maximum de vigilance :

> "Considérons d'abord sur quoi cette supposition est fondée, examinons si elle ne renferme rien de contradictoire, et ensuite nous verrons quelles conséquences on peut en tirer. Comme nos sens ne sont juges que de l'extérieur des corps, nous comprenons nettement les affections extérieures et les différentes figures des surfaces, et nous pouvons imiter la nature et rendre les figures extérieures par différentes voies de représentation, comme la peinture, la sculpture et les moules : mais, quoique nos sens ne soient juges que des qualités

extérieures, nous n'avons pas laissé de reconnaître qu'il y a dans les corps des qualités intérieures, dont quelques-unes sont générales, comme la pesanteur ; cette qualité ou cette force n'agit pas relativement aux surfaces, mais proportionnellement aux masses, c'est-à-dire à la quantité de matière. Il y a donc dans la natrure des qualités, même fort actives, qui pénètrent les corps jusque dans les parties les plus intimes : nous n'aurons jamais une idée nette de ces qualités, parce que, comme je viens de le dire, elles ne sont pas extérieures, et que par conséquent elles ne peuvent pas tomber sous nos sens ; mais nous pouvons en comparer les effets, et il nous est permis d'en tirer des analogies pour rendre raison des effets de qualités du même genre.

Si nos yeux, au lieu de ne nous représenter que la surface des choses, étaient conformés de façon à nous représenter l'intérieur des corps, nous aurions alors une idée nette de cet intérieur, sans qu'il nous fût possible d'avoir, par ce même sens, aucune idée des surfaces : dans cette supposition, les moules pour l'intérieur que j'ai dit qu'emploie la nature, nous seraient aussi faciles à voir et à concevoir que nous le sont les moules pour l'extérieur ; et même les qualités qui pénètrent l'intérieur des corps seraient les seules dont nous aurions des idées claires ; celles qui ne s'exerceraient que sur les surfaces nous seraient inconnues, et nous aurions dans ce cas des voies de représentations pour imiter l'intérieur des corps, comme nous en avons pour imiter l'extérieur. Ces moules intérieurs, que nous n'aurons jamais, la nature peut les avoir, comme elle a les qualités de la pesanteur, qui en effet pénètrent à l'intérieur : la supposition de ces moules est donc fondée sur de bonnes analogies : il reste à examiner si elle ne renferme aucune contradiction." (17)

Sans doute ce texte est-il, au XVIIIe siècle, l'un de ceux qui, dans le frayage de la pénétration des idées newtoniennes, permettent de problématiser avec le plus d'acuité le statut de l'*irreprésentable en physique.* Il rassemble un certain nombre d'éléments idéologiques caractéristiques dont l'analyse est essentielle pour la compréhension de la combinaison des théories physiques et génétiques chez des savants comme Maupertuis ou Buffon lui-même.

Au départ figure la postulation d'un *inconnaissable,* ce qui légitime le recours à un discours conjectural –ce discours du *vraisemblable* déjà évoqué, préoccupé de prendre un appui aussi solide et aussi universel que possible sur les analogies du connu (niveau de

(17) *De la reproduction en général,* p. 384.

de la *comparaison des effets).* Comme c'est fréquemment le cas, ce discours conjectural fait appel à la représentation imageante, et il se trouve naturellement que l'élément figural qui remplit ce rôle est emprunté à un univers anthropomorphique : le *moule* est avant tout une invention humaine, au même titre que la peinture et la sculpture, mais *différemment,* et c'est sa logique qui, transférée à l'acte créateur de Dieu, est à la base des conceptions préformationnistes et fixistes.

Or cette représentation imageante ne produit pas d'effet représentatif –et tout laisse supposer que c'était là son but, puisque cette impuissance est expressément rapportée dans le texte à la conformation spécifique de l'appareil perceptif –donc aux fonctions représentatives elles-mêmes. Mais si la métaphore opère en quelque sorte *à vide,* dans le simple élément du langage, l'analogie, elle, conçue comme pure opération logique, produit, si l'on en accepte au départ la nature hypothétique, un discours qui peut prétendre à une certaine cohérence. En effet, si l'on impute à l'organisation de l'appareil perceptif la limitation de l'observable, il suffit de se donner suppositivement une autre organisation ajustée par hypothèse à ce qui excède cette limite pour le concevoir comme pouvant, dans ces conditions, être connu. Il s'agit là d'une pure et simple pétition de principe. L'artifice rhétorique consiste donc, là-dessus, à appliquer à cet inobservable réel une image qui lui donne une *forme,* avec ce particulier effet de redondance qui veut que cette image informante soit justement celle du *moule,* qui est au sens propre ce qui confère une *forme* à une matière brute plastique. De même que la pesanteur est une qualité intérieure des corps qui reste et restera dissimulée derrière ses effets connaissables, de même la forme "intérieure" habite la matière intime du corps sans que l'on puisse autrement la connaître que par l'individualité extérieure des choses, dont il est à penser qu'elle en est la cause. De même encore en est-il pour l'*attraction* newtonienne et les *affinités* chimiques, dont on ne peut extraire que l'induction hypothétique d'une propriété générale des parties de la matière, encore que Newton lui-même n'y eût jamais consenti.

Quant au problème de décider si l'usage de l'analogie du *moule intérieur* est ou non "contradictoire", Buffon, dépassant avec optimisme la contradiction qu'il ne peut manquer de relever entre ses termes empruntés au langage usuel, postule la *simplicité* de l'*idée* qui la sous-tend, et, admettant qu'elle résulte d'une comparaison simple en elle-même –comme l'idée, toujours comparative, de la grandeur d'un corps–, il en déduit qu'en tant que non composée, elle ne renferme aucune possibilité de contradiction.

Toutefois, lors même que l'on admettrait l'unité et la simplicité de l'idée de moule intérieur, il resterait que dans l'analogie même que Buffon trace entre elle et les qualités intimes inconnaissables des corps, elle est irrémédiablement condamnée à n'être jamais, pour le sujet connaissant saisi dans ses déterminations ontologiques et organisationnelles, une idée *nette*. Le moule intérieur de Buffon n'est en définitve que le *télos* ordonnateur des forces attractives et cohésives qui solidarisent en un ensemble figuré et individualisé les particules élémentaires constitutives des corps. Mais ce qui fait que Buffon, qui refuse en toutes lettres de recourir à un système d'explication métaphysique, se trouve gêné dans un système d'explication purement physique, c'est que, comme le disait Maupertuis auquel il emprunte beaucoup, le seul principe d' "une attraction uniforme et aveugle répandue dans toutes les parties de la matière" (18) ne saurait rendre raison de la moindre forme d'organisation. Maupertuis, lui, recourait à la fiction d'un psychisme particulaire, d'un *désir*, d'une *aversion* ou d'une *mémoire* des éléments de la matière organique tendant à reproduire avec une relative constance –qui n'exclut pas l'opération d'*écarts* accidentels– la configuration globale des individus géniteurs. Buffon ne se donne quant à lui que des molécules figurées et des forces cohésives. Mais l'*ordre du corps* –constitué par le fait même de cette cohésion– demeurait inexpliqué, et Buffon choisit la fiction pseudo-analogique du moule intérieur de préférence à un panpsychisme matériel qu'il abandonna à Maupertuis comme une hypothèse qu'il pouvait juger trop ouvertement anthropomorphique ou trop engagée sur la voie du matérialisme.

Il suffit donc à Buffon que la supposition lui apparaisse comme non contradictoire en elle-même pour qu'elle lui semble pouvoir former le socle de sa propre consolidation analogique. Si Newton refusait la fiction des hypothèses, Buffon à l'inverse construit les siennes dans l'espace d'un pur artifice langagier qui, s'il lui permet d'échapper dans les termes à la rection visible de la métaphysique –les propriétés cachées de la matière introjectant en elle ce que Newton eût appelé, en marquant son impuissance à les décrire, les "agents" ou "principes actifs" assurant la cohésion des parties de l'univers–, remplace la référence expresse à l'action

(18) *Système de la nature,* XIV.

ordonnatrice de Dieu par un renvoi aux qualités ordonnatrices dissimulées dans la nature matérielle, et pensées sous la pseudo-image anthropomorphique du *moule*. Ce geste est celui d'une intériorisation des forces dans la matière, mais ce qu'il accomplit ne s'accomplit que dans le langage : analogique de part en part, la construction qui s'effectue autour de cet accueil, sans bénéfice représentatif et sans validation expérimentale, de la métaphore du moule, reconduira sans cesse l'aporie du point de départ, prouvant simplement que l'on peut poursuivre indéfiniment l'analogie sur cette base.

Pour en revenir au problème circonscrit plus haut (celui de l'existence chez Buffon d'une théorie mixte combinant préformation et épigénèse), on a montré comment les exemples – généralisables à ce niveau– des cristaux de sel et des polypes établissait le préformationnisme à l'échelle de la particule élémentaire. Puis, dans l'ébauche jusqu'à présent suivie d'une théorie de la reproduction, l'attraction cohésive des molécules organiques, leur juxtaposition et leur combinaison pour former des corps vivants, semblent plutôt faire signe vers une *épigénèse* –non harveyenne, mais post-newtonienne, car développant les esquisses d'application des forces attractives à la structure intime des corps matériels, que Newton avait inscrites dans son œuvre sous forme du pures *questions*. En même temps, l'image résurgente du moule semble devoir, sans que l'on puisse l'éviter, réintroduire à un autre niveau une imagerie de préformation là où l'essai d'introduction d'une épigénèse de type physico-chimique réduite à l'opération de forces naturelles enfermées dans les corps visait précisément à subvertir le dogme encore régnant de la préexistence de germes entièrement figurés.

Après l'exposition de la double hypothèse des molécules organiques et du moule intérieur, Buffon s'attache à mettre en place l'analogie du processus nutritionnel et du processus du développement organique. De ce double point de vue, le corps d'un animal *est* un "moule intérieur", car ce qui vient contribuer à sa croissance s'y assimile en respectant un certain *ordre* qui est celui de l'accroissement proportionnel et simultané de toutes les parties : ce qui porte à croire que, chaque partie élémentaire augmentant en volume selon une certaine règle qui l'harmonise avec le développement de l'ensemble, toutes les parties se comportent elles-mêmes "comme autant de moules intérieurs qui ne reçoivent la matière accessoire que dans l'ordre qui résulte de la position de toutes leurs parties" (19). Le moule intérieur réapparaît donc au sein d'une construction en abyme qui assigne un pouvoir informant à l'élément, à la partie et au tout –le tout n'étant pourtant défini que comme le résultat des positions respectives des parties et, en dernière analyse, des particules élémentaires. Chaque partie constituante est dotée d'une puissance d'assimilation sélective de "matière accessoire" qu'elle emploie à son développement selon une règle et un ordre fixés par l'accroissement proportionnel de l'ensemble. La question demeure celle de la détermination première de la *forme :* la forme d'un corps organisé et l'ordre de son accroissement sont-ils gouvernés par l'action d'un "moule intérieur" à l'échelle de l'ensemble du corps formé –ce qui finaliserait en quelque sorte le processus de croissance–, ou bien par l'opération séparée de chaque particule élémentaire, qui laisserait encore inexpliqué le miracle de leur cohésion au niveau de l'ensemble du corps organisé ? En fait le rapport du tout à la partie n'est plus, comme dans le cas des cristaux et des polypes, un rapport entièrement homogène, puisque la diversité de structure du corps des animaux supérieurs interdit une reproduction par scission et bouturage. Par conséquent les fonctions informantes du moule global, des moules propres aux parties du corps et même des moules moléculaires –puisque, l'accroissement ne s'effectuant pas par addition de matière à des surfaces, mais par susception interne, la molécule organique elle-même doit servir de moule à la matière qu'elle s'assimile pour contribuer au développement du corps– doivent être distinguées, bien qu'elles présentent entre elles une nécessaire harmonie. Si l'on pénètre donc dans la "logique" de Buffon, c'est cette harmonie des pouvoirs informants et d'auto-développement du corps et des molécules qui devrait être nommée "moule intérieur"– ce qui ne correspondrait d'ailleurs pas davantage à une fiction représentable. Lorsque Buffon parle à cet égard d'idée *nette* (20), il est donc en contradiction avec ses propres énoncés.

La matière accessoire qui sert à l'accroisssement des parties organiques pénètre donc nécessairement à l'intérieur de ces parties dans l'ordre requis par le respect de leur forme particulière et de la proportion nécessaire à la croissance harmonieuse et simultanée de l'ensemble. Le "moule intérieur" est alors ce qui met en œuvre la

(19) *De la nutrition et du développement,* p. 386.

(20) *Ibid.,* p. 386.

règle de proportionnalité que suit la matière accessoire dans sa pénétration à l'intérieur de la matière organisée. L'assimilation est un phénomène qui s'opère de l'extérieur vers l'intérieur, l'un et l'autre s'en trouvant en retour augmentés dans toutes leurs dimensions, sans modification de forme :

> "Il nous paraît donc certain que le corps de l'animal ou du végétal est un moule intérieur qui a une forme constante, mais dont la masse et le volume peuvent augmenter proportionnellement, et que l'accroissement, ou, si l'on veut, le développement de l'animal ou du végétal, ne se fait que par l'extension de ce moule dans toutes ses dimensions extérieures et intérieures ; que cette extension se fait par l'intussusception d'une matière accessoire et étrangère qui pénètre dans l'intérieur, qui devient semblabe à la forme, et identique avec la matière du moule." (21)

L'assimilation sélectionne un assimilable constitué des parties organiques de la matière accessoire, et rejette les parties brutes par diverses voies excrétoires. Ce processus est donc à rapporter à un phénomène d'attraction de l'homogène et renvoie au principe des affinités. Cette sélection et cette "distribution" sont portées au compte de quelque "puissance active" (22) qui rappelle le "principe actif" de Newton, mais dont l'activité serait localisée dans l'immanence des rapports matériels. De cette puissance active qui pousse la matière à s'incorporer au moule intérieur, rien d'autre ne peut être prédiqué que son existence, déduite de ses effets. Le rapport à la pesanteur se reconstitue sous la plume de Buffon pour reproduire le motif de l'irreprésentable : les "forces pénétrantes" qui agissent dans la gravité et dans la nutrition supposeraient, pour être connues, que l'appareil perceptif eût été conformé pour saisir de l'intérieur la structure des masses. D'où il suit une fois encore que l'homme n'en aura jamais d'*idée nette.* "Mais en même temps, ajoute Buffon, il n'est pas moins certain qu'elles existent" (23). L'inférence de l'existence des forces paraît ici être voisine de ce qu'elle est en physique, et cependant elle paraît moins utile à la

(21) *Ibid.*, p. 386.

(22) *Ibidem.*

(23) *Ibid.*, p. 387.

science que l'inférence pratiquée par Newton dans le cadre de sa théorie de la gravitation. Le sentiment très net que l'hypothèse de Buffon reste spéculative et ne fait pas avancer la science du vivant, fixant des écrans terminologiques là ou Newton avait fixé des concepts, vient de ce que le champ d'application de la théorie n'est pas un champ directement observable. La macrophysique newtonienne disposait de deux éléments articulables produisant une représentation cohérente et se validant l'un l'autre : une observation praticable et une mathématisation. Buffon, qui applique au microcosme inobservable et non mathématisable des constituants intimes des corps les concepts dérivés du newtonisme, ne peut donc qu'interpréter les phénomènes invisibles à partir de l'hypothèse de forces analogues existantes, mais inobservables dans leur opération. De même d'ailleurs que le discours de Newton évoquant la possibilité de relations entre les particules élémentaires qui reproduiraient à leur échelle celles qui s'induisent de l'ordre observé des grands corps, la théorie de Buffon est *spéculative, et non opératoire.* Par rapport à ce que sera la théorie génétique développée dans la seconde moitié du siècle suivant, la théorie buffonienne de la génération peut donc être classée comme "idéologie scientifique". La "science" d'alors, c'est la théorie newtonienne de l'attraction et de la gravitation universelles. Les *applications* hypothétiques qu'en font par exemple Maupertuis et Buffon n'en *résultent* pas, mais *prennent appui* sur elle pour tenter d'y trouver l'élément d'une validation de représentations plus anciennes concernant l'ordre et l'harmonie de l'univers. Là, comme on pourra le vérifier à propos de l'histoire du darwinisme, le *ralliement* à une science ou à une théorie scientifique avérée d'hypothèses extensives venues de disciplines différentes, constitue le trait principal et dynamique de ce qu'il faudrait appeler le *syndrome d'unification,* en quoi s'actualise la pression d'une idéologie scientifique déjà constituée qui rencontre dans un événement de la science positive l'occasion de fournir une validation illusoire à son ambition constante d'extension universaliste.

La théorie des molécules organiques, l'existence postulée du moule intérieur, la fonction ordonnatrice de ce moule dans le déroulement du processus nutritionnel et du développement organique, telles sont les étapes principales de l'avancée de Buffon dans l'établissement de sa doctrine du vivant. Restait à produire enfin l'hypothèse génétique elle-même. Celle-ci vient clore l'analogie ouverte par la décomposition des cristaux de sel et les propriétés reproductrices des polypes. Il est désormais admis que dans le corps organisé, chaque partie est constituée de molécules organiques ayant une configuration particulière et s'harmonisant dans leur disposition comme dans leur développement avec l'ensemble des autres parties constitutives du corps, du fait de l'opération ordonnatrice du moule intérieur. Or le fait de la reproduction implique que cette vertu formatrice du moule, qui gouverne la cohérence de tout corps organisé, préside également à la genèse de tout nouvel individu. Il faut, en toute rigueur, que le moule se reproduise. Dans les polypes, chaque particule ou presque est le moule reproducteur virtuel d'un nouveau polype. Si tels sont l'essence et le principe de la génération, il faudra que dans le corps des animaux supérieurs, certaines molécules aient ce pouvoir –puisque toutes ne l'ont pas– de transmettre la forme totale de l'individu organique :

> "Et si dans ce corps organisé qui se développe par ce moyen *–l'action du moule intérieur–* il se trouve une ou plusieurs parties semblables au tout, cette partie ou ces parties, dont la forme intérieure et extérieure est semblable à celle du corps entier, seront celles qui opéreront la reproduction.
>
> Nous voici à la troisième question. Ne serait-ce point par une puissance semblable que le moule intérieur lui-même est reproduit ? Non seulement c'est une puissance semblable, mais il paraît que c'est la même puissance qui cause le développement et la reproduction ; car il suffit que dans le corps organisé qui se développe il y ait quelque partie semblable au tout, pour que cette partie puisse un jour devenir elle-même un corps organisé tout semblable à celui dont elle fait actuellement partie. Dans le point où nous considérons le développement du corps entier, cette partie dont la forme intérieure et extérieure est semblable à celle du corps entier ne se développant que comme partie dans ce premier développement, elle ne présentera pas à nos yeux une figure sensible que nous puissions comparer actuellement avec le corps entier ; mais si on la sépare de ce corps et qu'elle trouve de la nourriture, elle commencera à se développer comme corps entier, et nous offrira bientôt une forme semblable, tant à l'extérieur qu'à l'intérieur, et deviendra par ce second développement un être de la même espèce que le corps dont elle aura été séparée ; ainsi dans les saules et dans les polypes, comme il y a plus de parties organiques semblables au tout que d'autres parties, chaque morceau de saule ou de polype qu'on retranche du corps entier devient un saule ou un polype par ce second développement." (24)

(24) *Ibid.*, p. 387.

Nouvelle oscillation, semble-t-il, en direction d'un préformationnisme –mais corrigée encore une fois par une interprétation nettement épigénétiste : les particules "semblables au tout" ne le sont pas originairement, mais résultent de l'union affinitaire de molécules organiques excédentaires dans les parties du corps développé, et concentrées en un endroit commun. Le corps ayant atteint son plein développement renvoie les molécules issues de la nourriture et devenues inutiles à la croissance vers des "réservoirs" destinés à la génération –ce qui expliquerait assez bien que l'aptitude à la procréation n'advienne chez les individus qu'une fois atteint un certain degré de développement du corps.

L'idée que "Se nourrir, se développer et se reproduire sont... les effets d'une seule et même cause" est ici essentielle. Elle constitue même le pivot de ce que l'on a pu appeler le "transformisme" de Buffon, dans la mesure où elle permet d'articuler dans toute son extension la théorie des influences extérieures, et de l'hérédité de leurs traces. Mais si elle vaut comme théorie conjecturale de la croissance et de la reproduction organiques conçues comme un seul et identique processus, évacuant ainsi la vieille doctrine préformationniste qui régnait sur le domaine isolé et privilégié de la génération, le grief d'insuffisance qu'elle formule à son adresse ne peut cependant dissimuler qu'elle n'y échappe elle-même qu'à la condition d'accepter comme praticable en science l'opération qui consiste à spéculer sur un irreprésentable physique –non observable et non mathématisable– en lui faisant assumer la logique d'une métaphore matérielle vidée de son propre contenu représentatif, et d'un modèle (newtonien) qui fondait son intelligibilité scientifique sur l'alliance réciproquement validante de l'observation physique et du calcul.

L'échelle des êtres, chez Buffon, présente déjà le caractère de progressivité dans l'organisation qu'elle présentera chez Lamarck. Le progrès dans la composition organique et dans la "perfection" de l'organisation elle-même s'établit en proportion inverse de la faculté reproductrice. Plus un organisme est composé, plus il s'éloigne de la structure polypienne ou végétale, et plus sa génération, tributaire d'une localisation et d'une spécialisation moléculaires, est difficile. Là encore, ce qui rend compte de l'*ordre* qui se recompose entre les molécules constituant le surplus séminal destiné à la reproduction du moule, c'est le modèle physico-chimique de l'attraction et de l'affinité. Le même principe régit donc bien la nutrition et la reproduction, dès que l'on admet l'existence de forces intérieures cachées analogues à la pesanteur, aux attractions magnétiques et aux affinités chimiques. L'unification analogique s'achève par l'extension du processus d'union affinitaire à l'acte même de la procréation : l'excédent de molécules porté par un sexe s'unit lors de la copulation à l'excédent qui constitue la semence de l'autre sexe, dans l'ordre requis par l'analogie de la provenance de leurs constituants. La théorie hippocratique du mélange des semences, à laquelle revient Buffon, se voit complétée par une représentation corpusculaire de leurs combinaisons affines :

> "Ensuite cet extrait du mâle étant porté dans l'individu de l'autre sexe, se mêle avec l'extrait de la femelle ; et par une force semblable à la première, les molécules qui se conviennent le mieux se réunissent, et forment par cette réunion un petit corps organisé semblable à l'un ou à l'autre de ces individus, auquel il ne manque plus que le développement, qui se fait ensuite dans la matrice de la femelle." (25)

On vérifie donc que la théorie de Buffon réalise la combinaison d'éléments qui l'ont précédée dans le domaine des spéculations embryogénétiques avec un modèle physico-chimique d'importation plus récente : elle est simultanément un retour à l'hippocratisme (théorie du mélange des semences), un maintien de la préformation au niveau des particules élémentaires, et une adaptation de l'épigénèse –qu'il faut entendre non pas comme l'entendait Harvey, car il n'y a pas formation successive et juxtapositive de parties à travers un processus de différenciation d'une matière initiale, mais dans le simple sens de "formation par la périphérie", en tant qu'un principe attractif et affinitaire assure la rencontre et la cohésion de particules coexistantes provenant de toutes les parties du corps, et de même assure, dans un second temps, l'union harmonieuse des particules en réserve dans la semence des deux sexes. Or une telle théorie, qui articule la reproduction dans la continuité de la croissance, est sans doute ce qui était requis pour que l'idée –admise– du développement progressif de l'individu pût influencer positivement l'essor de l'idée –admise moins couramment– de transformations progressives des individus, voire des variétés, dans le cadre, qui demeurera respecté, de l'espèce.

Il faut ici n'évoquer qu'en passant le récit –dont l'analyse serait à plusieurs égards plein d'enseignements pour l'histoire des

(25) *De la génération des animaux*, p. 392.

sciences– des *Expériences sur la génération* réalisées par Buffon, et qui consistent surtout dans l'examen microscopique d'extraits de la semence (mâle et femelle) de plusieurs animaux. Ces "expériences" sont donc essentiellement des observations, où le degré d'intervention proprement expérimentale s'accentue à mesure qu'elles s'étendent à des objets différents des produits des émissions séminales, allant du simple choix des sujets –bêtes fraîchement accouplées par exemple– à la dilution des semences à des fins de clarification visuelle, et à la préparation d'infusions multiples d'éléments organiques divers. Cette démarche illustre assez bien l'emprise de la théorie des molécules organiques sur des "expériences" qui sont de toute évidence destinées à prouver sa validité. Vouée par Buffon à se substituer d'abord aux deux versions divergentes du préformationnisme –l'ovisme (De Graaf, Malpighi, etc.) et l'animalculisme (Leeuwenhoek, Hartsoeker)–, la théorie des molécules organiques en effet doit construire, à côté de son édifice spéculatif, une réfutation expérimentale du système des œufs et des animaux spermatiques. Cette partie expérimentale fait suite à une *Exposition des systèmes sur la génération* au cours de laquelle Buffon, avec moins de concision que son prédécesseur immédiat Maupertuis, mais avec un plus grand souci analytique, résume les théories de Platon, d'Aristote, d'Hippocrate –dont il loue l'intuition "raisonnable"–, de Fabrice d'Aquapendente, de Harvey, de Malpighi, de De Graaf, de Vallisnieri, de Leeuwenhoek, d'Andry, de Méry, de Du Verney et de la plupart des anatomistes qui se sont, depuis le XVIIe siècle, consacrés à l'étude et à l'interprétation des phénomènes de la génération. De cette *Exposition,* il résulte pour Buffon que Harvey s'est assurément fié à une observation insuffisante lorsqu'il a déclaré n'avoir pu déceler aucune trace de la semence mâle dans la matrice des biches qu'il avait disséquées après la copulation ; que par ailleurs Sténon, De Graaf, Swammerdam, Van Horn, Malpighi ont confondu ce qui n'était en réalité que des vésicules avec de véritables œufs, qu'ils ont cru pouvoir identifier dans les testicules des femelles ; que Vallisnieri, quoique rallié au sentiment oviste de son maître Malpighi, n'a jamais pu observer lui-même le moindre "œuf". Dans les descriptions de ces deux derniers anatomistes, il trouve précisément ce qui pourrait, réinterprété indépendamment de toute prévention oviste, contribuer à substituer au système des œufs la reconnaissance de l'existence dans les "ovaires" d'une liqueur "que l'on doit regarder comme une semence de la femelle" (26). Quant à l'existence des animalcules spermatiques avancée par la théorie rivale, l'observation à elle seule prouvait trop qu'elle était effective et qu'il s'agissait bien d'êtres doués de mouvement, pour que sa contestation pût emprunter la forme d'une dénégation pure et simple. Afin d'échapper au dogme préformationniste sous ses deux formes, il fallait donc refuser l'existence de l'œuf renfermant un fœtus préformé, et refuser de même celle du ver spermatique en tant que fœtus préformé. Les arguments généraux développés par Buffon contre ce préformationnisme à deux visages ne sont pas des arguments originaux : on les rencontre assez couramment sous la plume des principaux anatomistes de l'Académie des Sciences de Paris, particulièrement aux moments où l'ordre préformationniste s'est trouvé bousculé par certaines interprétations non métaphysiques de la formation des monstres (27). La première "difficulté" qui s'attache à ces deux systèmes est qu'ils impliquent tous deux l'idée d'un *progrès à l'infini* à travers l'emboîtement des germes : si l'on considère la taille d'un animalcule par rapport à celle du corps de l'homme adulte prise pour unité, on obtient une fraction de l'ordre de 1/1000 000 000 ; on parvient ainsi, dès la sixième génération, au simple commencement d'une progression mathématique vertigineuse, à une fraction dont le dénominateur serait un nombre de cinquante-cinq chiffres, et qui montrerait, au terme d'une comparaison établie par Buffon, que "l'homme serait plus grand par rapport au ver spermatique de la sixième génération, que la sphère de l'univers ne l'est par rapport au plus petit atome de matière qu'il soit possible d'apercevoir au microscope" (28). La seconde "difficulté" tient à la coexistence, dans les ovaires de la première femme, d'œufs mâles et d'œufs femelles : dans ce système d'emboîtement unilinéaire, la lignée féminine se poursuit à l'infini, les ovaires d'Eve ayant renfermé, en abyme, les œufs de toutes ses descendantes, tandis que les œufs mâles qui y étaient contenus ne renfermaient de leur côté qu'une seule génération. Dans le système adverse et symétrique des animalculistes, chaque vers spermatique d'Adam devait contenir, en

(26) *Exposition...*, p. 412.

(27) Cf. P. Tort, *L'ordre et les monstres*, ouv. cit., notamment le chapitre 5, "tératogenèse mécaniste et tératogenèse préformationniste".

(28) *Exposition...*, p. 418.

abyme, une lignée infinie de vers mâles, et des vers femelles pour une seule génération. La coexistence simultanée d'une série préformée depuis l'origine jusqu'à l'infini, et d'individus du sexe opposé ne pouvant se développer qu'une fois, semble à Buffon dénuée de toute "apparence de vraisemblance" (29). La troisième "difficulté" se manifeste dans l'argument classique de la ressemblance des enfants aux deux individus parents, et dans celui non moins évoqué de la ressemblance des produits d'une hybridation aux deux espèces parentes. Mais j'ai montré ailleurs (30) que cette objection pouvait être combattue par une théorie adventice de la contamination par l'*aura seminalis* du mâle en système oviste, et par l'argument d'une influence informante du moule maternel lors de la gestation, en système animalculiste, et n'avoir de ce fait, contre le préformationnisme, qu'une portée limitée, voire inexistante. D'autres difficultés –"particulières"– peuvent encore s'objecter à chacun des deux systèmes : au système animalculiste, on peut opposer la non-explication du passage qui conduit du ver à l'homme ; l'absence de proportion entre le nombre des vers et celui des fœtus ; la quantité à peu près égale des vers dans des espèces à haute ou basse fécondité reproductrice ; la proportion souvent inversée dans la grosseur des vers, entre des espèces de taille inégale quant aux dimensions physiques de leurs représentants –le calmar et l'homme par exemple– ; la fausse analogie entre la transformation de l'animalcule en homme et les métamorphoses des insectes, etc. Ces objections sont donc pour l'essentiel des critiques relatives à un défaut de proportion dans la nature ou à un défaut d'analogie dans l'argumentation. Au système oviste, on peut opposer par contre l'absence de fœtus visible dans les œufs de poule non fécondés, l'invisibilité du fœtus dans les œufs des ovipares avant la conjonction des sexes étant pour Buffon une "probabilité presque équivalente à la certitude" ; l'invisibilité, enfin, décrétée par lui, des œufs chez les vivipares.

En définitive, de la comparaison de ces remarques naît le sentiment assez net que s'il suffit de nier l'existence des œufs en alléguant les erreurs ou la prévention des observateurs, il est cependant impossible de nier de même l'existence plusieurs fois constatée des animalcules. Il restait par conséquent une seule manière

(29) *Ibid.*, p. 419.

(30) *L'ordre du corps*, introduction à la *Vénus physique* de Maupertuis, Aubier, 1980, pp. 30-31.

de détourner l'animalcule de sa vocation préformiste : elle consistait à dénier non pas son existence –que Buffon put constater à de très nombreuses reprises au cours de ses propres expériences–, mais son caractère d'animalité. Le ver spermatique n'est pas un animal achevé, mais se constitue des parties essentielles à la formation d'un animal : "Mon premier soupçon, annonce Buffon au début de ses *Expériences,* fut que les animaux spermatiques qu'on voyait dans la semence de tous les mâles, pouvaient bien n'être que ces parties organiques, et voici comment je raisonnais. Si tous les animaux et les végétaux contiennent une infinité de parties organiques vivantes, on doit trouver ces mêmes parties organiques dans leur semence, et on doit les y trouver en bien plus grande quantité que dans aucune autre substance, soit animale, soit végétale, parce que la substance n'étant que l'extrait de tout ce qu'il y a de plus analogue à l'individu et de plus organique, elle doit contenir un très grand nombre de molécules organiques ; et les animalcules qu'on voit dans la semence des mâles ne sont peut-être que ces mêmes molécules organiques vivantes, ou du moins ils ne sont que la première réunion ou le premier assemblage de ces molécules" (31). La théorie des molécules organiques est donc ce qui assure la plus profonde analogie entre les règnes animal et végétal. Cette analogie, il faudra la suivre jusqu'à la fin du siècle –tout au moins jusqu'à ce qu'avec Du Hamel du Monceau, elle devienne elle-même l'objet, non plus de simples présomptions, mais d'essais de validation expérimentale dont la simple mise en œuvre témoignera, comme il m'est arrivé de le faire voir, d'une sensible baisse de crédibilité du préformationnisme (32). Mais pour l'instant, l'une des conséquences normales de la théorie de Buffon se trouve être la remise en cause de la tripartition des règnes en histoire naturelle : à cette répartition traditionnelle, il tend à substituer une division plus réelle entre "matière vivante" et "matière morte", cette dernière n'étant souvent d'ailleurs que le vestige de formes vivantes, dans la prolifération desquelles la nature semble affirmer sa tendance la plus spontanée (33). Au niveau d'une "préparation historique" de l'avènement

(31) *Expériences au sujet de la génération,* p. 422.

(32) Cf. *Les analogies du vivant et le déclin du préformationnisme,* dans *L'ordre et les monstres,* ouv. cit.

(33) *De la reproduction en général,* p. 385.

des théories transformistes, il serait donc illégitime de compter pour rien ce double geste buffonien qui consiste à abolir la frontière artificielle qui séparait la sphère végétale de la sphère animale, et à refuser une théorie de la préformation qui était le plus sûr écran protecteur du fixisme dans les sciences de la nature.

Quant aux "expériences" de Buffon, réalisées sur de la semence d'homme, de chien, de lapin et de bélier, sur les organes génitaux de chiennes, de lapines et de vaches, et enfin –quarante-quatrième expérience– sur des fermentations d'éléments organiques, elles contribuent à fournir la démonstration qui était requise de leur intervention : l'absence constatable d'œufs chez les mammifères, la présence d'une liqueur prolifique dans le "corps glanduleux" adhérent au testicule des femelles, et l'analogie des animaux spermatiques avec les animalcules des infusions. Restait donc à désanimaliser ces constituants de la semence pour les réduire à des agrégats de parties organiques jouant un rôle dans la génération. C'est ce à quoi servira l'évocation finale des expériences de Needham. Cet observateur était parvenu à isoler dans la semence du calmar des parties organiques semblables à "de petits ressorts faits en spirale et renfermés dans une espèce d'étui transparent et cartilagineux, fermé par une valvule communiquant avec l'extérieur, et par laquelle pouvait sortir tout le contenu de l'étui. Cet étui renfermait un tuyau transparent, contenant dans sa partie supérieure le ressort, en son milieu une soupape et un barillet, et dans sa partie inférieure une substance spongieuse. "Ces machines, *écrit Buffon,* pompent la liqueur laiteuse ; la substance spongieuse qu'elles contiennent s'en remplit ; et avant que l'animal fraye, toute la laite n'est plus qu'un composé de ces parties organiques qui ont absolument pompé et desséché la liqueur laiteuse ; aussitôt que ces petites machines sortent du corps de l'animal, et qu'elles sont dans l'eau ou dans l'air, elles agissent ; le ressort monte, suivi de la soupape, du barillet et du corps spongieux qui contient la liqueur ; et dès que le ressort et le tuyau qui le contient commencent à sortir hors de l'étui, ce ressort se plie, et cependant tout l'appareil qui reste en dedans continue à se mouvoir jusqu'à ce que le ressort, la soupape et le barillet soient entièrement sortis : dès que cela est fait, tout le reste saute dehors en un instant, et la liqueur laiteuse qui avait été pompée, et qui était contenue dans le corps spongieux, s'écoule par le barillet". (34). Buffon s'autorise de cette observation

(34) *Expériences...,* p. 438.

pour conclure avec Needham que les corps mouvants de la substance séminale du calmar *ne sont pas des animaux,* mais de simples machines organiques, des machines "naturelles" agissant au milieu de parties "qui cherchent à s'organiser", mais qui ne sont ni assimilables au futur individu, ni conformées à sa ressemblance. De même, selon une analogie qui semble s'imposer, devra-t-il en être des "animalcules" contenus dans la semence de toutes les autres espèces. On comprend ici que la "désanimalisation" ne s'opère que dans l'élément des métaphores mécaniques, et que le bénéfice de cette référence ne peut être que d'accréditer l'idée d'une *moindre organisation* –ce qui ne supprime pas le caractère d'animalité– des particules mouvantes que l'on pensait être à l'origine de la conception. "On pourrait croire, *conclut Buffon,* que ces corps organisés ne sont que des espèces d'instruments qui servent à perfectionner la liqueur séminale et à la pousser avec force, et que c'est par cette action vive et intérieure qu'elle pénètre plus intimement la liqueur de la femelle" (35). Voilà donc les animalcules spermatiques déchus de leur qualité d'animaux complets en eux-mêmes –ce qui marque une irréconciliable opposition avec la version courante du préformationnisme– et conjecturalement réduits à n'être plus que les auxiliaires d'une génération qui est passible à présent d' être conçue sur le modèle de l'union affinitaire des molécules organiques, lequel recouvre dans le langage de la science tout ce qui peut être dit de l'irréductible et mystérieuse propriété de la *vie,* que l'on voit se manifester dans la tendance à l'organisation.

Ce long détour permet de fixer désormais les traits qui singularisent la doctrine de Buffon quant à la génération et, plus largement, à l'organisation du vivant dans son ensemble. Ce qui doit transparaître de cet examen, c'est notamment que les erreurs du naturaliste ont elles-mêmes contribué à ouvrir l'espace d'une nouvelle représentation de la production de l'organique, qui prend appui sur d'anciennes idées réarticulées au sein de la grande refondation newtonienne de la science. Les éléments de cette représentation nouvelle peuvent être maintenant énumérés comme formant une somme solidaire de ruptures et d'ouvertures logiques :

– Rupture avec la théorie générale de la préformation (donc, rejet d'un certain nombre de principes métaphysiques connexes : emboîtement des germes à l'infini, éternité et invariabilité de l'ordre prescrit à la Création ; et rejet du comportement gnoséologique

(35) *Ibid.,* pp. 439-440.

qui renvoie à cet ordre prescrit pour rendre compte d'une façon omnijustificatrice de tous les phénomènes relatifs à la génération des corps organisés.

– Rejet de l'ovisme et de l'animalculisme comme versions particulières de ce préformationnisme. Négation de l'existence des œufs des vivipares, et assignation corrélative à l'œuf des ovipares d'un statut intermédiaire entre l'animal et le végétal, et d'un rôle de "matrice portative" chez les animaux dépourvus de cet organe. Négation de l'animalité, *stricto sensu,* des vers spermatiques.

– Retour à la théorie hippocratique du mélange des semences, débarrassée de ses éléments les plus contestables (existence de deux semences –forte et faible– à l'intérieur de chaque sexe).

– Elaboration de la théorie des molécules organiques et du moule intérieur, installant un principe analogue à celui de l'attraction newtonienne et de l'affinité chimique dans l'univers vivant pour rendre raison de ce qui s'y manifeste comme *ordre*.

– Unification de l'organique à travers la théorie moléculaire de la nutrition, de la croissance et de la reproduction, rapportées au même processus d'attraction des analogues. D'où une contestation des divisions établies entre les règnes par les classifications de l'histoire naturelle. Le "saut brusque" n'existe qu'entre le minéral –comprenant les corps bruts, c'est-à-dire la matière morte– et le végétal, réuni à l'animal dans la catégorie des corps vivants. Cette unification est renforcée par la quasi-assimilation des vers spermatiques et des "animalcules" des infusions, qui induit une reconnaissance parallèle de la génération spontanée.

– Formation d'un système mixte unissant la préformation (au niveau des particules élémentaires) et une certaine forme d'épigénèse (au niveau de la formation des agrégats moléculaires constitutifs du nouvel être).

– Ouverture –consécutive à la reconnaissance d'une continuité naturelle entre les processus moléculaires de la nutrition et de la génération, et à la constatation empirique, par ailleurs, d'une influence de la nourriture et du climat sur la conformation des êtres organisés– vers une conception nouvelle de la *variabilité* intraspécifique.

Ainsi, tout l'imposant édifice d'observations et d'hypothèses constitué par les écrits de Buffon sur la génération contribue en définitive à mettre en place la possibilité d'une représentation continuiste de la nature installant parmi les organismes vivants des degrés de variation indéfiniment nuançables, à l'intérieur des limites de l'espèce. Dans l'*Addition* de 1775 au chapitre intitulé *Variétés dans la génération des animaux,* Buffon, référant à sa propre *Histoire naturelle du cerf,* écrit : "La qualité, la quantité de la chair..., varient suivant les différentes nourritures. Cette matière organique que l'animal assimile à son corps par la nutrition n'est pas absolument indifférente à recevoir telle ou telle modification ; elle retient quelques caractères de l'empreinte de son premier état, et agit par sa propre forme sur celle du corps organisé qu'elle nourrit... L'on peut donc présumer que des animaux auxquels on ne donnerait jamais que la même espèce de nourriture prendraient en assez peu de temps une teinture des qualités de cette nourriture... Ce ne serait plus la nourriture qui s'assimilerait en entier à la forme de l'animal, mais l'animal qui s'assimilerait en partie à la forme de la nourriture" (36).

L'ouverture logique au transformisme peut sembler complètement opérée, dès que l'on suit les implications de cette théorie de la nutrition et que l'on y joint ce que Buffon déclare au sujet des croisements domestiques et de l'hérédité immédiate des qualités acquises du cheval.

Cependant, sur la voie même qui semble conduire à l'élaboration d'une théorie transformiste, deux logiques s'entrecroisent chez Buffon, qui semblent se contredire. La reconnaissance conjointe de la reproduction sexuée des êtres vivants et de la génération spontanée de certains organismes –qui détiendraient toutefois, dans de nombreux cas, la faculté d'engender leurs semblables– conduit à identifier un problème que Buffon n'évoque pas en toutes lettres : d'une part dans le cas de la reproduction sexuée, les moules intérieurs sont ce qui assemble et ordonne les molécules organiques –donc le moule *précède,* en tant que puissance informante, la réunion des molécules destinées à constituer un nouvel être conforme à la configuration spécifique des animaux géniteurs–. D'autre part, dans la génération spontanée, ce sont les molécules organiques, à l'état libre, qui détiennent la puissance de *former* des moules :

> "On s'assurera de même que cette manière de génération est non seulement la plus fréquente et la plus générale, mais encore la plus ancienne, c'est-à-dire la première et la plus universelle ; car supposons pour un instant qu'il plût au souverain Etre de supprimer la vie

(36) *Loc. cit.,* p. 474.

de tous les individus actuellement existants, que tous fussent frappés de mort au même instant, les molécules organiques ne laisseraient pas de survivre à cette mort universelle ; le nombre de ces molécules étant toujours le même, et leur essence indestructible aussi permanente que celle de la matière brute que rien n'aurait anéantie, la nature posséderait toujours la même quantité de vie, et l'on verrait bientôt paraître des espèces nouvelles qui remplaceraient les anciennes ; car les molécules organiques vivantes se trouvant toutes en liberté, et n'étant ni pompées ni absorbées par aucun moule subsistant, elles pourraient travailler la matière brute en grand, produire d'abord une infinité d'êtres organisés, dont les uns n'auraient que la faculté de croître et de se nourrir, et d'autres plus parfaits qui seraient doués de la faculté de se reproduire. Ceci nous paraît nettement indiqué par le travail que ces molécules font en petit dans la putréfaction et dans les maladies pédiculaires, où s'engendrent des êtres qui ont la puissance de se reproduire ; la nature ne pourrait manquer de faire alors en grand ce qu'elle ne fait aujourd'hui qu'en petit, parce que la puissance de ces molécules organiques étant proportionnelle à leur nombre et à leur liberté, ***elles formeraient de nouveaux moules intérieurs,*** auxquels elles donneraient d'autant plus d'extension, qu'elles se trouveraient concourir en plus grande quantité à la formation de ces moules, lesquels présenteraient dès lors une nouvelle nature vivante, peut-être assez semblable à celle que nous connaissons." (37)

Le problème est donc bien celui de l'*antériorité* : qu'est-ce qui est *premier,* de la molécule ou du moule ? Certes, il est dit en toutes lettres que les molécules organiques sont primitives et indestructibles. Mais il demeure que, même dans la supposition de la destruction complète des formes vivantes actuellement représentées –c'est-à-dire de tous les *moules*–, l'apparition de nouvelles espèces obéirait elle aussi à une règle, à un ordre de spécification, et que les unions affinitaires de molécules, par leur simple manifestation, prouveraient encore la subjacence d'un plan auquel elles ne feraient que se conformer. Le paradoxe est donc là. On retrouve, au sein même de la libre circulation des molécules organiques, l'idée de la tendance à l'organisation qui présuppose la présence d'un moule moléculaire immanent aux particules primitives, et dont l'action se manifeste dans le fait de la sélection affinitaire. Ce qui

(37) *De la formation du fœtus,* pp. 477-478.

fait inévitablement resurgir la préformation et le finalisme providentialiste au lieu même où la prédélinéation des germes avait été expulsée. La tendance à l'organisation, comme les molécules, survit à l'extinction des formes organisées, et continue à être régie par l'efficience mystérieusement ordonnatrice d'un *moule*.

On voit donc comment la théorie des molécules organiques établit la base minimale d'un transformisme —en relativisant la stabilité et la conformité morphologique des êtres au moyen de l'influence modificatrice de la nourriture relayée par la génération—, et comment, simultanément, la théorie complémentaire du moule intérieur —quoique ce moule soit *dans une certaine mesure* modifiable dans la suite des temps— tend à assurer le maximum de constance dans la succession des individus.

Le moule intérieur remplit donc au moins une triple fonction : une fonction logique dissimulée, comme je l'ai dit, sous une pseudo-image qui sert à donner une existence langagière à un irreprésentable physique ; une fonction d'explication de l'*ordre* de la nutrition et de la croissance des organismes, ainsi que de la constance des caractères transmis et du maintien des traits spécifiques à travers les générations ; une fonction, plus occulte, mais dans certains cas impliquée, d'enracinement de la *forme* dans l'ordre —ou le désordre— primitif des parties constituantes de la matière. Dans le couple thématique qu'il forme avec les molécules organiques, le moule intérieur est donc le rempart de la *forme*, et ce qui empêche que la matière vivante ne soit originairement livrée à un hasard intégral dont on ne peut croire encore tout à fait qu'il ait eu la faculté de produire de l'organisation. Cependant, cette croyance semble plus nettement affirmée chez Buffon qu'elle ne l'était, par exemple, chez Maupertuis. Si l'on admet avec lui que "le principe général de toute production soit cette matière organique qui est commune à tout ce qui vit ou végète" (38), on échappe à une différenciation originaire des molécules qui découlerait de leur forme ou de leur moule intérieur. Mais on contredit alors l'analogie des cristaux de sel, dont les particules premières possédaient une forme irréductible *ab origine* : les molécules non organiques posséderaient une forme qui aurait été refusée aux molécules organiques. Cette conclusion eût vraisemblablement été propre à embarrasser Buffon. La matière organique ainsi errante serait alors susceptible de "combinaisons

(38) *Variations dans la génération des animaux*, p. 468.

à l'infini" (39), et la vieille idée de la génération fille de la corruption –c'est-à-dire, en termes buffoniens, de la séparation des particules élémentaires– favorise bien l'idée d'un "assemblage fortuit des molécules organiques" (40).

On repère ainsi la contradiction qui constitue chez Buffon le symptôme logique d'une crise de l'hypothèse à l'intérieur d'une théorie qui cherche à concilier des éléments de rationalisation qui s'excluent. D'un côté le pur hasard de la rencontre moléculaire, de l'autre la formation de moules et l'attraction corpusculaire tendant à composer de l'*ordre* –cette tendance elle-même étant nécessairement l'indice d'un *ordre* déjà opérant, lequel est, par ailleurs, expressément rapporté à Dieu. Le discours atteint ici, dans sa propre mise en contradiction, la limite de sa contestation de la métaphysique.

Or cette tension contradictoire est précisément celle qui trouve son expression culminante dans le chapitre de *L'Ane.* Buffon y conduit jusqu'aux limites autorisées de l'hypothèse la logique transformiste développée à la fois dans sa théorie de la génération et dans le chapitre du *Cheval,* puis rejette, en évoquant l'autorité de la Révélation, la tentation d'ajouter foi à une supposition qu'il a cependant développée sous toutes ses figures : l'âne en effet, par sa morphologie, "paraît n'être qu'un cheval dégénéré" :

> "L'on pourrait attribuer les légères différences qui se trouvent entre ces deux animaux à l'influence très ancienne du climat, de la nourriture, et à la succession fortuite de plusieurs générations de petits chevaux sauvages à demi dégénérés, qui peu à peu auraient encore dégénéré davantage, se seraient ensuite dégradés autant qu'il est possible, et auraient à la fin produit à nos yeux une espèce nouvelle et constante, ou plutôt une succession d'individus semblables, tous constamment viciés de la même façon, et assez différents des chevaux pour pouvoir être regardés comme formant une autre espèce." (41)

Toutefois, l'impossibilité avérée d'obtenir des hybrides féconds du

(39) *Ibidem.*

(40) *Ibidem.*

(41) *L'Ane,* p. 57.

croisement de ces deux sortes d'animaux semble indiquer au contraire qu'ils appartiennent à des espèces originairement distinctes. La question, tant qu'elle est formulée hors des références à la Révélation, demeure donc non tranchée :

"L'âne et le cheval viennent-ils donc originairement de la même souche ? Sont-ils, comme le disent les nomenclateurs, de la même *famille ?* Ou ne sont-ils pas, et n'ont-ils pas toujours été des animaux différents ?" (42)

Il faut alors considérer la nature "sous un nouveau point de vue", qui apparaît clairement comme étant celui qui dérive de l'anatomie comparée : l'examen comparatif des squelettes des animaux signale à l'attention la constance d'un "dessein primitif et général" dissimulé sous la variété plus apparente des caractères extérieurs. Celle-ci, composée de "différences graduées à l'infini", pourrait n'être que l'effet d'un long processus de "dégradation", l'extérieur se "dégradant" plus vite que la charpente qui demeure l'indice le plus net d'une unité de plan dans la création des animaux. Buffon, soulignons-le, évoque bien ici une *durée,* puisqu'il parle en toutes lettres de "dégradation plus lente" à propos de la forme du squelette. Morphologiquement, le squelette du cheval est composé de la même manière que le squelette de l'homme, présentant sensiblement aux mêmes endroits de semblables éléments anatomiques, compte tenu de dissemblances accessoires concernant l'allongement, l'inclinaison et le nombre des parties, et non leur nature ni leur fonction. Daubenton, comparant le pied du cheval et la main de l'homme, met ainsi en lumière des "ressemblances cachées" qui s'avèrent plus "merveilleuses" que les dissemblances apparentes :

> "Que l'on considère, comme l'a remarqué M. Daubenton, que le pied d'un cheval, en apparence si différent de la main de l'homme, est cependant composé des mêmes os, et que nous avons à l'extrémité de chacun de nos doigts le même osselet en fer-à-cheval qui termine le pied de cet animal ; et l'on jugera si cette ressemblance cachée n'est pas plus merveilleuse que les différences apparentes ; si cette conformité constante et ce dessein suivi de l'homme aux quadrupèdes, des quadrupèdes aux cétacés, des cétacés aux oiseaux, des oiseaux aux reptiles, des reptiles aux poissons, etc., dans lesquels les parties essentielles, comme le cœur, les intestins, l'épine du dos, les sens, etc., se trouvent toujours, ne semblent pas indiquer

(42) *L'Ane, ibidem.*

qu'en créant les animaux l'Etre suprême n'a voulu employer qu'une idée, et la varier en même temps de toutes les manières possibles, afin que l'homme pût admirer également la magnificence de l'exécution et la simplicité du dessein." (43)

Le cadre théologien est donc peu à peu remis en place, mais d'une étrange manière. L'argument de l'unité au sein de l'infinie diversité est certes l'un des motifs couramment privilégiés par toute démonstration physico-théologique de la perfection du créé. Mais dans ce cadre créationniste, Buffon glisse l'idée d'une *dégradation insensible,* à laquelle il assigne une *durée naturelle,* et dont l'effet aurait pu être de ménager dans l'univers des formes vivantes des "nuances" interspécifiques. Il concilie, dans l'élément d'une conjecture refondée sur l'argument chrétien de l'unité de plan, Dieu et une conception progressive de la nature vivante. Or cette supposition est contradictoire, car Buffon n'évoque pas encore, à ce moment, l'idée d'un pouvoir impulsé par Dieu dans la nature, mais un pur et simple fait de création : il superpose ainsi deux ordres de faits non superposables en droit : un acte –varié, mais hors de la temporalité– de Dieu réalisant la diversité des êtres dans l'infinie modulation d'une idée primitive, et un *processus,* lent, de transformation graduelle des êtres vivants au cours de l'histoire de la nature.

A ce niveau donc, la conception "collatéraliste" de la nature créée heurte chez Buffon l'ébauche d'un transformisme réel saisi au sein d'une nature en progrès vers la diversification des formes. Pour être entièrement transformiste, il fallait faire un pas de plus, et ce pas sera le dernier *risque* conjectural de Buffon :

"Dans ce point du vue, non seulement l'âne et le cheval, mais même l'homme, le singe, les quadrupèdes et tous les animaux pourraient être regardés comme ne faisant que la même *famille* : mais en doit-on conclure que dans cette grande et nombreuse *famille,* que Dieu seul a conçue et tirée du néant, il y ait d'autres petites *familles* projetées par la nature et produites par le temps, dont les unes ne seraient composées que de deux individus, comme le cheval et l'âne ; d'autres de plusieurs individus, comme celle de la belette, de la martre, du furet, de la fouine, etc., et de même que dans les végétaux il y ait des *familles* de dix, vingt et trente, etc., plantes ? Si ces *familles* existaient en effet, elles n'auraient pu se former que

> par le mélange, la variation successive et la dégénération des espèces originaires : et si l'on admet une fois qu'il y ait des *familles* dans les plantes et dans les animaux, que l'âne soit de la *famille* du cheval, et qu'il n'en diffère que parce qu'il a dégénéré, on pourra dire également que le singe est de la *famille* de l'homme, que c'est un homme dégénéré ; que l'homme et le singe ont une origine commune comme le cheval et l'âne ; que chaque *famille*, tant dans les animaux que dans les végétaux, n'a eu qu'une seule souche ; et même que tous les animaux sont venus d'un seul animal, qui, dans la succession des temps, a produit, en se perfectionnant et en dégénérant, toutes les races des autres animaux." (44)

Ce dont Buffon fait ici l'hypothèse, c'est à présent d'une transmission à la nature du pouvoir d'engendrer des espèces par dérivation d'une souche commune, soit : d'un transformisme réduit à son principe, et qu'il n'est plus illégitime de nommer ainsi. Mais il faudrait alors opter entre deux logiques : celle de la création variée à l'infini, et celle des variations et des engendrements naturels, dont on vient de voir qu'à l'insu de Buffon, elles s'opposaient déjà avant que l'hypothèse proprement transformiste –celle d'une puissance de variation détenue par la nature et opérant dans la durée– n'ait été réellement formulée. Ce qui est perçu par Buffon avec une très grande acuité dans ce texte, c'est le caractère nécessairement *universaliste* de l'interprétation transformiste de la nature. A partir de l'instant où la logique en est admise, c'est-à-dire où les ressemblances anatomiques sont déchiffrées en termes d'histoire évolutive et dérivationnelle, tout le champ de la nature vivante se trouve potentiellement investi par cette interprétation, laquelle, si elle est vraie, ne peut manquer d'être étendue à l'ensemble de la création. C'est contre la même exigence universaliste que luttera avec toutes ses armes la science "jésuitique" à la fin du XIXe siècle pour tenter d'imposer des bornes à la puissance généralisante d'une conception évolutionniste qu'elle aura dû, sous l'influence scientifique croissante du darwinisme, partiellement reconnaître.

Aussi l'hypothèse proprement transformiste de Buffon serat-elle poussée jusqu'en ses conséquences extrêmes :

> "Les naturalistes qui établissent si légèrement des *familles* dans les animaux et dans les végétaux, ne paraissent pas avoir assez

(44) *Ibidem.*

senti toute l'étendue de ces conséquences, qui réduiraient le produit immédiat de la création à un nombre d'individus aussi petit que l'on voudrait : car s'il était une fois prouvé qu'on pût établir ces *familles* avec raison ; s'il était acquis que dans les animaux, et même dans les végétaux, il y eût, je ne dis pas plusieurs espèces, mais une seule qui eût été produite par la dégénération d'une autre espèce ; s'il était vrai que l'âne ne fût qu'un cheval dégénéré, il n'y aurait plus de bornes à la puissance de la nature, et l'on n'aurait pas tort de supposer que d'un seul être elle a su tirer, avec le temps, tous les autres êtres organisés. " (45)

Ici l'hypothèse culmine, et s'arrête. L'autorité, brutalement, reprend ses droits :

"Mais non : il est certain, par la révélation, que tous les animaux ont également participé à la grâce de la création ; que les deux premiers de chaque espèce, et de toutes les espèces, sont sortis tout formés des mains du Créateur ; et l'on doit croire qu'ils étaient tels à peu près qu'ils nous sont aujourd'hui représentés par leurs descendants." (46)

A la séduisante hypothèse transformiste, et au plaisir qu'on s'est accordé en la formulant jusqu'au bout, il faut opposer maintenant l'argument de l'infécondité des hybrides, et une définition de l'espèce reposant sur la constance des caractères transmis par voie de génération. L'espèce est "une succession d'individus qui se reproduisent et qui ne peuvent se mêler", ou encore –cette seconde définition apportant à la première le correctif requis par l'existence des hybrides– "une succession constante d'individus semblables et qui se reproduisent" (47). Aussi n'y a-t-il qu'une seule *famille* humaine, puisque les différentes variétés d'hommes sont aptes à produire entre elles des croisements féconds. Le mulâtre n'est pas un mulet. De mêmes, certaines difformités plus ou moins "monstrueuses", telles que le sexdigitisme, non seulement ne compromettent pas l'aptitude des sujets qu'elles affectent à se reproduire avec la

(45) *Ibidem.*

(46) *Ibidem.*

(47) *Ibid.*, p. 59.

"race ordinaire", mais peuvent également se transmettre à leur descendance sans que l'espèce s'en trouve atteinte dans ses caractéristiques essentielles. La prégnance du moule redevient ici la plus forte.

En dehors de ce ralliement à la révélation qui résonne à la fois comme un devoir-dire métaphysique de la science et comme une harmonique répondant en fin de partition à l'irréductible note providentialiste lancée par la théorie du moule, si l'on s'attache à rassembler ce qui compose chez Buffon le système d'une représentation transformiste de la nature vivante, on aperçoit que d'assez nombreux éléments de ce que sera le lamarckisme sont présents dans l'ordre des faits empiriques (idée d'une hiérarchisation des formes vivantes suivant le degré de complexité des organismes, théorie de la variation sous l'influence du climat et de la nourriture, hérédité des qualités acquises du cheval), et qu'une théorie complète de la variabilité intraspécifique et interspécifique, découlant de l'identité des processus nutritionnel et reproductif, de la modifiabilité relative du moule intérieur. etc., s'élabore dans l'ordre de l'hypothèse. Mais on aperçoit aussi que ce n'est pas encore là *tout* le lamarckisme.

En fait, chez Buffon, une logique transformiste se donne licence d'être formulée intégralement, à la condition de l'être sous la forme d'une hypothèse à tout moment révocable. Quoique comprenant des éléments qui réapparaîtront chez Lamarck, cette logique est infiniment plus maupertuisienne que lamarckienne : il lui "manque", si l'on peut dire, d'avoir construit certains concepts-clés qui joueront chez Lamarck un rôle déterminant, tels le concept *lamarckien* de *milieu,* celui d'*adaptation,* ceux de *besoin,* d'*habitude,* etc. En outre, elle ne produit ni l'ordre, ni l'exclusion radicale de la métaphysique, ni la force d'assertion qui caractériseront l'avancée des idées de Lamarck.

Mais ce qui rend peut-être encore plus difficile un rapprochement plus poussé entre Buffon et Lamarck, c'est la fonction chez le premier de la notion de *dégénération.* On pourrait énoncer comme une loi que l'emploi, tout au long de l'histoire occidentale et quelles que soient les régions du discours où il se trouve mis en œuvre, du terme de *dégénération* –ou de celui, plus technique parfois, de *dégénérescence*– relève toujours en dernier ressort d'une conception assez étroitement théologique et spiritualiste du devenir. La *dégénération* est un thème *théologien* qui poursuit dans l'histoire l'efficience mythique du thème *théologique* de la *chute.* Dans une perspective créationniste chrétienne, *la perfection se trouve à l'origine,* et la dégénération en est la perversion historique. Or la conception buffonienne de la nature, apparemment parallèle à celle de Lamarck en ce qu'elle établit une échelle de perfectionnement graduel des organismes qui est une fonction directe de leur degré croisant de complexité, place cependant, dès que l'on quitte la physique des origines pour rentrer dans l'élément du discours descriptif le plus spontané, le "plus parfait" en position de création directe et le "moins parfait" en position de création dérivée. Buffon, au sein même de l'hypothèse transformiste, ne peut de ce fait concevoir l'âne autrement que comme un descendant dégénéré du cheval. Ce n'est qu'après la décision affirmée de revenir au créationnisme que, l'âne redevenant originaire, cette perspective sera abandonnée.

De même, dans la conjecture transformiste, le singe ne pouvait comparaître autrement que comme un homme dégénéré. Or ce que nous avions identifié en commençant, lorsque, Buffon ayant installé dans la nature le principe d'une double tendance au perfectionnement et à l'altération des organismes, seule la seconde était demeurée effectivement au centre de son propos, se retrouve ici d'une façon symptomatiquement semblable : le christianisme, présent au début, se retrouve à la fin dans la compulsion à reporter sur le schéma transformiste –même conjectural et se présentant comme tel– le paradigme de la *chute,* inscrit cette fois dans la durée de l'histoire naturelle : si l'on se risque à formuler une hypothèse sur l'évolution interspécifique, le prix à payer est apparemment de ne devoir penser que comme *dégénération* la production de nouvelles espèces. La rection du devoir-dire métaphysique réassure ici son emprise la plus puissante, et cette emprise n'est pas seulement une emprise extérieure, puiqu'elle a pu produire, dans l'élément même de la conjecture transformiste, des phénomènes de contradiction que nous avons eu la possibilité d'isoler, et puisque, par ailleurs, elle se signale, dans les oublis du texte –celui de la tendance au "perfectionnement" par exemple– comme ce qui règne encore sur les choix les plus profonds et les moins analysés de Buffon. Or cette emprise est précisément ce qui ne pourra plus se concilier avec ce que sera le transformisme de Lamarck, où le vecteur adaptatif ne saurait en aucun cas s'orienter en direction d'une perfection moindre –d'une "dégénération"– de l'organisme vivant.

Thèse n° 6

La tératogenèse mécaniste et accidentaliste de Lémery et la constatation par Maupertuis de l'hérédité bilatérale de la polydactylie constituent deux facteurs primordiaux dans l'extinction de la métaphysique préformationniste, et l'ouverture logique à une théorie de la *variation* dans la nature, qui sera déterminante par rapport à toute la réflexion transformiste ultérieure.

La modification
(La variabilité au XVIIIe siècle)

Il semble donc, à la lumière de l'analyse précédente, qu'il est légitime de prétendre que le discours de Buffon dans l'*Histoire naturelle* constitue bien une ouverture logique au transformisme. Ouverture *logique,* et non ouverture *opératoire,* pour reprendre l'importante distinction que j'ai faite plus haut.

L'hypothèse transformiste, avant d'être rejetée par une allégation d'autorité suivie de quelques justifications classiques (infécondité des hybrides, etc.), est *entièrement formulée,* jusqu'à l'apparition reconnue de ce qui, en elle, la porte à démanteler l'unité close et cloisonnée de l'espèce. Une logique des variations continues sous l'influence de modifications moléculaires intimes produisant des modifications anatomiques héréditaires devait nécessairement excéder les cadres d'une simple variabilité intra-spécifique pour mener à l'idée de variations trans-spécifiques. Mais l'arrêt brusque de Buffon après la formulation de cette hypothèse et l'indication de ses conséquences, marqué stylistiquement par l'expression oppositive de la négation et par le recours immédiat à la certitude soudainement invoquée de la Révélation, ne doit pas pour autant faire croire à un revirement qui serait de l'ordre d'une soumission opportunément réaffirmée au dogme, et d'un effet oratoire destiné seulement à marquer l'adhésion à une orthodoxie expressément dépourvue d'ambiguité.

En réalité, tout un versant de la théorie buffonienne des corps organisés était tenu en réserve pour faire apparaître comme *naturelle,* en fin de parcours, cette conformité avec l'essentiel du créationnisme fixiste : ce versant, on l'a déjà signalé, est constitué par la théorie du *moule intérieur,* laquelle est toujours, thématiquement et théoriquement, du côté d'un préformationnisme de base retravaillé par un modèle physico-chimique qui tendait alors à s'imposer. A la limite, il ne serait pas inexact de dire que c'est la nouvelle situation épistémologique créée par l'accueil du newtonisme qui préserve logiquement Buffon de donner son adhésion finale à la conjecture transformiste. Cette nouvelle situation, je l'ai caractérisée en montrant qu'il existait désormais dans la science, jouissant d'un droit de cité reconnu par la complémentarité réciproquement validante de l'observation et du calcul, des concepts désignant des entités telles que la *gravité,* l'*attraction* ou l' *affinité,* dont ne peut être prédiquée que l'existence certaine, indépendamment de toute représentation –si l'on excepte celle de leur localisation vague ''à l'intérieur des corps''. Or Buffon cherche à faire jouer à son irreprésentable moule intérieur le même rôle ordonnateur au sein de sa théorie du vivant que l'attraction a pu jouer dans la mécanique des corps célestes. Ce qui en relativise fortement l'acceptabilité, c'est simplement qu'il n'est pas d'observation ni de calcul qui puisse en rendre compte d'une façon démonstrative, non seulement quant à son existence, mais même quant à ses effets immédiats. Du moule intérieur on ne peut dire, à peu près, que ces deux choses apparemment opposées : qu'il est *modifiable* –ce qui explique la variation dans l'accroissement et dans la descendance– et qu'il est *immodifiable* dans ses grands traits –ce qui explique la permanence et la conformité dans l'espèce. Quelle est donc la *limite* à l'intérieur de laquelle le moule intérieur obéit aux apports transformateurs des molécules organiques issues de la nourriture ? A partir de quand le moule, d'ouvert à la transformation, lui devient-il résistant, pour ne plus laisser agir, ou pour ne laisser prédominer, que sa propre fonction informante, confinée dans l'assimilation et la reproduction du similaire ? C'est cette question que Buffon ne saurait résoudre, car aucune réponse ne peut lui parvenir par l'observation ni, plus généralement, par toute autre voie que celle d'un postulat hypothétique concernant l'existence d'un *seuil* que l'on ne peut connaître, lui, que par ses effets négatifs : l'impossibilité, pour les hybrides, de faire souche.

Malgré son choix d'une certaine forme d'épigénèse pour la

génération des corps organisés, Buffon restera donc également rattaché à un certain préformationnisme au niveau de sa théorie du moule. Car, postulant l'impossible divisibilité de la matière à l'infini, il place dans les particules élémentaires –qui, étant nécessairement, doivent non moins nécessairement être telles ou telles– les *formes* primitives qui, se combinant entre elles par une attraction mécanique cohésive, sont nécessairement aussi à l'origine de toutes les configurations, dans les solides organisés (cristaux de sel) comme dans les organismes. C'est ainsi que, même dans l'hypothèse où il plairait à Dieu de détruire toute forme de vie sur la Terre, à cette destruction survivraient des molécules organiques irréductibles dont la nouvelle combinaison recomposerait une nature sans doute grossièrement identique à celle qui viendrait de disparaître :

> "Ce remplacement de la nature vivante ne serait d'abord que très incomplet ; mais avec le temps tous les êtres qui n'auraient pas la puissance de se reproduire disparaîtraient ; tous les corps imparfaitement organisés, toutes les espèces défectueuses s'évanouiraient, *et il ne resterait, comme il ne reste aujourd'hui, que les moules les plus puissants, les plus complets,* soit dans les animaux, soit dans les végétaux ; et ces nouveaux êtres seraient, en quelque sorte, semblables aux anciens, parce que la matière brute et la matière vivante étant toujours la même, il en résulterait *le même plan général d'organisation* et les mêmes variétés dans les formes particulières. (1)

Ce qui peut sembler un paradoxe eu égard aux grands clivages théoriques ultérieurs s'exprime ici dans toute sa netteté : dans le texte même où une lecture prévenue d'une "attente" particulière quant aux symptômes de précursion pourrait mieux que nulle part ailleurs identifier une théorie qui "annonce" celle de la sélection naturelle, Buffon réaffirme ce qui s'oppose le plus à tout transformisme –entendu en un sens récurrent à la lumière de Lamarck et Darwin– : une tendance, nécessitée par une préfomation élémentaire, à la reproduction mécanique du semblable dans l'organisation. Buffon a bel et bien posé les prémisses qui lui permettent, *à la fois,* d'aller jusqu'au bout de la conjecture transformiste et de se rallier en dernier lieu au dogme de la création séparée des espèces. Comme j'ai démontré précédemment que la conjecture trans-

(1) *De la formation du fœtus,* p. 478. Nous soulignons.

formiste elle-même était habitée, au niveau de la représentation de l'action de Dieu, par une contradiction interne, il apparaît assez clairement que Buffon, en se ralliant à la théorie orthodoxe, même s'il renonce à une tentation qui n'a pu être formulée que grâce à la convention de l'hypothèse, se range toutefois naturellement du côté qui offre pour lui le moins de prise aux blocages argumentatifs : un créationnisme s'accommodant d'une théorie de la variation intra-spécifique contenue dans les limites imprescriptibles mais effectives du moule : telle est la théorie génétique de Buffon.

Cette mise au point étant faite, on peut comprendre mieux ce qu'il en est d'une ouverture *logique* qui *n'est pas* une ouverture *opératoire.* On peut ici, pour ne rien omettre, traiter de cette façon la portion du discours dix-huitiémiste sur les *monstres* qui semble ouvrir sur une vision "transformiste" de l'histoire de la nature.

L'étude, conduite longuement ailleurs (2), des discours qui se sont heurtés au XVIIIe siècle à propos de l'origine des déviations anatomiques ou "monstruosités", a permis de parvenir à des schématisations assez précises dont je ne ferai ici, par souci d'éviter autant que possible la répétition des analyses, que donner le relevé succinct.

L'opposition se trouve entre un discours théologien (Winslow) qui étend aux cas de monstruosité le préformationnisme dominant –les monstres étant ainsi préformés dans les germes destinés de toute éternité à les produire–, et un discours que j'ai nommé *accidentaliste,* qui rejette cette perspective créationniste appliquée aux monstres pour ne considérer dans les structures déviantes que les effets du bouleversement mécanique et fortuit d'un ordre originairement régulier (Lémery).

Lorsqu'un commencement d'activité classificatoire vient tenter d'ordonner les difformités "monstrueuses", le discours préformationniste en tératogenèse se trouve inévitablement placé devant une contradiction qu'il n'aperçoit pas : en faisant des "monstres" des créatures originaires dont la répartition en classes s'avère praticable, Winslow, et avec lui tous ceux qui se rallient à sa position, en font tout simplement des individus participant d'une *espèce, au même titre* que les individus appartenant "normalement" aux espèces couramment répertoriées et décrites par l'histoire naturelle. *En droit,* les monstres, pouvant être répartis en catégories issues toutes originellement de la main de Dieu, *ne sont*

(2) P. Tort, *L'ordre et les monstres,* Le Sycomore, 1980.

pas des monstres, mais les représentants d'espèces ou de sous-espèces définies *ab origine* par des traits constants. Il n'y aurait guère eu dans cette perspective que leur inaptitude générale à engendrer, le rythme et l'occurrence imprévisible de leur apparition qui eussent pu les distinguer des individus "réguliers". Le concept même de la monstruosité que défend le préformationnisme tératogénétique –celui d'une singularité qui serait l'indice de la toute-puissance créatrice de Dieu– se trouve ainsi vidé de son propre contenu dès que des *types réguliers* peuvent être repérés, formant des "classes" de monstres parfaitement analogues, sous cet angle, aux "espèces" couramment recensées. Et l'on ne saurait non plus faire consister la monstruosité dans l'incapacité à faire souche, car cette incapacité étant une imperfection ou l'aveu fait par Dieu d'une création déficiente, elle ne saurait se concilier avec l'invocation de sa toute-puissance.

Ainsi, seul le mécanisme accidentaliste de Lémery peut continuer à tenir sur le "monstre" un discours qui soit ajusté à son concept. Et l'on constate effectivement qu'à mesure que le siècle s'avance, la thèse accidentaliste, malgré la mort de Lémery en 1743, tend à être de plus en plus généralement reçue, contre une théorie de la préexistence des germes monstrueux qui sera définitivement condamnée, au siècle suivant, par les travaux successifs d'Etienne et d'Isidore Geoffroy Saint-Hilaire.

Or le problème métaphysique posé par l'existence des monstres est, en profondeur, celui-ci : la science chrétienne est une science de l'ordre. Cet ordre est celui qui enchaîne la nature au dogme de la Création, lequel précisément assigne à cette Création un *ordre* qui n'admet d'être changé que par la décision surnaturelle de son Créateur. Ainsi, toute pensée de la variation *dans la nature* est-elle *a priori* inconciliable avec l'esprit du christianisme. Dans cette mesure, on peut dire que le rôle de la métaphysique chrétienne préoccupée de science a été d'assouplir la rigidité des éléments dogmatiques et littéraux de la religion pour tenter d'opérer quelques conciliations ponctuelles entre l'histoire naturelle et la théologie. Un exemple de cette attitude peut être trouvé dans la relative laxité dont cette métaphysique a fait preuve en consentant à une interprétation "figuriste" de la durée réelle de l'Oeuvre des six jours. Pour ce qui concerne notre objet, la métaphysique chrétienne dispose, pour penser la *variation* et la *variabilité,* de trois possibilités, ou de trois modèles interprétatifs :

I/ La variation est singulière et voulue par Dieu de toute éternité dans sa singularité même et quant au moment de son apparition.

Elle apporte ainsi la preuve de l'infinie puissance du Créateur : C'est la théorie de Winslow pour penser l'*écart* monstrueux, lequel se dénie logiquement comme écart dès qu'il se trouve intégré à la fois dans le plan divin et dans une classification d'individus appareillés par la manifestation d'un même type de variation par rapport à la structure courante. Cette théorie admet le caractère *exceptionnel* de ces écarts, mais en conteste l'irrégularité. En fait, les monstres forment, sinon de véritables espèces, du moins des groupes minoritaires au sein de chaque espèce, dont les représentants sporadiques, par un effet de quelque décision mystérieuse de la sagesse divine, ne jouissent pas de la faculté de se reproduire.

2/ La variation est accidentelle et fortuite, et Dieu n'en est nullement responsable. Dans cette logique, la loi naturelle instaurée par Dieu ne subit aucune restriction, mais l'anatomie se libère *en fait* de la métaphysique. C'est la théorie des accidents de Lémery, théorie "mécaniste".

3/ La variabilité a été voulue par Dieu et insufflée dans la nature lors de la Création –sans qu'elle puisse toutefois porter atteinte aux frontières interspécifiques et aux caractères principaux des espèces. C'est plutôt de cette conception que relève la théorie de Buffon.

Dans l'ordre où je viens de les recenser, ces trois théories de l'écart forment entre elles une chaîne historique :

– La première, la plus conforme à l'esprit chrétien (c'est-à-dire au dogme de la *toute-puissance* de Dieu), se borne à présenter une contradiction interne peu déterminante, car non immédiatement perçue, indice seulement de sa fragilité logique. Pour elle, la variation n'est que l'écart préformé de chaque structure monstrueuse. Rien ne se forme *dans la nature*.

– La seconde joue l'infinie *sagesse* de Dieu contre sa toute-puissance, et retourne l'argument métaphysique contre la métaphysique elle-même : Dieu ne peut pas avoir originellement créé le désordre et l'imperfection dans des corps qui manifestent par ailleurs une intention de vie. L'anatomie du déviant se libère ainsi de la quête obstinée de l'*ordre* qui découlait de la théologie, pour tenter d'élucider l'ordre qui se reforme au sein du désordre aheurté de structures dont est désormais reconnu le caractère pathologique. La variation est l'écart fortuit et accidentel qui survient *dans la nature,* indépendamment de Dieu.

– La troisième installe la *variabilité* dans la nature, et en fait une propriété de la constitution moléculaire des organismes.

Cette variabilité ne franchit pas les bornes de l'espèce, mais il demeure que l'impuissance de Dieu, chez Buffon, à détruire et à transformer les parties primitives de la création, semble devoir libérer la science de la nature d'une portion non négligeable d'arbitraire métaphysique. Cependant, l'aptitude originelle des molécules organiques à former des moules transformables est compensée par la résistance que ces derniers –et par conséquent elles-mêmes– opposent à l'assimilation de molécules d'origine nutritionnelle par trop différentes de leur propre conformation. C'est ainsi que le transformisme restreint de Buffon –expression commode, mais impropre si l'on s'en tient aux seules positions finales– ne peut en toute rigueur être caractérisé que comme une théorie de la variabilité relative intra-spécifique.

De ces trois positions, qui rappellent constamment, sous des modalités diverses, leur appartenance à un univers de représentations d'*ordre* modelé par le christianisme, seule la première ne comporte pas d'ouverture à une pensée da la variation naturelle. Dans cette mesure, elle reste la seule à incarner, sur ces matières, l'*ancien discours*. Elle ne peut faire au mieux qu'éclairer *a posteriori* l'historien sur le sens de la contradiction qu'elle renferme.

La troisième position (celle de Buffon, et, sommairement, celle de Maupertuis) a été longuement examinée. C'est sur la seconde que nous sommes ici intéressé à conclure, car c'est elle qui introduit véritablement dans la nature un élément de *hasard* –de non-plan, voire de défectuosité– qui tend à laïciser la conception médicale des organismes en orientant la réflexion anatomique sur la formation des monstres vers l'horizon –qui ne sera rejoint qu'après l'extinction de la théorie générale de la préformation– d'une embryogénèse pathologique. Et c'est d'ailleurs à cette conception que souscrit Buffon, conséquent en cela avec son anti-préformationnisme général. Son chapitre des *Variétés dans l'espèce humaine* s'achève en effet par ces lignes : "Nous finirons par observer que quelques anatomistes, préoccupés du système des germes préexistants, ont cru de bonne foi qu'il y avait aussi des germes monstrueux préexistants comme les autres germes, et que Dieu avait créé ces germes monstrueux dès le commencement : mais n'est-ce pas ajouter une absurdité ridicule et indigne du Créateur à un système mal conçu, que nous avons assez réfuté précédemment, et qui ne peut être adopté ni soutenu dès qu'on prend la peine de l'examiner ?" (3)

(3) *Variétés dans l'espèce humaine*, p. 485.

Réinvestissant quasi automatiquement une épigénèse à l'intérieur d'une théorie de la génération qui reste préformationniste, la tératogenèse contemporaine de Maupertuis et de Buffon présente les mêmes caractéristiques que les hypothèses génétiques développées par ces deux derniers auteurs au sein de la grande analogie newtonienne : hésitation à sortir complètement du préformationnisme et du créationnisme fixiste, ouverture à l'idée d'une variation naturelle des organismes et à celle d'une hérédité bilatérale, relativisant en fait la crédibilité de la théorie générale de la préformation et l'obédience aux décisions dogmatiques, laquelle se manifeste de plus en plus dans des déclarations extérieures à ce qui constitue l'opérativité propre de la science. Lorsque Maupertuis, dans sa *Lettre XIV,* établit à partir de l'étude d'un cas de sexdigitisme humain à l'intérieur d'une famille (4), que la polydactylie est héréditaire et transmissible bilatéralement, il prouve du même coup qu'une malformation survenue –et notamment au hasard d'une occurrence singulière– peut être à l'origine d'une modification durable. Cette démonstration, effectuée, décide, comme je l'ai écrit ailleurs, du moment où "l'hypothèse génétique et la représentation du monde vivant peuvent basculer définitivement hors de l'ancien préformationnisme. Une fois écartés les systèmes oviste et animalculiste, qui s'inscrivaient dans une logique du développement germinal et de la prescription éternelle d'un ordre fixe réglant une cyclicité généralisée des phénomènes, c'est la *présomption d'ordre* elle-même qui se transforme. Sur deux plans : celui d'une conception générale de l'organisation de la matière, et celui d'une conception générale du changement" (5).

La *variabilité* est descendue dans la nature, et ce facteur, qui ne suffit évidemment pas à faire tout ce que l'on appellera le transformisme, n'est pas pour autant à exclure du champ des événements scientifiques qui ont contribué à favoriser son irruption.

(4) *Oeuvres,* 1756, t. II, pp. 275-276.

(5) *L'ordre du corps,* ouv. cit. , p. 43.

Thèse nº 7

Du fait de l'existence de l'*effet réversif* –la sélection naturelle sélectionne la *civilisation*, qui s'oppose à la sélection naturelle–, aucune sociologie inégalitaire ou sélectionniste, aucune politique d'oppression raciale, aucune idéologie discriminatoire ou exterminatoire, aucun *organicisme* enfin ne peuvent être légitimement déduits du darwinisme.

L'effet réversif et sa logique (la morale de Darwin)

De nombreux commentateurs, animés d'une vigilance critique dont les raisons historiques ne sont pas mystérieuses, ont pu considérer que la théorie darwinienne "se prêtait" à des interprétations de type suprématiste, impérialiste, voire raciste de l'histoire des peuples blancs et "civilisés" dans leurs rapports avec les ethnies de couleur et de culture différentes ; et, de même, qu'elle se prêtait à des justifications de partis-pris inégalitaires dans la conception des rapports interindividuels au sein d'une société (1).

Ce problème mérite d'être reposé, singulièrement dans ce qui touche à sa formulation même : qu'est-ce, pour un discours scientifique, que "se prêter à" une interprétation qu'en toutes lettres il n'a pas formulée, dans les termes idéologiques-pratiques qui la caractérisent, comme faisant partie de ses conclusions, de sa conviction ou de ses hypothèses ? Qu'est-ce qui, dans cette *passivité* étrange du discours de la science devant ce que l'on fait de lui ou avec lui, peut devenir, au sein d'un autre discours qui de toute évidence s'en nourrit, l'instrument actif de démonstrations qu'il n'a jamais voulu faire ? Où donc réside cette faculté latente que l'on suppose dans le fait –qui est lui-même tributaire d'une *interprétation*– de *se prêter à ?*

(1) C'est le cas notamment de Pierre Thuillier, au cours d'un entretien sur *Darwin et le darwinisme,* dans *Le darwinisme aujourd'hui,* Seuil, 1979, p. 53 : "De façon générale, l'éloge de la lutte pour la vie justifiait la compétition sociale et économique qui règne dans la société occidentale. Ce langage n'a évidemment pas disparu. Konrad Lorenz, en diverses circonstances, a évoqué la nécessité d'assurer un rigoureux contrôle sélectif afin que les "parasites sociaux" ne se multiplient pas. Darwin, qui était un libéral en ces matières, n'a pas voulu qu'on utilise ses idées de cette façon. Mais, dès son époque, sa "science" s'est prêtée à ces sortes d'utilisations idéologiques et politiques. C'est là un aspect du darwinisme qu'on ne peut négliger."

Il faudra ici répondre à ces questions, qui sont les seules véritables clés de la saisie des rapports complexes entre ce que l'on appelle la *science* et ce que l'on appelle l'*idéologie.* Cette réponse partira de l'analyse de l'œuvre de Darwin, qui me semble être le meilleur terrain –sinon le plus facile– pour entreprendre d'y éclairer de tels rapports.

Les prémisses de cette réponse doivent d'abord être rappelées sous la forme de propositions qui ne feront que rassembler des éléments déjà évoqués, ainsi que des considérations d'ordre chronologique.

I/ Il y a une différence importante entre *L'origine des espèces* et *La descendance de l'homme.* On sait que le premier ouvrage a été publié, après de longues hésitations, en 1859, et que l'édition du second date de 1871. On sait aussi que dans le premier, Darwin, à quelques allusions près et pour des raisons qui tenaient au désir de ne pas heurter de front un certain nombre d'idées reçues dont l'inévitable opposition eût risqué de faire tort à ce qu'il semblait donc considérer comme l'*essentiel* de sa doctrine, s'était abstenu de parler de l'*homme.* Douze ans plus tard, cédant à des sollicitations et à des encouragements *venus d'horizons divers,* et fort de l'expansion de ses idées dans le monde des naturalistes européens, il publie *La descendance de l'homme,* affirmant ainsi *de facto* des positions franchement anticléricales et anti-dogmatiques. Ce fait historique de la succession des deux ouvrages, et ce fait scientifique d'une progression dans le thème et dans la thèse, indiquent au moins deux choses :

– Le second livre apparaît –ce qui est manifesté par les incitations extérieures– comme la suite *logique* du premier. On retrouve ici ce phénomène de *pression logique* qui, à partir de la reconnaissance d'un noyau de transformisme, porte à celle d'un transformisme généralisé (voir, plus haut, ce qu'il en était chez Buffon, et, plus loin, ce qu'il en sera chez Haeckel).

– Le second livre accomplit ce que le premier s'était interdit. Il s'affranchit d'un devoir-dire métaphysique sur l'homme en contestant au nom du transformisme le principe de sa création indépendante. Ce faisant, il applique à l'homme et à ses variétés le principe de l'évolution par voie de sélection naturelle. Ce qui était "contenu en germe" dans *L'origine des espèces,* c'était donc *l'application à l'évolution de l'homme du principe de sélection naturelle.* Du strict point de vue de la science biologique et des thèses développées *dans ce champ,* on ne peut accorder, rigoureusement, que cela.

2/ D'un avis quasi unanime, c'est *La descendance de l'homme* et non *L'origine des espèces* qui se prête à une interprétation et à une utilisation de ses thèses par des idéologies de types inégalitaire. Pourtant Gobineau, préfaçant la seconde édition de l'*Essai sur l'inégalité des races humaines* dont la première avait précédé de cinq ans la parution de *L'origine des espèces,* ne pouvait renvoyer, sur le plan doctrinal, qu'à ce seul ouvrage pour tenter d'y déchiffrer, en dépit de divergences manifestes, une sorte d'accord logique fondamental avec ses propres théories. En fait, aucun discours sur l'homme –si l'on excepte ceux qui décrivent sa propre activité sélectionnante dans la nature– n'étant tenu dans l'ouvrage de 1859, et les développements que Darwin y consacre aux phénomènes de croisement étant ce qu'ils sont, il apparaît bien que toute tentative pour rendre la théorie de la sélection *telle qu'elle y est formulée* favorable à une attitude de préservation de la pureté de la race –attitude de type gobinien– relève d'une interprétation abusive et *idéologique*, dont je reconstituerai, précisément à propos de Gobineau, la véritable généalogie.

3/ Le champ des références mises en œuvre par *La descendance de l'homme* n'est plus le seul champ de l'histoire naturelle, mais se trouve considérablement augmenté par une documentation abondante empruntée aux voyageurs et aux premiers représentants de l'anthropologie culturelle. En outre, il y a une *philosophie* dans cet ouvrage, dont il faudra identifier le mode d'être et le statut, et dont on peut dire sans crainte qu'elle était absente de *L'origine des espèces.*

4/ Enfin, l'état de la science ayant changé, certaines positions de Darwin sur des questions proprement biologiques ne sont plus, depuis 1859, exactement les mêmes.

On ne peut donc échapper ici à la nécessité de procéder à une étude rigoureuse de *La descendance de l'homme,* étude qui doit rester fidèle à l'obligation que nous nous sommes faite de répondre concrètement à la question qui porte sur les conditions d'une interprétation idéologique de la science.

Le projet scientifique et son exécution

L'*Introduction* de *La descendance de l'homme* fixe d'une façon particulièrement nette son programme d'investigation, qui est en fait un programme de vérification et de synthèse. "L'unique objet de cet ouvrage, écrit Darwin, est de considérer : premièrement, si l'homme, comme toute autre espèce, descend de quelque forme préexistante ; secondement, le mode de son développement ; et, troisièmement, la valeur des différences existant entre ce qu'on appelle les races humaines" (p. XII). *La descendance* n'accomplit, par rapport à *L'origine des espèces,* aucune révolution ni aucune innovation scientifique notable, compte tenu du fait que, comme le souligne Darwin lui-même, l'ouvrage "ne renferme presque point de faits originaux sur l'homme"(p. XIII) : Darwin s'épargne la tâche, accomplie par d'autres, d'une description détaillée des différences inter-raciales, ainsi que de revenir sur la question de la haute antiquité de l'homme, amplement traitée par Boucher de Perthes (2), Lyell (3) et Lubbock (4). Darwin se livre donc à un travail de récapitulation, de classement et d'analyse des éléments épars d'une histoire naturelle assez récente –mais qui peut toutefois remonter jusqu'à Lamarck– propres à entrer d'une façon démonstrative dans la grande synthèse transformiste. C'est la raison pour laquelle il emprunte ces éléments à la plupart des grands naturalistes contemporains notoirement ralliés à sa théorie, citant "Wallace, Huxley, Lyell,

(2) A l'époque où Darwin travaille à *La Descendance,* l'ensemble de l'œuvre de Boucher de Perthes, mort en 1868, est publié. Pour donner une idée rapide de la chronologie de ses ouvrages, on peut citer : *De la création, essai sur l'origine et la progression des êtres* (1839-1841) ; *Antiquités celtiques et antédiluviennes* (1847) ; *De l'homme antédiluvien et de ses œuvres* (1860) ; *De la génération spontanée ;* (1861) ; *Nègre et blanc, de qui sommes-nous fils ?* (1861) ; *Des outils de pierre* (1865) ; *Rien ne naît, rien ne meurt, la forme seule est périssable* (1865) ; *De la mâchoire humaine de Moulin-Quignon, Nouvelles découvertes* (1865).

(3) *L'antiquité de l'homme prouvée par la géologie* est de 1863.

(4) John Lubbock avait publié en 1865 *Les temps préhistoriques,* et c'est précisément en 1874, date de la seconde édition de *La descendance,* qu'il fit paraître *L'origine de la civilisation et la condition primitive de l'homme.*

Vogt, Lubbock, Rolle (5), et surtout Haeckel (6)". Entre *L'origine des espèces* et *La descendance de l'homme,* le rôle scientifique de Darwin s'est déplacé : d'initiateur, il est devenu récapitulateur, laissant à d'autres autorités que la sienne la responsabilité et le mérite d'avoir inventé, régionalement, les moyens de jalonner de confirmations précises et durables la voie qu'il avait ouverte en 1859.

Le protocole de questions par lequel s'ouvre *La descendance de l'homme,* et dont la solution est posée comme un préalable à toute décision en faveur d'une généalogie de l'espèce humaine s'accordant avec l'hypothèse inductive d'une forme préexistante actuellement éteinte, concerne l'existence ou non, chez l'homme, de *variations* anatomiques et psychiques, l'*hérédité* ou non de ces variations éventuelles et leur *étiologie* (corrélation, effets héréditaires de l'usage ou du non-usage, etc.), la possibilité d'*arrêts de développement* provoquant des difformités et de *phénomènes de retour* déterminant des anomalies, l'aptitude de l'individu humain à produire des variétés et des sous-races présentant divers degrés de distinction, une certaine distribution géographique et certaines réactions aux croisements. Il s'agit ensuite de reconnaître, grâce à l'étude de la dynamique des populations humaines, s'il est possible et juste d'y déceler les indices de la lutte pour l'existence et de la *sélection naturelle.*

On sait à l'avance que ces questions recevront une réponse affirmative, fondée en grande partie sur le consensus des autorités que Darwin cite en pareil cas. Le pouvoir du livre est donc celui d'une *somme,* réunissant une grande quantité de faits biologiques aptes à accréditer la thèse transformiste, et son extension à l'histoire naturelle de l'homme.

Le premier temps de la démonstration de Darwin consiste à établir la liste des phénomènes de ressemblance qui selon lui rendent indiscutable le lien qu'il veut établir entre la constitution anatomo-physiologique de l'homme et celle des autres membres du groupe des vertébrés. Ses arguments, empruntés d'abord à l'anatomie comparée, et particulièrement à Huxley (7), sont déjà classi-

(5) F. Rolle, *Der Mensch, im Lichte Darwins'schen Lehre,* 1865.

(6) Ernst Haeckel avait publié en 1865 sa *Morphologie générale des organismes.*

(7) La première édition de *La place de l'homme dans la nature* date de 1863.

ques : identité de conformation du squelette, des muscles, des nerfs, des vaisseaux, des viscères, et même de l'encéphale lorsqu'il s'agit des singes supérieurs ; communicabilité réciproque de certaines maladies entre les animaux –les singes surtout– et l'homme ; parenté entre les parasites qui affectent les hommes et les animaux ; analogie également entre les processus qui, chez les uns et les autres, suivent les phases de la lune, entre les phénomènes cicatriciels, entre les comportements reproducteurs, entre les différences qui séparent les générations et les sexes, entre les processus de développement embryonnaire, singulièrement lorsque l'on observe la parturition des singes ; communauté de la détention d'organes rudimentaires ; existence d'un revêtement laineux *(lanugo)* chez le fœtus humain au sixième mois ; traces persistantes chez l'homme, à l'extrémité inférieure de l'humérus, du *foramen* supra-condylloïde, ouverture par laquelle passe, chez "quelques quadrumanes, les Lémurides et surtout les Carnivores aussi bien que beaucoup de Marsupiaux", le "grand nerf de l'avant-bras et souvent son artère principale", etc.

Dans la perspective d'une création indépendante, l'existence d'organes rudimentaires serait privée de sens, car contredisant le finalisme toujours impliqué dans la philosophie chrétienne du corps. A l'inverse, si l'on suppose la détention par un lointain ancêtre de ces organes dans leur état parfait, il est aisé de comprendre alors leur disparition progressive du fait d'un changement survenu dans les habitudes de vie, du défaut d'usage et de la sélection d'individus libérés d'organes devenus inutiles.

L'ensemble de l'ouvrage ne fera, en définitive, que développer et illustrer cette thèse dont aucun élément, il est vrai, n'est étranger à la logique profonde de *L'origine des espèces.* Mais c'est précisément dans ces développements et ces illustrations que s'accumulent des éléments subsidiaires de démonstration qui, du fait de l'extension du propos transformiste à l'homme, vont construire un réseau de représentations dont aucune préfiguration n'existait dans l'ouvrage de 1859. Ces éléments ne proviennent pas en effet de *L'origine des espèces,* mais *d'une expérience anthropologique antérieure,* qui englobe celle, personnelle, de l'exploration conduite à bord du *Beagle. L'origine des espèces,* qui doit à ce voyage du naturaliste l'essentiel des faits qui ont servi à étayer sa thèse centrale, reste silencieuse sur tout ce que ce parcours a pu comporter pour Darwin de rencontres avec différents types *humains.* Au contraire, *La descendance de l'homme* y fait de nombreuses références, de même qu'elle renvoie à un grand nombre de relations de voyages où le propos majeur est de nature anthropologique. Il est donc de première importance de placer dès à présent au centre de l'analyse la question de la documentation de Darwin sur les *variétés* et les *variations* –concepts dont il faudra conserver en mémoire la distinction et le rapport au sein du transformisme– à l'intérieur de l'espèce humaine. Cette documentation peut être retrouvée avec assez de précision, puisque ses références sont presque toutes livrées dans la première partie de l'ouvrage *(La descendance ou l'origine de l'homme)**. Un délicat travail de regroupement, réalisé d'après des divisions qui semblent établies dans la seconde moitié du XIXe siècle, nous permet d'y distinguer au moins trois sources principales :

*Nous renvoyons, ici et dans la suite, à la traduction Barbier de la seconde édition anglaise revue et augmentée par l'auteur (1874), Reinwald, Schleicher frères, *s. d.*

I. LES DONNÉES DE L'ANATOMIE HUMAINE

L. Meyer, sur la variabilité révélée par certaines proéminences de la partie supérieure de l'oreille chez les idiots microcéphales, vestige, selon Darwin, d'un état antérieur *(Ueber das Darwin'sche Spitzohr, Archiv für Path., Anat., und Phys.,* 1871, p. 485) ; Vogt, sur le pli semi-lunaire, vestige rudimentaire de la troisième paupière de certains animaux, qui serait plus marqué chez les Nègres et les Australiens que chez les Européens *(Leçons sur l'homme,* trad. fr., p. 167) ; Eschricht, sur les différences de villosité existant entre les différentes races, et à l'intérieur d'une même race *(Ueber die Richtung der Haare am menschlichen Körper, Muller's Archiv für Anat. und Phys.,* 1837, p. 47) ; J. Paget, sur une particularité héréditaire consistant chez certains individus dans la longueur de certains poils des sourcils *(Lectures on Surgical Pathology,* 1853, t.I, p. 71) ; Alex. Brandt, sur la texture semblable du *lanugo* du fœtus et des poils de la face d'un homme adulte affecté d'un hirsutisme héréditaire ; Webb, sur la tendance des dents de sagesse à devenir rudimentaires chez les races civilisées, et sur la plus grande aptitude à la variation de ces dents par rapport aux autres *(Teeth in man and the anthropoïd apes,* cité par le docteur C. Carter Blake, *Anthropological Review,* juillet 1867, p. 299) ; Owen, sur la présence de trois racines distinctes aux dents de sagesse, généralement saines, des races mélaniennes, et sur leur plus grande ressemblance avec les autres molaires que dans les races caucasiennes *(Anatomy of Vertebrates,* t. III, pp. 320, 321, 325) ; Schaafhausen, sur le racourcissement de la partie postérieure dentaire de la mâchoire chez les races civilisées, interprété par Darwin comme la conséquence d'un usage amoindri par la consommation d'aliments cuits. Mantegazza (dans une lettre à Darwin), sur le même sujet, aboutit aux mêmes conclusions ; Canestrini, sur la variabilité chez l'homme de l'appendice vermiforme *(Caratteri rudimentali in ordine all'origine dell'uomo,* dans *Annuario della Soc. d. nat.,* Modena, 1867, p. 94) ; Struthers *(the Lancet,* 24 janvier 1863 et 15 février 1873), Knox *(Great artists and anatomists,* p. 63) et Gruber *(Bulletin de l'Acad. imp. de Saint-Pétersbourg,* 1867, p. 448), sur la présence de traces du foramen supra-condyloïde chez certains individus humains ; Busk, citant Broca, Dupont, Leguay, sur la présence chez certains individus d'une autre perforation de l'humérus, l'intra-condyloïde, principalement chez les représentants des races anciennes découverts par les paléontologues *(On the caves of Gibraltar,* dans *Transact. internat. Congress of Prehist. Arch.,* 3e session, 1869, p. 159) ; Wyman, sur l'existence de cette perforation chez 31 % des restes humains provenant des anciens tertres de l'ouest des États-Unis et de la Floride, ainsi que chez les Nègres *(Fourth annual Report, Peabody Museum,* 1871, p. 20) ; Aitken Meigs, sur les formes crâniennes des indigènes américains *(Proceedings Acad. Nat. Sc. Philadelphia,* mai 1868) ; Huxley, dans Lyell *(Antiquity of man,* 1863, p. 87), sur les Australiens ; Wyman, sur les habitants des îles Sandwich *(Observations on crania,* Boston, 1868, p. 18) ; sur la diversité infinie des dents (référence non donnée) ; R. Quain, sur la haute fréquence des anomalies dans les trajets artériels *(Anatomy of the arteries)* ; Wood, sur de nombreuses variations musculaires *(Proc. Royal Soc.* 1866, p. 229 ; 1867, p. 544, et 1868, pp. 483, 524) ; sur le même sujet, Macalister *(Proc. Roy. Irisch Academy,* vol. X, 1868, p. 141) ; Wolf, sur la plus grande variabilité des parties internes *(Acta Acad. Saint-Pétersbourg,* 1778, part. II, p. 217) ; Bates, sur la variété de la forme de la tête chez des individus appartenant à une même tribu d'Indiens d'Amérique du Sud *(Naturalist on the Amazons,* vol. II, p. 159); sur l'analogie des causes et des modalités de la variabilité chez l'homme et chez les animaux, Godron *(De l'espèce,* 1859, vol. II, liv. III) et de Quatrefages *(Unité de l'espèce humaine,* 1861, et cours d'anthropologie publié dans la *Revue des cours scientifiques,* 1866-1868) ; Isidore Geoffroy Saint-Hilaire, sur les monstruosités passant graduellement à l'état de légères variations *(Histoire générale et particulière des anomalies de l'organisation,* vol. I, 1832) ; Vogt, sur l'arrêt de développement du cerveau chez les microcéphales *(Mémoire sur les microcéphales,* 1867), et leurs caractères morphologiques, parmi lesquels le prognathisme "effrayant"des mâchoires donnant à ces idiots, ainsi que le mentionne Darwin, "quelque ressemblance avec les types inférieurs de l'humanité" ; sur des anomalies de conformation liées pour Darwin au phénomène de "retour", Darwin lui-même *(Variation des animaux et des plantes,* II, 60), Preyer *(Der Kampf um das Dasein,* 1869, p. 45), Handyside, Bartels, Meckel, Owen, Gegenbaur, Günther, Zouteveen, Is. Geoffroy Saint-Hilaire, Farre, Canestrini, Laurillard, Saviotti, Delorenzi, Morselli, Gruber ; Owen, sur la forme conique et la force des canines, plus accusées chez les races mélanésiennes, et surtout australienne *(Anatomy of Vertebrates,* vol. III, 1868, p. 323), observation rapprochée par Darwin des réflexions de Haeckel *(Generelle Morphologie,* vol. II, p. CLV, 1866) sur les crânes humains qui partagent avec ceux des singes anthropomorphes la particularité de ménager un vide sur chaque mâchoire pour l'insertion des canines de la mâchoire opposée, et d'un dessin de Wagner reproduit dans les *Leçons sur l'homme* de Vogt, et représentant un crâne câfre ; C. Carter Blake, *Sur la mâchoire de La Naulette (Anthropological Review,* 1867, p. 295) ; Schaafhausen, sur le même sujet *(ibid.,* 1868, p. 426) ; Vlacovich, cité par Canestrini *(Annuario,* 1867, p. 90), sur la présence du muscle ischion-pubien, ou d'un ligament en tenant lieu, chez certains hommes et certaines femmes ; sur les variations musculaires, Wood, Huxley, Flower, Murie et Saint-George Mivart, Macalister, Bradley, Champneys, Haughton ; sur les variations corrélatives, Is. Geoffroy Saint-Hilaire, Meckel, Schaafhausen ; sur les différences présentées par la capacité crânienne entre les diverses races, J. Barnard Davis *(Philosophical Transactions,* 1869, p. 513), et entre les époques, Broca *(Les Sélections, Rev. d'Anthrop.,* 1873), Vogt *(Leçons sur l'homme,* p. 113) et Prichard *(Phys. History of Mankind,* I, 1838, p. 305) ; Lartet, sur la plus grande dimension du cerveau et sa plus grande complexité dans les formes récentes de l'humanité *(Comptes rendus des sciences...,* 1er juin 1868) ; Welker, cité par Schaafhausen *(Anthropological Review,* 1868, p. 419), sur la tendance des petits hommes à la brachycéphalie et celle des grands à la dolichocéphalie ; Belt, sur l'avantage présenté par l'absence de pilosité sous les tropiques *(The Naturalist in Nicaragua,* 1874, p. 209).

II. LES DONNEES DE L'ANTHROPOLOGIE PHYSIQUE ET DE L'ÉTHOLOGIE HUMAINE

Humboldt, sur le remarquable odorat des Indiens de l'Amérique méridionale *(Voyage aux régions équinoxiales du nouveau continent)* ; Houzeau, sur celui des Nègres et des Indiens *(Études sur les facultés mentales des animaux comparées avec celles de l'homme,* t. I, 1872, p. 91) ; Ogle, sur le rapport entre la faculté olfactive et la matière colorante de la muqueuse du nez, ainsi que de la peau du corps *(Medico-chirurgical transactions,* t. III, Londres, 1870, p. 276) ; sur les différences anatomiques existant entre les chefs et les classes inférieures dans les îles polynésiennes, et sur celles existant entre les habitants des îles volcaniques fertiles et ceux des îles coraliennes basses et stériles, Prichard *(Researches into the physical history of mankind,* t. V, éd. 1847, p. 283), et Godron *(De l'espèce,* t. II, p. 289) ; Darwin lui-même *(Voyage d'un naturaliste),* à propos des différences entre les Fuégiens de la la côte occidentale et ceux de la côte orientale, différences dues selon lui à celles des conditions de climat et de nourriture ; Beddoe, sur l'influence, en Angleterre, de la résidence urbaine et des occupations quotidiennes sur la taille des individus ; Elphinstone, sur les différences existant entre les aspects physiques des Hindous de parenté voisine habitant le Gange supérieur et le Bengale *(History of India,* I, p. 324) ; Alex. Walker, sur la grandeur des mains des enfants d'ouvriers anglais, par rapport à celle des mains des enfants dans les classes aisées *(Intermarriage,* 1868, p. 377) ; Darwin lui-même *(Variation des animaux et des plantes,* I, p. 173) sur les faibles dimensions, dans ces dernières classes, des extrémités et des mâchoires, soumises à un faible travail ; Spencer, sur le développement particulier, chez les races sauvages, des muscles masticateurs et des os auxquels ils sont rattachés, du fait de l'usage plus intense des mâchoires requis par la manducation d'aliments crus *(Principles of Biology,* I, p. 455) ; Gould, sur les variations de la longueur des jambes entre les individus *(Investigations and anthropolog. statistics of american soldiers,* 1869, p. 256), et sur les mensurations des membres supérieurs et inférieurs des matelots, ainsi que sur leur vue inférieure à celle des soldats (*Investigations,* p. 288, et *Sanitary Memoirs of the war of the rebellion,* 1869, p. 530) ; Darwin encore *(Variation,* I, 8), sur l'hérédité de la myopie et de la presbytie ; Rengger, sur l'influence de l'usage du canot sur l'amincissement des jambes des Indiens Payaguas *(Säugethiere von Paraguay,* 1830, p. 4) et sur l'infériorité des sens des Européens élevés chez les Indiens sauvages *(Ibid.,* pp. 8, 10) ; Blumenbach, sur la grandeur des cavités nasales des indigènes américains, effet de la grande finesse de leur odorat ; Cranz, sur l'hérédité de l'aptitude à la pêche chez les Esquimaux *(History of Greenland,* trad. angl. 1767, I, p. 230) ; Prichard, sur l'interprétation de la grosseur du crâne des Mongols par le développement particulier de leurs organes sensoriels ; D'Orbigny, cité par Prichard (V, p. 463), sur la dimension extraordinaire acquise par la poitrine et les poumons des Indiens Quechuas habitant les hauts plateaux du Pérou ; Forbes, sur les mensurations des Aymaras *(Journal of the Ethnological Society of London,* nouv. série, vol. II, 1870, p. 193) ; Büchner, sur l'usage du pied de l'homme comme organe préhensile *(Conférences sur la théorie darwinienne),* que Darwin interprète naturellement en termes de survivance chez les sauvages ; Jarrold, d'après Camper et ses propres observations, sur des cas de modifications du crâne relatives à une position artificielle de la tête.

III. LES DONNÉES DE LA SOCIOLOGIE ET DE L'ANTHROPOLOGIE CULTURELLE

Malthus, sur la reproduction moins active chez les barbares que chez les nations civilisées *(Essay on the principle of population) ;* Hunter, sur l'influence de la vaccine sur l'augmentation des populations *(The Annals of Rural Bengal,* 1868, p. 259) ; Mac Lennan, sur le rôle de l'infanticide *(Primitive Marriage,* 1865) ; sur celui des migrations, Stanley Jevons *(A deduction from Darwin's theory, Nature,* 1869, p. 231), et Latham *(Man and his migrations,* 1851, p. 135) ; sur l'influence des facultés intellectuelles et du langage, Chauncey Wright *(Limits of natural selection, North America Review,* oct. 1870, p. 295) ; sur l'importance de la main, C. Bell *(The hand, its mechanism..., Bridgewater Treatise,* 1833, p. 38) ; Darwin, sur la ressemblance du caractère et des facultés intellectuelles entre les Fuégiens et les Européens *(Voyage) ;* Byron (le navigateur), sur l'extraordinaire cruauté d'un sauvage envers son enfant ; sur l'origine de la diversité des langues, Wedgwood

(On the origin of language, 1866), Farrar *(Chapters on language,* 1865), Lemoine *(De la physiologie de la parole,* 1865, p. 190), Schleicher, traduit par Bikkers *(Darwinism tested by the science of language,* 1869), Max Müller *(Lectures),* Lyell, *(The geological evidences of the antiquity of man,* 1863, ch. XXIII) ; sur les sources des diverses croyances primitives, Mac Lennan *(The worship of animals and plants, Fornightly Review,* 1er oct. 1869, p. 422), Tylor *(Early history of mankind,* 1865, p. 6), Lubbock *(Origines de la civilisation,* 1870), Spencer *(Fornightly Review,* mai I, 1870, p. 535) ; Darwin *(Voyage),* sur les croyances des Fuégiens ; Owen Pike, sur les *Éléments psychiques de la religion (Anthropological Review,* avr. 1870, p. LXIII) ; Braubach, sur les superstitions et les coutumes des sauvages *(Religion, Moral, etc. der Darwin'schen Art-Lehre,* 1869, p. 53) ; Landor, sur une forme culturelle de remords chez un indigène australien *(Insanity in relation to law,* Ontario, 1871, p. 14) ; Tylor, sur la conscience du crime social chez certains Australiens ou certains habitants de l'Amérique septentrionale *(Contemporary Review,* avr. 1873, p. 707) ; Bagehot, sur l'importance des vertus sociales à l'intérieur d'un même groupe *(On the importance of obedience and coherence to primitive man, Fornightly Review,* 1867, p. 529, et 1868, p. 457, etc.) ; Gerland, sur l'infanticide dans le monde *(Ueber das Aussterben der Naturvölker,* 1868) ; Lecky, sur la diversité d'appréciation par rapport au suicide *(History of European Morals,* vol. I, 1869, p. 223) ; Bagehot, sur l'esclavage *(Physics and Politics,* 1872, p. 72) ; Hamilton, sur la cruauté de certains sauvages envers les animaux (Étude sur les Câfres, dans *Anthropological Review,* 1870, p. XV) ; Mungo Park, sur la bonté et la vertu des femmes nègres ; Mac Lennan, sur l'extrême licence qui règne chez les sauvages *(Primitive Marriage,* 1875, p. 176) ; Staunton, sur la décence, vertu propre à la vie civilisée *(Embassy to China,* II, p. 348) ; Lubbock *(Origin of the civilisation,* 1870, ch. VII), et Lecky *(History of European Morals,* 1869, vol. I, p. 124) sur l'immoralité des sauvages due à une bienveillance exagérée ; Wallace, sur l'amour de la vérité chez certains sauvages *(Scientific opinion,* 25 sept. 1869, et *Contributions to the theory of natural selection,* 1870, p. 353) ; Bagehot, sur les différences entre les peuples relativement à l'obéissance et à la discipline *(Fornightly Review,* nov. 1867, avr. 1868 et juil. 1869) ; Henry Maine, sur l'inexistence de la tendance au progrès et à l'amélioration institutionnelle dans la plus grande partie de l'humanité *(Ancient law,* 1861, p. 22) ; Darwin *(Voyage),* sur les conditions de la civilisation ; sur les différents comportements sociaux face aux individus débiles, Greg *(Fraser's Magazine,* sept. 1868, p. 353), Wallace *(Anthropological Review,* 1864, mai), Galton *(Macmillan's Magazine,* août 1865, p. 318, et *Hereditary genius,* 1870) ; Fick, sur l'influence des armées permanentes sélectionnant les beaux jeunes gens, et favorisant

le mariage et la reproduction des faibles *(Einfluss der Naturwissenschaften auf das Recht,* juin 1872) ; Ray Lankester, sur l'influence néfaste de l'intempérance sur la durée de la vie *(Comparative longevity,* 1870, p. 115) ; Farr, sur celle de la débauche *(Influence of marriage on mortality, Nat. Ass. for the Promotion of Social Science,* 1858) ; sur les différences de fécondité selon les classes sociales, Greg, Galton, Duncan, Stark ; sur les différences d'aptitude intellectuelle entre les races, Galton *(Hereditary Genius,* pp. 340-342) ; Greg, sur l' "énervement" de la race grecque *(Fraser's Magazine,* sept. 1868, p. 357) ; Galton de nouveau, sur l'influence de l'Eglise absorbant, au Moyen-Age, la presque-totalité des hommes cultivés *(Hereditary Genius,* pp. 357-359) ; le même, sur l'explication par la sélection du progrès des États-Unis *(Macmillan's Magazine,* août 1865, p. 325, et *On Darwinism and national life, Nature,* déc. 1869, p. 184) ; sur les traces de ressemblances existant entre les nations civilisées et les peuples barbares, Mac Lennan *(Primitive Marriage,* 1865, et *North British Review,* juil. 1869), Morgan *(A conjectural solution of the origin class. system of relationship, Proceed. American Acad. of Sciences,* vol. VII, fév. 1868), Schaafhausen *(Anthropological Review,* oct. 1869, p. 373) ; Lubbock, sur le caractère généralement indépendant des grandes découvertes *(Prehistoric times,* 2e éd. 1869, ch. XV et XVI) ; sur le même sujet, Tylor *(Early history of mankind,* ch. IX), et F. Müller *(Voyage de la Novara,* partie anthropologique, partie III, 1868, p.127).

Ce travail de regroupement opéré sur les références essentielles de Darwin dans la première partie de *La descendance de l'homme* n'est pas un simple relevé bibliographique. Il permet d'abord de marquer l'existence de trois catégories de données dont la distinction n'a pas été pratiquée par Darwin d'une façon aussi nette, pour des raisons qui tiennent à l'organisation thématique du contenu des chapitres. En effet, si la troisième catégorie –concernant les données de la sociologie et de l'anthropologie culturelle– apparaît assez distinctement, en dernier lieu, à l'écart des autres, au moment où Darwin, s'éloignant du champ proprement biologique, passe à l'analyse comparative des phénomènes intellectuels, psychologiques et moraux des différents groupes humains, les deux premières restent assez étroitement mêlées au début de sa démonstration. Notre distinction entre "les données de l'anatomie humaine" et "les données de l'anthropologie physique et de l'éthologie humaine" repose sur la saisie différentielle d'un discours effectivement articulé à deux niveaux :

– Au premier niveau (mettant en œuvre la première catégorie de données), la *variation* dans l'espèce humaine est enregistrée et décrite comme un fait purement anatomique, à l'intérieur de démarches purement constatives. L'interprétation, lorsqu'elle existe, est le fait de Darwin lui-même. Parmi ces données, on trouve celles de l'anatomie humaine comparée, de la paléontologie humaine (ajoutant à cette anatomie comparative la dimension du temps), d'une anatomie comparative interraciale, de l'anatomie pathologique, de la tératologie. Les études évoquées conduisent à la mise en évidence d'une *variabilité* anatomique chez l'homme envisagé d'un point de vue strictement biologique, dans l'espace et dans le temps, variabilité prouvée par des *variations* effectives.

– Au second niveau (mettant en œuvre la seconde catégorie de données), la *variation* humaine est saisie essentiellement dans les *variétés* incarnées par les différents types humains repérables parmi les races et parmi les castes. En outre, interviennent de préférence dans ce champ des données qui renvoient régulièrement à l'influence agissante du *mode de vie* communautaire des individus (éthologie) et à des populations exotiques dont les caractères anatomiques sont aussi plus systématiquement l'objet d'une *mesure* (anthropologie physique, anthropométrie).

En procédant ainsi à ce découpage, nous n'avons rien fait d'autre que reconstituer l'avancée logique, la démarche d'amplification du champ argumentatif de Darwin, qui le conduit du pur constat anatomique de la *variation* –d'où s'induit, à l'évidence, la propriété générale de la *variabilité*– à la comparaison des *variétés* réalisées dans l'espèce sous l'influence des conditions de vie et de la sélection, et enfin à l'interprétation en termes sélectifs et évolutifs des différents états proprements *culturels* de l'humanité. L'unité de la démarche darwinienne est ici celle d'une synthèse progressive, d'une démonstration par cumul illustratif, et, de ce point de vue, sa logique n'est nulle part en défaut. La variabilité, qui est prouvée chez l'homme sur le plan anatomique, l'est également sur le plan raciologique et sur le plan sociologique. Or si l'on se place sur un terrain purement physique, la sélection naturelle étant sur ce terrain ce qui oriente l'évolution en ne retenant que les seules variations utiles, elle s'appliquera par conséquent aussi bien au devenir des groupes qu'à celui des individus, et aussi bien au domaine des productions de l'intelligence qu'à celui de la vie du corps organisé.

C'est tout cela qui n'existait pas encore dans *L'origine des espèces,* et c'est en tout cela que Darwin proclame son choix désormais irréversible d'une philosophie matérialiste imposée par la science ; plus précisément : d'un *monisme de la matière développant graduellement en elle des propriétés organisationnelles et psychiques* de plus en plus élaborées, intégrant l'homme, sa rationalité, son existence socio-culturelle et morale. Dans *La descendance de l'homme,* Darwin accomplit –c'est-à-dire porte jusqu'à son terme logique– ce qui était requis par une théorie homogène –non dualiste– de l'évolution naturelle de la matière, par transformations successives, vers un niveau de plus en plus complexe d'organisation.

Donc la philosophie n'est pas ici ce qui, dans le texte du savant, s'oppose à la science : cette dualité ne peut, en toute rigueur, être instaurée d'une façon pertinente et féconde. Le choix philosophique –ainsi nommé par tradition plutôt que par volonté délibérée d'en distinguer la *teneur*– est imposé par un déterminisme interne à la logique de la science : il est simplement le transformisme lui-même poussé à son terme, *comme il se doit.* Si Darwin est matérialiste, c'est parce que son matérialisme est la seule vision d'ensemble de la nature et de la vie qui s'accorde avec les données du transformisme lorsque l'on s'en tient au domaine purement physique ; c'est parce que ce matérialisme est une *conséquence* de sa science. Le dogme chrétien avait été en partie renversé par *L'origine des espèces,* qui cependant était restée sur la réserve quant à la généalogie de l'espèce humaine. Il l'est entièrement, et sans possibilité de compromis, par *La descendance de l'homme.* Au christianisme s'effondrant dans deux de ses dogmes principaux, celui de la création distincte des espèces et celui de la création spéciale de l'homme, il ne s'agissait plus de substituer une religiosité qui eût de toute façon échoué à préserver l'essence de ce que la science darwinienne avait détruit dans le fait. Cette tentative sera pourtant faite, en divers lieux d'Europe et singulièrement en Allemagne, mais ce sera, comme l'a fortement souligné Haeckel (8), au détriment d'une compréhension complète et honnête du darwinisme et de ses implications irréversibles. Pour conclure provisoirement au sujet de cette question qui sera reprise et développée, il faut reconnaître qu'ici le matérialisme de Darwin n'est pas une "philosophie spontanée de savant",

(8) *Religion et évolution,* Schleicher frères, *Préface* et *passim.* Cf. plus loin le chapitre consacré à Haeckel *(L'unification).*

dans la mesure où son contenu n'est pas contradictoire, et n'implique nullement l'association de convictions intra-scientifiques (adhérant à l'objectivité de l'objet et de sa connaissance, ainsi qu'à la justesse de la méthode scientifique qui la produit) et de convictions extra-scientifiques élaborées ailleurs et faisant retour sous une forme plus ou moins axiologique (9). En fait, le naturaliste se donne pour règle de ne jamais sortir du domaine physique, et découvre dans l'étude de ce domaine que cette règle se trouve validée par la nature elle-même suffisant à fournir les lois de son propre devenir.

Ce qui donc reste un problème chez Darwin, ce n'est pas la volonté d'unification de l'ensemble des phénomènes biologiques et humains sous l'opération d'un seul principe d'explication du devenir dérivé de la biologie, puisque l'on sait –je l'ai montré dans le texte même de Buffon– que le transformisme exige par pure logique, dès que reconnu quelque part, de l'être universellement. L'analyse des références de *La descendance* a montré comment s'effectuait dans le texte de Darwin cette unification progressive, passant par les différents stades de l'anatomie, de l'anthropologie physique unie à l'éthologie humaine, pour aboutir à l'anthropologie sociale et culturelle, et à des observations psycho-sociologiques et morales : or quiconque considérera que le transformisme ne pouvait ni ne devait envisager les phénomènes humains autrement que *du point de vue de l'histoire naturelle* sera contraint de reconnaître que le geste de Darwin procédant à cette extension graduelle du champ d'application de la théorie de l'évolution par sélection naturelle est *un geste normal du point de vue de la science.*

Ce qui par contre peut être interrogé avec une suspicion mieux fondée, c'est le système des références pris en lui-même et dans ce qui est susceptible de s'en induire. Darwin en escomptait, comme je l'ai dit, un effet de renforcement, de validation, de preuve par cumul illustratif et convergence d'arguments. Or ces références convergent en raison, essentiellement, de leur ralliement total ou partiel au darwinisme. Les plus nombreuses, et non les moins significatives d'entre elles, ont surgi au cours de la période qui sépare la publication de *L'origine des espèces* de celle de la première édition de *La descendance* – et il est clair par ailleurs que *La descendance* elle-même peut être en grande partie considérée

(9) On pourra se reporter aux remarquables pages de Louis Althusser dans *Philosophie et philosophie spontanée des savants,* Maspero, 1974, pp. 100-101.

comme étant appelée par ce ralliement et par cette incitation générale à étendre le discours transformiste à l'homme. Le risque couru alors par Darwin –et c'est là une situation-type que l'on peut retrouver aux moments les plus saillants de l'invention scientifique–, c'est de se laisser prendre au jeu de cette réciprocité, en pensant ou en laissant croire que tout ce qui s'est rallié plus ou moins ostensiblement à lui mérite en retour d'être gratifié de son approbation. En toute rigueur, cette approbation pourrait à la limite être validante pour l'ensemble des données tirées des travaux des biologistes, mais ne saurait l'être de même façon pour les données issues des recherches des psychologues et des anthropologues, ses contemporains. Par le seul jeu des références illustratives, on peut être amené à penser que Darwin cautionne de son autorité les conclusions d'une anthropologie qui ne s'était signalée à ses yeux que par le choix d'un principe d' "évolution" des cultures très vaguement analogue à celui dont il avait usé pour faire comprendre celle des organismes. Mais là encore, et bien que nous sachions par où cette anthropologie se rattache à l'anthropologie des Lumières plus qu'à la biologie qui lui est contemporaine, il faut attendre avant de se prononcer d'une manière définitive.

La seule question à laquelle nous ayons ici, pour l'instant, l'ambition de répondre, continue à être celle qui porte sur ce qui, dans le darwinisme de Darwin, "se prête à" une interprétation inégalitaire et raciste (avec allégation de scientificité) des rapports entre les variétés humaines.

Classification, généalogie, hiérarchie

Le transformisme intégral de Darwin impliquait le soulignement de la parenté entre l'homme et les singes supérieurs. De même, l'existence de variétés actuellement distinguables dans l'humanité entraînait que les relations interraciales y fussent représentées aussi sur le modèle de l'arbre généalogique, comprenant des degrés proches et des degrés éloignés : en effet, que certaines races humaines s'apparentent de plus près, par leurs caractères anatomiques, intellectuels, moraux, et par leurs habitudes de vie, à l'ensemble des traits qui définissent les singes anthropomorphes, il le suggère sans équivoque et en accepte la démonstration en plusieurs endroits : répondant, par exemple, à l'idée selon laquelle l'homme se distingue des simiens par une maturité atteinte à un âge beaucoup plus avancé, il rappelle que si l'on considère les races humaines habitant les contrées tropicales (au sein desquelles la maturité est particulièrement précoce) et par ailleurs un singe anthropoïde comme l'orang (chez lequel elle est particulièrement tardive –dix ou quinze ans–), "la différence n'est pas bien considérable" –énoncé qui, s'il obéit à la logique transformiste, n'en éclaire pas moins du même coup ce qu'il en est pour Darwin de l'indéniable proximité biologique entre l'humanité des tropiques et certains groupes de singes.

– D'autres énoncés demeurent plus indécidables quant à leur choix d'une classification implicite, et se présentent seulement comme des mentions d'indices de parenté : "On a affirmé que l'oreille de l'homme seul est pourvue d'un lobule ; mais on trouve un rudiment de lobule chez le gorille –information tirée de Saint-George Mivart, *Elementary Anatomy,* 1873, p. 396, P.T.–, et le professeur Preyer m'apprend que le lobule fait assez souvent défaut chez le nègre." (p. 11.)

– Le développement plus marqué des instincts est par contre indiscutablement la trace d'un état moins avancé de civilisation, de même qu'une grande acuité sensorielle : ainsi celle de l'odorat dans "les races à peau de couleur, chez lesquelles il est généralement plus développé que chez les races civilisées." (p. 13.)

– Le rapport entre les dents de sagesse et les autres molaires est également révélateur : alors que dans les races civilisées, elles tendent vers un état rudimentaire, devenant plus petites que les molaires voisines, apparaissant tardivement et se montrant, selon certains, particulièrement sujettes aux caries, elles sont en revanche généralement saines dans les races mélaniennes, y disposant de trois racines et ne présentant pas de différence vraiment sensible par rapport aux autres molaires : nouvel indice de primitivité, dès que l'on en rapporte la raison à un usage plus intense de l'activité masticatoire, entraîné par l'absorption d'aliments crus. (p. 16.)

– La perforation intra-condyloïde, d'après la paléontologie humaine, semble également devoir être interprétée comme un indice d'ancienneté rapprochant l'humanité des animaux inférieurs. "Cela vient probablement en grande partie, écrit Darwin, de ce que les races anciennes, dans la longue ligne de descendance, se trouvent quelque peu plus rapprochées que les races modernes de leurs ancêtres primordiaux. (p. 18.) Or les Guanches, seuls habitants des îles Canaries jusqu'à l'arrivée des Espagnols au XVe siècle, présentaient cette particularité.

— Une moindre variabilité est en principe, si l'on s'en remet à ce que l'on sait de l'influence variabilisante de la domestication sur les animaux, le signe d'une sauvagerie conservée par certaines populations humaines. Chez les nations plus civilisées, la divergence interindividuelle des caractères est favorisée par la multiplicité des états et la diversité des rôles sociaux –ce que l'on ne saurait retrouver au même degré chez les sauvages, dont on a cependant parfois exagéré l'uniformité. (p. 25).

— D'autre part, une équation paraît s'établir entre le degré de développement physique et le niveau moral des populations. Cela, cependant, n'est constitué que d'une référence, non commentée par Darwin, à un mémoire de Beddoe *(Memoirs of the Anthropological Society,* vol. III, 1867-1869, p. 561, 565, 567). (p. 28.)

— Les critères d'évolution définis en fonction du paramètre "civilisation" n'opèrent pas seulement entre les races. Darwin remarque ainsi qu' "il est certain que les mâchoires sont généralement plus petites chez les hommes à position aisée que chez les ouvriers et chez les sauvages" (p. 30). Corrélativement, l'acuité de la vue et celle des autres sens constitue une supériorité des sauvages sur les civilisés, victimes d'un affaiblissement de ces facultés, attribué au défaut d'usage : la "nourriture grossière" dont se compose l'alimentation des ouvriers aura donc pu, en manière de compensation, préserver ces derniers d'un affaiblissement des organes masticateurs.

— Par contre, la mise en parallèle de la conformation crânienne des idiots microcéphales –dont la description est empruntée à Vogt, 1867 : développement du sinus frontal formant une projection sur les sourcils, prognathisme "effrayant" des mâchoires– et de celle des "races inférieures de l'humanité", est dénuée d'ambiguité quant à ses aboutissements logiques : une telle conformation s'accompagne de facultés mentales "d'une extrême faiblesse", et de symptômes régressifs –tendance à l'imitation, comportement animal grimpeur, gambadant et folâtre, usage thériomorphique des organes sensoriels et préhensiles (p. 33).

— Citant Canestrini (1867), Darwin évoque encore la bipartition de l'os malaire chez quelques quadrumanes et quelques autres mammifères, bipartition que l'on retrouve chez le fœtus humain de deux mois, parfois chez l'homme adulte par suite d'un arrêt de développement, et "surtout chez les races prognathes inférieures" (p. 37). C'est donc quelque chose comme une théorie des arrêts –ou des retards– de développement, née de la tératogenèse d'Etienne Geoffroy Saint-Hilaire, qui pourrait en partie rendre compte de la hiérarchie des races. Darwin rapproche de ce cas la division en deux parties de l'os frontal, que l'on rencontre chez la plupart des mammifères inférieurs, dans l'embryon humain et chez les enfants : une suture plus ou moins apparente persiste parfois chez l'homme adulte, particulièrement dans les crânes anciens exhumés par la paléontologie. Ainsi, l'archaïque et le sauvage se trouvent une fois de plus définis par des traits analogues, et explicativement rapportés l'un à l'autre.

"Il semble (...), écrit Darwin, que si les races anciennes se rapprochent plus souvent que les races modernes des animaux par certains de leurs caractères, c'est parce que ces dernières sont, dans la longue série de la descendance, un peu plus éloignés de leurs premiers ancêtres semi-humains." (p. 37.) Les "races inférieures" actuelles seraient donc, parmi les races modernes, celles qui conserveraient avec les "races anciennes" les signes sensibles d'une proximité plus grande. C'est aussi un crâne câfre que Darwin signale comme présentant un remarquable indice de sa proximité d'une conformation animale antérieure : l'espacement existant entre les dents de chaque mâchoire à l'endroit de l'insertion des canines de la mâchoire opposée (p. 38).

– A propos des variations corrélatives, rapportant les conclusions de Schaafhausen, Darwin évoque "les rapports qui paraissent exister entre une conformation musculaire très accusée et des arcades sus-orbitaires très saillantes, qui caractérisent les races humaines inférieures" (p. 42).

– Selon Malthus, d'accord en cela avec ce que constatait Darwin au sujet de l'influence positive de la domestication sur la reproduction animale, la moindre activité de la faculté reproductive chez les "barbares" doit être regardée comme une conséquence d'une situation moins élevée dans l'échelle de la "civilisation".

– La persistance du pouvoir préhensile du pied chez quelques sauvages est encore un signe de primitivité (p. 51).

– La vie en société est elle-même un phénomène archaïque, et l'argument invoqué par Darwin en faveur de son ancienneté est tout simplement qu'elle se laisse appréhender, sous des formes que l'on peut estimer préfigurantes, chez la plupart des quadrumanes et chez les sauvages, ainsi naturellement associés (p. 63).

– Darwin, se remémorant sans nul doute quelques épisodes de son voyage, note que la faculté d'imitation est puissante chez l'homme, et surtout chez l'homme à l'état sauvage (p. 75). Ce ressouvenir s'accompagne une fois de plus du rappel de l'analogie comportementale qui relie sur ce plan les sauvages et les individus frappés de régression mentale consécutive à un ramollissement du cerveau ou une hémiplégie. C'est encore ce thème qui fera résurgence un peu plus loin : "Nous devons ici appeler l'attention, car ce fait explique en grande partie ces imitations, sur la forte tendance qu'ont les formes les plus voisines de l'homme, les singes, les idiots microcéphales et les races barbares de l'humanité, à imiter tout ce qu'ils entendent." (p. 92.)

– Lorsqu'il en vient à questionner le développement de la croyance et de la pensée magico-religieuse, Darwin use d'un rapprochement encore plus saisissant, entre l'animisme spontané de son chien grondant en direction d'une ombrelle ouverte agitée par le vent, et la croyance aux esprits chez les peuples sauvages (pp. 100-101). L'animisme anthropocentriste des sauvages, de même, fait qu' "il n'y a qu'un pas, facile à franchir, de la croyance aux esprits à celle de l'existence d'un ou de plusieurs dieux".

– Quant à la moralité, ce qui sépare le sauvage ou le barbare de l'homme civilisé pénétré de morale kantienne, c'est qu'il ne peut dire : "Je suis le juge suprême de ma propre conduite" (pp. 117-118), étant encore soumis à l'utilitarisme borné qui ne tend qu'à la préservation de la cohérence du groupe social auquel il appartient.

– En définitive, "les causes principales du peu de moralité des sauvages, considérée à notre point de vue, sont, premièrement, la restriction de la sympathie à la même tribu ; secondement, l'insuffisance du raisonnement, ce qui ne leur permet pas de comprendre la portée que peuvent avoir beaucoup de vertus, surtout les vertus individuelles, sur le bien-être général de la tribu. Les sauvages, par exemple, ne peuvent se rendre compte des maux multiples qu'engendre le défaut de tempérance, de chasteté, etc. Troisièmement, un faible empire sur soi-même, cette aptitude n'ayant pas été fortifiée par l'action longtemps continuée, peut-être héréditaire, de l'habitude, de l'instruction et de la religion." (p. 128.)

Relevés au fil du texte, ces énoncés paraissent ne pouvoir s'accommoder d'aucune interprétation qui en relativiserait, en dissociant les perspectives et les points de vue, la portée ouvertement *classificatoire.* Conformément à ce qu'il annonçait dans les derniers chapitres de *L'origine des espèces* (10), Darwin déclare dans *La descendance* que le système naturel de classification, "on l'admet généralement aujourd'hui, doit suivre autant que possible un arrangement généalogique" (11). En vertu du principe de la descendance de l'homme à partir d'un groupe de singes catarrhiniens (12), la classification naturelle des races humaines, étant généalogique et ayant pour opérateur naturel l'évolution sélectionnante, c'est-à-dire la persistance des plus aptes, est automatiquement une *hiérarchie* à l'intérieur de laquelle les races "inférieures" figurent les chaînons intermédiaires entre les ancêtres simio-humains et les races caucasiennes. Dans l'échelle de la classification généalogique, les races nègres, notamment, se trouvent, par leurs caractères anatomiques, leurs habitudes de comportement, les formes archaïques de leur organisation sociale et le faible développement de leurs facultés morales, en position d'occuper le rang le plus bas. On a pu constater toutefois* que Darwin ne négligeait aucune occasion de signaler chez les "sauvages" des traits de comportement social et moral qui les portent à ressembler en quelque chose aux peuples "civilisés". Mais son propos, de même que lorsqu'il insiste au contraire sur la distance qui les en sépare, n'est en lui-même jamais axiologique : la dialectique de sa démonstration exige simplement la co-présence, parmi ses exemples accumulés, d'illustrations qui mettent en évidence tour à tour la proximité et l'éloignement, pour finalement faire apparaître l'*attache.*

Effet réversif et phénomènes surcompensatoires

Il faut donc se garder de déchiffrer sur un plan axiologique ce qui n'existe et ne vaut chez Darwin que sur celui de la description naturelle requise pour illustrer l'exactitude de l'hypothèse transformiste logiquement conduite dans toutes les régions et

(10) (Voir la page précédente)
Ch. XIII et XIV, *passim,* et surtout, dans ce dernier, p. 487 de l'éd. cit. : "Nos classifications en viendront, autant que la chose sera possible, à être des généalogies".

(11) *D. H.,* pp. 161-162.

(12) *Ibid.,* p. 168.

*Voir notamment ci-dessus les références à Mungo Park et à Wallace dans le troisième regroupement bibliographique que nous avons opéré.

parmi toutes les raisons aptes à lui apporter un surcroît de confirmation. Si l'on cherche à pénétrer la logique du darwinisme, il faut d'ailleurs rompre avec l'idée d'une morale distincte du processus évolutif. L'existence du sentiment moral est sans doute pour Darwin ce par quoi l'homme se distingue le plus nettement des animaux inférieurs, mais il ne faut pas omettre d'une part qu'il consacre de longues pages à en retrouver la trace chez ces derniers –parlant d'une différence de *degré* et non de *nature*–, et d'autre part que ce sens, parmi d'autres, est une acquisition soumise, dans son progrès, à la loi de la sélection naturelle (13). Or la moralité, effet de l'évolution sélective, atteint dans les nations civilisées un niveau où, dépassant ses caractéristiques primitives qui étaient de se limiter dans son exercice à la seule étendue du groupe social restreint, elle s'oriente tendanciellement vers une assimilation sympathique entre les peuples. Contrairement à certaines attentes, on trouve chez Darwin un argument capital pour contredire l'interprétation fréquemment donnée de sa doctrine dans les termes d'un constant éloge de la rivalité et du combat :

> "A mesure que l'homme avance en civilisation et que les petites tribus se réunissent en communautés plus nombreuses, la simple raison indique à chaque individu qu'il doit étendre ses instincts sociaux et sa sympathie à tous les membres de la même nation, bien qu'ils ne lui soient pas personnellement connus. Ce point atteint, une barrière artificielle seule peut empêcher ses sympathies de s'étendre à tous les hommes de toutes les nations et de toutes les races. L'expérience nous prouve, malheureusement, combien il faut de temps avant que nous considérions comme nos semblables les hommes qui diffèrent considérablement de nous par leur aspect extérieur et par leurs coutumes. La sympathie étendue en dehors des bornes de l'humanité, c'est-à-dire la compassion envers les animaux, paraît être une des dernières acquisitions morales. Elle est inconnue chez les sauvages, sauf pour leurs animaux favoris. Les abominables combats de gladiateurs montrent combien peu les anciens Romains en avaient le sentiment. Autant que j'ai pu en juger, l'idée d'humanité est inconnue à la plupart des Gauchos des Pampas. Cette qualité, une des plus nobles dont l'homme soit doué, semble provenir incidemment de ce que nos sympathies, devenant plus

(13) *DH*, ch. IV, *passim.*

délicates à mesure qu'elles s'étendent davantage, finissent par s'appliquer à tous les êtres vivants. Cette vertu, une fois honorée et cultivée par quelques hommes, se répand chez les jeunes gens par l'instruction et par l'exemple, et finit par faire partie de l'opinion publique." (p. 132.)

Texte capital, car condensant en lui les éléments essentiels de ce que Spencer entendait désigner en appelant de ses vœux, comme rendue urgente par une nouvelle situation générale de la connaissance, une *sécularisation de la morale* (14). Capital aussi parce que manifestant le lien qui l'unit en esprit avec les théories du progrès moral émises au XVIIIe siècle, et que l'on retrouve sous les notions d'extension et de raffinement de la *sympathie*. Capital enfin, et surtout, parce qu'il paraît introduire dans l'histoire de l'humanité ce *saut qualitatif* fréquemment thématisé par les lectures humanistes ou simplement anti-inégalitaires de Darwin, et par lequel s'opérerait en définitive le sauvetage de la spécificité humaine échappant par la *raison* (naturelle) à ce qui semblait jusque-là devoir être la loi universelle du combat pour la vie et de l'hégémonie de la force. Au matérialisme encore peu assuré de lui-même qui gouvernait certaines figures de la théorie sensualiste des sentiments moraux, Darwin apporte un fondement et une légitimation nés du transformisme. En même temps, sans sortir de cette logique transformiste qu'il est le seul à avoir formulée dans ses lois et dans son intégrale extension, il restaure l'harmonie que l'on croyait perdue avec les prescriptions d'une morale qui jusque-là ne pouvait se passer de l'autorité qu'elle devait à sa "prétendue origine sacrée" (Spencer). Cette restauration pourtant n'est ni un compromis, ni une réconciliation. Le pesage minutieux des moindres termes de Darwin dans ce passage est requis pour mesurer à quel point le mécanisme réversif qui joue entre la loi naturelle et la loi morale –performance de la raison à l'extrême avancée de la nature en perfectionnement– est subtil, et conditionne une nouvelle représentation des superstructures intimes de la vie individuelle et collective. L'élargissement de la *sympathie,* conséquence de l'*avancement de la civilisation,* lui-même conséquence de l'évolution, c'est-à-dire de la sélection des comportements *utiles,* est un *fait de raison, donc de nature.* On rencontrerait approximativement ici l'analogue de la *loi naturelle*

(14) *Les bases de la morale évolutionniste,* éd. fr. 1880, *Préface,* p. VI.

hobbesienne, dont j'ai montré (15) qu'elle était une loi de la *raison naturellement portée à contrarier dans la pratique,* en procédant à l'instauration des pactes, *ce dont elle était la conséquence naturelle,* savoir : l'exercice mortel du droit *(naturel)* de *guerre* de tous contre tous. Chez Hobbes, le passage de l'état de guerre généralisé à l'état civil, de la nature à la convention, est un passage *naturel,* au sein duquel la raison se réfléchit comme moyen optimal de *survie* pour l'individu. Le même phénomène se produit dans la vision dialectique de Darwin, mais déterminée par des considérations purement évolutives : l'homme atteint "un point" à partir duquel il faut penser l'extension de sa "sympathie" à une altérité potentiellement universalisable, comme un *effet de nature* que "seule une barrière artificielle" peut entraver. Toute idéologie pratique visant à favoriser un comportement de type *raciste* est donc exclue de cette logique de l'avènement d'une morale universaliste et rationnelle. Une fois atteinte, et transmise par l'éducation, *cette morale semble contredire dans ses effets la loi de la sélection naturelle :*

> "Chez les sauvages, les individus faibles de corps ou d'esprit sont promptement éliminés, et les survivants se font promptement remarquer par leur vigoureux état de santé. Quant à nous, hommes civilisés, nous faisons, au contraire, tous nos efforts pour arrêter la marche de l'élimination ; nous construisons des hôpitaux pour les idiots, les infirmes et les malades ; nous faisons des lois pour venir en aide aux indigents ; nos médecins déploient toute leur science pour prolonger autant que possible la vie de chacun. On a raison de croire que la vaccine a préservé des milliers d'individus qui, faibles de constitution, auraient autrefois succombé à la variole. Les membres débiles des sociétés civilisées peuvent donc se reproduire indéfiniment. Or, quiconque s'est occupé de la reproduction des animaux domestiques sait, à n'en pas douter, combien cette perpétuation des êtres débiles doit être nuisible à la race humaine." (p. 145.)

Cependant,

> "Nous ne saurions restreindre notre sympathie, en admettant même que l'inflexible raison nous en fît une loi, sans porter préjudice à la plus noble partie de notre nature. (...) Nous devons donc subir, sans

(15) *Physique de l'État (examen du Corps Politique de Hobbes),* Vrin, 1978.

nous plaindre, les effets incontestablement mauvais qui résultent de la persistance et de la propagation des êtres débiles. Il semble, toutefois, qu'il existe un frein à cette propagation, en ce sens que les membres malsains de la société se marient moins facilement que les membres sains. Ce frein pourrait avoir une efficacité réelle si les faibles de corps et d'esprit s'abstenaient du mariage ; mais c'est là un état de choses qu'il est plus facile de désirer que de réaliser." (p. 146.)

On comprend, à lire ces énoncés, ce qui se joue d'essentiel entre la *décision* et la *réticence* de Darwin. La contradiction entre la loi naturelle sélective et les effets évidemment anti-sélectifs de la loi morale contribue plus que jamais à accentuer la dissociation de la morale et de la vie. Toutefois, il est impossible d'oublier que si Darwin qualifie de "partie la plus noble de notre nature" la morale née du développement des instincts sociaux relayés par la faculté rationnelle, c'est *en vertu du mouvement évolutif lui-même,* c'est-à-dire *en vertu de la sélection.* La contradiction est incontournable, et produit dans le texte de Darwin un effet de désarroi mesurable à ce que d'une part il souhaite la limitation des effets négatifs de l'extension de la sympathie sur l'existence biologique de la "race humaine", avançant avec quelque faible espérance l'idée que la sélection sexuelle puisse servir de "frein" à la dégénérescence et compenser dans une certaine mesure l'entrave mise à une sélection naturelle rendue impuissante à assurer le perfectionnement évolutif, et d'autre part il s'en tient à la logique d'un choix décidé en faveur d'une morale de l'universalisation de la sympathie et du secours, naturellement issue du développement de la nature instinctuelle de l'homme. La nature s'est ainsi divisée en elle-même, et sa loi a travaillé elle-même à s'éliminer comme loi. C'est cela que certains commentateurs post-engelsiens de Darwin ont pu nommer le "saut qualitatif" dans l'évolution. Le fait, c'est que la sélection naturelle se trouve arrêtée et contrariée dans son opération par l'un de ses effets les plus extrêmes : le raffinement dernier du développement de la loi provoque la réversion de ses conséquences ultimes. Ce pouvoir d'inversion de la nature, l'homme le possède donc d'une manière naturelle, puisque c'est à travers la durée et les embûches du processus sélectif qu'il a pu l'acquérir. Un autre exemple, brièvement recensé plus haut, est tiré des institutions modernes et emprunté à H. Fick *(Einfluss der Naturwissenschaften auf das Recht)* pour illustrer ce pouvoir anti-sélectif : l'existence, dans certains pays, d'armées permanentes qui opèrent à leur profit exclusif la sélection des jeunes gens les plus naturellement favorisés, laissant ainsi, au détriment du niveau de perfection biologique du groupe social, les hommes les plus faibles et physiquement les moins favorisés se marier et se reproduire.

Mais s'agit-il bien d'un "saut qualitatif" ? Cette expression si souvent employée peut-elle continuer à désigner ce qui, manifestement, s'effectue *sans rupture,* puisque, par exemple, l'attitude altruiste est, à un niveau moins développé, une constante de la vie de certains animaux, avant même que ne soit atteint, dans l'échelle des formes, le stade d'évolution des Primates ? Le *"natura non facit saltum"* est constamment réaffirmé par Darwin, sous de multiples formes argumentatives, tout au long de son œuvre, et il reste la base du transformisme. Or le développement de la moralité suit le développement évolutif des facultés mentales, et le "saut" n'y existe pas plus, en droit, qu'une interruption dans la chaîne nécessairement continue de la filiation des êtres. Or ce développement, qui conduit à l'universalisation progressive de la *sympathie* –cela doit être tenu en réserve pour servir de réponse aux critiques ultérieures de Lalande–, est par là-même ce qui engage Darwin vers le choix, pour lui-même comme pour l'humanité, d'une *éthique tendanciellement assimilative* culminant normalement dans un véritable universalisme. Avec une anticipation de près de trente ans, Darwin s'est ainsi préventivement dégagé de l'emprise des critiques à venir de la philosophie anti-évolutionniste de Lalande, qui s'adressera, il est vrai, en tout premier lieu et presque exclusivement à la systématisation spencérienne (16), et qui opposera l'*assimilation* à la *différenciation.*

Comment faut-il penser alors, d'après le premier texte cité, l'existence et le sens de ces "barrières *artificielles"* qui empêcheraient, une fois atteint le stade où l'extension de la sympathie apparaît comme une conséquence naturelle de la civilisation, qu'un tel phénomène s'accomplisse ? La réponse paraît impliquée : l'homme qui poserait ces barrières ou en favoriserait l'établissement se conduirait *à la manière des sauvages,* faisant ainsi *retour* à un état antérieur et dépassé du processus naturel de développement de la rationalité et de la culture. Par voie de conséquence, et si l'on prend en compte le caractère soit tératologique, soit simplement récessif du phénomène de *retour* dans le monde organique selon

(16) André Lalande, *La dissolution opposée à l'évolution dans les sciences physiques et morales* (thèse de doctorat), Alcan, 1899.

Darwin, toute attitude pratique visant à provoquer le divorce des communautés humaines et une ségrégation *de quelque type qu'elle soit,* doit logiquement être considérée dans une telle perspective, soit comme une monstruosité morale de l'homme civilisé, soit comme l'indice persistant d'une mentalité archaïque –et ainsi s'expliquerait qu'elle soit dite ici "artificielle", de même qu'ailleurs la cruauté humaine est dite "contre nature", c'est-à-dire contraire au sens de l'évolution. De la sorte, au lieu de l'avoir favorisée, comme le croient encore quelques consciences naïves, la théorie darwinienne saisie dans l'intégralité de sa logique serait peut-être la seule à pouvoir être opposée, en sachant exactement ce qu'elle mettrait sous ces termes, à la *barbarie* nazie.

Mais qu'en est-il alors véritablement d'une évolution qui n'est plus régie –ou qui ne l'est plus que d'une façon "bien secondaire" (17)– par la sélection naturelle ? Ce que dans les pages précédentes j'ai appelé, non pas le "saut qualitatif", mais l'*effet réversif* produit par la civilisation –laquelle, conséquence de la sélection, en vient à contredire les lois de cette dernière dans le champ de la nature–, est ce qui explique la dissociation si fréquemment installée entre la sphère de la "nature" et celle de la "culture", tout comme il gouverne, à n'en pas douter, à un autre niveau, celle pratiquée entre "sauvagerie" et "civilisation". L'effet réversif n'est ni une coupure ni un saut, dans l'exacte mesure où la sélection ne cesse pas d'agir, mais en quelque sorte se divise en elle-même pour agir *autrement.* Ce qui est difficile à saisir pour l'intelligence, c'est qu'à un certain moment –qui coïncide théoriquement avec celui de l'emprise grandissante des instincts sociaux et de la sympathie–, *la sélection change de champ tout en inaugurant par ce changement la distinction des champs :* elle "choisit" de travailler au perfectionnement du social, et par ce "choix" elle instaure la fameuse distinction du social et du naturel, qui n'est légitimable que si l'on comprend le mécanisme réel de l'effet réversif. Une chose ne fait pas de doute : c'est que pour Darwin, la sélection, à partir de ce moment, tout en restant "naturelle", n'opère plus que dans une seule voie qui est celle de "la production d'un niveau de moralité plus élevé et d'un nombre plus considérable d'hommes bien doués" (18). On comprend ainsi quelle trahison idéologique représente, par rapport à Darwin, ce que l'on a nommé le "darwinisme social", qui feint de

(17) *DH,* pp. 149-150.

(18) *Ibid.,* p. 150.

croire que la sélection naturelle se poursuit en sélection sociale (en discriminant les *individus),* alors qu'en réalité cette sélection s'opère en direction d'une socialité plus unie, plus homogène et plus assimilative.

L'évolution, dès lors, devient elle-même plus complexe. Le développement de l'intelligence, impliquant celui de la civilisation et impliqué en lui, procède à des rééquilibrations dans le champ même de la nature biologique :

> "Bien que la civilisation s'oppose ainsi, de plusieurs façons, à la libre action de la sélection naturelle, elle favorise évidemment, par l'amélioration de l'alimentation et l'exemption de pénibles fatigues, un meilleur développement du corps. C'est ce qu'on peut conclure du fait que, partout où l'on a comparé les hommes civilisés aux sauvages, on a trouvé les premiers physiquement plus forts. L'homme civilisé paraît supporter également bien la fatigue ; beaucoup d'expéditions aventureuses en ont fourni la preuve. Le grand luxe même du riche ne peut lui être que peu préjudiciable, car la longévité, chez les deux sexes de notre aristocratie, est très peu inférieure à celle des vigoureuses classes de travailleurs de l'Angleterre." (pp. 147-148.)

La civilisation contrebalancerait donc la perte de l'efficacité sélective dans la nature par un système de compensations inhérentes à la positivité du développement continué (toujours *sélectivement)* de l'intelligence. Alors que la sélection sexuelle poursuivie dans l'état de civilisation ne pouvait être au mieux qu'un "frein" au processus d'affaiblissement biologique impliqué par l'auto-élimination progressive de la sélection naturelle, l'évolution culturelle et l'élévation intellectuelle et morale l'inversent à leur tour en processus d'amélioration physique. A l'effet réversif s'oppose un nouvel effet réversif qu'il conviendrait de dénommer ici *phénomène surcompensatoire.*

Ainsi, la distinction nature / culture, qui reste, malgré les critiques parfois en partie judicieuses qui lui ont été adressées, hautement opératoire, est un phénomène logique ancré dans le transformisme matérialiste de Darwin, et déterminé par l'émergence de l'effet réversif et de ses suites compensatoires. Elle doit sa naissance à un processus qui ne peut être autrement décrit que comme un processus *dialectique.* Sans cesser de devoir être pensée comme nature en évolution, la culture atteint un "point" où la sélection simple ne suffit plus à rendre compte de l'intégralité complexe du phénomène évolutif : telle est la mutation qualitative –qui n'implique aucune solution de continuité– qui a si fort embarrassé la réflexion anthropologique moderne, de Lévi-Strauss à Moscovici. Dans la perspective transformiste de Darwin, cette mutation qualitative s'effectue, répétons-le, sans saut ni coupure, comme une conséquence naturelle de l'effet réversif et du phénomène surcompensatoire, dont l'émergence rend toutefois opératoire en dernière analyse, et toutes les précisions précédentes étant conservées en mémoire, la distinction entre nature et culture. Darwin lui-même –et non quelque nébuleux commentaire humaniste– nous incite à penser et à agir en sachant que ce qui a lieu dans la société n'a aucune raison de s'assujettir ni d'être assujetti aux lois qui gouvernent l'univers biologique antérieurement à l'émergence –naturelle, car sélectionnée– de la civilisation qui marque la fin du règne exclusif de la sélection biologique et l'émergence connexe de techniques rationnelles et *anti-éliminatoires.* C'est pourquoi, du strict point de vue de la logique du darwinisme, le soi-disant "darwinisme social" est une ineptie.

Il s'agit donc toujours de bien percevoir ce qui se passe dans le discours darwinien *au niveau de la logique du transformisme,* afin de ne pas interpréter comme de plates contradictions des oppositions argumentatives entre certains *énoncés,* dont le rôle ni l'effet ne sont cependant de mettre en péril les affirmations fondamentales.

Il faut ici revenir sur un fait lié au transformisme lui-même. Le discours de Darwin reste un discours *classificateur* qui, fidèle à ses plus anciennes prédictions, subvertit les classifications existantes par l'introduction d'un principe organisateur qui est *généalogique.* De ce fait, la classification (explicitée ou non) qui est opérée par lui sur les êtres naturels en général –l'homme y compris–, étant fondée sur l'interprétation transformiste, c'est-à-dire généalogique, des *variétés* en termes de *développement* –avec toujours, par conséquent, *plus* ou *moins* d'*avancement* dans l'échelle–, implique que son discours soit un discours *hiérarchique.* D'où des formulations troublantes pour ce que peut être, aujourd'hui, un égalitarisme *humaniste :* Darwin parle fréquemment, et sans précautions ni hésitations qui eussent été pour lui superflues, des races *inférieures* de l'humanité. Il y a des inégalités entre les espèces –et partant, des espèces *supérieures* et des espèces *inférieures–,* entre les variétés d'une même espèce –et donc, des races *supérieures* et des races *inférieures*–, et entre les individus d'une même race– et ainsi, des hommes *supérieurs* et des hommes *inférieurs.* Les mêmes mots sont employés par Darwin dans les trois situations, qui découlent toutes trois de l'effectivité, à tous les niveaux, de la *variation avantageuse* et de sa conservation. Les inégalités interspécifiques manifestent des infériorités dans l'organisation, les inégalités interraciales découvrent des infériorités liées essentiellement à un moindre développement des superstructures intellectuelles et morales et de la socialité, et les inégalités interindividuelles font apercevoir des infériorités nées de l'hérédité et du milieu social. Au premier niveau, la hiérarcologie darwinienne ne se distingue pas, dans ses termes, des formulations en usage jusqu'à elle : le fixisme et la théorie de l'échelle des êtres employaient les mêmes expressions. La *supériorité* de l'espèce humaine sur les espèces animales est simplement pensée comme un effet d'évolution, et non plus d'institution métaphysique. Au second niveau, la hiérarchie expressément installée par Darwin entre les races humaines peut sembler s'accorder également dans les mots avec ce qu'était, aux siècles précédents, l'inégalitarisme ethnocentrique spontané des "anthropologues" européens –et à cet égard, le *Voyage* contient, il est vrai, des mentions purement axiologiques, comme celle d'*abjection* employée pour décrire l'état de certains Fuégiens. En réalité, comme nous l'avons montré, c'est, en dépit de cela (qui doit relever d'un *autre ordre* d'analyse), à ce second niveau que le transformisme s'affirme comme perspective unitaire de classement généalogique, englobant ce qui se différenciera comme champ "culturel". Au troisième niveau, les mentions d'inégalité concernent les individualités biologiques vivant au sein d'un même groupe, et qui sont les effets présents de l'hérédité et des conditions de procréation et d'élevage : elles constituent l'occasion la plus immédiate de saisir le transformisme en acte, au sein de la simple remarque de la *variation* qui survient et, éventuellement, se transmet.

De cet examen, il ressort que reprocher à Darwin une représentation hiérarchique des variétés humaines revient en définitive à lui faire grief de son transformisme, lequel cependant ne souligne les différences que pour faire saillir une parenté : on a beaucoup moins reproché à l'ancien discours classificatoire, fixiste et créationniste, d'avoir installé entre les êtres d'irrémédiables différences d'origine, de nature et de dignité, qu'à Darwin d'y avoir substitué de simples différences de *degré.* Savoir *lire* Darwin, c'est être capable de dépasser la signification immédiate des *énoncés* vers la saisie complète de la *logique* transformiste : celle-ci, qui s'étend au "domaine" culturel –qu'il ne s'agit plus de dissocier comme une essence ou comme l'effet d'un privilège métaphysique, mais qui relève bel et bien d'une sélection d'instincts–, débouche, on l'a vu, sur l'extension d'une éthique *assimilative* qui valorise la sympathie et combat l'élimination des faibles. Si ce dernier phénomène avait été introduit par Darwin comme un élément hétérogène à l'évolution, on aurait sans doute pu conclure à une tension entre la science des faits purement biologiques et un retour irrationnel de l'obligation transcendante sous les espèces de la loi morale opposée à la loi naturelle. Au contraire, la morale est ici totalement intégrée à l'évolution, sous les traits déjà longuement analysés de l'effet réversif. C'est cela que l'humanisme –en particulier chrétien– a toujours été incapable de comprendre. La morale de Darwin est *nécessairement* matérialiste, et c'est en conséquence de cela qu'elle est normalement intégrée au discours de la science.

Thèse n° 8

Le ségrégationnisme génétique de Gobineau et sa théorie de la dégénérescence contredisent respectivement les positions de Darwin quant à l'influence bonifiante des *croisements* sur les races, ainsi que l'étiologie darwinienne des phénomènes d'*extinction*. En dépit des tentatives de Gobineau pour apparenter leurs logiques dans l'origine, darwinisme et gobinisme sont deux théories qui s'excluent.

Thèse n° 9

La théorie gobinienne de l'existence individuelle est l'amalgame contradictoire d'une référence morcelée à l'histoire naturelle —ne retenant d'elle qu'une représentation grossièrement lamarckienne des rapports du vivant et de son milieu—, d'emprunts à une métaphysique aristotélico-thomiste, et au néo-hégélianisme par l'intermédiaire de la théorie linguistique de August Schleicher.

Thèse n° 10

L' "erreur" de l'idéologie évolutionniste, illustrée par la "glottique" schleicherienne, repose sur l'association illégitime ou la confusion permanente du modèle de la croissance de l'organisme individuel (incluant une phase de décadence sénile) et du modèle de l'évolution spécifique. Les effets logiques de cette double analogie apparaîtront avec netteté dans les contradictions de la sociologie spencérienne.

Thèse n° 11

Aucune idéologie ne peut *"naître"* d'une science.

Thèse n° 12

Le *discours de la science* et le *texte du savant*, ce n'est pas la même chose.

L'inégalité
(Gobineau, la philosophie et les sciences)

Il est loin d'être indifférent que le *Mémoire sur diverses manifestations de la vie individuelle* d'Arthur de Gobineau s'ouvre, dans une sorte de très bref avant-propos, sur une référence à Darwin. A sa manière, l'ouvrage, paru d'abord en allemand dans la *Zeitschrift für Philosophie und philosophische Kritik* dirigée par le professeur von Fichte, à la suite d'instances répétées dont A.B. Duff a remarquablement établi la chronologie et interprété l'esprit (1), pourrait sembler représentatif de la tendance à l'unification des sciences dont le darwinisme a été, sinon l'origine absolue, du moins l'accélérateur historique. Ainsi que le raconte A.B. Duff, le texte, qui changea plusieurs fois de titre, mit un temps considérable –de 1854 selon l'avant-propos et d'après une lettre à Tocqueville (2), jusqu'à l'année 1867, date officielle d'achèvement– à s'écrire et à parvenir à sa forme définitivement approuvée. Dans le cours de cette période, on le constate, l'irruption de Darwin est relativement tardive. Chose plus significative encore, Gobineau, référant à *L'ori-*

(1) *Mémoire sur diverses manifestations de la vie individuelle* (texte français inédit et version allemande) publié, avec un historique du *Mémoire* et une introduction par A.B. Duff, Desclée de Brouwer et Cie, Paris, 1935.

(2) *Correspondance entre A. de Tocqueville et A. de Gobineau* (1845-1852), publiée par L. Schemann, Paris, 1908, pp. 221-222.

gine des espèces, donne la date de 1860, qui est en réalité celle de la traduction allemande par Bronn (Stuttgart) de l'ouvrage de Darwin, dont l'édition originale (Londres) date de 1859. Gobineau a donc "lu" Darwin en allemand, au moment où il était en train de travailler de loin en loin à cet appendice de l'*Essai sur l'inégalité des races humaines* (dont les deux premiers tomes avaient paru à Paris en 1853) qu'est le *Mémoire* que nous allons ici analyser. Il est hors de doute selon nous que cette référence, unique dans tout l'ouvrage, n'est de la part de Gobineau qu'une manière peu informée d'accrocher à sa réflexion un emblème scientifique dont l'autorité croissait alors en Europe, et dont il n'avait pas lui-même, manœuvré par tout un système de représentations antérieures, sérieusement pénétré l'esprit. Au reste, Darwin n'y figure pas expressément à un autre titre : lu en 1860 –et l'on ne saurait dire de quelle manière–, il est postérieur, quant à son apparition nominale dans l'œuvre de Gobineau, à l'établissement des "vérités" dont Gobineau rappelle volontiers qu'il a été le premier à les rencontrer dans l'ordre de ses propres recherches.

Ce qui nous intéresse, aujourd'hui, sur le plan d'une analyse des rapports entre science et idéologie, c'est seulement que Gobineau *ait cru pouvoir*, après une information superficielle sur le darwinisme et certaines de ses implications anthropologiques, trouver dans ses énoncés ou dans sa logique une garantie supplémentaire de la conformité de son propre discours à la science.

L'*appendice* que représente donc le *Mémoire* par rapport à l'*Essai* s'ouvre par le rappel de l'intention fondamentale de l'ouvrage antérieur. "Dans mon livre intitulé : *Essai sur l'Inégalité des races humaines*," écrit Gobineau, "j'ai voulu montrer que les phénomènes présentés par le développement des sociétés ressemblaient fort aux phénomènes produits par l'évolution de la substance organique. J'ai exprimé l'opinion qu'il était légitime de considérer l'histoire proprement dite comme une partie véritable de l'histoire naturelle" (3). En 1867, il est certes plus facile d'en arriver à cet aperçu synthétique que quinze ou vingt ans

(3) *Mémoire,* éd. cit., Première partie, p. 38. La traduction allemande de von Keller, approuvée par Gobineau, rend cette affirmation nettement plus dogmatique : "Die eigentliche Geschichte der Menscheit ist als ein wirklicher Teil der Naturwissenschaft zu betrachten".

auparavant, car le courant philosophique de l'évolutionnisme a eu le temps d'acclimater d'une façon opiniâtre ce type de subsomption unificatrice de l'histoire humaine sous l'histoire naturelle. L'évolutionnisme de Spencer et de Haeckel, en particulier, sans parler de celui de Vogt dont les implications athées ne pouvaient, étant trop nettement thématisées, convenir parfaitement à Gobineau, avait suffisamment œuvré dans la pensée anglo-germanique pour que l'auteur du *Mémoire* n'hésitât plus à opérer ce rattachement circonstanciel à ce qui était en passe de devenir –l'opposition jésuitique n'ayant pas encore trouvé son expression la plus efficace– un discours dont le dynamisme se révélait puissamment unificateur. Quant à l'influence du linguiste August Schleicher sur l'élucubration proprement linguistique de Gobineau, elle pourrait constituer un chapitre à elle seule, et nous trouverons plus loin un lieu approprié pour son analyse.

Dans une prose assez confuse, qui n'est d'ailleurs ni éclaircie ni allégée par sa traduction allemande, Gobineau résume la démarche qu'il a suivie dans l'étude du développement des groupes humains : "j'ai indiqué le point de départ, le point de tendance et, aussi, les passages à travers les différentes positions comme constituant des nécessités appréciables par l'observation, partant possibles à prévoir, à la condition d'y appliquer une méthode analogue à celle qui, de la vue d'un massif de corail de quelques mètres carrés, conclut à la création éventuelle d'une vaste terre et, au rebours, retrouve le noyau primitif d'une île océanique dans quelque banc minuscule de pareille formation, disparue depuis des siècles, sous des agrandissements successifs." (*Ibidem.*) Rétrospectivement sans doute, la "méthode" gobinienne trouve des correspondances dans la géologie de Lyell et les observations effectuées par Darwin lui-même lorsque, naturaliste à bord du "Beagle", il avait assisté en 1832 à la constitution d'une île volcanique par dépôt de lave sur une plaque calcaire, ou s'était livré à l'étude des récifs coraliens, comme en témoigne l'ouvrage qu'il leur a consacré en 1842. Cette référence vague et cette postulation d'analogie dans la méthode indiquent cependant deux choses :

D'abord, que Gobineau, sans connaître profondément la géologie ni la biologie darwiniennes, tient toutefois à faire saillir la *compatibilité* de son discours sur ce qu'il avait anciennement nommé les *Existences Immatérielles* – idées, langues, etc. – avec ce qui lui paraît être, vers 1867, dans la science du monde *matériel*, la référence la plus validante pour ses propres théories.

– Ensuite, si l'on entre dans le jeu de cette "analogie", que

Gobineau se donne du même coup une *amplitude d'assertion maximale* quant aux objets dont il traite et dont il entend continuer de traiter. Le temps sera parcouru dans les deux sens : celui de la prévision comme celui de l'induction des origines.

Ce second point est le plus important : car cette double prétention à induire ce qui a dû être et à prédire ce qui doit être, empruntée à une science qu'il connaît mal par une analogie qui se limite prudemment au domaine inorganique –mais que la référence à Darwin étend en fait à l'ensemble du monde vivant, et que l'idéologie environnante étend elle-même à l'histoire– suppose la détention d'une *loi d'évolution* ou d'engendrement des phénomènes, laquelle, mise en œuvre *avant* la connaissance des travaux de Darwin, ne fait que rechercher dans la référence darwinienne l'opportunité d'un complément de validation. Et Gobineau se trouve alors, par Schleicher interposé, dont il tient la plus grande part de ses idées sur l'évolution des langues, dans une position à peu près analogue par rapport à Darwin, à celle de Schleicher lui-même, hormis le fait que Schleicher, lui, avait effectivement lu très attentivement *L'origine des espèces* : de la rencontre avec Darwin, pour ces deux théoriciens, l'on peut dire d'une manière générale que ce qui est *requis*, c'est d'accroître le pouvoir d'idées constituées *ailleurs* et *avant*, et de théories dont l'expression systématique n'est pas achevée, et se rêve dans le darwinisme comme à travers ce qui représente la théorie la plus avancée, la plus régionalement avérée et peut-être la plus apte à remplir la promesse d'une *théorie générale du devenir* qui pourrait se constituer autour d'elle tout juste comme autour d'un *noyau*, si ce n'est que Gobineau, comme Schleicher du reste, tient à marquer l'originalité de sa doctrine sur son propre terrain en déclarant qu' "Une telle doctrine qui est bien, dans l'essentiel, une application des théories suggérées par l'examen des faits naturels, n'en est cependant pas l'esclave et a, de son propre fonds, quelque chose à donner. Le terrain spécial auquel elle s'applique, lui fournit aussi des moyens très particuliers pour éclairer les questions du monde matériel et c'est ainsi que j'ai rencontré, avant 1854, époque de la publication du livre dont j'ai parlé tout à l'heure, certaines vérités que, dans l'ordre spécial de ses travaux sur l'origine des Espèces, M. Darwin a constatées, à son tour, en 1860". (*Ibid.*, pp. 38-40.). Ainsi, pour Gobineau baignant comme de coutume dans la mer de l'humilité,

Gobineau et Darwin, dans cet ordre, sont deux manifestations insulaires et, pour ainsi dire, équivalentes dans leur diversité de régions particulières, de ce qui formera peut-être un jour un continent. Il faut parfois savoir se laisser emporter par la logique subreptice des métaphores.

Or on ne désire la jonction que lorsqu'elle est validante : c'est pourquoi, dans un premier temps, la recherche de modèles ou d'analogies s'effectue toujours du moins avéré vers le plus avéré. Ou encore, comme c'est le cas ici, de l'idéologie vers la science. Mais ce qu'il faut noter ici, en attente d'interprétation, c'est que Gobineau, tout en s'autorisant d'un accord partiel ou d'une "rencontre" avec le darwinisme –Darwin n'est d'ailleurs jamais mentionné par lui qu'au titre de l'un de ses continuateurs–, se déclare être aussi, comme l'atteste la *Préface* à la seconde édition de l'*Essai sur l'inégalité des races humaines* (1884), un anti-darwinien. De Darwin, nous dirons pour simplifier que Gobineau retient une certaine représentation hiérarchique des êtres, et rejette la théorie de la descendance humaine, ce qui nous replace devant un schéma qui manque spécialement d'originalité. Mais la question vaut d'être examinée dans le détail, et il semble pour cela plus directement intéressant de se consacrer d'abord à l'analyse des textes postérieurs à 1860. C'est pourquoi nous suivrons pas à pas le *Mémoire sur diverses manifestations de la vie individuelle*.

Parcourant de très haut l'histoire des doctrines philosophiques, Gobineau commence par exclure du cartésianisme le doute paralysant qui porte sur l'existence des objets de la connaissance sensible, et en retient la méthode dynamique, reléguant la métaphysique dans une condition où elle n'a pour tout choix que d'être abandonnée par le mouvement des connaissances positives ou de l'accompagner en renonçant à ses exigences aprioriques. En ce sens, Gobineau semble d'abord choisir une base empiriste, et fait l'éloge de l'induction qu'il marque emblématiquement de la grande figure de Laplace, qui symbolise pour beaucoup non exactement le rejet, mais l'économie de la métaphysique dans le système de la science (§ § I-II). Gobineau semble alors se rallier à une conception unitaire des phénomènes, qui n'est cependant nullement l'équivalent d'un monisme, lorsqu'il déclare dogmatiquement : "L'être et la pensée, la vie et la conscience sont parties inséparables d'un même agrégat". La fonction, interne au discours de Gobineau, de cette image étrange d'un agrégat de parties inséparables, apparaîtra plus loin, lorsqu'il sera question de penser le rapport de l'inorganique à l'organique et à l' "immatériel". L'objet de Gobineau n'est donc pas l'essence de l'Etre, mais ses *attributs* en tant que leur existence renferme les manifestations de "la vie proprement dite, la vie individuelle, personnelle, sporadique" (§ III). Or la semi-exclusion inaugurale de la métaphysique va être très sérieusement modulée par le § IV :

"Ce que la métaphysique s'avoue la plus impuissante à affirmer c'est, précisément, ce qui est le plus indubitable pour la sensation, à savoir le monde matériel. Tant que la matière se montre à l'esprit dans le pur état inorganique, l'esprit n'en sait que faire ; il incline, souvent, à ne le considérer que comme une illusion pure. C'est seulement lorsqu'elle trahit un mouvement interne, qui ne paraît pas lui appartenir et que ce mouvement se manifeste, en partie, par la production d'actes dont le mobile n'a rien de matériel, que la métaphysique reprend pied ; que l'intelligence découvre les moyens de classer, d'inventorier, de juger, qu'elle reconnaît, véritablement, la vie et se déclare en état d'en marquer et d'en proclamer les lois les plus manifestes. Ici l'observation empirique doit venir en aide à son travail et en détailler les résultats"(§ IV). La "métaphysique" n'est donc pas reléguée, et l'idée qu'elle reste relativement inactive au niveau d'une pensée de l'inorganique est confirmée *a posteriori* par son peu de résistance à admettre une science de l'évolution des formes géologiques, alors qu'elle se réarmera d'une façon symptomatique contre le transformisme biologique de Darwin. Cela, pour la métaphysique entendue au sens classique, et dans son lien avec la théologie.Mais l'emploi ici par Gobineau du terme de "métaphysique" suggère une interprétation différente : la métaphysique qui "reprend pied" lorsqu'elle se trouve devant la manifestation des processus vitaux qui sont l'occasion de la découverte par l'intelligence d'un *critérium* élémentaire –celui qui distingue le vivant de l'inerte par son mouvement sans mobile matériel ; disons pour simplifier : sa spontanéité–, cette métaphysique assoupie face à l'inorganique se réveille comme moyen de connaître suscité par l'apparition même d'un objet différent de l'inerte, et que l'intelligence reconnaît comme étant la *vie* : la vie susciterait ainsi l'instance appelée à la connaître de façon spéciale. Le rejet apparent du dualisme être/pensée, vie/conscience se double alors d'un appel à la collaboration de l'observation empirique et de cette intelligence métaphysique de la vie, et se trouve modulé –comme il l'avait été déjà, en fait, dans l'image difficilement interprétable de l'agrégat de parties inséparables– par la réinstauration d'un dualisme vie/matière *au niveau gnoséologique*, lequel illustre l'originalité de ce que l'on a pu appeler le "vitalisme" de Gobineau :

"La vie est, assurément, dans la matière ; mais ce n'est pas la matière. Qu'elle s'y attache ou s'en détache, elle a des habitudes et des fonctions qui lui sont propres. Elle est soumise à des conditions que la matière ne subit pas et la plus particulière de ces conditions est de tomber, comme je viens de le dire, sous la juridiction de l'esprit" (§ IV).

Le rapport de l'inorganique au vivant, pensé grâce à la réintervention du modèle de la géologie évolutive, est le rapport qui existe entre l'inorganique élémentaire, sédimentation inerte d'atomes, évoquée sous la métaphore d'une sorte de matrice mécanique ou de support sans vie, et les "formes des innombrables catégories d'existences" qui viennent s'y "imprimer" (*ibidem*). L'on ne décide pas de l'essence de la matière ni de celle de la vie, ni qu'il faille ou non les considérer toutes deux "dans leur principe comme des mises en action" –*Äusserungen* : manifestations, expressions– "d'une même substance" : on établit seulement que sur le plan de leur mode d'apparaître à l'intelligence, "ce sont deux expositions" –*Begriffe* : concepts– "distinctes l'une de l'autre". Le dualisme est bien là, pour Gobineau, un état de fait gnoséologique. L'organique est, certes, dans la continuité de l'inorganique, mais c'est une continuité (juxta-) positionnelle, soit : une contiguïté. Il n'en procède pas, mais y vit, comme sur un support préalablement constitué : un *finalisme* se réintroduit à ce moment : la *vocation* (§ IV) de l'inorganique est bien de servir de support, d'élément plastique de soutien à la multiplicité des formes d'existences. La continuité n'est donc pas celle de l'engendrement, mais celle de la *chaîne*, qui conduit de l'élémentaire inorganique (la roche de première formation) à l'ensemble des autres formes d'êtres, jusqu'à ceux que l'on peut dire dématérialisés par perte de "la majeure partie des attributs considérés comme les plus inhérents à la matière" (§ V). L'intuition mise en œuvre ne saurait donc se rallier à un quelconque transformisme, non plus qu'à telle ou telle idée de passage dynamique d'une forme à une autre : on est ici beaucoup plus près de Bonnet que de Lamarck ou de Darwin. Il ne semble pas à Gobineau que l'on puisse scientifiquement prouver l'existence de points de rupture, d'une "solution de continuité" –entendre : contiguïté– dans la nature. "L'ensemble des êtres organiques", dans l'univers ainsi conçu, se situerait à un étage de l'agrégat où quelque chose de la pure matérialité se perd au profit de la *forme* prenant le pas sur les déterminations seulement mécaniques de la matière. A un autre étage encore se situerait la manifestation des existences purement "immatérielles", où la forme est détachée de toute réalisation tangible d'elle-même, tout en conservant "l'essentiel des fonctions de la forme qui est de bien délimiter, d'isoler l'objet auquel elle s'applique". L'exemple venant à l'appui de cette caractérisation abstraite de l'abstraction est celui des structures diverses des moyens dialectiques. Puisque, alors, la forme elle-même se révèle indépendamment de la matière, Gobineau conclut que l'existence sporadique (= individuelle) n'est pas liée aux formes que la matière développe, et que de ce fait elle peut se produire en dehors des conditions perceptibles de la matière. Cependant elle est *manifestée*, puisqu'elle se *manifeste* à l'*esprit*, puisqu'elle "tombe sous le regard de l'esprit", lequel –second niveau d'articulation du finalisme– "est constitué de façon à s'en rendre un compte particulièrement exact, à en refléter des images tout à fait frappantes" (§ V).

Deux constatations s'imposent, en forme de bilan provisoire :

1°. L'image relativement irreprésentable de l'agrégat de parties inséparables fonctionne comme l'artifice rhétorique permettant de penser les deux rapports étagés matière/vie et vie/conscience sur le mode "articulé" de l'*indépendance* (détachement) et de la *contiguïté* (rattachement).

2°. Le *finalisme* apparaît, d'une façon analogique, à deux niveaux : celui de la "vocation" de l'inorganique à servir de soutien à l'organique, et plus généralement à toutes formes d'existences, et celui de la prédétermination de l' "esprit" à considérer les manifestations idéelles comme relevant de sa juridiction : en anticipant, on peut dire que de la même façon que l'inorganique a été caractérisé comme le *milieu* du vivant, l'esprit apparaît comme le *milieu* de l'idée. S'en déduit une imagerie caractéristique –qui d'ailleurs se dénie comme imagerie pour paraître comme littéralité– de l'*Idée* vivante et vivifiante : "Pour chaque homme pensant, l'Idée vit, l'Idée vivifie, remue et fait remuer. Il ne faut pas prendre ces façons de parler pour des expressions figuratives ne déterminant que des ressemblances factices. C'est à la vérité vraie qu'elles s'adaptent. Elles révèlent des identités absolues. S'il est certain que beaucoup de classes d'existences ne se manifestent que sous le vêtement sensiblement matériel, il faut montrer que d'autres se passent d'un tel secours, qu'elles sont, indépendamment d'un tel appui, et qu'elles se donnent à reconnaître au moyen d'un organisme abstrait, sans doute, mais néanmoins très réel ; qu'en vertu de cet organisme, elles sont soumises aux lois communes de la vie, énergiquement constatées, définies, reconnues par ce fait même" (§ V). Par la puissance réalisante de la métaphore déniée, l'*idéalisme* se caractérise bien comme un *réalisme de l'idée*. Et le "vitalisme" de Gobineau est un *réalisme de la vie de l'idée*, toute élaboration idéelle se manifestant comme un organisme abstrait et, abolissant la distance comparative, *au moyen* d'un organisme abstrait qui est la forme de sa manifestation, et de ce fait confère à l'existence immatérielle de l'idée la propriété d'être soumise "aux lois communes de la vie". Le rapport à Schleicher, pour qui les langues *sont*, *sans métaphore*, des organismes naturels, se précise et deviendra définitivement clair dans la partie proprement linguistique du *Mémoire*.

Porté par cette analogie douteusement convertie en assimilation, on peut donc étendre au monde intellectuel, avec toutes les caractéristiques du vivant, le phénomène de la *fécondation*. Dans le monde organique, toute conception –même hermaphrodite– requiert la rencontre de deux agents homogènes. Parallèlement, dans le monde intellectuel, "une Idée ne saurait produire une autre Idée que par contact avec une Idée concourant avec elle" (§ VI). Gobineau ne se prononce par sur la nature de la *force* ou sur les déterminations de l'*état* qui crée ce rapprochement : elles ne sauraient selon lui correspondre, du fait de leur intermittence dans l'univers organique, au concept platonicien d'*appétition*. En fait, c'est la cause supérieure de l'appétition qu'il s'agit d'atteindre, et celle-ci ne peut résider que dans "l'identité fondamentale dans les formes d'existence des entités qu'elle rapproche".

L'infécondité des hybrides –vieil argument, qui fut employé à la fois par le préformationnisme et par Buffon contre ses propres intuitions anti-fixistes– témoigne en faveur de l'homogénéité nécessaire à l'accouplement dans l'ordre de la nature. Gobineau notera plus loin que dans le monde animal l'hybridation est toujours une violence. Ce qui vient alors à se formuler, c'est l'idée, aux lourds retentissements anthropologiques, que l'hybridation est *juxtapositive, et non combinatoire* :

"Les deux éléments accouplés doivent être homogènes ; car sans homogénéité, il n'y a pas accouplement. Il y a juxtaposition, rien de plus, ce qui est démontré par l'infécondité.

La cause en est que des éléments de valeur diverse, divers dans leur constitution, ne se combinent pas, ne forment pas amalgame" (§ VII).

En d'autres termes, dans l'hybridation, l'une et l'autre natures se *perdent*, cette perte étant sanctionnée par l'infécondité du produit. Dans un contexte moins abstrait, un tel principe se retrouve au niveau de la théorie du *métissage*, du *mélange des sangs* comme facteur quasi unique et constant du devenir historique et culturel des groupes humains, et principalement de leur *dégénération* :

> "Je pense donc que le mot *dégénéré*, s'appliquant à un peuple, doit signifier et signifie que ce peuple n'a plus la valeur intrinsèque qu'autrefois il possédait, parce qu'il n'a plus dans ses veines le même sang, dont les alliages successifs ont graduellement modifié la valeur ; autrement dit, qu'avec le même nom, il n'a pas conservé la même race que ses fondateurs ; enfin, que l'homme de la décadence, celui qu'on appelle l'homme dégénéré, est un produit différent, au point de vue ethnique, du héros des grandes époques. Je veux bien qu'il possède quelque chose de son essence ; mais, plus il dégénère, plus ce quelque chose s'atténue. Les éléments hétérogènes qui prédominent désormais en lui composent une nationalité toute nouvelle et bien malencontreuse dans son originalité ; il n'appartient à ceux qu'il dit encore être ses pères, qu'en ligne très collatérale. Il mourra définitivement, et sa civilisation avec lui, le jour où l'élément ethnique primordial se trouvera tellement subdivisé et noyé dans des apports de races étrangères, que la virtualité de cet élément n'exercera plus désormais d'action suffisante. Elle ne disparaîtra pas, sans doute, d'une manière absolue ; mais, dans la pratique, elle sera tellement combattue, tellement affaiblie, que sa force deviendra de moins en moins sensible, et c'est à ce moment que la dégénération pourra être considérée comme complète, et que tous ses effets apparaîtront." (*Essai sur l'inégalité des races humaines*, chapitre IV).

La "philosophie" du *Mémoire* fonde ainsi, rétroactivement, l' "anthropologie" de l'*Essai*. Mais quelque chose de heurté, d'hétérogène, précisément, gêne la parfaite mise en équivalence des deux théories : c'est le fait que *le métissage n'est pas l'hybridation*. Le métissage est fécond. Si l'hybridation ne l'est pas, c'est, selon Gobineau, qu'elle met en contact l'hétérogène sans pouvoir le réduire, qu'elle le juxtapose sans pouvoir l'intégrer. A l'inverse, le métissage est un "alliage" fécond –ce qui sous-entend son homologation par l'ordre naturel–, un "mélange" de sangs qu'aucune physique ni aucune physiologie ne peut penser sur le modèle d'une distinction maintenue entre deux substances hétérogènes. Or l'effort de Gobineau, qui renchérissait abondamment dans l'*Essai* (*ibidem*) sur "les répugnances naturelles que l'homme, comme les animaux, éprouve pour le croisement", usant là d'un terme qui trahit l'assimilation abusive et anti-scientifique qu'il tente d'instaurer entre hybridation (interspécifique) et métissage (intraspécifique), consiste à recouvrir par la généralité des concepts "philosophiques", dans le *Mémoire*, le flou contradictoire des notions "scientifiques" qu'il manipule dans l'*Essai*.

Cette nécessité de la co-présence de l'homogène –requérant cependant l'élément non identique, différenciateur ou "contrastant" de la division sexuelle nécessaire à l'union– devient la "loi générale" qui "fournit une base pour établir, entre les phénomènes de l'ordre physique et ceux de l'ordre intellectuel, une corrélation étroite". La génération des idées suit donc la même règle que celle de la vie (§ VII). Et d'abord, elles se produisent dans un *milieu* (l'esprit), hors duquel on ne saurait leur affecter de prédicat, ni même leur découvrir une existence. La règle universelle est que tout existant existe dans un *milieu*. Là encore, Gobineau joue sur l'extension maximale des termes : "Ce milieu est facilement concevable à la manière de tous les autres milieux quelconques dont nous avons connaissance". L'autre règle, corrélative, est que le milieu pré-existe aux existences qui s'y inscrivent, puisqu'il est leur condition nécessaire. La sphère stellaire est un milieu, au sens, semble-t-il, de la mécanique newtonienne. Les corps célestes qui y sont contenus sont milieux à leur tour, de même que le monde terrestre, par rapport aux êtres organisés. L'univers comme milieu des existants se présente donc sous la forme d'un emboîtement de milieux fondant la possibilité même des existences et de la vie.

Par ce système d'emboîtements, Gobineau se donne évidemment le moyen de généraliser l'analogie. C'est ainsi que, par un jeu d'exportations successives qui suivent la loi de l'encastrement physique, on passe du milieu newtonien au milieu biologique (4) du *corps* et même de la *cellule*, laquelle, bien que présentée, par un goût spécial pour les analogies problématiques, comme "une parente si proche de la monade", peut encore s'envisager sous la représentation d'un "milieu" ultime, du fait de sa dualité. Les déterminations de la notion de milieu chez Gobineau sont donc, d'une manière étagée, mécaniques (Newton), géologiques, géographiques et anthropogéographiques (Buffon, Montesquieu) (5), biologiques (Lamarck), physiologiques (Bichat) et, enfin, spiritualistes - organicistes, selon la tradition de la pensée allemande pré-darwinienne, notamment et surtout dans le secteur linguistique. Ces différents ingrédients, comme on le verra, ne jouent pas le même rôle dans la constitution de la théorie gobinienne de l'individualité, pas plus qu'ils n'exercent une influence équivalente sur la genèse de sa théorie inégalitaire, où ils ne sont convoqués que sous une condition adaptative particulière, qui est précisément de se plier au jeu divers des analogies forcées.

La représentation gobinienne de l'univers se divise alors selon deux modalités d'appréhension des êtres : ceux-ci sont à considérer "sous deux aspects" :

— sous celui de leur nature d'*individus sporadiques* qui s'unissent suivant la loi stable –et garante de stabilité– de l'attraction mutuelle d'éléments homogènes ;

— sous celui de "leur qualité de milieu à l'égard d'autres êtres", suivant la loi de "l'enchaînement" et de la "combinaison", et l'on retrouve là l'image complexe de l'agrégat de parties inséparables, qui caractérise cette fois la nature tout entière (§ IX).

Le corollaire implicite de ces propositions est que lorsque ces deux modes d'association-combinaison des êtres ou des catégories d'êtres sont transgressés, comme l'*Essai* s'est employé à le

(4) On lira l'excellente explication de G. Canguilhem sur les différents usages et la généalogie transrégionale du concept de *milieu* dans le chapitre intitulé "Le vivant et son milieu" de son ouvrage *La connaissance de la vie*, Vrin, 1980.

(5) La "théorie des climats" n'est rejetée dans l'*Essai* qu'en tant que cause *suffisante* de l'évolution historique des peuples.

faire voir, on sort de la stabilité pour entrer, simultanément, dans le désordre ontologique, l'histoire et la dégénérescence.

Le rapport d'enchaînement/combinaison de l'être organique au milieu n'est donc pas de l'ordre de l'homogène. S'il y avait homogénéité pure et simple de l'organique au milieu, il n'y aurait ni diversité, ni devenir des vivants :

> "Cependant ils ne sont pas tout à fait homogènes avec ces milieux et c'est là que gît une des raisons les plus apparentes qui les empêche de se confondre avec eux et qui permet aux individualités d'exister. Le corps a beau être composé d'un certain nombre de principes inorganiques, il n'est pas de nature inorganique. L'idée a beau présenter de grandes concordances avec l'esprit, ce n'est pas l'esprit. En un mot, les milieux possèdent, sans doute, des parties congruentes à la constitution des êtres qu'ils embrassent, sans quoi ils ne seraient pas hantés par eux, mais ils ont aussi d'autres parties qui ne conviennent pas à cette constitution et qui, si elles opéraient sans contrepoids sur elle, auraient pour effet de la détruire. On conçoit sans peine qu'il en doit être ainsi, pour peu que l'on considère que tout milieu embrasse non pas, seulement, les nécessités de sa propre existence, plus un unique habitant, non pas même une catégorie unique d'habitants, mais bien un nombre plus ou moins grand d'individus qui ont des besoins différents, déjà par cela même qu'ils sont distincts et qu'ils font partie de variétés distinctes auxquelles le milieu doit donner ce qui convient à chacune." (§ X)

De même que Gobineau ne souscrit pas à l'interprétation vulgaire et réductrice du lamarckisme qui tend à univociser le rapport d'influence formatrice dans le sens qui va du milieu au vivant, il inscrit l'activité propre du vivant du côté de la lutte compensatoire qu'il mène spontanément contre l'influence partiellement délétère du milieu inorganique, contre la non-congruence partielle de son environnement. Si le milieu était parfaitement congruent aux êtres, il n'y aurait qu'une seule catégorie d'êtres à l'intérieur d'un milieu, ce qui n'est pas. La multiplicité des catégories d'êtres est donc aussi une caractéristique de l'idiosyncrasie du phénomène vital : c'est parce qu'il ne se réduit pas à l'inorganique, qu'il ne se confond pas avec son milieu que le vivant est, essentiellement, divers. Cette conséquence, qui semble découler en toute logique de l'exposition de Gobineau, sera renforcée lorsque transposée du côté de l'homme, qui est de tous les êtres organiques le plus indépendant de son milieu.

Tout milieu renfermant une pluralité d'êtres, il fallait de toute nécessité en déduire, pour les besoins de l'analogie, que l'esprit, envisagé comme milieu, "n'est pas la demeure exclusive de l'Idée" (*ibidem*). Ce que Gobineau entend par cette formule se précise sous la forme de la proposition corrective : *"les esprits sont des milieux"* (§ XI), des milieux différents entre eux et contenant des entités idéelles différentes qui s'y développent d'une façon distincte, et dont les divergences, comme parmi tous les autres êtres naturels, "constituent ce qu'on appelle des genres, des espèces et des variétés". Cette conclusion s'autorise d'un nouveau recours à l'analogie : de même que les atmosphères solaire et terrestre sont qualitativement différentes, "l'atmosphère particulière d'un esprit ne se distingue pas moins de celle d'un autre esprit" (*ibidem*). A travers cette rectification, ce qui s'opère, c'est bien une détermination plus étroite du rapport entre les qualités des milieux et les variétés d'êtres qui sont appelées à y vivre. D'une manière très indistincte car trop métaphorique et peu capable de références exactes à des sciences non maîtrisées, le discours de Gobineau se situe entre l'*œconomia naturae* de Linné, à forte composante téléologique et providentialiste, et l'adaptation lamarckienne du fait de la mention réitérée de l'irréductibilité du vivant à son milieu.

On a vu que pour Gobineau, l'infécondité des hybrides inscrivait dans la nature la preuve de la nécessité de l'union/combinaison des homogènes. La même règle existera donc dans l'univers des formes de l'existence abstraite. La combinaison des homogènes requiert cependant l'élément minimal de non-identité que constitue la nécessaire différenciation sexuelle. Or ce dernier élément va se transposer analogiquement dans la sphère spirituelle : deux "Idées" mises en contact doivent, pour s'associer en un produit fécond, être homogènes *et* "pourvues d'éléments susceptibles de se pénétrer et de se combiner". On aboutit ainsi, à travers une sorte de délire systématisant, à sexualiser l'individualité des concepts, et ce phénomène, impliqué par l'analogie, mais que Gobineau n'a osé rendre *littéral*, représente la clôture analogico-gnoséologique du cycle d'un véritable *dualisme sexualisé* à portée universelle : de même que dans la reproduction de la vie organique, qui requiert une sexualité contrastante, même chez les hermaphrodites—point de divergence avec Linné, dont la thériogonie chrétienne ne prévoyait pour eux, dans l'origine, qu'un seul individu apte à se reproduire par lui-même (6)—, la fructification des idées passe nécessairement par l'opération d'un élément différenciateur agissant au sein de l'homogène : on boucle ici une vaste analogie dont l'un des relais significatifs a été, dans l'*Essai*, la répartition des génies ethniques entre génies à dominante masculine (comportant la prééminence des valeurs d'action) et génies à dominante féminine (comportant la prééminence des valeurs contemplatives, réflexives et imaginatives) (7). Corrélativement, l'*aliénation* mentale n'est en définitive qu'une absence totale d'homogénéité des idées, rendues de ce fait infécondes. La folie est l'hétérogénéité absolue dans l'organisme abstrait (§ XII).

"Homogénéité fondamentale, différences sexuelles, besoin de milieux spéciaux, pluralité des milieux, diversité des espèces, infécondité des hybrides", ainsi résume-t-on (§ XIII) les points capitaux de l'argumentation de la première partie du *Mémoire*. La vie de l' "Idée" —"les idées meurent, donc elles ont vécu"— s'est donné le soutien analogique de la vie organique, elle-même "milieu" de l'esprit. L'emboîtement des milieux, de l'univers à la cellule, s'accompagne toujours de la reconduction des mêmes rapports entre le milieu et l'être, soit : d'un emboîtement de l'analogie. Si la démarche générale de Gobineau tend à prouver que tou-

(6) C. Linné, *Discours sur l'accroissement de la terre habitable* (1744), traduit par B. Jasmin dans *L'équilibre de la nature*, Vrin, 1972, art. 11, p. 30.

(7) *Essai sur l'inégalité des races humaines*, Belfond, 1967, ch. VIII, p. 106 et suiv. :

> "Ainsi, quand la faculté pensive domine, il arrive tels résultats ; quand c'est la faculté active, il s'en produit tels autres. La nation déploie des qualités de nature différente, suivant que règne celui-ci ou celui-là des deux éléments. On pourrait ici appliquer le symbolisme hindou, en représentant ce que j'ai appelé le courant intellectuel par Prakriti, principe femelle, et le courant matériel par Pouroucha, principe mâle, à condition toutefois, bien entendu, de ne comprendre sous ces mots qu'une idée de fécondation réciproque, sans mettre d'un côté un éloge et de l'autre un blâme".

te substance tend à s'individualiser –et notamment dans la sphère des idées où l'on ne saurait, d'un esprit à un autre, rencontrer le parfait identique–, elle effectue quant à elle, dans son incontestable singularité, l'opération métaphysique la plus unifiante qui ait jamais été entreprise. Mais il ne faut pas se tromper dans l'interprétation de ce phénomène : cette unification est d'une tout autre nature que celle qui présidait alors, principalement en Allemagne, à l'homogénéisation laïque des diverses branches de la connaissance chez les naturalistes darwiniens engagés dans la polémique contre les forces cléricales, et dont Haeckel peut donner une assez complète image. L'unification gobinienne, comme toute démarche apologétique orthodoxe, unifie au niveau de l'analogie –c'est-à-dire, en l'occurrence, de la rhétorique– ce qu'elle a pris soin de dissocier au niveau de l'ontologie. Il faut l'irréductibilité du matériel et de l'immatériel pour que l'unité étagée de leur articulation analogique soit belle. Il faut l'irréductibilité de la forme à la matière, pensée à travers la distinction des formes matérielles et des formes immatérielles, pour que l'analogie et la proportion qui résident entre leurs facultés ordinatrices dans leur sphère respective se fasse ultimement ressentir et admirer comme *hiérarchie*, c'est-à-dire, encore, comme *forme*. Ainsi s'ordonne la représentation du *tout* dans cette conscience aristocratique.

L'*idéalisme* de Gobineau se fait sentir – à travers les influences assez indistinctement accumulées d'Aristote, de Saint Thomas d'Aquin et, nécessairement aussi, de Descartes– lors de sa tentative de caractérisation de la *forme* : "Toute forme dérive de deux générateurs : le point et la ligne. En dehors de là, pas de forme. Mais le point et la ligne sont deux abstractions. Leur origine est purement idéale bien qu'on leur voie des applications positives. Le point ne se laisse pas saisir, ni la ligne délimiter. Il n'en est pas moins vrai qu'ils existent dans leur état élémentaire et en dehors de tout emploi qui les rattache à la substance tangible. La forme, donc, leur produit, se trouve par leur intermédiaire en connexion avec l'ordre abstrait et, pour ce motif, on est fondé à lui reconnaître un développement en sens inverse à celui qu'elle acquiert, lorsque, descendant sur le monde physique, elle en détaille les particularités" (§ XIV). On voit ici à quelle dénégation de lui-même parvient l'empirisme suggéré dans les premières pages. Le "foyer commun" du point et de la ligne est une entité purement intellectuelle, un principe informant *a priori*, le paradoxe métaphysique d'une forme *en puissance*, un néant de représentation qui cependant génère à la fois les individualisations matérielles de ces deux éléments constitutifs de toute forme, et leur aptitude à individualiser de même les manifestations des existences idéelles. La conclusion de cela est nécessairement qu'une "existence" immatérielle donne naissance à tous les existants. Gobineau se montre ici, totalement et sans nuance, au sens le plus strict, un *idéaliste*.

La deuxième partie du *Mémoire*, la plus développée, est consacrée à l'analyse des phénomènes linguistiques. Elle s'ouvre par le rejet de l'ancienne thèse de l'origine onomatopéique du langage, conformément à ce qui semble être une tendance récente de la réflexion des linguistes. Dans l'étude des langues, qui sont autre chose et plus que des catalogues de mots, l'intérêt semble s'être déporté de la *substance* vers la *forme*. En fait, la grande diversité des objets qui peuplent le "monde idiomatique" est apte à susciter chez le philologue le même étonnement que la découverte du "monde botanique" a pu éveiller chez les premiers classificateurs. Or le monde idiomatique, dans toute l'étendue de son existence, est structuré comme un vaste "organisme", qui "réunit tous les langages usités sur la terre en un réseau ininterrompu d'affinités et de parentés" (§ I). Ce que se donne Gobineau au départ, c'est l'acquis de la philologie comparée en tant qu'elle vise à établir entre les langues du monde des affinités typologiques ou des parentés génétiques, avec la tendance, héritée, comme je l'ai montré ailleurs, de l'étude historique et comparative des systèmes d'écriture au siècle précédent (8), à induire les secondes des premières. "C'est par là", écrit Gobineau, "que la science des langues est devenue aussi indispensable à l'histoire des sociétés que l'est la géologie à l'ensemble des connaissances naturelles" (*ibidem*). Botanique d'une part, géologie d'autre part, l'analogie ne se fixe pas, mais suggère que les langues ont une vie organique, un milieu et une histoire. Si l'on prétend, à l'instar des différentes catégories de théoriciens du progrès et de certains linguistes comme Jakob Grimm, que les langues sont le reflet –de plus en plus *inscient* au XIXe siècle– de l'intelligence humaine dans l'histoire, et si l'on postule l'élévation de cette intelligence depuis les époques reculées, il s'ensuit que l'évolution des idiomes doit

(8) *La constellation de Thot (Hiéroglyphe et histoire)*, Aubier, 1981, chapitre intitulé : *L'Orient des signes.*

suivre une courbe ascendante. Dans cette perspective d'une optimisation progressive des organismes linguistiques, "il serait indispensable d'admettre que les idiomes des époques cultivées soient toujours plus parfaits que ceux des périodes barbares" (§ II). Or "l'expérience ne confirme nullement de telles conclusions", et montre indiscutablement, selon Gobineau, la suprématie du sanscrit, du grec, du latin et même du gothique sur les langues modernes. Le français pourrait fournir l'exemple du processus dégénérateur qui conduit d'une souplesse maximale des articulations morphologiques et syntaxiques à une "raideur" uniforme du lexique et de la construction. Gobineau ne fait là qu'interpréter dans un sens involutif des données courantes des grammaires de l'époque classique et du XVIIIe siècle, issues de la comparaison du latin et du français : ce qui se "perd" dans le français moderne, c'est la faculté, liée dans le latin à l'existence de la flexion casuelle, de faire fonctionner plusieurs constructions autour d'une syntaxe unique (9). La conséquence de la "supériorité" du grec et du latin, qui engendre chez Gobineau la préférence accordée à l'expressivité du français médiéval ou renaissant pour traduire les auteurs anciens, est elle-même tirée du constat d'une plus grande "ressource" significative et expressive de la langue ancienne. La simplification de la construction, par réduction des possibilités d'inversion notamment, et celle du lexique, par élimination tendancielle de la multitude des degrés synonymiques et de la création de mots composés, aboutissent donc à une sclérose et à une récession. "Ces faits, qui sont concluants", poursuit Gobineau, "ne prouvent pas, tant s'en faut, qu'il existe un parallélisme entre l'état de la langue et celui de l'esprit" (*ibidem*). La *vie* se retirerait ainsi de la syntaxe comme de la substance lexicale, essentiellement du fait d'une caducité dommageable des formes flexionnelles et affixales : dans les époques reculées, le

9) Cf. Du Marsais, *Traité de l'inversion*, à la suite de *Logique et principes de grammaire*, Paris, 1818 :

"Cicéron a dit, selon trois combinaisons différentes, accepi litteras tuas ; tuas accepi litteras, et litteras accepi tuas. Il y a là trois constructions différentes, puisqu'il y a trois différents arrangements de mots : cependant il n'y a qu'une syntaxe". (pp. 84-85)

mot possède en lui-même l'individualité vivante qui le fait agir et réagir à l'intérieur de son milieu. Puis une accumulation de structures mortifiées se substitue à l'unité flexible du mot unique pourvu de ses propres ressources combinatoires. La multiplication isolante de segments inertes juxtaposés dans les formes verbales est une complication qui n'est pas un progrès, non plus que la chute des désinences casuelles ou l'impuissance des prépositions à influencer leur régime. A une organisation se substitue une construction ; à une vie, une mécanique. L'ordre du discours est devenu celui de la coordination, celui d'une taxinomie de la préséance. On peut reconnaître dans ces observations de Gobineau l'influence du romantisme allemand, et plus spécialement peut-être celle du *Traité sur l'origine du langage* (1772) de Herder. Pour ce qui est de la théorie du progrès inverse des langues et de l'esprit, il faut lui reconnaître une ascendance complexe qui, à travers August Schleicher, remonte d'une part à Hegel, d'autre part à Darwin.

Le chapitre XV de l'*Essai sur l'inégalité des races humaines,* intitulé *Les langues, inégales entre elles, sont dans un rapport parfait avec le mérite relatif des races*, semble avoir déjà bénéficié de l'apport documentaire et du modelé théorique des travaux linguistiques de Schleicher, et en particulier des deux volumes des *Sprachvergleichende Untersuchungen* (Recherches de linguistique comparative).

Le premier volume de ces *Recherches* avait paru au début de l'année 1848, sous le titre de *Zur vergleichendern Sprachengeschichte* (Pour l'histoire comparative des langues) : il était présenté par l'auteur comme "une monographie de phonétique historique traitant de l'influence des sons j, i et analogues sur les consonnes apparaissant dans leur voisinage immédiat". Prélevant parmi les langues du monde entier des échantillons représentatifs de ces phénomènes de palatalisation des consonnes dentales et vélaires qu'il identifie sous le concept de *zétacisme*, il en arrive à élire, pour l'analyse et l'illustration privilégiées de ces lois phonétiques, le groupe des langues slaves, et notamment l'ancien bulgare et le polonais.

Or l'achèvement de cette première partie de l'ouvrage s'inscrit encore dans la période hégélienne de Schleicher, marquée essentiellement par la théorie de la formation préhistorique des langues et de leur déclin historique.

Le texte de Hegel où s'esquisse ce qui donnera lieu à cette schématisation est celui de la *Préface* à la deuxième édition de la

Science de la logique (Berlin, 7 novembre 1831). Le langage y est défini comme étant d'abord le dépôt dans lequel les formes de la pensée humaine trouvent leur extériorisation. Il enregistre la trace d'une logique ancrée, chez l'homme, dans sa naturalité vivante pré-réflexive, si l'on veut bien entendre par là une condition dans laquelle les formes d'exercice de la pensée n'on pas été objectivées par l'esprit. Le langage comporte alors une multiplicité foisonnante d'expressions logiques qui sont engendrées au sein du rapport non thématisé, mais vécu, de l'homme à la nature, et dans lequel les dissociations et les simplifications catégorielles de la logique développée comme science pure de la pensée n'ont pas encore œuvré. La sortie hors de la nécessité immédiate de survivre fait naître la spécialisation de l'activité qui concerne l'analyse des formes de la pensée : le loisir libère l'esprit pour la spéculation, et le progrès de la logique comme science de la pensée pure, ainsi que l'histoire même de l'esprit, se développent en contraignant la profusion intuitive du premier langage à se restreindre aux réquisits de la simple instrumentalité :

"D'une façon générale", écrit Hegel, "l'activité intuitive diffère de l'intelligence par le fait qu'elle s'exerce en dehors de la conscience. Du fait que le contenu de l'élément moteur se détache de son unité immédiate avec le sujet, pour s'objectiver devant lui, l'esprit recouvre sa liberté, alors que dans l'exercice plus ou moins instinctif de la pensée, pris dans les liens de ses catégories, il se trouve en présence d'une matière fragmentée à l'infini". (10)

L'opérativité des catégories et des concepts, instruments de l'esprit parvenu à la conscience de leur instrumentalité, est donc liée à la réduction de l'infinie ressource intuitive-expressive du langage : le concept abrège, la catégorie rassemble ou dissocie ; la libération de l'esprit, qui ouvre la période historique, entraîne ainsi l'asservissement du langage, et une récession coextensive dans l'ordre des "richesses" de l'expression.

Ainsi, ce que Hegel détermine dans le même passage comme étant la "supériorité" de la langue allemande est un fait d'évolution pré-historique : l'aptitude à renfermer, dans le substantif ou dans le verbe, des significations différentes, voire opposées, y est un signe de "l'esprit spéculatif de la langue" développé dans

(10) Hegel, *Science de la logique*, trad. S. Jankélévitch, Aubier, t. I, p. 19.

la langue avant même son inféodation à l'esprit. En revanche, une langue comme la langue chinoise ne dispose pas des mêmes ressources en "expressions particulières et isolées, faites pour désigner les déterminations mêmes de la pensée". En fait, ce que la linguistique historique et comparative du début du siècle établissait dans l'histoire –la gradation des types–, Hegel l'établit *avant* l'histoire, mais le schéma hiérarchique est le même et l'idée se maintient d'un inégal niveau de formation des idiomes, et de la précellence des langues indo-germaniques.

En 1850 paraît le second volume des *Recherches de linguistique comparative* de Schleicher, sous le titre de *Die Sprachen Europas in systematischer Uebersicht* (Étude systématique des langues européennes), qui sera traduit en français à Paris en 1852 par Hermann Ewerbeck sous le titre moins technique de *Les langues de l'Europe moderne.* C'est dans l'introduction de cet ouvrage qui est entre autres choses un premier pas important de la slavistique, que Schleicher opère sa principale conversion théorique : contrairement à ce qu'il avançait dans son premier volume, il opte pour l'idée d'une indépendance de la langue par rapport à l'esprit et à l'histoire. La langue est devenue pour lui un *organisme naturel* soumis aux lois de croissance et de maturation de tous les organismes vivants. Chez Hegel, la percée de l'esprit hors des déterminations purement vitales et la libération de la faculté spéculative conduisait à affirmer l'influence de l'esprit sur le développement linguistique, influence fonctionnant, à contre-courant de la logique "naturelle" et des données instinctives, dans le sens d'une simplification des formes. Chez le Schleicher de 1850, acquis à une adhésion qui ne cessera de se renforcer au modèle biologique –et qui culminera après 1860 avec son ralliement au darwinisme–, les langues échappent entièrement et par nature au pouvoir d'infléchissement de l'esprit humain : "Comme les sciences naturelles, la linguistique se donne pour tâche l'exploration d'un domaine régi par des lois naturelles immuables que l'homme n'a pas le pouvoir d'infléchir selon son gré ou sa volonté". Toutefois, le passage au modèle organiciste ne comporte aucun rejet d'ensemble des lignes de force du hégélianisme, puisque leurs conclusions s'accordent : la période pré-historique reste celle de la formation des langues ; la période historique, celle de leur déclin. Sans heurt, Schleicher fait basculer dans la préhistoire l'élaboration hiérarchisée des trois principaux types linguistiques progressivement dégagés par les travaux de Humboldt et des frères Schlegel –langues isolantes, agglutinantes et flexionnelles– en affirmant la conviction que les langues indo-européennes sont passées successivement par ces trois stades au cours de la période pré-historique, ce qui revient naturellement à affirmer leur suprématie actuelle –affirmation nuancée cependant par l'implication du cheminement vers un quatrième stade qui sera celui de la décomposition du type flexionnel qui l'emporte au début de l'histoire du fait de son parfait développement, mais dont la loi naturelle veut qu'on l'y voie aussi dépérir et s'éteindre.

Il est hors de doute que lorsqu'il rédigeait le chapitre XV de l'*Essai*, Gobineau avait eu le temps de prendre connaissance des deux volumes des *Recherches* de Schleicher. Mais il est plus vraisemblable qu'il n'en ait connu profondément qu'un seul –le second– et que, bien que sachant l'allemand, il l'ait lu en français dans la traduction d'Ewerbeck, qui venait de paraître. Dans l'hypothèse plus incertaine où il aurait lu, en allemand, le premier volume de 1848, Gobineau aurait pu suivre, de Hegel à Darwin, l'évolution de Schleicher, mais comme cette évolution ne comportait aucun reniement du hégélianisme –le grand modèle du mouvement ternaire continuera à régir chez le linguiste allemand l'ordonnancement général des classifications les plus fondamentales– et s'accommodait de conclusions finalement voisines, Gobineau n'aurait retiré de là rien d'autre que l'adhésion d'ensemble de sa théorie aux positions dernières de Schleicher, ce qui reste effectif dans l'*Essai* et, plus nettement encore, dans le *Mémoire*. Ce qui est sûr, c'est qu'en 1867, date d'achèvement du *Mémoire*, Gobineau a bénéficié d'un supplément appréciable d'information linguistique en provenance de Schleicher : en effet, l'année 1860 a vu paraître *Die deutsche Sprache* (La langue allemande), à propos de laquelle Schleicher s'est rétroactivement gratifié d'une intuition darwinienne antérieure à sa propre lecture de *L'origine des espèces* (11), et les années 1863 et 1864 ont vu respectivement la publication de sa lettre ouverte à Haeckel intitulée *Die darwinsche Theorie und die Sprachwissenschaft* (La théorie de Darwin et la science du langage) et la tenue à Iéna de sa conférence *Ueber die Bedeutung der Sprache für die Naturgeschichte des Menschen*

(11) *La théorie de Darwin ...*, dans P. Tort, *Évolutionnisme et linguistique*, Vrin, 1980, p. 60.

(Sur l'importance du langage pour l'histoire naturelle de l'homme) (12).

Dans *Die deutsche Sprache*, Schleicher thématise avec précision le dépérissement des formes linguistiques au cours de la période historique. Ce dépérissement est le résultat de l'opération d'une tendance à l'économie des formes les moins usitées dans la langue ; le moyen mis en œuvre par cette tendance, c'est, pour une grande part, l'*analogie*, qui est le vecteur de l'uniformisation de la diversité originaire des formes par réduction à des modèles courants. D'où suit "la diminution au fil du temps des structures grammaticales et la simplification croissante de la structure de la langue" (13). Conclusion, on le voit, analogue à ce qu'était, en amont, celle de Hegel, et à ce que devait être, en aval, celle du Gobineau de 1867. Mais conclusion analogue aussi, rappelons-le, à ce qu'était au XVIIIe siècle celle des théoriciens comparativistes des écritures. Lorsque Schleicher écrit que "la richesse ancienne des formes se trouve désormais rejetée comme une charge inutile", il livre une constatation qui, avant d'être un "pressentiment" du processus sélectif, s'inscrit dans la continuité rigoureuse de Warburton, de Condillac et de nombre de spécialistes des écritures anciennes, pour lesquels la "surcharge" signifiante entraînait univoquement le processus d'allègement par abréviation qui décidait du passage d'un système d'écriture désadapté par pléthore de signes, à un nouveau système allégé, plus fonctionnel. Avant d'être malthuso-darwinienne sur le terrain de l'histoire naturelle, cette logique de l'encombrement et de la sélection a été mise en œuvre dans le domaine couvert par l'histoire comparée des systèmes graphiques dès avant le milieu du XVIIIe siècle. Ce qui n'étonne nullement lorsque l'on sait la valeur que Schleicher reconnaissait par ailleurs aux témoignages de l'écriture (14).

L'accroissement des possibilités phonétiques des langues, qui découle de leur évolution, s'accompagne donc d'une réduction de leur ancienne richesse sur le plan des formes grammati-

(12) Textes reproduits dans *Évolutionnisme et linguistique*, ouv. cit.

(13) Fragment traduit par P. Caussat dans l'ouvrage d'A. Jacob, *Genèse de la pensée linguistique*, Armand Colin, 1973.

(14) Cf. *Évolutionnisme et linguistique*, ouv. cit., p. 70.

cales. La tendance à la simplification, outre le moyen de l'analogie, fait usage également d'un mécanisme fusionnel sensible en particulier au niveau de la réduction de la multiplicité des cas et des nombres, depuis la souche indo-européenne : le locatif est souvent absorbé dans le datif, de même que l'instrumental. Le duel se résorbe généralement dans le pluriel. Il arrive même que l'affaiblissement de l'élément phonétique terminal des mots provoque, à terme, la disparition des formes casuelles. Le principe avancé par Schleicher, et qui, dérivant de la réflexion sur le sanscrit et de la reconstitution hypothétique de l'indo-européen, s'inscrit dans la logique ouverte par la mise en évidence de la généalogie des idiomes, c'est qu' "il n'est pas une seule langue que nous connaissions dans son intégrité", puisque, nécessairement, aucune langue n'a pu être saisie par la philologie avant sa période historique. C'est *ce* principe qui se trouve être en accord partiel avec le darwinisme, en ceci, qu'une *sélection de caractères* a toujours déjà opéré sur les formes organiques qui s'offrent à l'observation. Or pour Schleicher il n'en résulte aucun "perfectionnement", mais au contraire une diminution des ressources de l'organisme grammatical. L'idéal d'achèvement constitutionnel de la langue ne peut être alors qu'une fiction généalogique et n'appartient pas à l'histoire.

Ce qui assure cependant entre Schleicher et Darwin, la *jonction* qui est ici en procès, c'est l'exhibition par Schleicher de points d'analogie ou de convergence moins contestables entre les deux théories. De ces points, on peut reconstituer comme suit la double liste :

DARWIN	SCHLEICHER
Combat pour l'existence	Concurrence inter-dialectale
Disparition des anciennes formes	Extinction des idiomes
Différenciation d'une seule espèce	Différenciation dialectale (1)
Devenir des organismes naturels	Devenir des organismes linguistiques
Bornes temporelles de l'observation des êtres naturels	Bornes temporelles de l'observation des êtres linguistiques

(1) *Die deutsche Sprache* (1860).

Classification : classes classes proches espèces sous-espèces variétés individus	**Classification : souches familles langues dialectes sous-dialectes "idiolectes"**
Transformation des espèces	**Filiation des langues**
Arbres généalogiques	**Arbres de généalogie des langues**
Reconstitution hypothétique des anciennes formes organiques	**Reconstitution hypothétique des anciennes souches (langues-mères)**
Divergence des caractères	**Différenciation insensible des langues en branches distinctes**
Croisements	**Influences étrangères**
Théorie de la descendance (origine des espèces au sein de formes communes)	**Théorie de la descendance (origine des idiomes au sein de formes communes)**
Relativité des classifications naturelles (absence de démarcation nette entre espèces, sous-espèces et variétés)	**Relativité des classifications linguistiques (absence de démarcation nette entre langues, dialectes et sous-dialectes)**
Simplicité probable des organismes primitifs (cellules non différenciées : formes simples de la vie)	**Simplicité probable des ancêtres des langues-mères (racines primitives non différenciées : formes simples de la signification)**
Distribution géographique assurant l'unité des types animaux et végétaux dans une région donnée	**Distribution géographique assurant l'unité des types linguistiques dans une région donnée**
Extinction d'espèces pré-historiques	**Extinction de langues pré-historiques**
Persistance des formes sélectionnées	**Persistance des idiomes vainqueurs**

Disparition de formes intermédiaires, entraînant des ruptures entre espèces	**Disparition d'idiomes intermédiaires, entraînant la formation d' "îles linguistiques".**
	(2)

(2) *Die darwinsche Theorie und die Sprachwissenschaft* (1863).

Ce tableau, qui comporte les principaux éléments déterminant l'assimilation schleicherienne des langues aux organismes naturels, et qui expose par ailleurs d'une façon thématique les motifs de son ralliement au darwinisme, doit être perçu comme comprenant deux intuitions chronologiquement distinctes :

– l'intuition d'une *correspondance* simple entre les "organismes linguistiques" et les organismes naturels, antérieure à l'irruption du darwinisme : en témoigne notamment le parallélisme souligné entre la classification linguistique et la classification dans les sciences de la nature. Cette intuition fut, entre autres, celle de Humboldt, de Friedrich et Wilhelm von Schlegel et de Bopp, pour ne citer que les plus proches contemporains de Schleicher. Depuis les premiers établissements, vers 1820, de la linguistique historique et comparative qui s'élabore à la suite de la découverte du sanscrit (1798), la réflexion sur les langues avait en outre poussé assez loin son investigation généalogique et son étude des dérivations ;

– l'intuition d'une *systématisation possible* de ce rapport grâce à la brèche ouverte par Darwin dans le fixisme des classifications naturelles. L'évolution linguistique peut alors être référée systématiquement à l'histoire naturelle – ce qu'elle n'avait pu faire jusqu'alors du fait de la rigidité de ses répartitions classificatoires et de son dogme fixiste : c'est pourquoi, jusqu'à Schleicher, ce qui l'emporte dans les caractérisations métaphoriques du développement des langues est beaucoup plus l'image de la croissance de l'organisme individuel (15) que celle d'une évolution interspécifique. On remarquera, dans cette optique, l'importance de la mention du parallélisme entre Darwin et la linguistique pour ce qui concerne la relativisation des frontières classificatoires, elle-même fondée sur la relativité constatée des

(15) Ainsi déjà chez Herder, notamment dans le *Fragment* intitulé *Des âges d'une langue* (1767), traduit et présenté par Denise Modigliani, dans *Romantisme* n° 25-26.

frontières interspécifiques ou interidiomatiques.

L'intuition transformiste de la science linguistique est donc naturellement plus ancienne que sa systématisation, opérée par l'attraction du modèle darwinien (– il faudra s'enquérir bientôt du *sens* et de la *direction* de cette attraction). En outre, il s'y agit bien d'un transformisme qui comporte, au niveau de la concurrence interdialectale et de l'extinction des formes minoritaires ou affaiblies au sein même de la langue, l'analogue parfait du *struggle for life.* Un surcroît de preuve, pour cette antécédence, consiste, comme nous l'avons dit précédemment, dans le recours pratiqué par Lyell et Darwin lui-même aux phénomènes de filiation linguistique, plus accessibles à la compréhension du fait de leur durée relativement courte, pour éclairer l'existence d'une analogue filiation des espèces naturelles.

Le problème, alors, devient plus clair. Avant Darwin, la pensée philosophique et linguistique allemande (Hegel, Humboldt, F. et W. von Schlegel, Bopp, Schleicher) en est arrivée, par des voies diverses, à la conclusion de l'existence d'une *hiérarchie des langues* qui serait fonction de leur degré de développement et de leurs capacités significatives intrinsèques, elles-mêmes fonctions de ce développement. Gobineau, dont la pensée est allemande, hérite intégralement de ce *résultat*, dont nous avons montré quels étaient les différents terrains et les diverses modalités d'élaboration. Survient alors le darwinisme qui suscite une sorte de convection et de convergence des intuitions éparses de la linguistique comparative, lesquelles, à travers Schleicher, viennent se ranger en corps de doctrine sous un appareil conceptuel importé de *L'origine des espèces* : le *modèle*, on le voit, n'est pas imposé —il aurait été, à la limite, suggéré par Haeckel à travers son insistance à faire lire l'ouvrage de Darwin à son ami linguiste, insistance que l'on peut interpréter du reste comme mue par la conscience du fait que la linguistique *ne pouvait* ignorer Darwin qui, lui, ne l'ignorait pas— ; le modèle est *sollicité*. Dès que reconnu, il est voué par la linguistique qui l'importe à venir concourir à l'unification des régions de la science, ce en quoi nous reconnaîtrons, à propos de Haeckel, l'une des marques caractéristiques de l'idéologie évolutionniste. Ce qui ne veut dire autre chose, sinon que l'idéologie évolutionniste *précède et utilise* le darwinisme comme un modèle qu'elle met en demeure de fournir les confirmations qu'elle attend : or cette *idéologie* s'est développée sur un terrain de mieux en mieux reconnu par la *science* linguistique. Qu'est-ce donc qui permet, alors, de la caractériser comme idéologie ? Est-ce, par contraste, un *noyau de vérité scientifique* interne à la théorie linguistique *avant* la jonction avec le darwinisme ? Mais ce *noyau* n'est-il pas précisément la découverte de la dérivation des langues indo-européennes à partir d'une forme matricielle commune ? N'est-il pas précisément ce qui contribue le plus à faire saillir la grande analogie transformiste comme ce qui doit nécessairement opérer la subsomption de la science linguistique sous l'égide puissante des sciences de la nature ? Rien ne permet de mettre en doute, jusqu'en 1860, la pertinence scientifique de la réflexion linguistique de Schleicher : depuis le XVIIIe siècle, la réflexion européenne sur le langage et les langues n'a cessé de chercher à produire le concept et les lois du rapport des idiomes, mais ce n'est qu'à partir de la découverte du sanscrit (1798) qu'elle a pu opposer un embryon de science –encore fortement hypothétique– aux anciennes spéculations métaphysiques ou dogmatiques sur l'origine. Schleicher est sans doute l'un de ceux qui ont poussé le plus loin le bénéfice de cette découverte. Ce qui, dans son discours, relève de l'idéologique, c'est la trace de tout ce qui l'a précédée : le vieil ethnocentrisme linguistique et grammatologique de l'époque classique et du XVIIIe siècle, qui avait produit la plupart des schémas hiérarchiques –entre les langues du monde, entre les systèmes d'écriture– qui classaient les idiomes et les formes de la signification graphique par référence à la perfection fonctionnelle des langues européennes et de l'écriture phonético-alphabétique. L'idée du progrès bloqué et de l'infériorité du chinois, qui transite par Hegel, vient de là, et l'anthropologie chrétienne, comme nous l'avons montré ailleurs (16), a fortement contribué à accréditer ces conceptions. Ces représentations habitent le discours de Schleicher comme elles habitent celui de toute la linguistique allemande, et comme elles ont habité celui de la plupart des théoriciens français du siècle précédent. C'est *cette* idéologie qui va requérir du darwinisme autre chose que ce que le darwinisme peut apporter à la linguistique schleicherienne de soutien rigoureux à ses perspectives. Car elle aussi gouverne, à son niveau, le recours au modèle.

C'est, de la sorte, le modèle qui est modelé, et la science transformiste qui est amenée à cautionner une certaine interprétation d' "elle-même" qui la précède d'assez loin dans l'histoire pour échapper à son contrôle.

(16) *La constellation de Thot (Hiéroglyphe et histoire)*, Aubier, 1981.

C'est dans cette mesure que nous avons cru pouvoir parler (17) du hégélo-darwinisme de Schleicher. Non seulement parce que Schleicher était hégélien *et* darwinien (après 1860) sans que cette seconde obédience ait beaucoup nui à la première, mais parce qu'il était, dans l'élément ambiant des mixtions scientifico-idéologiques, *normal* de penser pouvoir combiner ces deux références théoriques qui paraissent aujourd'hui formellement contradictoires.

Un schéma assez simple peut du reste montrer que sur un certain plan, la référence de Schleicher à Hegel, qui se maintiendra après 1860, demeure, après cette date, plus déterminante que le modèle darwinien saisi dans sa rigueur :

(Se reporter aux schémas des deux pages suivantes)

(17) Dans *Évolutionnisme et linguistique*, ouv. cit.

Schéma général d'évolution de la langue :

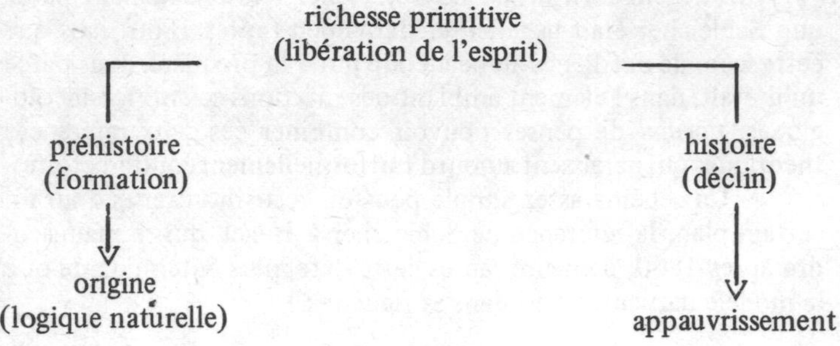

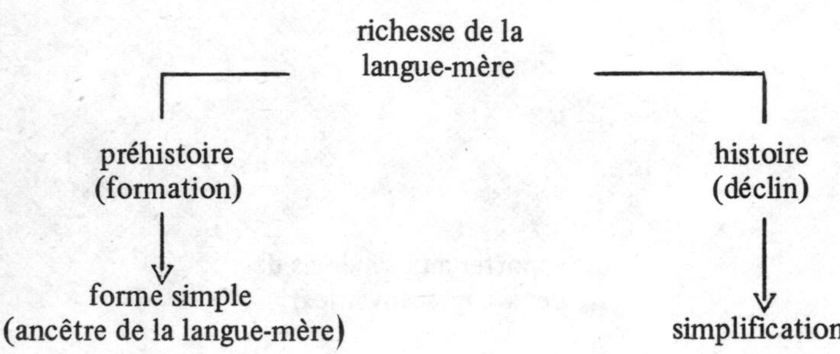

N.B. La modification de perspective de 1850 ne transforme nullement ce schéma, qui restera valide jusqu'à la fin des travaux de Schleicher. Lorsque, en 1863, Schleicher écrira à Haeckel que "les langues sont des organismes naturels qui, en dehors de la volonté humaine et suivant des lois déterminées, naissent, croissent, se développent, vieillissent et meurent", il a rompu avec l'idée hégélienne de l'influence de l'esprit, mais le schéma d'évolution de l' "organisme linguistique" au cours de sa vie reste parallèle au schéma hégélien.

Schéma général de l'évolution des espèces

DARWIN

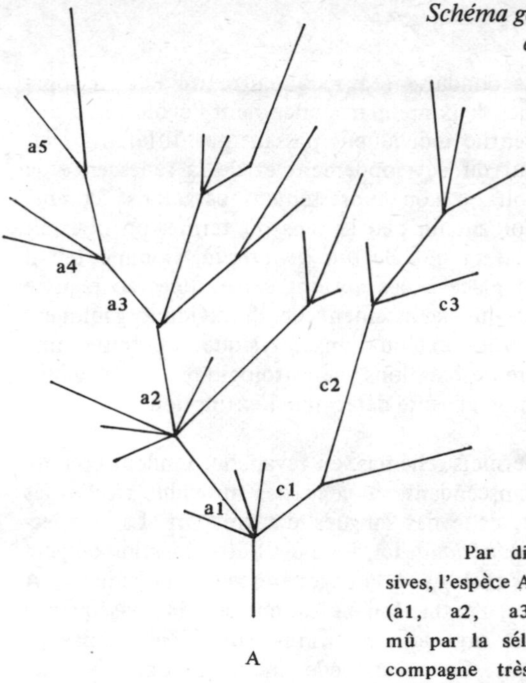

a5
a4
a3
a2
a1
c3
c2
c1
A

Par différenciations successives, l'espèce A se modifie en variétés (a1, a2, a3, etc.). Ce processus, mû par la sélection naturelle, s'accompagne très souvent, à chaque étape, de l'*extinction* de la variété immédiatement antérieure.

Schéma général de l'évolution des langues

SCHLEICHER 1863

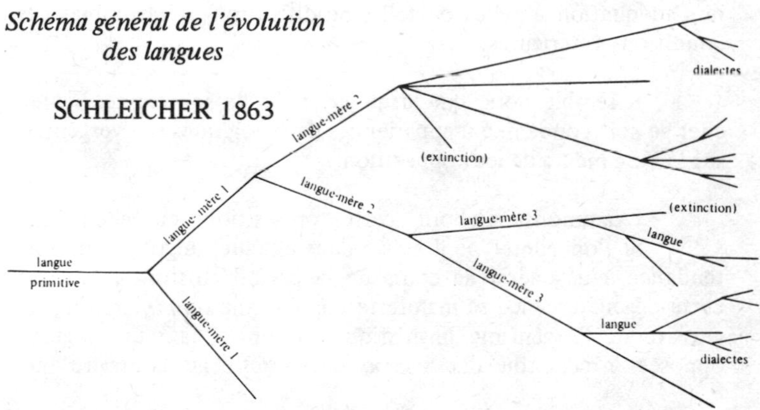

Même processus de différenciation, comportant des extinctions. Ces schémas sont rigoureusement *semblables*.

Ces schémas conduisent à reconnaître un fait en apparence très simple : les deux premiers concernent l'évolution d'*une* langue en tant qu'entité individuelle passant par différents *âges*. Le modèle est celui du développement et de la sénescence de l'*individu* –qu'il soit ou non expressément caractérisé comme "organisme". En forçant un peu le sens du terme, on pourrait dire qu'il s'agit là d'un modèle *ontogénétique*. Comme tel, il laisse naturellement place à des notions empruntées au registre de la croissance et du vieillissement de l'individu organique : sclérose, dégénération, exténuation physique – toute une constellation de représentations gérontologiques : l'affaiblissement précède la mort, l'usure détermine l'extinction.

Les deux derniers schémas, en revanche, rendent compte d'une évolution transcendante à celle des individus : celle des espèces d'une part, celle des langues d'autre part. La perspective est donc *phylogénétique*. Ici, il ne peut être question de penser quelque chose d'analogue à la dégénérescence individuelle. A l'échelle des espèces, l'extinction ne saurait être la conséquence d'un affaiblissement organique des individus. Il n'y a pas de sénescence spécifique. Ce qui précède une extinction d'espèce, déterminée par le jeu de la sélection et absolument indépendante de la force intrinsèque de ses représentants, ce n'est pas la dégénérescence des individus, mais leur raréfaction (18), les organismes individuels pouvant demeurer en eux-mêmes parfaitement sains, mais disparaissant progressivement du fait d'une non-adéquation à telles ou telles modifications défavorables des conditions extérieures.

Il semble donc que jusqu'au terme de son œuvre, Schleicher se soit condamné à apparier ces deux logiques si divergentes, sur la base même de leur opposition.

Examinons d'abord cette opposition en elle-même.
Si l'on admet qu'il existe dans chaque langue adulte une tendance à dégénérer au cours de sa période historique, et que cette dégénérescence se manifeste comme une *simplification* progressive de l'organisme linguistique, on entre dans une logique opposée à celle du darwinisme qui établit au contraire que

(18) Darwin, *L'origine des espèces*, éd. Marabout université, pp. 335-339.

l'évolution des êtres naturels les achemine généralement d'un niveau simple à un niveau de plus en plus plus complexe d'organisation. Certes, Schleicher reconnaît que durant sa période préhistorique, la morphologie du langage suit cette règle de complexification. C'est l'entrée dans l'histoire qui enclenche le processus de dégénérescence. Mais il ne saurait y avoir, dans la perspective darwinienne, de distinction entre une période préhistorique et une période historique au cours de laquelle s'inverserait en involution la marche ascendante déterminée par le processus sélectif. Au reste, à l'échelle darwinienne de l'évolution, la durée de la période "historique" ne peut être qu'infinitésimale. Il semblerait donc que, tout comme dans sa propre évolution intellectuelle, Schleicher veuille faire se relayer, dans l'évolution des organismes linguistiques, le schéma hégélien et le schéma darwinien. Cette contradiction, non perçue comme telle, est encore sensible dans la conférence de 1864, où se réaffirme le maintien de la thèse hégélienne :

> "Pour terminer cet essai, nous ajouterons seulement que l'origine et le développement du langage appartiennent à une période antérieure à l'histoire proprement dite. Ce qu'on appelle l'histoire ou la vie historique, ne remplit jusqu'aujourd'hui qu'une petite portion du temps pendant lequel l'homme a vécu, déjà homme. Dans cette période historique, nous voyons seulement des langues vieillies, quant à la forme et quant au son, d'après des lois organiques déterminées. Les langues que nous parlons maintenant, sont comme celles de tous les peuples qui ont une importance historique, des types de langues séniles. Les langues des peuples qui ont eu un développement historique, autant du moins que nous pouvons les connaître, et par conséquent aussi l'organe anatomique du langage chez les peuples qui les parlent, sont depuis longtemps plus ou moins en proie à une métamorphose de décadence. La formation du langage et la vie historique ne se rencontrent pas ensemble dans le courant de la vie de l'humanité.
>
> Il nous est donc peut-être permis de diviser la vie parcourue jusqu'ici par l'espèce humaine en trois grandes périodes de développement, qui se succèdent d'un cours insensible et n'ont pas lieu partout en même temps. Ces périodes sont : 1° La période du développement de l'organisme corporel dans ses traits essentiels, période qui, suivant toute vraisemblance, a été incomparablement plus longue que la période suivante, et que nous ne considérons ici qu'en bloc pour abréger ; 2° La période du développement du lan-

gage ; 3° La période de la vie historique, au commencement de laquelle nous sommes encore, et où plusieurs peuples de la terre ne paraissent pas encore entrés". (19)

Ce que Schleicher, sous l'influence persistante de Hegel, *ajoute* au darwinisme, c'est la décadence. Cela n'est rendu possible que par la différence des échelles : si Darwin ne peut saisir, dans l'univers des formes vivantes, une tendance qui serait perceptible sur quelques centaines ou quelques milliers d'années, la linguistique, grâce au témoignage de l'écriture, prétend saisir l'évolution qui lui permettrait de déceler cette tendance. Les seuls documents nécessaires pour l'étude des langues, sont ceux fournis par l'enregistrement graphique, c'est-à-dire par la période historique. C'est par une induction vers le passé préhistorique et par une déduction de l'avenir que la linguistique, à partir de la seule période historique, peut se constituer en théorie de l'évolution du langage. L'induction des origines se donne comme reconstitution des formes primitives, et elle se reconnaît généralement le caractère de l'hypothèse. Par contre, la déduction de l'avenir se donne, sans conjecture, comme la certitude engendrée par l'analyse du mouvement, enregistré, de l'histoire. Alors que pour Darwin règne, sur l'avenir, la plus grande incertitude en ce qui concerne la destinée prochaine des espèces –les variations étant accidentelles, le processus sélectif continue simplement à fonctionner selon une loi qu'on peut dire inflexible et aveugle, tant que l'on ne prend pas en compte l'action modificatrice de l'homme sur la nature–, Schleicher annonce clairement la décomposition –déjà entamée, mais seulement commençante– des langues parvenues à la période historique. Cela signifie que non seulement le type flexionnel indo-germanique a commencé à dégénérer lui-même, mais que les autres langues parvenues à l'époque historique sans avoir atteint ce stade au cours de leur formation, dégénèrent elles aussi. Quant aux langues "primitives" qui ne sont pas encore entrées, eu égard au niveau de civilisation des peuples qui les parlent, dans la période "historique", elles tendraient peut-être à évoluer vers un type plus élevé si l'histoire, précisément, leur était ouverte par des langues plus aptes en elles-mêmes à exercer une action civilisatrice. Schleicher en arrive donc à ce *cercle* qui

(19) *De l'importance du langage pour l'histoire naturelle de l'homme*, dans *Évolutionnisme et linguistique*, ouv. cit., pp. 88-89.

consiste à relier le développement linguistique à des aptitudes et des potentialités incluses dans l'origine des idiomes, elles-mêmes liées à des aptitudes et des potentialités intellectuelles déterminées par des facteurs anatomiques internes et externes (20), pour faire dépendre, en retour, le développement ou le non-développement de la civilisation (d'après quoi l'on juge de l'entrée ou de la non-entrée dans l' "histoire") des seules réalisations linguistiques. "Et maintenant", conclut Schleicher en achevant sa conférence de Iéna, "de même que nous pouvons voir certains peuples, les races indiennes du nord de l'Amérique par exemple, rendus impropres à la vie historique rien que par la complexité infinie de leurs langues dont les formes sont véritablement pullulantes, et condamnées par conséquent à la décadence et même à la destruction, de même aussi il est hautement vraisemblable que des organismes en voie d'arriver à l'humanité n'ont pas pu se développer jusqu'à la formation du langage. Une partie de ces organismes est restée en chemin, n'est pas entrée dans notre seconde période de développement, et, comme tout ce qui s'arrête ainsi, est tombée dans la décadence et dans une ruine graduelle". (21)

La typologie linguistique vient ainsi prendre le relais de la classification anatomique des races humaines, qui prolongeait d'une façon discutable, selon Schleicher, la classification morphologique des espèces animales. Mais choisir, pour opérer la classification de l'homme, le "critère plus délicat" ou "plus élevé" du langage, ne transforme en rien la perspective hiérarchique de la classification antérieure. En effet, compte tenu de tout le dispositif théorique que nous venons d'analyser, il apparaît que, même voué à une plus ou moins longue désagrégation, le type flexionnel

(20) Cf. *De l'importance du langage pour l'histoire naturelle de l'homme* (dans *Évolutionnisme et linguistique*, p. 84) : "Que la conformation du cerveau et la forme crânienne déterminée par le cerveau, soient très importantes, je ne le conteste en aucune manière. J'ai encore moins l'intention de mettre en doute la haute importance des recherches exactes sur les différences anatomiques de l'homme".

Dans ce domaine, Schleicher se réfère essentiellement au travaux de Blumenbach consignés dans ses *Decades III craniorum diversarum gentium* (1790-1828), et aux travaux d'anatomie comparée de Huxley.

(21) *Ibid.*, p. 89.

des langues germaniques est et sera toujours *supérieur*, car parvenu à un développement complet, aux langues auxquelles leur préhistoire n'a pas permis d'atteindre ce stade, ainsi qu'aux langues primitives condamnées à l'extinction avant même d'être entrées dans l'histoire. L'héritage idéologique est ici celui du XVIIIe siècle, de Hegel à nouveau, et de Humboldt, dont il faut ici rappeler une observation lourde d'implications historiques :

"Ainsi renvoyés du côté des langues adultes, la première question qui se pose à nous est de savoir si chaque langue est grosse d'un potentiel égal, ou du moins important ; ou bien s'il existe *des formes dont seule une destruction totale pourrait faire accéder les nations qui les possèdent aux plus hautes fins que l'humanité soit capable d'atteindre par la puissance du discours*. C'est cette dernière hypothèse qui est la plus vraisemblable". (22)

Dès lors, on peut dire sans risque d'erreur qu'entre les développements de la craniométrie, de l'anthropologie physique et de la linguistique allemande, la justification de la domination des races européennes et de leurs entreprises coloniales est en place, prête à servir de réservoir idéologique à toute ambition de conquête et d'hégémonie. La filiation des théories s'établit sans rupture, *malgré le darwinisme et à travers lui. L'idéologie évolutionniste est, ainsi, la conduction, à travers Darwin, de schèmes pré-existants à sa théorie, et qui excipent d'une pré-concordance partielle avec elle pour se l'assimiler dans son intégrité comme soutien et comme caution*. Si, comme le prétendait Schleicher, "la théorie de Darwin est une nécessité", cette nécessité doit alors s'entendre comme le réquisit de représentations éparses qui *demandaient*, au sens fort, à être unifiées sous l'autorité d'une théorie scientifique validante. Ces représentations n'avaient, en l'occurrence, d'autre statut que d'être nées dans le champ de spéculations diverses sur l'origine de l'homme, des sociétés, du langage, de l'écriture, sur l'échelle des êtres et leur classification, le progrès des arts et des sciences dans l'humanité, etc., et qui n'avaient pu fonder, quant à elles, une apodicticité suffisant à les faire exister comme *sciences* de leurs propres objets. Pour tous ces discours sans statut, mais au sein desquels l' "évolution"

(22) Humboldt, *La recherche linguistique comparative dans son rapport aux différentes phases du développement du langage*, 1820, dans *Introduction à l'œuvre sur le kavi*, trad. P. Caussat, Seuil, 1974. Nous soulignons.

–notion qui, on le sait, est d'usage peu courant chez Darwin– avait donné d'elle-même quelques esquisses plus ou moins ressemblantes, la théorie de Darwin était non seulement une nécessité, mais une providence.

Sur un autre plan, ce long détour par Schleicher nous permet de vérifier un principe formulé en commençant, et selon lequel la plupart des "ruptures" enregistrables dans l'univers du discours théorique ont lieu d'abord *à l'intérieur du discours qui supporte la logique dominante*, et se manifestent à travers l'éclatement de cette dernière. Ce principe, que nous appellerons *principe de l'éclatement interne des idéologies menacées*, trouve chez Schleicher une remarquable application : la "glottique" (ou science du langage) schleicherienne, ne pouvant intrinsèquement fonctionner d'une manière effective en raison de la contradiction entre le point de vue hégélien de la dégénérescence et celui, transformiste, du perfectionnement continu, laissera la place, sans même avoir réellement commencé, à la linguistique synchronique de Saussure, après avoir subi, de la part des néo-grammairiens, une révision complète de ses perspectives fondatrices. L'*extinction*, si l'on s'en tient au modèle transformiste darwinien, devrait être consécutive à la raréfaction des locuteurs, et non à une décadence interne pensée sur le modèle d'une sénescence ou d'une pathologie. L'évolution bloquée de certains idiomes voués à ne jamais atteindre l'âge "adulte" n'est pas davantage un symptôme de sénilité ou de dégénérescence, mais plutôt l'analogue d'un *arrêt de développement*. Si Schleicher avait voulu établir une analogie strictement *évolutionniste* entre le devenir des langues et celui des organismes naturels réunis en groupes spécifiques, il aurait par exemple cherché à retrouver, comme Haeckel, l'analogue d'une *loi biogénétique fondamentale* mettant en lumière la récapitulation de la phylogénèse, c'est-à-dire l'énumération successive, dans le développement de l'embryon linguistique jusqu'à sa forme adulte, des différents stades morphologiques qui furent ceux de ses ancêtres : là, pas de place pour la "décadence", puisqu'il s'agit d'un processus constant de complexification et d'amélioration ou encore de "perfectionnement" différenciateur. Au lieu de cela, Schleicher reste fidèle au schéma hégélien de la croissance et de la décadence, tout en maintenant l'analogie transformiste à l'intérieur de laquelle on ne peut rigoureusement penser la décadence historique du type le plus élevé, puisque ce type est, par nécessité, celui qui a été porté à sa prééminence actuelle par l'ensemble du processus sélectif. Il eût été plus darwinien de dire que le type flexionnel était le stade actuel le plus élevé de l'évolution linguistique, sans préjuger de son devenir. Ce qui est contradictoire chez Schleicher –et cette contradiction sera reconduite aveuglément par Gobineau–, c'est le ressort même de fausseté de toute l'idéologie évolutionniste : le fait de penser que l'on peut associer sans heurt le modèle du développement de l'individu et celui de l'espèce.

Situer à présent la réflexion linguistique de Gobineau, c'est donc faire la théorie des influences combinées de Hegel et de l'histoire naturelle, c'est-à-dire en fait renvoyer à la généalogie schleicherienne de sa pensée, en prenant soin cependant de remarquer que ce qui était intégré –fût-ce d'une manière illusoire– chez Schleicher se trouve disjoint et déshomogénéisé chez Gobineau. On a vu comment la théorie gobinienne –hégélo-schleicherienne– de la dégénérescence n'était pas susceptible, en toute rigueur, de trouver un appui ou un "modèle" dans le darwinisme. La rection hégélienne s'exerce encore sur Schleicher lorsqu'il parle du devenir de l'organisme linguistique pris en lui-même. Lorsque, après 1860, il parle de l'évolution des systèmes linguistiques, c'est, essentiellement, à Darwin qu'il se réfère, sans toutefois abandonner son premier point de vue. Or s'il se réfère rigoureusement à Darwin, il ne peut pas transférer le concept de dégénérescence de l'histoire de l'organisme individuel vers l'histoire spécifique, laquelle ne peut procéder que suivant la direction ascendante imposée par la sélection naturelle : celle de la réussite vitale des variétés ou des types actuellement dominants.

Que devient alors, à ce niveau, la référence darwinienne de Gobineau ? Gobineau est par excellence le philosophe et l'historien de la dégénérescence. Pour lui, la dégénérescence, dans l'univers biologique comme dans la sphère intellectuelle et linguistique, est une conséquence nécessaire du métissage des races : tout le livre premier de l'*Essai sur l'inégalité des races humaines* est employé à poursuivre cette démonstration. Il y a une inégalité originaire des races et, partant, une inégalité naturelle des organismes idiomatiques. Mais un facteur second vient la plupart du temps atténuer, voire renverser cette perspective : c'est, précisément, la mixtion des races et des langues au cours de l'histoire. La conséquence en est qu'une langue "mélanienne" restée relativement pure peut être plus riche et plus expressive qu'un idiome originairement plus élevé dans sa souche, mais abâtardi par des mélanges successifs. Gobineau maintient ainsi le schéma du déclin historique des langues, réaffirmant leur nature d'organismes autonomes soumis à l'accident néfaste des croisements. Le langage n'est pas le lieu des institutions volontaires, et sa résistance à la greffe artificielle est pour Gobineau un argument qui assonne avec son thème privilégié de la répugnance naturelle des races pour l'hybridation. Non seulement les idiomes, même résiduels, possèdent des caractères qui s'opposent à la réception de caractères hétérogènes –d'où par exemple l'échec en français de la formation des mots composés sur le modèle grec, en raison de l'absence de flexion substantive–, mais la langue dans son ensemble ne peut être fixée par un système de prescriptions et de modèles. C'est pourquoi l'échelle des langues n'est pas parallèle à celle des siècles ni à celle des progrès de l'esprit, et c'est aussi pourquoi la primitivité linguistique est si souvent plus vigoureuse que ses développements subséquents. D'où il suit effectivement que la langue pure d'une race basse est fréquemment plus puissante que la langue dégénérée d'une race originairement plus élevée, mais métissée ensuite d'éléments hétérogènes concourant graduellement à sa péjoration. Qu'il s'agisse des races ou des langues qui leur sont liées, le métissage est le principe de la décadence.

Chez Darwin, tout croisement doit nécessairement être soit domestique, soit libre. Dans le cas du croisement domestique soumis le plus souvent au contrôle et à l'orientation conscients ou "inconscients" des éleveurs, l'union des variétés différentes est dirigée par l'homme vers des fins sélectives, et ne peut être de ce fait que favorable à leur amélioration. Quant au croisement libre dans la nature, il a lieu en dehors de l'intervention humaine, et tombe sous la loi de la sélection naturelle, c'est-à-dire sous la loi de la survie des variétés améliorées. A ces deux niveaux, on ne rencontre toujours pas de lieu pour le fait ou l'idée d'une dégénérescence organique. Au contraire, Darwin, dans un chapitre sur *l'entrecroisement des individus* (p. 108 de l'éd. cit.), affirme avoir "réuni un ensemble considérable de faits, et exécuté un très grand nombre d'expériences, qui, d'accord avec l'opinion universelle des éleveurs, montrent que, tant chez les animaux que chez les plantes, le croisement entre variétés différentes, ou entre individus de la même variété, mais d'une autre lignée, communique de la vigueur à la descendance et favorise sa fertilité ; la reproduction consanguine à un degré trop rapproché d'autre part, diminuant la vigueur et la fécondité". Rien qui puisse, par conséquent, accréditer la "loi" gobinienne de l'homogénéité nécessaire des composantes de l'union réussie. Loin de conduire à un affaiblissement par rapport aux variétés parentes, le métissage est, même au niveau le plus empirique, un renouvellement génétique favorable aux produits qui en résultent. Buffon lui-même n'avait rien dit d'autre.

Ce point étant éclairci, il faut à présent en examiner un autre. Pour Darwin, la question de la fécondité ou de l'infécondité des hybrides revêt une importance évidente, car elle a d'immédiates retombées dans le champ de la taxinomie et, bien entendu, dans celui de la conception –stationnaire ou transformiste– des espèces. L'interprétation providentialiste classique du fait généralement constaté de la stérilité des hybrides consistait à y déchiffrer la preuve de la permanence naturelle d'un plan originaire de distinction des espèces issues d'un acte particulier de création. A l'appui de cet argument vient le fait même de la distinction persistante des espèces, lequel ne serait plus perceptible dans le cas d'une possibilité universelle de libre entrecroisement. Dans le chapitre VIII de *L'origine des espèces*, intitulé *Hybridité*, Darwin entend démontrer que la stérilité des espèces croisées et de leur descendance hybride ne peut être le résultat d'un processus sélectif, mais tient à des "différences dans le système reproducteur des espèces parentes, et n'est pas une qualité spécialement acquise ou innée". Sélection naturelle et stérilité des hybrides sont donc deux principes qui ne s'entre-déterminent pas.

La fertilité du croisement entre deux individus regardés jusque-là comme appartenant à deux espèces distinctes avait conduit Kölreuter à les considérer comme appartenant en fait à deux *variétés*. Cette simplification équivalait à reconduire la conception canonique des systématistes fixistes. Devant de tels faits, la démarche de Darwin sera, comme de coutume, relativisante. D'abord, on se trouve dans un cas où l'expérimentation exerce sur son objet une influence transformatrice. Il est avéré que des espèces captives ou cultivées ne se reproduisent pas aussi aisément qu'à l'état naturel. Ensuite, il existe des degrés dans la stérilité des diverses espèces croisées. Par ailleurs, la fertilité des espèces pures est elle-même sujette à être affectée par certaines circonstances. Enfin, les expérimentateurs (Kölreuter et Gärtner entre autres), les botanistes et les horticulteurs s'opposent sur des conclusions relatives à la fertilité ou la stérilité des mêmes espèces, et à leur insertion dans la catégorie des espèces ou dans celle des variétés. "On voit par là", en infère Darwin, "qu'aucune distinction nette entre les espèces et les variétés ne peut être fournie par la fertilité ou la stérilité, et que les preuves tirées de cette source offrent les mêmes gradations insensibles, et sont aussi douteuses que celles qu'on tire des autres différences dans la constitution et la structure" (p. 265). Si l'on constate effectivement que la stérilité des hybrides s'accentue dans les générations successives, la diminution de fertilité doit être, selon Darwin, attribuée à un entrecroisement opéré à un trop haut degré de consanguinité. On retrouve ici l'argument déjà développé quatre chapitres auparavant : "J'ai réuni un ensemble de faits si considérable, montrant que, d'une part, le croisement occasionnel avec un individu ou une variété distincts, augmente la vigueur et la fécondité de la descendance, et d'autre part, que les croisements consanguins soutenus produisent l'effet inverse, que je dois reconnaître l'exactitude de cette opinion, qui est généralement admise par les éleveurs" (p. 266). C'est donc par l'*évitement du croisement consanguin* que doit être expliqué l'*accroissement de fertilité* constatable dans les générations successives d'hybrides fécondés *artificiellement*. Corrélativement, l'augmentation de la stérilité naturelle des hybrides est explicable par le parti-pris, opposé aux avis des éleveurs, de recroiser indéfiniment entre eux des frères et des sœurs à chaque génération. Enfin, la thèse, soutenue par Pallas, d'une influence positive de la domestication sur la fertilité des descendants hybrides d'animaux nettement distincts, rencontre de plus en plus expressément l'adhésion de Darwin (23). L'étude des croisements démontre en outre que la facilité d'appariement entre deux espèces n'est pas fonction de leurs affinités systématiques : la classification, qui jusqu'alors dictait ses dogmes aux recherches sur les croisements, se trouve, avec Darwin, remise en cause à partir de ces mêmes recherches. C'est encore un peu de la mémoire scolastique qui vient à péremption, en ceci que la classification fondée sur la ressemblance –comme eût dit Kant– se désagrège devant la montée d'une exigence taxinomique nouvelle, fondée sur la généalogie naturelle et l'entendement. Darwin en arrive ainsi à un dispositif de questions qui relativisent toutes les certitudes –scientifiques ou métaphysiques– des classificateurs :

(23) *Comp.* pp. 38, 270 et 289 de l'édition de référence.

> "Ces lois singulières et complexes indiquent-elles que les espèces aient été douées de stérilité uniquement pour qu'elles ne puissent pas se confondre dans la nature ? Je ne le crois pas ; car pourquoi la stérilité serait-elle si variable quant au degré suivant les espèces qui se croisent, puisque nous devons supposer qu'il est également important pour toutes d'éviter le mélange et la confusion ? Pourquoi le degré de stérilité serait-il variable d'une manière innée chez divers individus de la même espèce ? Pourquoi des espèces qui se croisent avec la plus grande facilité produisent-elles des hybrides fort stériles, tandis que d'autres, dont les croisements sont très difficiles à réaliser, donnent des hybrides fertiles ? Pourquoi cette différence si fréquente dans les résultats des croisements réciproques opérés entre les deux mêmes espèces ? Pourquoi, pourrait-on encore demander, la production d'hybrides a-t-elle été permise ? Accorder à l'espèce la propriété spéciale de produire des hybrides, pour ensuite arrêter leur propagation ultérieure par divers degrés de stérilité, qui ne sont pas rigoureusement en rapport avec la facilité qu'ont leurs parents de s'unir entre eux, nous paraîtrait une conception étrange". (Pp. 274-275.)

Il n'y a rien, dans tout cela, qui n'aille à contre-courant des thèses de Gobineau. Si l'on veut pousser l'examen jusqu'en ses dernières limites, une phrase, ou peut-être même seulement un mot de Darwin sont susceptibles d'avoir, sur cette question centrale des hybridations et des métissages, retenu l'attention hypersélective de l'auteur du *Mémoire* :

> "... lorsqu'on constate que le chien spitz allemand se croise avec le renard plus facilement que ne le font les autres chiens, ou que certains chiens domestiques indigènes de l'Amérique du Sud ne s'apparient pas *volontiers* avec les chiens européens, l'explication qui se présente à chacun, et probablement la vraie, est que ces chiens proviennent d'espèces primitivement distinctes". (P. 289. Nous soulignons.)

Mais cette phrase, qui figure d'ailleurs dans le paragraphe consacré à la *fertilité des variétés croisées et de leurs descendants métis*, parlant d'*espèces* distinctes, ne peut être à Gobineau d'aucun appui, dans la mesure où les différences humaines, de son propre aveu, ne peuvent être que des différences *intra*-spécifiques : au reste, la phrase suivante renchérit, en sens inverse, sur la grande fécondité des croisements entre *variétés* différant nettement par l'apparence physique. Gobineau, on le voit, pour ce qui est de son principe fondamental de l'infécondité des hybrides, de la répugnance naturelle pour les croisements et du métissage facteur de décadence, *ne pouvait rien tirer de Darwin*.

Comment penser alors la rapport de la théorie linguistique de Gobineau aux sciences de la nature ? La théorie de la suprématie des racines aryennes, on l'a montré, est héritée de la linguistique allemande des précédentes décennies. La théorie de la dégénérescence, jointe à celle de la pureté des types primitifs, renvoie d'une façon relativement claire à Schleicher et vraisemblablement, à travers lui, à Hegel. La théorie de la décadence par fait de croisement, ne pouvant, elle, renvoyer à Darwin, est proprement gobinienne. Or cette dernière théorie est intimement liée à celle des milieux, que Gobineau tente de formuler d'une manière ambiguë depuis les premières pages du *Mémoire*.

La langue est une entité vivant d'une vie organique dans le *milieu* de l'esprit. Les *racines* sont ce qui, dans la langue, subit le plus l'influence du milieu, entretenant avec l'esprit ce rapport privilégié qui consiste en l'expression du *sens*. Tout vivant entretient avec son milieu un rapport de compromis stabilisateur entre une homogénéité fondamentale mais partielle, et une hétérogénéité d'où découle précisément son caractère d'entité individuelle vivante et distincte. L'influence de l'esprit –qui est l'organisme abstrait– sur l'organisme idiomatique est donc exactement celle d'un milieu. S'il est pathogène, ses affections se répercutent dans une certaine mesure sur l'organisme de la langue, non pas mécaniquement, mais sur le mode d'un rapport vicié du milieu perturbé au vivant développant face à cette viciation des formations morbides. Gobineau signale (2, XXXV) la perte de la mémoire des noms propres et, plus importante, celle de l'usage de l'infinitif des verbes et des pronoms – cas traité par Forbes Winslow. Il s'agissait là d'un cas de paralysie verbale atteignant, dans les pronoms, les organes mêmes ou "agents" du mouvement idiomatique. Une paralysie graduelle de type hémiplégique, étudiée par Broca, s'était accompagnée d'une perte complète du langage articulé, sans aucun blocage corrélatif des organes phonateurs : la destruction et le ramollissement de certains organes cérébraux, sans amener la folie, avait donc modifié "l'état de l'esprit, et, par contre-coup, celui de la langue vivant dans ce milieu" (2, XXXVI). Mais ce qui, pour Gobineau, doit être retenu de ce phénomène, c'est que la langue réagit spécifiquement, d'une façon intra-organique, à cette perturbation du milieu, manifestant par rapport à lui à la fois sa relation et son indépendance, son homogénéité et son hétérogénéité : "il n'y a pas descente d'un voile entre l'esprit et une de ses facultés ; il y a souffrance de l'individu idiomatique, privé d'une partie ou de la totalité de sa vie interne". C'est l'individu idiomatique qui est atteint dans sa réaction vitale d'organisme vivant à son milieu. On est ici plus proche, à la fois, de Lamarck et de Bichat que de Darwin.

La pathologie de l'organisme idiomatique, corrélative, selon les modalités de la rupture de l'équilibre entre l'organisme et son milieu, d'une perturbation subie par ce dernier, n'est pas un fait invoqué sans intention. Elle sert ici de relance à l'analogie dans la systématique gobinienne. Un milieu malade est un milieu qui *ne convient plus* à l'équilibre organique de l'individu qui l'habite. Or, pour Gobineau, c'est précisément le cas révélé par le métissage linguistique :

"Parmi les faits curieux qu'on remarque sur ce terrain, il faut relever les transpositions par suite desquelles certains idiomes ont passé à des familles humaines pour lesquelles ils n'étaient pas faits et qui, par suite de circonstances historiques, ont, en les adoptant, perdu leur parler originaire. Les exemples de ces mutations sont assez nombreux. Il en résulte toujours des modifications sensibles dans l'économie des individus idiomatiques, transplantés au sein de milieux qui ne sont pas les leurs, absolument comme il est arrivé aux espèces végétales et animales soumises à la même épreuve". (2, XXXVIII)

D'où, comme il va de soi, l'atrophie et la dégénérescence. Cela conduit donc à postuler *le contraire* de ce qui avait été admis sous l'influence hégélo-schleicherienne, et à reconnaître une certaine *dépendance* entre le devenir organique des langues et l'influence de l'esprit. Mais la contradiction, du fait d'une démarche devenue habituelle à Gobineau, n'est pas paralysante : c'est en tant qu'*hétérogène* au milieu que l'idiome jouissait de sa vie et de son développement relativement autonomes et spontanés ; mais c'est en tant qu'*homogène à ce même milieu* qu'il va révéler sa dépendance : le caractère relatif et duel des déterminations de l'organisme, ainsi que l'enchaînement des milieux, effacent la contradiction. Le changement de milieu produisant une pathologie de l'organisme abstrait de l'esprit qui est lui-même le milieu de l'individu idiomatique, ses traits pathologiques rejaillissent sur l'organisme de ce dernier, déterminant, à terme, les modalités spécifiques de sa défaillance et de son extinction.

Sous l'angle de l'individu, l'analogie gobinienne se clôt par l'extinction de l'organisme individuel entraînant la mort de l'être idiomatique. La règle de l'enchaînement des milieux fait que le corps périclitant entraîne la ruine de l'esprit qui détermine à son tour l'extinction de la langue :

> "... lorsque le moment de la dissolution du corps approche et que l'individu humain commence à se troubler, l'équilibre de l'esprit venant à se rompre, les Idées disparaissant, s'affaiblissant ou se voilant, l'individu idiomatique manque de nourriture. Il est moins employé, il devient moins alerte ; il perd de son élévation et de sa souplesse ; il tend vers la décadence où les organes qui enveloppent son milieu sont entraînés. Enfin, la mort a eu lieu. Le larynx, la langue, les instruments de l'expression vocale ne fonctionnent plus. L'être idiomatique est privé de toute manifestation. Le milieu cérébral dans lequel il était enfermé se dissout. Il n'a plus de logis. Tous les liens du corps étant rompus, les conditions qui le faisaient vivre dans ce corps sont abolies et l'essaim des idées, ses aliments, s'est dispersé. On pourrait donc conclure que le langage, que l'être idiomatique a succombé avec toutes les ressources de son existence actuelle."(2, XLI)

L'organisme individuel revient donc à sa place de modèle. Ainsi, de même que l'individu linguistique meurt dans l'individu spirituel qui meurt dans l'individu corporel, de même, corrélativement, l'affaiblissement physique de la race par le mélange des sangs détermine l'adultération de l'esprit ethnique, qui entraîne la dégénérescence des langues.

Mais l'existence *abstraite* ou immatérielle, qui est celle de l'individu idiomatique, peut survivre, dans l'esprit humain conservant la conscience de lui-même et par là sa "puissance fécondante" sur l'Idée (2, XLII), à la dissolution corporelle. Le principe de l'*hétérogénéité* est ici ce qui intervient d'une façon sous-jacente pour opérer –à l'intérieur d'une hypothèse purement *métaphysique*– le sauvetage spirituel de l'individualité, par la réintroduction d'un dualisme de fait. On comprend pourquoi, au début du *Mémoire*, Gobineau préférait laisser dans l'indécision la question de l'unité ou de la dualité substantielle de la vie et de la conscience.

Pour qui arrêterait, ainsi, sa lecture à la fin de la deuxième partie du *Mémoire*, il serait impossible non seulement d'y percevoir une trace cohérente de la science darwinienne de l'évolution, mais même d'y déceler l'influence d'une formation philosophique dérivée d'une façon plus ou moins intelligible du darwinisme : ni matérialisme comme chez Vogt, ni spiritualisation du devenir comme chez Schleicher, ni monisme comme chez Haeckel, mais retour vers un spiritualisme métaphysique dont les conditions de réapparition étaient, comme des pierres d'attente, mises en place dès les premières pages.

La troisième partie du *Mémoire*, pour ce qui est des références implicites de Gobineau aux sciences de la nature, est assurément celle qui fournit les éclairages les plus nets. Sa brièveté même est indicative d'une hâte à conclure sur le *sens* à reconnaître aux phénomènes d'individualisation. L'équation établie d'emblée est celle qui rapporte le plus haut degré d'individualité au plus haut degré d'être. Ce qui conduit la substance à l'existence sporadique doit être considéré comme processus formateur. Il y a une *montée* de la substance vers l'existence individuelle qui doit être comprise, dans les faits, comme sa réalisation entéléchique (3, I). Le processus individualisant est un processus différenciateur. Sur ce point, Gobineau, dans des limites étroites qu'il faudra préciser, se trouve être en accord avec Spencer et Darwin :

> "En effet, quand de l'être individuel, on rebrousse chemin vers le point de départ de cet être, les caractères du sporadisme s'atténuent à mesure qu'on avance et finissent par se perdre. Les hommes diffèrent plus entre eux que les enfants, les plantes arrivées à la floraison plus que leurs germinations premières. A leur tour, les enfants diffèrent plus que les embryons et quand on dépasse ces derniers pour ne plus considérer, au-dessous d'eux, que l'entozoaire spermatique, on trouve que, là, la nature animale s'unifie si bien que le têtard qui doit devenir un homme et celui qui produira un poisson ne sont pas à distinguer l'un de l'autre. Ainsi, toute la création animée est ramenée facilement à l'identité dans la mesure où elle perd la conscience de la vie.
>
> Mais, il n'y a pas de motif pour s'arrêter là. Après l'entozoaire spermatique, il y a la cellule, dernier terme jusqu'ici découvert de l'état génésiaque et la cellule n'est pas moins le principe formateur du règne végétal, que du règne animal. Les imaginations qui se plaisent ou celles qui s'indignent à tour-

menter la question de savoir si l'homme a ou n'a pas un degré de parenté avec le singe, ont toute facilité pour s'ouvrir un registre généalogique beaucoup plus étendu et rien ne les force à s'arrêter en chemin dans la contemplation de leurs alliances." (3, II)

Sur un tel schéma, cependant, continue de s'exercer la rection de la métaphysique : le repère, au sein de la vie, reste la "conscience de la vie" qui, comme on vient de le montrer, se poursuit dans une survie immatérielle en dépit de la dissolution du corps. La remontée vers l'indifférenciation originaire –ou plus exactement vers un degré minimal connaissable de la différenciation–, si elle est bien en apparence, comme chez les évolutionnistes, régression vers une simplification croissante des organismes jusqu'à la cellule-mère (dont Gobineau souligne toujours la *composition*), s'effectue cependant en ménageant la part originelle d'hétérogénéité de la conscience à l'intérieur de la substance en devenir –c'est-à-dire en progrès vers elle. *La conscience est le but de la substance en devenir*, en tant qu'elle est vouée par le devenir à y apparaître *en acte*, s'y trouvant déjà *en puissance* dès la première manifestation de la vie. La substance est ainsi *une et variée en elle-même*, et son devenir est téléologique : le mouvement de cette téléologie étant le passage continu de la conscience, à travers elle, de la puissance à l'acte, et à sa réalisation la plus haute dans l'individualité humaine se poursuivant dans l'au-delà de la mort. Au niveau de l'apparition progressive et de l'emprise grandissante, au sein du vivant, de la conscience de la vie et de l'individu, il y a poursuite et relance du processus de différenciation, mais rien qui équivaille à une production survenue de la conscience ou de la pensée par l'acquisition d'un degré élevé de complexification et d'intégration de la matière organique : ni réduction matérialiste de la substance à la corporéité, ni dissociation dualiste classique entre la matière et l'esprit ou entre la vie et la conscience : la position métaphysique de Gobineau est celle d'un *dualisme intra-substantiel* animé d'un *dynamisme affinitaire* au service d'une téléologie de l'épanouissement individuel de la conscience :

"Voilà donc l'état de la substance. Elle n'est pas une et elle se cherche constamment. Elle se détache sans cesse d'elle-même et, sans cesse, cherche à se rattacher. Les corps premiers qui la composent ne cesseront jamais d'être des corps premiers et de garder leurs différences qualitatives ; mais on ne voit pas non plus qu'ils puissent jamais perdre l'attraction foncière qui les entraîne à se rencontrer et à se saisir constamment. Cette attraction foncière, qui n'est pas douteuse, entre les parties de la matière et qui est la cause certaine de toutes les combinaisons que forme celle-ci, n'est pas moins évidente entre la matière et l'esprit, puisqu'elle porte, et elle seule le peut faire, deux manifestations de l'Etre d'apparences si étrangères à s'allier perpétuellement, ce qui ne pourrait pas être si elles ne contenaient pas, également, un principe homogène, commun, identique pour servir de conducteur à l'attrait." (3, VII)

Il faut donc produire une métaphysique commune au newtonisme et aux sciences de la vie –ce dont au siècle précédent Maupertuis, par exemple, avait senti la nécessité–, penser les phénomènes affinitaires au sein d'une substance homogène et hétérogène à la fois, car renfermant d'irréductibles diversités, maintenir la différence qualitative entre la matière et l'esprit tout en magnifiant leur combinaison attractive à partir d'un substrat commun.

Ainsi les différences que la nature présente sont "bien réelles, bien déterminées, qualitatives, immuables dans leur essence, ineffaçables". Mais l'œuvre propre de la *vie* est de tendre à la symbiose des éléments affines et de réduire ainsi les antagonismes. Cette opération de la vie, qui "pousse, l'une vers l'autre, les affinités et, pour cela, les détache des parties antagonistiques" (3, V), est qualifiée par Gobineau de "sélection perpétuelle" :

"Au moyen de cette sélection perpétuelle, il y a mouvement général, plus ou moins rapide, plus ou moins contrarié, vers un équilibre qui ne se produit jamais complet et qui n'arrive pas à l'immobilité, parce que la vie ramène toujours les contacts antagonistiques et détache les affinités les unes des autres pour les reporter séparément vers des affinités plus grandes". (*Ibidem*)

On conçoit qu'ici, la référence au darwinisme puisse prendre sens. Les mots de sélection, de mouvement, d'équilibre semblent en effet évoquer certaines idées-forces de la théorie du naturaliste anglais. En outre, la notion d'antagonisme peut paraître rappeler celle de lutte pour la vie. Or il n'en est rien, car tous ces éléments, dont la dénomination n'est sans doute pas fortuitement chargée de résonances modernes, deviennent non seulement intelligibles, mais aussi plus pertinents lorsqu'on les rattache à la théorie *lamarckienne* des rapports du vivant et de son milieu. L'antagonisme y est celui des *circonstances* et du *vivant* développant en fonction d'elles de nouveaux besoins, des actions, des habitudes, des organes, et un dispositif de conservation et de perfectionnement de ces acquisitions, qui représentent dans leur ensemble ce que la nature vivante fait pour *réduire* l'opposition ou l'hétérogénéité de l'organisme et de son milieu. L'immobilité qui résulterait d'un état de parfait équilibre est impossible en vertu de l'exigence minimale d'hétérogénéité qui est manifestée par le vivant pour se distinguer de son milieu, et aussi parce que l'histoire de la vie est l'histoire d'un progrès qui culmine avec l'homme –ce qui est vrai pour Lamarck au niveau de l'organisation (24)–, progrès que l'histoire de l'homme tend à inverser en dégénérescence –ce qui n'est vrai en fait, à tous les niveaux, que pour Gobineau.

Il en est de même pour la première occurrence, dans le *Mémoire*, du terme de *sélection*, au § 3 de la troisième partie, immédiatement après ce passage calqué sur une page de l'*Avertissement* de la *Philosophie zoologique* où Lamarck invoquait à l'appui de sa doctrine les degrés de simplification de la substance vivante à mesure que l'on remonte des formes les plus "parfaites" vers celles qui le sont moins : "Le progrès de la vie gravite en sens inverse. Il constitue une constante sélection par suite de laquelle a lieu l'élimination successive des caractères généraux, ceux qui le sont davantage disparaissant les premiers, jusqu'à ce que l'être atteigne le plus haut point possible d'isolement et de spécialisation". Or ce thème n'est "darwinien" qu'autant que Darwin est voué par Gobineau à ne pas excéder la pure répétition de Lamarck : nulle part en effet dans l'œuvre de Gobineau n'est définie ni mise en œuvre la *sélection* selon Darwin. Nulle part le caractère fortuit et accidentel de la *variation* n'est thématisé. Nulle part il n'est rappelé que la survivance d'une espèce est indépendante

(24) L'une des raisons importantes qui font que Gobineau est nécessairement plus "lamarckien" que darwinien, c'est que Lamarck, respectueux du principe d'un être et d'une intelligence suprêmes, respectera aussi rigoureusement l'idée selon laquelle l'homme règne de par sa supériorité de nature sur tout le reste de la création. L'évolution (le progrès) de la vie et de l'organisation culminent donc avec lui, en qui cette dernière est "parvenue à son terme de composition et de développement" (*Discours préliminaire* à la *Philosophie zoologique*).

de la force intrinsèque de chacun de ses représentants. Les implications de ces données auraient trop évidemment contredit les conclusions inégalitaires du gobinisme. Or l'originalité de Darwin n'est pas d'avoir d'une manière transformiste prouvé qu'il existe dans la nature une échelle croissante de complication et de spécialisation des organismes : cela, Lamarck l'avait fait un demi-siècle avant lui. Elle est d'avoir montré *comment s'opérait* cette complexification progressive de l'organisation du vivant, et d'avoir, dans cette démonstration, produit la théorie de l'évolution des espèces par sélection naturelle. Cette théorie concorde globalement avec l'idée lamarckienne d'une "tendance innée et inévitable vers la perfection chez tous les êtres organisés" (25), si l'on remplace "perfection" par *perfectionnement* au sens d'amélioration dérivant de variations avantageuses, ce qui est en fait dévoyer complètement les notions du lamarckisme. Cependant l'accord, ponctuel et provisoire, avec Lamarck, ne peut être obtenu qu'au prix d'un véritable effort pour s'arrêter à la surface terminologique du discours : à ce prix, en le séparant de son contexte, on peut considérer comme accordant, sur une base minimale, Darwin et Lamarck, l'énoncé suivant :

> "Si nous prenons comme critérium de l'organisation la plus élevée, la somme de différenciation et de spécialisation des divers organes dans l'être adulte (ce qui comprend le développement du cerveau au point de vue intellectuel), la sélection naturelle amène évidemment à un perfectionnement progressif ; car tous les physiologistes admettent que la spécialisation des organes, en tant qu'elle les rend plus propres à remplir leurs fonctions, est un avantage pour tout être, toute accumulation de variations tendant à déterminer une spécialisation sera donc du ressort de la sélection naturelle". (26)

Mais la sélection darwinienne n'est pas nécessairement et immuablement celle de caractères de plus en plus spécialisés. Elle peut même emprunter la voie d'une perte ou d'une atrophie d'or-

(25) Darwin, *L'origine des espèces*, ch. IV (*Sélection naturelle ou survivance du plus apte*), § intitulé *Du degré suivant lequel l'organisation tend à progresser*, éd. cit., p. 135.

(26) Darwin, *ibidem*.

ganes : c'est ainsi que Darwin déclare, quelques lignes plus bas, qu' "il est parfaitement possible que la sélection naturelle puisse graduellement adapter un organisme à des situations où certaines de ses parties deviennent superflues ou inutiles ; cas dans lesquels il y aurait une rétrogradation réelle dans l'organisation". (27) Un tel cas est effectivement celui de mouches du littoral pour lesquelles une atrophie des ailes, leur permettant de résister à de forts vents, a été une régression avantageuse.

La tactique de Gobineau consiste donc à revêtir une matière empruntée partiellement à Lamarck de termes empruntés encore plus partiellement à Darwin. Au reste, la *partialité de l'emprunt* est sans doute le symptôme le plus facilement appréhendable d'une référence idéologique à la science. Par un abus rétrospectif de langage, Gobineau s'autorise à désigner comme "sélectif" le processus simplement lamarckien de spécialisation et de complexification progressives de l'organisation, qui semble ne "retenir", au détriment de la généralité, que des conformations de plus en plus spécialisées en fonction de ce que Milne-Edwards devait appeler la "division du travail physiologique". En dernier lieu, un élément décisif empêche à tout jamais que l'on puisse prendre au sérieux les rares références expresses de Gobineau à Darwin : c'est la croyance dogmatique en un développement stoppé par une *perfection atteinte* : "Le développement s'arrête", écrit Gobineau, "parce qu'il est complet, eu égard aux circonstances *–terme, ici, d'importation visiblement lamarckienne–* dans lesquelles il se produit, et les signes de la dissolution commencent à se montrer. Ainsi la détermination sporadique est le but et l'individu est l'être".(3, III). Assertion qui n'aurait aucun sens dans le contexte darwinien – les *circonstances*, c'est-à-dire le *milieu*, étant elles aussi sujettes au changement et n'entraînant pas nécessairement la souffrance dissolvante de l'organisme vivant dans son individualité, mais sa modification avantageuse à l'espèce ou bien une extinction spécifique consécutive à une raréfaction par suite de conditions contraires à la reproduction. C'est encore Lamarck, et non Darwin, qui situe dans l'homme, selon ce qui demeure l'orthodoxie chrétienne, le terme de la perfection du créé : "l'homme même", dit-il, où l'organisation est "parvenue à son terme de composition et de perfection-

(27) *Ibidem.*

nement" (28). Ce qui n'est pas à dire que Gobineau soit lamarckien : localement, il emprunte à Lamarck les éléments qui lui servent à se parer d'une référence biologique qui n'a pas encore produit la théorie hérétique de l'ascendance simienne de l'homme, impliquée dans la continuité du darwinisme, et évoquée bien avant la publication de *La descendance de l'homme* (1871). Il est même, méthodiquement, aux antipodes de ce qui constitue la démarche investigationnelle propre à Lamarck : car si ce dernier avait choisi, pour étudier au mieux les phénomènes de la vie, de privilégier la considération des organismes simples des animaux sans vertèbres, Gobineau, lui, fait le choix exactement opposé : "Il faut ... chercher la vie et l'observer dans son épanouissement le plus grand connu, qui est l'individualité, et non pas dans ses origines qui ne la fournissent pas réellement" (3, I).

Le morcellement et la contradiction des références de Gobineau aux sciences de la vie, qui ne peuvent pas ne pas apparaître dès que l'on tente de reconstituer la logique d'une obédience ou la cohérence d'un choix scientifique, semblent indiquer d'une façon péremptoire que l'emprunt qu'il fait aux disciplines distinguées par Lamarck, Bichat et Darwin n'est, chaque fois, qu'un emprunt ponctuellement illustratif, et non l'embrayeur d'une démonstration suivie, d'une systématisation ou d'un ralliement. Le principe de la cohérence du "système" gobinien se situe donc *hors de la science*. Dès lors, il peut apparaître comme secondaire qu'elle soit ou non illusoire sur le terrain où elle tend à se manifester.

Ce terrain, c'est celui de la *philosophie thomiste de la substance et du devenir*.

En effet, de toutes les références, explicites ou implicites, pratiquées par Gobineau, la seule peut-être à n'être pas gravement morcelée ou contredite est celle qu'il fait, sans le dire ailleurs que dans une lettre à sa sœur, à Saint Thomas (29).

(28) *Philosophie zoologique*, éd. de 1963, 10/18, p. 51.

(29) "La première partie de mon ouvrage sur les manifestations de la vie individuelle (Untersuchungen über verschiedene Aeusserungen des sporadischen Lebens) est partie pour Halle où le professeur Fichte va la publier dans sa Revue philosophique. La seconde partie part cette semaine et la troisième et dernière la semaine d'après. Je suis très préoccupé du sort

Ce que Gobineau emprunte à Saint Thomas d'Aquin, c'est non seulement le sentiment de l'existence des choses concrètes, mais surtout une conception de la substance comme sujette au changement intrinsèque, ou plutôt étant en elle-même ce qui change. Le fait que la différenciation progressive rendue sensible par les sciences de la nature s'avère –à travers Lamarck ou Darwin, la question ne vaut plus un nouvel examen– être la loi de ce changement, révèle que ce qui change évolue selon une direction déterminée. On voit ainsi fonctionner le mécanisme de la référence locale : les sciences de la nature vivante sont convoquées pour illustrer ce qui était *déjà* posé comme *téléologie* à l'intérieur d'une métaphysique aristotélico-thomiste. La substance renferme une variété qui explique qu'elle devienne autre, et donne lieu à des existences de plusieurs sortes sans devoir entrer pour cela dans un pluralisme substantiel : la substance n'est pas une, en ce sens qu'elle contient les principes *hétérogènes* d'existences qui adviennent (se manifestent) comme hétérogènes tout en entretenant entre elles –comme c'est le cas entre l'esprit et le corps– des relations *affinitaires* (attractives : occasion pour Gobineau d'accrocher la référence à Newton) consécutives à l'action propre de la vie, qui compensent l'hétérogénéité d'une façon qui ne pouvait manquer de rencontrer chez Gobineau l'analogie physico-biologique du *milieu*. En fait, c'est le *substrat* ou *sujet* aristotélicien, support permanent des qualités contraires, qui, transitant par Saint Thomas, Newton et les naturalistes, devient le "milieu" de Gobineau, à la fois homogène et hétérogène aux vivants qui s'y manifestent, dans la mesure où il peut lui aussi héberger des entités qui s'opposent. La variété des existences est donc en puissance à l'intérieur de la substance, dont le devenir est fait de ses manifestations. Si la substance n'est pas *une* au sens où en elle cohabitent des hétérogènes, il faut, conformément à l'exigence aristotélicienne, qu'il y ait cependant en elle un subs-

de cet ouvrage auquel j'ai pensé pendant douze ans, que j'ai travaillé sans cesse, manqué trois fois et pu terminer seulement ici. C'est au fond une théorie sur la vie future et j'y tiens extrêmement. L'orthodoxie en est incontestable, mais bien entendu l'orthodoxie thomiste et pas du tout celle de St. Sulpice. Les Sulpiciens sont, à mes yeux, plus révoltants, plus répugnants, plus foncièrement hérétiques et plus bas que les Carpocratiens ou autres gnostiques exaltés".
(Ms 3520, pièce 53, cité par A.B. Duff, éd. cit., pp. 21-22.)

tratum pour servir de base constante aux changements et aux antagonismes. Ainsi se comprend l'exigence, formulée par Gobineau, d'un "principe homogène, commun, identique, pour servir de conducteur à l'attrait", ce dernier étant l'agent propre de la vie. Il y a donc, de ce point de vue, une unité substantielle du vivant à l'intérieur de laquelle les éléments originels ne sont pas supprimés : d'où l'irréductibilité qualitative des "corps premiers" chez Gobineau. Il y a également chez Saint Thomas une organisation hiérarchique des substances –laquelle, toutes choses égales, peut s'harmoniser de très loin avec le schéma lamarckien–, allant du minéral jusqu'à l'homme, qui cependant émerge *par création spéciale* du reste des existants, du fait qu'il est composé d'une matière spirituelle : on comprend alors, dans son origine, l'intolérance de Gobineau face aux ébauches diverses de la théorie de la descendance de l'homme.

La liste des emprunts de Gobineau au thomisme recouvrirait à peu près toute l'étendue du *Mémoire* de 1867 : le sentiment d'une totalité de la substance composée de *matière* et de *forme,* cette dernière étant principe d'existence ; la théorie de la *corruption* comme *séparation de la forme et de la matière* (30), fondant la possibilité d'une persistance de la forme débarrassée de la matière et, de là, toute la théorie gobinienne de la *vie future* ; le rapport de la puissance et de l'acte ; la conscience définie comme *acte* ; la suprématie de l'intellect auto-connaissant dans la hiérarchie des formes vivantes ; la référence finale à d'autres types d'existences : celles de Dieu et des anges, qui sont assurément, de tous les êtres, les moins susceptibles de métissage.

L'effraction

Poser la question du rapport de Gobineau aux sciences n'est pas, quoi qu'on en ait pu dire, une entreprise dénuée de sens ou d'utilité (31).

(30) *Contra Gentiles*, II, 55.

(31) M. Hubert Juin, présentant Gobineau pour l'édition Belfond (1967) de l'*Essai sur l'inégalité des races humaines*, est libre de ne pas même considérer la question, alléguant comme raison suffisante que son auteur n'avait rien compris aux sciences. Il est libre également de voir en lui un "passionné

Qu'entre autres, la réponse à cette question soit que les références scientifiques du *Mémoire*, analysées une à une, ne présentent aucune rigueur et même des contradictions, ne doit pas écarter d'une interrogation à juste titre persistante : qu'en est-il, précisément, d'un discours faux et cohérent ? Qu'en est-il de la cohérence de la fausseté lorsqu'elle est appelée à démontrer, à l'aide de la science, ce que la science elle-même ne peut que désavouer ? Ou encore : qu'est-ce qui est emprunté de la science pour être employé à sa propre perversion ?

La référence de Gobineau aux sciences, on l'a montré, est elle-même éminemment *sporadique*. Elle ne se soucie d'aucune compatibilité doctrinale entre les options ponctuelles qui la constituent. Ce qu'elle sélectionne, ce sont des *énoncés* et des *tronçons de logiques*. Ce qui lui permet de référer, expressément ou non,

sans théorie" et, ainsi qu'il le nomme dans son titre, "un grand poète romantique".

Un tel réductionnisme est, à son insu peut-être, proprement *gobiniste*, car, à saisir la *sporade* gobinienne là où se joue, pense-t-il, le plus intime de son idiosyncrasie, il l'autonomise à l'excès par rapport au *milieu* même et aux déterminations extérieures de sa pensée, en ignorant systématiquement son inscription dans l'histoire d'une philosophie, d'une anthropologie et d'une linguistique dont la combinaison avec les sciences de la nature et du vivant devaient produire, réfractées dans cette conscience antidémocratique et légitimiste, les conflits logiques –inaperçus ou recouverts– que nous avons identifiés. L'unité de Gobineau –non du gobinisme– dans une lecture de ce type, c'est l'unité du poème, soit : un jeu plus ou moins réussi d'assonances qui engage tout autre chose que la rigueur de la déduction et de l'analogie. Ne pas chercher à rendre compte de l'autre *unité* –celle dont la base est l'*Essai* et dont la trame est un tissu d'inconséquences–, de cette unité "systématique" à prétentions et à composantes scientifico-philosophiques,revient à refuser de comprendre que l'unité d'un "poème romantique" ne suffit pas à expliquer ni à excuser l'incohérence savante d'une utilisation biaisée des sciences biologiques et physiques à des fins ouvertement et politiquement *démonstratives*.

Gobineau n'écrit pas un poème. Il fait –ou croit faire– une démonstration. L'étoile Gobineau se loge dans une constellation idéologique qui détermine sa venue, sa place et sa fonction à être autres que celles d'un poète –fût-il "grand"– du romantisme de la désillusion.

S'attacher, *de préférence et d'abord* (voire exclusivement) à l'*individu* Gobineau, c'est être gobiniste.

séparément ou simultanément, à Lamarck et à Darwin par exemple, ce sont des parallélismes minimaux (ainsi par exemple, le degré croissant de complexification des organismes) coupés de leur articulation à un contexte propre d'exposition argumentative. On pourrait montrer encore que, bien que nuancée de quelques concessions minimes à la pensée anthropo-géographique des théoriciens du siècle précédent, la thèse gobinienne de l'indépendance des hommes par rapport aux déterminations issues du lieu de leur origine et de leur résidence, pour ce qui touche à leur progrès ou à leur stagnation (*Essai*, livre I, chapitre VI), s'accommode parfaitement –si l'on accepte le fractionnement et l'analogie– avec ce que Claude Bernard –un anti-vitaliste– prononcera en 1865, suivant en cela une idée déjà présente et développée chez Lamarck, au sujet du haut degré d'indépendance des formes les plus élevées d'organisation par rapport aux conditions de l'environnement cosmique (32). Ce qu'il faut alors comprendre, c'est que Claude Bernard, qui approuve la constatation du phénomène, rejettera par contre les inférences des vitalistes, qui concluent de cette observation à l'autonomie absolue et à la "spontanéité" du vivant, notion que Gobineau, à travers l'ambivalence tactique de sa théorie des *milieux*, ne pouvait véritablement –ainsi que tendent à le confirmer sa référence à Bichat, sa théorie métaphysique de la vie et de l'affranchissement graduel des existences "immatérielles"– que défendre au titre d'un signe précurseur de l'affranchissement total qui conditionne l'accès à la vie future. C'est en fonction de ce sauvetage ultime que s'ordonne le renvoi allusif et morcelé aux doctrines scientifiques.

Or si Gobineau avait pu *lire*, sereinement, en 1865, l'*Introduction à la médecine expérimentale*, il y aurait rencontré déjà la condamnation de son réductionnisme analogique –où l'on retrouve d'une manière éminemment informante l'*analogie de proportion* qu'il tirait du thomisme–. Ce réductionnisme de Gobineau consiste à ramener l'analyse des phénomènes socio-historiques à celle des phénomènes biologiques, et à ramener la conception de l'évolution biologico-culturelle –qui est selon lui un tout déterminé par son premier terme– des groupes humains à celle de l'évolution de l'organisme individuel. Mais Claude Bernard était précisément celui qui écrivait en 1865

(32) *Introduction à la médecine expérimentale*, éd. Flammarion, 1952, p. 107.

–deux ans avant l'achèvement et la publication du *Mémoire*– que "la connaissance de l'homme isolé ne nous apporterait pas la connaissance de toutes les institutions qui résultent de son association et qui ne peuvent se manifester que par la vie sociale" (*ibid.*, p. 138). La science physiologique est, comme celle des faits physico-chimiques, la science des *relations* qui *constituent*, proprement, les *phénomènes*. La sporade gobinienne, même reliée à un "milieu" ou, par encastrements successifs, à un emboîtement de milieux, est inapte, telle qu'elle est pensée, à rendre compte de la spécificité des relations qui la font exister comme phénomène singulier en lui conférant ses propriétés, car elle est appelée à se défaire de toute relation pour accéder, au terme du trajet, à l'*indépendance*.

Ainsi, Gobineau ne pouvait emprunter à la physiologie qui lui était contemporaine que des *énoncés minimaux* extraits d'exposés doctrinaux souverainement opposés dans leur logique à ce que le réductionnisme tactique de cet emprunt tirait de leur fractionnement. Ainsi la non-congruence relative du vivant et du milieu, thème stratégique dans le *Mémoire*, est bien une donnée minimale issue du consensus de tous les naturalistes et physiologistes, au niveau de l'observation la plus élémentaire. Non seulement Gobineau n'invente rien, mais il emprunte aux théories scientifiques ce qui est proprement leur *lieu commun*, hors de quoi seulement ces théories se particularisent.

La référence à Darwin s'ordonne de la même manière. La théorie de la sélection est réduite au spectre inconsistant d'une logique de l'élévation des formes vivantes dans l'organisation, et il est absolument pensable que le rêve gobinien de la suprématie guerrière ait cru pouvoir trouver une figure homogène à lui-même dans l'idée du combat pour la vie. Au reste, cc qu'au détour d'un nom cité avec peu de chaleur révèle la référence expresse de Gobineau à Darwin, ce n'est pas que la science darwinienne, après l'*Essai*, ait confirmé en quelque chose les vues antérieures de Gobineau, mais c'est, au contraire, que Gobineau a *précédé et déterminé* Darwin :

"Une des idées maîtresses de cet ouvrage (*l'Essai*), c'est la grande influence des mélanges ethniques, autrement dit des mariages entre les races diverses. Ce fut la première fois qu'on posa cette observation et qu'en en faisant ressortir les résultats au point de vue social, on présenta cet axiome que tant valait le mélange obtenu, tant valait la variété humaine produit de ce mélange et que les progrès et les reculs des sociétés ne sont autre chose que les effets de ce rapprochement. De là fut tirée la théorie de la sélection devenue si célèbre entre les mains de Darwin et plus encore de ses élèves. Il en est résulté, entre autres, le système de Buckle, et par l'écart considérable que les opinions de ce philosophe présentent avec les miennes, on peut mesurer l'éloignement relatif des routes que savent se frayer deux pensées hostiles parties d'un point commun. Buckle a été interrompu dans son travail par la mort, mais la saveur démocratique de ses sentiments lui a assuré, dans ces temps-ci, un succès que la rigueur de ses déductions ne justifie pas plus que la solidité de ses connaissances.

Darwin et Buckle ont créé ainsi les dérivations principales du ruisseau que j'ai ouvert. Beaucoup d'autres ont simplement donné comme des vérités trouvées par eux-mêmes ce qu'ils copiaient chez moi en y mêlant tant bien que mal les idées aujourd'hui de mode". (33)

Une intelligence rigoureuse de la sélection ou une simple continuation de l'analogie aurait dû, dans les faits, montrer à Gobineau que le darwinisme avait triomphé du gobinisme au sein de la lutte pour l'existence. Quoi qu'il en soit, le flot des erreurs –égocentriques– de Gobineau apparaît d'autant mieux lorsqu'il tente de ramener à sa propre influence l'origine de la théorie darwinienne de la sélection. Celle-ci n'est nullement née d'une prise en considération particulière de l'effet des croisements de races sur l'intelligence, la société et la civilisation, encore qu'elle renferme, d'un point de vue strictement zoologique ou botanique, des aperçus importants, comme on l'a fait voir, sur les métissages et les hybridations. La théorie darwinienne est née, en grande partie, d'une réflexion sur la *sélection artificielle* pratiquée par les éleveurs sur les espèces animales domestiquées, en vue de perpétuer des variations avantageuses pour l'homme et d' "améliorer" ainsi les types. Darwin tendrait ainsi, constatant les effets positifs de certains croisements entre variétés différentes, à favoriser la multiplication des mélanges. La principale conclusion *pratique* de l'*Essai*, c'est au contraire qu'il faut les *éviter*. Le métissage, il est vrai, de l'aveu même de Gobineau, a été le moteur de l'accession de certaines races inférieures à un niveau acceptable de culture et de sociabilité. Mais *ce que gagne l'inférieur au mé-*

(33) Gobineau, *Avant-propos* à la seconde édition de l'*Essai sur l'inégalité des races humaines*, éd. cit., p. 33.

lange ne saurait compenser ce qu'y perd le supérieur. Ces notions sont absolument étrangères à Darwin. Si au contraire les produits du métissage n'étaient pas "supérieurs" aux variétés parentes, les éleveurs n'auraient jamais pratiqué la sélection.

C'est ainsi qu'en pleine période d'expansion coloniale, Gobineau, du fait même de ses convictions inégalitaires, est résolument hostile à la colonisation, par crainte du mélange des sangs et de l'affaiblissement consécutif de la race.

En ce point de son avancée, notre réflexion nous permet de fixer quelques constantes probables quant au fonctionnement d'un discours idéologique. Dans sa version la plus large, ce fonctionnement peut être décrit comme *un rapport d'effraction à une somme articulée d'énoncés et de concepts détenant ou postulant une unité théorique*. Nous choisissons ici de parler d'énoncés, de concepts, de théorie, pour éviter, à ce niveau de généralité, l'emploi trop restrictif du mot *science*. Cette définition ne s'applique évidemment que là où l'idéologique fonctionne par référence à des corpus théoriques déjà constitués. Dans le domaine circonscrit par la critique marxiste, il faudrait parler d'un rapport inconscient ou conscient d'effraction, de méconnaissance ou d'aveuglement face à une somme articulée de *faits* –socio-économiques– présentant *réellement* une structure contradictoire (par exemple les rapports et le mode de production, et le mouvement des forces productives en système capitaliste). L'idéologie fonctionne alors comme ignorance ou recouvrement de la contradiction installée *dans les faits*, tandis qu'au niveau théorico-scientifique, qui est celui que nous analysons, l'idéologie fonctionne comme *production d'une fausse cohérence ou d'une pseudo-logique*, en s'autorisant d'une cohérence ou d'une logique installée dans la science, ou encore d'une autre incohérence ou pseudo-logique préalablement établie par une *autre idéologie* entretenant avec la science le même rapport, etc. Car ce qui est disloqué dans et par l'idéologie, ce n'est pas seulement la science. La meilleure preuve en serait que Hitler a lu Gobineau –qui n'est pas, tant s'en faut, la science– comme Gobineau a lu Darwin : en sautant des pages –celles, en l'occurrence, qui n'étaient pas tout à fait glorieuses pour l'Allemagne–. *Effraction*, c'est-à-dire *violence* et *fractionnement*. C'est en fractionnant des logiques et en juxtaposant des énoncés que Gobineau produit, de ses différentes lectures, une synthèse à la fois sélective et illusoirement combinatoire, dont nous avons montré qu'elle était subordonnée en dernière analyse, quant à sa structure et à sa téléologie, à une rection thomiste. Dans cette mesure, Gobineau aurait pu lui-même voir appliquer à sa pensée ce qu'il dit dans son propre texte de la *démence*, et que nous n'avons fait qu'identifier dans le grand jeu d'analogies de sa "systématique" : l'hétérogénéité absolue dans l'organisme abstrait. Dans cette mesure encore, on peut dire qu'*aucune idéologie ne "naît" de la science*, si "naître de" implique, comme il se doit, un rapport d'homogénéité. Ainsi, aucune idéologie –pas même l'idéologie "évolutionniste"– ne "naît" de Darwin : l'idéologie évolutionniste *précède* Darwin (voir entre autres Spencer), et trouve dans le darwinisme la référence à la science qui lui permet de se donner elle-même comme une démarche scientifique d'explication universelle.

Il y a en effet dans toute formation idéologique une postulation universaliste. L'évolutionnisme, en tant que formation idéologique, tend à appliquer aux phénomènes inorganiques, organiques et socio-culturels, un principe d'explication du devenir qui exclut que l'on puisse avoir recours à un principe plus général. De même, face aux questions relatives à la connaissance, fera le positivisme. De même fait, à son niveau, toute religion. Pour asseoir l'universalité de son interprétation du monde et de l'histoire, l'idéologie, comme la métaphysique, induit un *dogmatisme* qui exclut pratiquement ce qui constitue le caractère même de la science en acte : la conscience –voire la remarque– des limites actuelles de sa connaissance des objets. Darwin reconnaît cette limitation, par exemple, dans l'insuffisance provisoire de ses armes en matière d'explication génétique. Son hypothèse scientifique se propose donc comme valide en histoire naturelle –en dépit de quelques lacunes– *du point de vue du naturaliste*, et non encore *du point de vue du généticien*. Cet espace d'inscience relative renvoie donc à un approfondissement nécessaire des connaissances en ce domaine, qu'il sait susceptible d'advenir si la démarche scientifique n'est pas obscurcie, parce qu'il croit, comme eût dit Claude Bernard, au déterminisme absolu des phénomènes. La position du savant qui prétend que l'on se saura jamais expliquer tel phénomène n'est pas scientifique et, chez le savant qui l'adopte, elle n'est le plus souvent que la trace d'une rhétorique –propitiatoire ?– de l'humiliation de la raison qui renvoie à un tout autre lieu que celui de la réalité de la recherche. Ainsi, dans la science et dans la non-science, et concernant ce qu'il est *permis* de connaître, c'est toujours autre chose que la science qui dogmatise.

Le postulat universaliste, pourrait-on objecter, est commun à la science et à l'idéologie : Darwin découvre dans la transformation des espèces par sélection naturelle le mécanisme universel du devenir du vivant, et Gobineau découvre dans le métissage le principe universel de sa décadence. Mais, sans même évoquer les innombrables erreurs scientifiques de Gobineau, ni son rapport insoutenable à une ou des sciences qu'il fragmente et dénature pour les faire servir de soutiens à sa démonstration, ni sa construction à dominante métaphysique (aristotélico-thomiste), il est possible de répondre, interprétant le symptôme le plus visible et peut-être le plus caractéristique, que nulle part Gobineau ne laisse place dans son discours à la mention d'un inachèvement actuel de sa propre doctrine, ou des éléments scientifiques qu'il emprunte : pour lui, le perfectionnement de la connaissance n'est qu'un élément de sa systématisation abstraite, qui le programme comme figure culminante du devenir individuel sur terre : l'incomplétude essentielle de la science *réelle* n'est pas son objet. La théorie de l'inégalité originaire des races est un dogme que "prouve" *a posteriori* une référence fausse aux sciences de la nature, combinée avec une série d'illustrations historico-culturelles qui s'épargne constamment, ou minimise à l'excès, les exemples susceptibles de la remettre en cause. *La science est donnée comme achevée par l'idéologie, alors que c'est l'universalisme idéologique qui, précisément, en lui-même, l'achève.*

La science donc est donnée comme *achevée* par l'idéologie, non sur son propre terrain, mais sur le terrain même de l'idéologie et par son opération propre : pour Gobineau, le darwinisme en a assez dit, dès lors qu'il vient contredire l'unité doctrinale de l'œuvre et du système "précurseur" de Gobineau. C'est pourquoi en réalité Gobineau, qui ne peut rien tirer de Darwin qui excède ce qui demeure de lamarckien dans sa théorie –un progressionnisme qui se laisse parfois assimiler, ponctuellement, à une théorie du perfectionnement graduel–, réduit constamment, sans jamais le dire, le darwinisme au lamarckisme lorsqu'il prétend à une convergence avec ses propres idées.

La science peut progresser dans ses investigations actuelles sans jamais se reconnaître la complétude de la science intégralement détenue. L'idéologie par contre anticipe dans l'abstraction tout développement possible de la science et prévient cette complétude effectivement irréalisable en la "réalisant" dans l'élément de ses systématisations intemporelles, achevées et achevantes. Si par exception l'idéologie avoue un non-savoir, c'est en le posant comme limite essentielle de la connaissance humaine, et par conséquent en dogmatisant encore sur l'impuissance de la science à le transformer un jour en savoir effectif et dynamique.

Une question tout aussi capitale est celle qui concerne, à l'intérieur du discours d'un savant, le statut de l'hypothèse par *extension analogique*. Darwin ne sort pas volontiers de son champ, ce qui lui vaut d'être la plupart du temps scientifiquement crédible. Mais il fait, dans *L'origine des espèces*, plusieurs références à Spencer. Parmi ces références, la première s'attache à un problème terminologique d'importance secondaire (34), la deuxième à une hypothèse concernant les débuts de la différenciation (35), la troisième à une conjecture sur le principe même de la vie (36), la quatrième enfin à un élargissement à venir du champ

(34) A propos de l'expression de "sélection naturelle" choisie par lui pour caractériser le principe de la conservation des variations avantageuses, Darwin note que "Cependant l'expression souvent employée par M. Herbert Spencer, "la survivance du plus apte", est peut-être plus juste et parfois également convenable". (P. 74.)

(35) "Comment, à l'aurore de la vie, quand tous les êtres organisés, à ce que nous pouvons croire, n'avaient qu'une conformation des plus simples, comment, a-t-on demandé, ont pu se réaliser leurs parties ? M. Herbert Spencer répondrait probablement qu'aussitôt qu'un organisme unicellulaire simple serait, par croissance ou division, devenu un composé de plusieurs cellules, ou se serait fixé à quelque surface d'appui, sa loi, "que les unités homologues de tout ordre se différencient à mesure que leurs rapports avec les forces incidentes sont différents", entrerait en action. Mais en l'absence de faits pour nous guider, toute spéculation sur ce sujet est inutile". (Pp. 137-138.)

(36) "... principe qui, selon la remarque de M. Herbert Spencer, dépend de, ou consiste en, une action et une réaction incessantes de forces diverses qui, comme partout dans la nature, tendent toujours à un équilibre, les forces vitales paraissant gagner dès que cette tendance est troublée par un changement quelconque". (P. 284.)

d'opérativité de la science évolutionniste, ce qui nous intéresse plus immédiatement ici : "J'entrevois dans un avenir éloigné s'ouvrir des champs de recherches encore bien plus importantes. La psychologie sera solidement basée sur la fondation, déjà bien établie par M. Herbert Spencer, de la nécessité d'une acquisition par gradation de chaque faculté et aptitude mentale ; ce qui jettera une vive lumière sur l'origine de l'homme et sur son histoire" (p. 489). Dans cet ultime chapitre de *L'origine des espèces* (*Récapitulation et conclusions*), Darwin effectue le bilan de la théorie de la sélection naturelle, laquelle selon lui est appelée à triompher de toutes les objections qui lui ont été adressées. Ce qui ne peut être remis en cause, c'est la théorie de la descendance et le principe de la sélection. Ce qui au contraire n'est et ne peut être encore l'objet d'aucune certitude, c'est la détermination d'un *polygénisme* ou d'un *monogénisme* : là-dessus règne encore la spéculation analogique, guide parfois trompeur (p. 485), mais que la réflexion ne saurait toutefois exclure : la démarche de la science serait donc ainsi composée d'une exploitation théorique des possibilités de l'analogie à l'intérieur d'un champ défini, mais aussi d'un contrôle de sa légitimité par la sanction des faits : configuration, somme toute, bernardienne, de l'investigation heuristique. Cependant, approuvant en toutes lettres Spencer et sa postérité probable, Darwin manifeste sa croyance en une analogie des disciplines quant à leur évolution historique : ce qui est, à coup sûr, un embrayeur idéologique, ou plutôt le consentement à servir de relais au projet ambiant d'une unification des sciences autour du principe de l'évolution. Toutefois, ce qui porte Darwin à donner, en quelque sorte, son aval à tout développement de la science psychologique sur une base spencérienne, c'est que cette dernière lui semble partir du noyau irréductible auquel il a donné lui-même, en biologie, une assise qu'il estime inébranlable : la loi de différenciation progressive. C'est ainsi que Darwin, qui a toujours manifesté par rapport à l'analogie la plus grande prudence épistémologique, particulièrement en refusant de cautionner telle ou telle "application" socio-politique de sa théorie, n'aura pas la même prudence en ce qui concerne son application aux autres sciences : ce qui avait été commencé avec la linguistique –l'établissement d'homologies démonstratives au niveau des classifications et de leur relativisation parallèle dans l'une et l'autre disciplines– se poursuit, mais d'une manière projective et anticipatoire cette fois, avec la psychologie. N'est-ce pas consentir, au niveau d'une théorie implicite de la connaissance, à l'idée d'une parenté génétique des sciences au sein d'une science-mère qui serait, précisément, la biologie ? On aboutirait ainsi à cet intéressant paradoxe au terme duquel l'analogie gouvernerait, au niveau de la théorie de la connaissance et de la représentation générale du savoir, un *monogénisme* que la science-mère refuserait d'accorder aux suggestions insistantes de l'analogie travaillant à l'intérieur de son propre domaine :

> "***L'analogie me conduirait à faire un pas de plus, et à croire que tous les animaux et plantes descendent d'un prototype unique ; mais l'analogie peut être un guide trompeur.*** Toutefois toutes les choses vivantes ont beaucoup en commun, – dans leur composition chimique, leur structure cellulaire, les lois de croissance et leur susceptibilité vis-à-vis d'influences nuisibles. C'est ce que nous voyons dans le fait, insignifiant d'ailleurs, qu'un même poison peut semblablement affecter plantes et animaux ; ou que le poison sécrété par la mouche à galle détermine sur l'églantier ou le chêne des excroissances monstrueuses. La reproduction sexuelle paraît être essentiellement semblable chez tous les êtres organisés. Chez tous, autant que nous le sachions actuellement, la vésicule germinative est la même ; de sorte que tous les organismes partent d'une origine commune. Même en considérant les deux divisions principales –les règnes animal et végétal–, on y trouve certaines formes inférieures, assez intermédiaires par leurs caractères, pour que les naturalistes soient en désaccord quant au véritable règne auquel elles doivent être rattachées, et que, selon la remarque du professeur Asa Gray, "les spores et autres corps reproducteurs des algues inférieures puissent être considérés comme ayant d'abord une existence animale caractérisée, à laquelle en succède une qui est incontestablement végétale." Il en résulte que, d'après le principe de la sélection naturelle avec divergence de caractères, il ne paraît pas incroyable que, tant des animaux que des plantes, aient pu se développer ces formes inférieures et intermédiaires ; et si nous admettons cela, ***nous devons admettre aussi que tous les êtres organisés qui ont vécu sur la terre, peuvent provenir d'une seule forme primordiale. Mais cette déduction étant surtout fondée sur l'analogie, il est indifférent qu'elle soit acceptée ou non.*** " (Pp. 485-486. Nous soulignons).

A une analogie non confirmée démonstrativement par des faits, la science darwinienne reste *indifférente*. L'analogie ne saurait donc constituer *à elle seule* le trajet heuristique, ce qui ne récuse en rien sa fonction souvent initiatrice dans ce trajet : à la fin du XVIIIe siècle, la théorie du vivant s'est constituée au sein des grandes analogies espérées par Du Hamel du Monceau entre les processus de croissance des os des animaux et des troncs des arbres, et entre les processus de cicatrisation animale et de cicatrisation végétale. L'hypothèse analogique était d'ailleurs suivie d'expérimentation (37). En l'absence d'une validation actuelle née d'une convergence de faits non révocables ou d'une expérience démonstrative, l'analogie, tout en restant génératrice d'hypothèse, ne peut conférer à cette hypothèse le droit de s'énoncer comme déduction rigoureuse de la science et fondement rigoureux de déductions nouvelles. L'hypothèse est alors laissée en suspens et, en ce cas précis, les proches continuateurs de Darwin devront travailler à son réexamen. Que la "vraie science" ne se donne jamais comme achevée, c'est ce qu'illustrerait encore cette phrase de Darwin extraite du *Chapitre additionnel* (le septième de la sixième édition anglaise) qui clôt l'édition française de 1973 : "... j'éprouvais la conviction, à un point que je n'avais jamais atteint autrefois, que je suis arrivé à la vérité générale des conclusions, mais que, comme cela est inhérent à la complication extrême du sujet, ces conclusions peuvent encore être le siège de beaucoup d'erreurs partielles" (p. 503). L'important est que la présence de lacunes intersticielles ou d'erreurs "partielles" n'invalide pas la certitude générale de la théorie. Or ce qui fonde, dans le cas de Darwin, cette certitude, c'est tout à la fois l'observation, l'expérimentation et l'analogie. L'*observation*, c'est, en partie, la masse considérable des faits rapportés du voyage à bord du *Beagle*, augmentée des travaux quotidiens du naturaliste. L'*expérimentation*, c'est celle des éleveurs pratiquant la sélection artificielle sur les races d'animaux domestiques. L'*analogie*, c'est celle postulée, avec les nuances qu'il convient, entre le processus de la sélection artificielle –en tenant compte de l'influence de la domestication– et celui de la sélection dans la nature. Ce qui rend cette analogie plus performante et plus valide qu'une autre, c'est d'une part la présence des deux autres éléments ou conditions de la connaissance sûre en biologie (l'observation et l'expérimentation), et c'est d'autre part que cette analogie est forte,

(37) Sur cette question, voir *L'ordre et les monstres* (éd. Le Sycomore, 1980), ch. 12.

ici et là, de la présence d'une *nature* –les animaux, les plantes– dont il est normal de penser que le substrat demeure inchangé dans ses caractères principaux, en dépit des modifications dues à la domestication ou à la culture artificielle. Il s'agit donc à peine, dans ce cas, d'une analogie, dans la mesure où la sélection artificielle est pensée apte, dès le départ, en tant qu'elle s'exerce sur une *nature* conservant ses principaux traits distinctifs, à servir de *modèle manifeste* pour la compréhension du phénomène lorsqu'il est saisi en milieu naturel, où il est peut-être moins aisément observable. Si cependant l'on admet qu'il s'agit bien là d'une analogie, l'homogénéité foncière des champs qu'elle met en rapport lui donnait en quelque manière un fondement de certitude apriorique.

Il peut donc paraître surprenant qu'en dépit de cette prudence marquée vis-à-vis de l'analogie à l'intérieur de sa propre science, Darwin soit sorti de sa réserve habituelle pour cautionner *ailleurs*, et "dans un avenir éloigné", tel développement probable du spencérisme en psychologie. Si l'on s'en tient strictement à la "science" de Darwin telle qu'elle s'énonce dans la théorie des transformations des espèces vivantes, il est aisé de constater qu'elle est indépendante de considérations de cet ordre. Mais si l'on s'adresse sans distinction au *texte* darwinien, on ne peut qu'observer qu'il comporte –rarement, il est vrai– de tels appels à des développements allogènes dont l'absolue validité sur le terrain scientifique non seulement n'a pas été prouvée, mais n'indique en aucune façon comment un jour elle pourra l'être. *Chez un savant donc, la science et le texte, ce n'est pas la même chose*. D'où l'on tire cette conclusion, parfaitement illustrée par l'analyse du cas de Gobineau, que l'idéologie n'est pas un rapport particulier à la science, mais un rapport particulier –et indifférenciant– *au texte du savant*. L'idéologie, prise dans ces limites, est une affaire de citation. Elle repose sur une *indifférenciation* entre l'énoncé scientifique, borné par ses limites actuelles, et la *catachrèse de la science* qui prophétise l'abolition de ces limites ou l'unification des domaines, hors de toute légitimité présente.

Confondre le *discours de la science* et le *texte du savant* relève de l'illusion idéologique selon laquelle le savant est censé vivre et s'exprimer toujours dans l'élément d'une science qu'en quelque manière il incarnerait ou qui s'incarnerait en lui. Cette illusion est aveugle aux temps, aux lieux et aux registres du discours. Le *temps* du voyage sur le *Beagle* et de la rédaction par Darwin de sa relation est *autre*, à de multiples égards, que celui de l'écriture de *L'origine des espèces* : la rencontre *naïve* des phénomènes naturels, l'abandon à la surprise de l'exotisme, l'ethnocentrisme incontrôlé et sans cesse affleurant dans les descriptions des hommes et des usages, les esquisses d'interprétation des différences interculturelles, tout cela procède d'un autre ordre d'enquête, d'appréciation et d'énonciation que la théorisation rigoureuse, et dénuée de considérations ethnographiques, de 1859. Or il ne fait aucun doute que Gobineau a lu avec plus d'attention, ou avec une attention moins déformante, le *Voyage d'un naturaliste* que *L'origine des espèces*. Il y a peut-être lu ce passage, qu'il n'aura pu qu'approuver :

> "La parfaite égalité qui règne chez les individus composant les tribus fuégiennes retardera pendant longtemps leur civilisation. Il en est, pour les races humaines, de même que pour les animaux que leur instinct pousse à vivre en société ; ils sont plus propres au progrès s'ils obéissent à un chef. Que ce soit une cause ou un effet, les peuples les plus civilisés ont toujours le gouvernement le plus artificiel. Les habitants d'Otahiti, par exemple, étaient gouvernés par des rois héréditaires à l'époque de leur découverte et ils avaient atteint un bien plus haut degré de civilisation qu'une autre branche du même peuple, les Nouveaux-Zélandais, qui, bien qu'ayant fait de grands progrès parce qu'ils avaient été forcés de s'occuper d'agriculture, étaient républicains dans le sens le plus absolu du terme. Il semble impossible que l'état politique de la Terre de Feu puisse s'améliorer tant qu'il n'aura pas surgi un chef quelconque, armé d'un pouvoir suffisant pour assurer la possession des progrès acquis, la domination des animaux, par exemple. Actuellement, si on donne une pièce d'étoffe à l'un d'eux, il la déchire en morceaux et chacun a sa part ; aucun individu ne peut devenir plus riche que son voisin. D'un autre côté, il est difficile qu'un chef surgisse tant que ces peuplades n'auront pas acquis l'idée de la propriété, idée qui lui permettra de manifester sa supériorité et d'accroître sa puissance." (38)

(38) Dans sa version la plus accessible, ce texte se trouve pp. 32-33 de l'édition Maspero du *Voyage d'un naturaliste de la Terre de Feu aux Galapagos*. Pour la version complète du *Voyage*, on se reportera à la première édition française, Paris, Reinwald, 1875. L'œuvre ultérieure de

Quoi qu'il en soit, le problème, pour Gobineau, reste que la science à laquelle il eût été *utile* de se référer ne se trouve pas dans ces notes de voyage, mais dans la version définitive de la théorie de la *sélection*, laquelle, on l'a montré, n'avait rien à lui devoir –il eût souhaité et a prétendu le contraire–, et à laquelle il n'avait, quant à lui, rien à emprunter.

Darwin confirmera qu'un état inégalitaire et un régime d'autorité sont les caractéristiques d'une phase (souhaitable) de l'évolution socio-culturelle, mais *non celles de l'idéal social que Darwin assigne à la civilisation*. De même, chez Marx, il faut en passer par le capitalisme.

Thèse n° 13

L'*évolutionnisme moniste* implique la poursuite, au niveau de la connaissance scientifique et du "combat pour la vérité", du motif fondamental de la *lutte pour l'existence.* La théorie de l'évolution est ainsi, pour Haeckel, l'avancée gnoséologique conséquente et "naturelle" du *struggle for life.*

Thèse n° 14

Le *monisme* haeckelien se définit tour à tour comme "science" et comme "philosophie". Lieu théorique de convergence et d'unification des sciences de la nature, il est *la science elle-même se pensant sous la catégorie de la totalité, et se réfléchissant comme philosophie générale du devenir.* Constitué par généralisation inductive à partir de la convergence des sciences particulières, il fait retour vers elles avec l'effet unifiant d'une "philosophie" entièrement générée par les sciences et inscrite dans leur continuité. Le même schéma se retrouve dans la formulation par Spencer de la "loi d'évolution", instrument de l'unification monistique des phénomènes à partir du principe premier de la "persistance de la force".

Thèse n° 15

Le *monisme,* théorie unitaire des phénomènes, est par voie de conséquence aussi théorie unitaire de la connaissance.

Thèse n° 16

La situation politico-religieuse de l'Allemagne après la fondation du *Reich* est déterminante quant aux enjeux de la querelle du transformisme et de la théorie de la descendance de l'homme, qui rencontreront de la part des Jésuites le même type d'opposition tactique qu'avaient dû affronter au siècle précédent les propositions de l'évolutionnisme culturel.

L'unification (Haeckel et le monisme)

Mes réflexions antérieures auront, je le pense, suffisamment démontré que l'évolutionnisme –ce terme étant pris ici, exceptionnellement, dans son sens vague et courant ("bio-philosophique")– ne saurait avoir joué dans la pensée occidentale le rôle d'une *révolution* comparable, par exemple, à celle qu'a pu produire en Europe, après 1543, l'irruption de l'héliocentrisme copernicien dans le champ des représentations cosmologiques et de l'anthropologie attenante. Une histoire des sciences ou, plus généralement, une histoire des "idées" qui enregistrerait à cet égard comme un fait original la "vision du monde" accompagnant l'apparition de la théorie de Darwin sur l'avant-scène scientifique de la seconde moitié du XIXe siècle, ainsi que le grand débat intellectuel qui s'ensuivit, ne pourrait cependant prétendre qu'à l'interprétation des *conséquences,* et non des mécanismes opérateurs des transformations réelles de la représentation de la nature et de l'histoire dont l'idéologie évolutionniste et la constellation d' "applications" extra-biologiques du darwinisme constituent les aboutissements majeurs. Il ne s'agit pas ici, de ma part, d'un retour plus ou moins voilé vers l'ancien continuisme –puisqu'il n'est pas question de science, mais, en somme, d'idéologie– ; il s'agirait plutôt d'un approfondissement des déterminations interdiscursives et inter-régionales qui *en effet* solidarisent historiquement des intuitions, des hypothèses et des énoncés scientifiques et philosophiques dont la convergence, pour des raisons précises, n'a pu parvenir à un niveau d'émergement effectif à l'intérieur du discours habituel de l'histoire des sciences ou de la philosophie.

Ce n'est pas ici le lieu que j'élirai pour revenir sur des démonstrations déjà faites. Rappelons seulement que la première dynamique d'*évolution,* apparue au titre d'une *logique des transformations* dans le domaine des théories produites au XVIIIe siècle sur l'*histoire de l'écriture* et les mutations successives des systèmes de notation symbolique, a été clairement identifiée par nous comme *un effet direct du christianisme* cherchant à "naturaliser" par là des phénomènes tels que l'hermétisme hiéroglyphique ou la naissance des cultes idolâtriques, qu'il eût été dangereux d'accepter de concevoir, selon la suggestion d'Athanasius Kircher (1), sur le mode de l'*institution politico-religieuse.* Cet *effet,* contradictoirement nécessité par la défense du christianisme –attaché à l'idée de l'*innocence* et de la *transparence* de l'écriture dans l'origine (monothéiste) de toutes les civilisations–, et faisant brèche dans sa logique –en installant en anthropologie la possibilité de penser l'*évolution parallèle* des cultures sans recourir au dogme de la diffusion–, dut être, tant bien que mal, résorbé, quelques années plus tard, par le diffusionnisme dogmatique chrétien lui-même. C'est de ce conflit *interne* du discours anthropologique que l'on peut suivre la trace, après dissociation des instances antagoniques, jusque dans les oppositions qui ont divisé, à une époque beaucoup plus récente, les tenants de l'*évolutionnisme* et du *diffusionnisme* en anthropologie.

C'est donc dans le champ de l'anthropologie que tout se détermine d'abord. A ce niveau, l'intuition évolutionniste des Lumières est une réalité effective, et décelable en dehors de tout reproche d'approximation conceptuelle et d'usage par trop extensif d'une notion dont on se servirait en lui faisant subir l'altération qui accompagne généralement le fait d'une interprétation récurrente. Bien que tout disposé à louer le souci de rigueur de certains épistémologues et historiens des sciences attachés à l'histoire des disciplines scientifiques et à la "légitimité" des concepts qu'ils cherchent avec raison à garantir des vieilles illusions continuistes de la précursion, je ferai ici un usage *légitime* du concept d'évolutionnisme en l'appliquant à certains traits profonds du discours *anthropologique* au XVIIIe siècle, dans l'exacte mesure où le cadre dialectique d'une pensée de l'*évolution,* dont il me semble avoir ailleurs démontré

(1) *Athanasii Kircheri... Oedipi Aegyptiaci tomus III. Theatrum hieroglyphicum...,* romae, 1654.

l'existence (2), d'une part y était présent sous les modalités que j'ai dites, d'autre part était nécessaire pour asseoir *sur une base idéologique déjà constituée* l'extension même, au siècle suivant, du darwinisme aux disciplines connexes qui ont tenté son "application". En fait, un regard instruit sur l'histoire de ces disciplines, de la linguistique à l'anthropologie en passant par certaines méditations "sociologiques", prouve surabondamment que le darwinisme n'a été pour elles qu'un relais et un accélérateur de systématisations qui, utilisant son *aura* de scientificité de moins en moins discutable, s'étaient cependant développées, bien auparavant, au cours d'une longue maturation historique, sur un terrain qui était beaucoup plus celui des sciences de l' "homme" que celui des sciences de la nature.

Par ailleurs, et s'il faut encore justifier ce point de vue, la référence malthusienne du darwinisme décrit une forme de déterminisme mathématique que le XVIIIe siècle avait approchée dans les théories du devenir historique et "naturel" des systèmes symboliques : ces derniers (pictographie mexicaine, picto-idéographie chinoise ancienne, hiéroglyphes curiologiques égyptiens, etc.) meurent d'un trop grand *accroissement numérique* des signes, ainsi que l'affirment notamment l'abbé Pluche (3) et Warburton (4), de sorte que s'opère la *transformation* qui assure la *survie* de systèmes *adaptés* au maintien d'une communication praticable —elle-même assujettie à des limites *naturelles* non excédables, telles l'intelligence et la mémoire. Ce mouvement, naturellement orienté vers une *adéquation* de plus en plus subtile et différenciée aux fins, de plus en plus élevées et nombreuses, de la signification et de la communication, montre que la *logique* de l'*évolution* est ici présente dans ses composantes les plus essentielles, spécifiant déjà d'une manière indiscutablement moderne la notion antérieure de "progrès". Par ailleurs encore, et pour corroborer cette interprétation qui repose plus sur l'analyse de l'orientation des *logiques* que sur l'attachement dogmatique au pouvoir prétendument instaurateur

(2) Voir à ce propos notre édition de Warburton, *Essai sur les hiéroglyphes des Egyptiens*, et sa présentation *(Transfigurations : archéologie du symbolique)*, Aubier-Flammarion, 1978, et surtout *La Constellation de Thot (hiéroglyphe et histoire)*, Aubier, 1981.

(3) *Histoire du ciel*, Paris, 1739, pp. 126-127.

(4) Cf. p. 109 de notre édition, citée plus haut.

de "concepts" saisis presque toujours hors du mécanisme historique de leur production et de leurs spécifications régionales, il faut rappeler ici, comme je l'ai fait dans un précédent livre (5), que la référence que pratiquent les deux grands théoriciens transformistes Darwin et Lyell à la *linguistique* qui leur est contemporaine (6) pour accréditer la possibilité de l'*intelligibilité* même de la notion de *descendance* auprès d'un public non savant, autorise plus que tout autre discours à prendre au sérieux la grande intuition pré-darwinienne affirmée notamment par Schleicher (7), et à admettre comme un *fait*, en accord avec une observation de Claude Lévi-Strauss (8), que l'évolutionnisme que l'on qualifie de *culturel* précède, au sens étroit, l'évolutionnisme qui s'attache au transformisme biologique, et, en accord avec mes démonstrations antérieures, qu'il contribue à former, au sens large, les cadres de sa logique heuristique et argumentative.

Cela étant établi, la "révolution" ou, plus exactement, le bouleversement visible que crée le darwinisme dans la seconde moitié du XIXe siècle ne provient de rien d'autre que du caractère désormais de plus en plus irréfutable et, pour certains, de plus en plus "officiel" de la théorie de la descendance modifiée en histoire naturelle, après la publication, en 1859, de la première édition anglaise de *L'origine des espèces* et sa traduction allemande, dès 1860, à Stuttgart. Un corps de doctrine scientifique homogène fait face, simplement, à la théologie dogmatique.

Au cours de la période qui s'étend de 1860 jusqu'au début du XXe siècle, on relève, au niveau de la saisie des événements intellectuels relatifs à l'émergence et à l'expansion de l'évolutionnisme développé en référence au travail de Darwin, deux phénomènes essentiels :

(5) *Évolutionnisme et linguistique,* Vrin, 1980.

(6) Darwin, *L'origine des espèces,* pp. 423-424 de l'édition de 1973. Lyell, *L'ancienneté de l'homme prouvée par la géologie,* ch. XXIII : "Comparaison de l'origine et du développement des langues et des espèces".

(7) Schleicher, *Die deutsche Sprache,* Stuttgart, 1860. Cf. *La théorie de Darwin et la science du langage,* dans *Évolutionnisme et linguistique,* p. 60.

(8) Cl. Lévi-Strauss, *Anthropologie structurale,* p. 6. Lévi-Strauss parle, exactement, d'évolutionnisme *sociologique.*

– D'une part, la *convergence consciente* des orientations propres aux sciences de l'homme et aux sciences de la nature vers une *théorie générale de l'évolution* qui se donne comme celle du devenir de l'homme et de la science, et dont la caractéristique philosophique principale est de rejeter l'ancien dualisme pour suivre une inspiration ouvertement *moniste.*

– D'autre part, et corrélativement, l'affrontement, également *ouvert,* entre le darwinisme militant et sa théorie de l'engendrement des espèces par variation et sélection –incluant celle de la descendance de l'homme–, et le christianisme luttant pour le sauvetage ultime du dogme de la création séparée des êtres naturels et de l'essence spirituelle de l'âme humaine.

De cet affrontement, l'Allemagne paraît être le théâtre privilégié. Qu'il s'agisse bien d'un *combat* dont dépendent l'avenir de la science et son triomphe sur la théologie dogmatique, c'est ce que viennent rappeler sans relâche, sous la plume de Haeckel vieillissant, les expressions caractéristiques de "lutte pour la Vérité" ou de "lutte soulevée par l'idée d'évolution", voire de "guerre" ou de bataille "sans merci" :

> "Si j'apparais en conséquence", *écrit-il,* "tel qu'un ***lutteur*** sans merci, on devra songer que "la guerre est la mère de toutes choses" et que le triomphe de la raison pure sur la superstition dominatrice ne peut s'effectuer qu'au prix du combat le plus acharné." (9)

Cette combativité se donne comme l'expression cohérente de la science darwinienne en acte : la lutte pour l'existence régit aussi bien le domaine de la science et de la philosophie que celui de la nature : par un admirable effet de redondance, la théorisation de la nécessité du combat pour la vie, élément fondamental de la nouvelle théorie transformiste, se reploie sur l'acte même du combat pour la science – pour venir justifier, de l'intérieur même de la science, son âpreté.

C'est à partir de cela – à partir de cette redondance extraordinairement harmonique d'une science dont le mode interne de théorisation des phénomènes de la vie possède la capacité de réfléchir et d'expliquer aussi son propre vécu – qu'il faut comprendre

(9) Ernst Haeckel, *Préface* (Iéna, 9 mai 1905) aux trois conférences prononcées dans la salle de la Singakademie de Berlin les 14, 16 et 19 avril 1905, et regroupées sous le titre de *Religion et Évolution,* Schleicher frères, *s.d.*

ce en quoi la théorie de l'évolution, englobant la somme de ses extensions pluri-directionnelles à l'ensemble des sciences de l'homme, détient un statut philosophique *unique* au sein de la multiplicité des doctrines scientifiques.

Ce qui la singularise absolument est de se saisir elle-même, selon la règle dont elle décrit l'actualisation permanente dans la mouvance du devenir, comme *moment* de ce qu'elle décrit. L'extension philosophique qui l'accompagne, et qui tend à constituer avec elle le grand système moniste de l'Évolution, est ce à travers quoi la théorie se saisit elle-même dans l'acte même et au moment de son effraction scientifique, là précisément où elle se dissocie de la nécropole des discours fixistes inaptes à saisir la nécessité de ce qui leur succède en les condamnant à mourir. Ce qui, absolument, la singularise, est de se *vivre* elle-même comme théorie générale du devenir tout en incarnant, en sa pointe extrême, le présent actif du devenir général de la théorie ; c'est d'être donc aussi théorisation d'elle-même comme moment du devenir général de la science, et de la lutte à mort que la science (qu'elle *est*) mène *actuellement* pour triompher, selon ce qu'elle sait devoir être son destin, des anciennes configurations paralysantes d'un savoir obscurantiste : formidable assurance de vérité d'une théorie certaine de devoir *combattre* et *vivre*, pour *dire*, précisément, et *incarner*, en même temps, la *vérité* de la *vie*. C'est ce moment du saisissement du savoir évolutionniste par lui-même qu'ailleurs j'ai appelé "moment métaphysique par excellence" (10), voulant signifier par là qu'une *foi* particulière s'y articulait dans la saisie, au niveau gnoséologique, de l'évolution par elle-même, comme régulation universelle, aussi bien dans l'ordre des phénomènes de la vie que dans celui des phénomènes du savoir. Tout est en place, en effet, pour que s'installe une croyance totalisatrice qui par certains côtés peut sembler s'apparenter à la métaphysique, mais qui en inverse en réalité le mécanisme : ce à quoi l'on assiste, ce n'est plus le reploiement de l'ordre de la pensée et du discours sur l'ordre de la nature –la "nature" de la métaphysique étant de part en part l'inscription de la pensée divine déchiffrée par la pensée humaine–, mais le reploiement de l'ordre de la nature –l'*évolution*– sur l'ordre progressif des idées et de la science.

D'où, d'une part, le radicalisme anti-métaphysique militant de ceux qui s'en tiennent à l'intelligence du renversement opéré

(10) *Évolutionnisme et linguistique,* ouv. cit., p. 29.

(Vogt, Haeckel), d'autre part la tentative théologienne pour réinsérer contradictoirement la logique transformiste –la seule théorie de l'origine pithécoïde de l'homme en ayant été ultimement exclue– à l'intérieur de la métaphysique chrétienne (Wasmann), d'autre part enfin l'essai, d'inspiration parfois néo-hégélienne, pour transcender l'antagonisme de ces deux positions en réinstaurant une forme de téléologie fondée sur le constat du triomphe progressif, à travers le devenir saisi par la théorie de l'évolution, de l'esprit sur la matière (Schleiden).

Le radicalisme anti-métaphysique d'Ernst Haeckel, du fait de la grande netteté des oppositions qu'il souligne et des stratégies qu'il découvre, mérite que lui soit ici consacrée une longue analyse. Les trois conférences prononcées à Berlin en avril 1905 en sont sans doute l'expression la plus claire et la plus achevée :

Première conférence (14 avril) : *La lutte soulevée par l'idée de création. - Théorie de la descendance et dogme de l'Eglise.*

Deuxième conférence (16 avril) : *La lutte soulevée par la reconstitution de l'arbre généalogique. Parenté avec les singes et famille des vertébrés.*

Troisième conférence (19 avril) : *La lutte soulevée par la notion de l'âme. Immortalité et conception de Dieu.*

Il y a donc, de la part de Haeckel, et quelles qu'aient pu être les modalités – hâte, quasi-improvisation, obligation de répondre à une sollicitation imprévue du public, etc. – de la tenue de sa troisième conférence, une progressivité concertée dans l'abord des sujets : de la théorie de la descendance *en général* –entrant en conflit avec le récit mosaïque de la création, mais assimilable sous certaines conditions et à l'intérieur de certaines limites par l'Eglise soucieuse d'intégrer les acquis de la science qu'elle ne peut plus combattre– Haeckel passe à celle de la descendance *de l'homme,* qui constitue le point de rupture absolue de cet effort d'intégration, puis à la réduction psychologiste du phénomène de la croyance en l'immortalité de l'âme, ainsi qu'au déracinement des deux autres principaux articles de foi du christianisme : l'idée du libre arbitre et de l'existence d'un Dieu personnel – ce qui exclut, dans l'intention polémique de Haeckel, toute autre tentative de recouvrement ou de conciliation de la part des théologiens.

Il s'agit à présent d'examiner les déterminations de cette *lutte.* L'invitation à Berlin, et son acceptation par Haeckel, viennent rompre une résolution qui avait fait officiellement l'objet d'une déclaration imprimée, en date du 17 juillet 1901, aux termes de laquelle il renonçait, pour des raisons d'âge, de santé et de travail, à toute conférence publique. La dernière exception de Haeckel à cette règle doit être, dès lors, fortement motivée.

La demande formulée d'abord par les Berlinois est celle d'une conférence "populaire et scientifique" –ce qui signifie qu'elle s'adresse, selon une formule déjà employée*, à un public "instruit, mais non savant"–, conférence qui doit se tenir "à une date assez rapprochée". Après un premier refus, Haeckel est éclairé sur le sens de cette demande par "les lettres pressantes de plusieurs amis de Berlin", qui font apparaître le lien étroit de cette demande avec le contexte d'une lutte tactique pour la défense sans conditions de l'indépendance intellectuelle des institutions universitaire et scolaire en Allemagne, et de la liberté de penser, contre "les progrès de la réaction dans les milieux dirigeants, l'insolence croissante d'une orthodoxie intolérante, la prédominance du papisme ultramontain"(11), et les tentatives de subsomption idéologique de la science moniste sous les catégories réajustées, au travers d'une *concessivité* apparente du discours de l'orthodoxie théologienne, de la foi chrétienne en mal d'un "compromis pacifique" avec "son ennemie mortelle".

L'ultime message public de Haeckel mobilise donc la science évolutionniste comme science *moniste* irréductible à tout compromis théologique, contre une Eglise militante visant à réinstaurer son pouvoir en évacuant, d'un transformisme partiellement intégré ou adapté, les implications tournées vers la subversion de ses dogmes. A une intention politique dissimulée, mais dont la politique elle-même dévoile la nature, répond un projet politique reconnu, qui passe tout entier, pour Haeckel, par la préservation *intégrale* de l'heuristique mise en œuvre par la science moderne. *S'il doit y avoir subversion, c'est que cette subversion est essentielle à la science.* La *politique de la science* se place d'emblée sur le terrain de la *vérité,* et *déplace* par là même, en dévoilant la nature de ses motifs, le lieu réel d'intervention de l'offensive larvée des jésuites,

*Par Lyell, dans *L'ancienneté de l'homme,* ch. XXIII.

(11) *Religion et évolution,* Préface, p. II.

du terrain de l'argumentation intra-scientifique vers celui de la lutte idéologique et politique biaisée. Nulle part ailleurs la dissociation oppositive de la *science* et de la *métaphysique* n'a été plus nette. Sans doute reconnaît-on là le caractère d'un puissant positivisme. Mais au-delà, la défense de la vérité de la science "pure" revêt indiscutablement un caractère axiologique qui révèle sa véritable fin : il est manifeste pour Haeckel que cette vérité est *politiquement bonne.* Haeckel défend le terrain de la science, et cette défense *politique* se pose comme une *politique de la vérité scientifique* requise contre l'altération que fait subir à cette dernière une politique concertée de dénaturation idéologique de la science. D'un côté la science *pure* –mais consciente de sa vocation à la lutte et de la nécessité de son combat politique–, de l'autre une sophistique ancienne, connue et reconnue, dégradante et dégradée, assimilant pour détruire et s'accommodant pour dominer :

> "(L'Eglise orthodoxe) s'était même résolue à adopter jusqu'à un certain point (bien qu'en la falsifiant et la mutilant) notre doctrine moderne de l'évolution que depuis trente ans elle combattait violemment – et elle tentait de la réconcilier avec ses dogmes. Ce changement frappant d'attitude de la part de l'église militante me parut, d'une part, si curieux et si important, mais d'autre part si dangereux, si bien fait pour égarer les esprits que je me ravisai et résolus d'en faire l'objet d'une conférence publique et d'accepter l'invitation qu'on me faisait à Berlin." (12)

Falsification et *mutilation* caractérisent le "compromis pacifique" entrepris par les jésuites. C'est-à-dire fragmentation et désolidarisation de ce qui, dans la théorie évolutionniste, conduit nécessairement de la thèse continuiste de la *descendance* affirmée au niveau général de la dérivation des espèces, jusqu'à la thèse de la *descendance de l'homme.* Ce que les évolutionnistes doivent établir, c'est que l'on ne saurait les dissocier l'une de l'autre, en tant qu'elles procèdent de l'unité irréductible d'une *seule* et *même théorie.* L'ordre chronologique des conférences de Haeckel correspond donc à l'intention d'exhiber à la fois les *reculs* successifs de la théologie dogmatique par rapport à la science, et la *faute logique* de la tentative cléricale récente, dont l'illusion –ou la mystification– consiste à (faire) croire en la possibilité même d'un *repli* qui préserverait

(12) *Ibidem.*

la nature distincte de l'homme au sein du monde vivant. Jusqu'alors, l'Eglise, depuis la parution de *L'origine des espèces,* n'avait cessé de lutter contre la théorie de la descendance *en général,* ainsi que le rappelait Arnold Dodel en 1895 :

> "Par la théorie de la descendance, l'Eglise s'est vue menacée dans sa puissance. Car tous ces beaux contes et toutes ces belles légendes qui, comme les rejetons du lierre ou les pampres de la vigne, se cramponnaient avec leur splendeur luxuriante aux murailles grises de vétusté que leur offrait le récit mosaïque de la création : tous ces thèmes d'une *croyance* enfantine ont été *reniés par la science.* C'est pourquoi le mot d'ordre de l'Eglise est, depuis 1859 :"Guerre à cette doctrine !" Pour la science, le débat est depuis longtemps tranché ; la descendance est un *fait,* au sujet duquel aucun naturaliste n'exprime plus de doute." (13)

Or il semblerait que dix ans après, l'Eglise cède du côté de la théorie de la descendance, l'endossant en quelque sorte, pour ne plus afficher de position dogmatique qu'en ce qui concerne la place de l'homme dans la création. Il s'agit donc, pour Haeckel, d'établir d'une part l'irréductibilité de certains "groupes de faits" biologiques, et d'autre part celle de la logique qui s'oppose à leur dissociation.

Pour le biologiste allemand, l'idée générale de l'*évolution* est née sous sa forme scientifique dans la seconde moitié du XIXe siècle. De toute évidence, le darwinisme reste pour lui un commencement, distinct de toute théorie antérieure du "développement naturel" des choses, et de toutes les conceptions "génétiques" qui, dans des champs divers, l'ont précédé. Ce qui est intéressant cependant dans la perspective haeckelienne, c'est l'intuition très clairement formulée d'une instauration *transdisciplinaire* de l'idée d'évolution, conditionnant sa validation scientifique : "... l'idée d'évolution", *écrit-il,* "n'a trouvé qu'au cours du XIXe siècle une forme précise et *une légitimation scientifique fournie par diverses branches de la connaissance,* – et ce n'est que dans le dernier tiers du siècle que cette idée a été universellement admise. *Les liens étroits que la preuve de la solidarité dans le développement historique a établis, entre les diverses branches de la science,* leur unification

(13) Arnold Dodel, *"Moïse ou Darwin ?" Problème pédagogique,* 1895, cité par Haeckel en épigraphe à sa première conférence, *ouv. cit.*

par la philosophie moniste : tout cela est même une conquête qui ne remonte pas au-delà de quelques dizaines d'années." (14)

La "légitimation scientifique" de l'idée d'évolution serait donc venue des disciplines voisines, d'un consensus épistémique né de la périphérie, et provoquant une convergence persuasive qui renforce la scientificité de l'histoire naturelle tout en s'accréditant d'elle en retour pour instaurer une nouvelle approche générale des phénomènes relatifs au devenir de la nature et de l'homme comme être naturel et sujet de la science.

Or le lieu de cette convergence, et du reversement *unificateur* de celle-ci en *théorie générale du devenir*, est désigné en toutes lettres comme étant celui de la *philosophie* – de cette philosophie *moniste* qui promeut l'idée d'*autodéveloppement* et s'oppose à toute version créationniste et thaumaturgique de l'histoire du monde, dissociant avec force "d'une part, dans le dogme religieux triomphant, le monde surnaturel, le miracle, la téléologie – de l'autre, dans la théorie évolutionniste qui s'efforce de naître, rien que la loi naturelle, la raison pure, la causalité mécanique." (*Ibid.*, p. 9.)

La notion d'*évolution* est d'ailleurs –chose remarquable et tout à fait digne d'intérêt– usitée fréquemment par Haeckel "telle que l'entend la philosophie" *(ibidem)*, laquelle, étant le lieu de la convergence, éliminerait les différences définitionnelles au sujet d'une notion diversement comprise au sein des multiples sciences où elle se trouve articulée. En fait, s'il fallait analyser la nature exacte du rapport de Haeckel à la philosophie, il faudrait tenir compte de plusieurs éléments :

– Il s'écarte de la philosophie couramment enseignée dans les universités allemandes, qui ne consiste essentiellement selon lui qu'en une métaphysique.

– Il se démarque du hégélianisme –donc également du néo-hégélianisme– qu'il réinterprète comme développement spiritualiste systématique, affranchi malencontreusement des bases empiriques de la science, de l'idée fondamentale de l'*évolution*. Pour lui, la philosophie de Hegel, métaphysique abstruse, idéalisme absolu et doctrine officielle du royaume de Prusse, a manqué son rapport à la science.

– Dans la tradition philosophique, il se réfère plutôt à Spinoza et à sa "notion fondamentale de substance" qu'il déclare "prendre pour base", au sens où "dans cette notion 'la force et la

(14) Haeckel, *ouv. cit.*, p. 8. Nous soulignons.

matière' (énergie et matière) – ou 'l'esprit et la nature' (Dieu et le monde) sont indissolublement unis." (15)

De cette lecture de Spinoza et de sa définition de la substance, Haeckel glisse rapidement à la "loi de substance" qui assure également une union indissoluble : celle de la loi lavoisienne de conservation de la matière et de la loi mayerienne de conservation de l'énergie. En fait, on comprend que c'est cette même "loi de substance", décrite au chapitre XII des *Enigmes de la nature* de Haeckel, qui assure la constance matérielle et énergétique requise pour penser les différenciations "que révèle la forme de modification du devenir", c'est-à-dire l'évolution, et qui commande la lecture récurrente de la "notion" spinoziste.

– Il emploie, d'une façon substitutive, donc équivalente, les expressions de *philosophie moniste* et de *science moniste,* dans des contextes où la charge prédicative de ces deux expressions est rigoureusement la même.

D'où l'on peut tirer, pour l'essentiel, la conclusion suivante : *la philosophie ne vaut pour Haeckel que (ré)générée par la science, et inscrite dans sa continuité.* Elle est, à la convergence des disciplines scientifiques, le lieu de leur *unification,* et non celui d'une quelconque instance critique. *Elle est la science elle-même se pensant sous la catégorie de la totalité,* le moment de comparaison, de synthèse et de renforcement des productions de la raison pure et de la logique où engage la découverte empirique. En fait, ce que le *monisme* comme doctrine scientifico-philosophique élimine, ce n'est pas seulement le dualisme de la matière et de l'esprit, c'est aussi, au sein de la théorie de la connaissance, le dualisme correspondant de la science et de la philosophie –ayant, de cette dernière, évacué la métaphysique.

L'intuition moniste se constitue donc dans les sciences pour éclore au sein d'une *philosophie* qui, *lieu commun* des sciences, accrédite en retour, de toute la force de cette communauté doctrinale réduite en principes heuristiques universels, la démarche de chaque science particulière tout en travaillant au développement de l'unification logique de l'ensemble. De ce fait, une *histoire de la pensée moniste* ne peut être, pour Haeckel, qu'une histoire des rapports de la science et de la philosophie, ou plus précisément encore une histoire de la *philosophie engendrée par la science.* La chronologie

(15) *Remarques* consécutives à *Religion et Évolution,* ouv. cit., p. 122.

qu'il propose de la genèse et de l'apparition de l'idée d'évolution dans les différents domaines de la connaissance est à cet égard révélatrice de la conviction d'un progrès allant des sciences naturelles vers les sciences de l'homme :

> "Si nous jetons un regard rapide sur les divers *domaines* dans lesquels l'idée d'évolution a été scientifiquement appliquée, nous constaterons que c'est d'abord le Cosmos tout entier qu'on a envisagé dans son unité, puis est venu le tour de la terre, troisièmement enfin, celui de la vie organique sur cette terre, puis on est passé à l'homme qui en est le plus haut produit, et cinquièmement à l'âme, être immatériel de nature spéciale. Les études évolutionnistes, considérées historiquement, se développent donc dans l'ordre suivant : études cosmologiques, géologiques, biologiques, anthropologiques et psychologiques." (*Ibid.*, p. 9.)

Sans s'attarder à critiquer ici Haeckel au niveau de cette vaste et harmonieuse synthèse progressive –quel rapport *immédiat* peut-on construire, par exemple, entre la considération de l'*unité* du cosmos et l'idée d'*évolution ?* – , on constatera que Haeckel, comme cela devait être la règle pour qui tenait à tout fonder sur les acquis positifs et déterminants des sciences de la vie, ignore absolument le mouvement *inverse* –des sciences de l'homme vers les sciences de la nature– qui avait précédé Darwin. Et cette ignorance s'inscrit dans sa logique, puisque l'accession des discours anthropologiques à la scientificité ne pouvait y être que consécutive à l'apparition de la formulation scientifique de la théorie darwinienne de l'évolution, ou reconnue et validée, d'une façon récurrente, qu'à partir de la vérité établie du darwinisme.

Poser la science comme *déterminante, et non déterminée* (sinon par elle-même), est le propre du discours scientifique lui-même s'exprimant dans le combat qu'il livre à la métaphysique. En ce sens, toute insistance sur la "coupure" dans l'histoire des théories scientifiques repose assez sainement sur le principe du pouvoir *instituant* de la science. Mais ce principe reste peut-être avant tout un principe polémique, dont on observe généralement l'usage et l'efficace lorsqu'il s'agit, en premier lieu, d'abattre la métaphysique (16).

(16) Dans le champ même de l'histoire des sciences contemporaine, le "continuisme" incarne la métaphysique, et la "coupure" l'instauration

Ainsi, pour Haeckel, il y a *d'abord* Newton, *puis* le Kant de la *Théorie générale du ciel* (1755), dont il tente d'exhiber et de valoriser le *mécanisme* primordial, en ramenant l'explicite profession de foi de Kant en la toute-puissance de Dieu, ordonnatrice des lois immuables de la nature, à un simple compromis avec le dogme, et en privilégiant cet aspect par rapport au dualisme kantien ultérieur. De même, il y a *d'abord* Laplace, son *Exposition du système du monde* (1796) et son *Traité de la Mécanique céleste* (1799-1825), *puis* les réductions diverses que l'Eglise tenta de faire subir à sa doctrine (17). De même, il y a *d'abord* les travaux géologiques de Charles de Hoff (1822) et de Charles Lyell (1830), ou l'accession de la géologie à la considération officielle du fait de l'évolution, *puis* l'effondrement du mythe chrétien de la création, et les tentatives cléricales de conciliation impossible entre la vérité scientifique et le dogme. De même, il y a *d'abord* C.F. Wolff confirmant en 1759, par l'observation de la croissance du fœtus de poulet, et contre le dogme préformationniste, l'hypothèse épigénétique de Harvey ; il y a Oken et ses *Mélanges de zoologie, d'anatomie et de physiologie comparées* (1806), Pander, Von Baer et la fondation de l'embryologie scientifique, *puis* les hypothèses rattachant, de ce fait, l'homme mammifère à la série animale, *puis* le passage de l'observation ontogénique à la question de la phylogénie. Et là encore, il y a *d'abord* Gœthe et Lamarck contestant, au nom de la science transformiste naissante, la tradition mosaïque de la création séparée des espèces, *puis* l'étouffement dogmatique des idées nouvelles.

de la science comme pouvoir de détermination dans son propre champ, et, accessoirement, dans des champs annexes – ainsi, quoiqu'elle s'en soit souvent défendue, que le vœu d'accession de l'histoire des sciences elle-même au statut de science, qui la fascine dans son objet.

(17) "La presse orthodoxe s'est récemment efforcée de nier la célèbre 'profession athéiste' du grand Laplace, qui n'est cependant que la conséquence loyale de son génial 'système du monde' ; des publicistes ont été jusqu'à prétendre que ce philosophe moniste avait, à son lit de mort, fait une profession de foi catholique ; à l'appui de cette assertion, on invoque le témoignage d'un prêtre ultramontain. Il est inutile de discuter au sujet de l'amour de la vérité qui anime de pareils fanatiques 'serviteurs de Dieu'. L'Eglise tient les faux témoignages de ce genre, pourvu qu'ils aient pour but 'l'honneur de Dieu' (c'est-à-dire son propre avantage), pour des œuvres pies *(pia fraus !).*"(Haeckel, *ibid., Remarques, pp.* 122-123.)

Il y a, enfin, *L'origine des espèces* (1859), *puis* "l'influence que (le darwinisme) et son application à l'homme ont exercée depuis quarante ans dans toutes les branches du savoir humain." (*Ibid.*, p. 18.)

Pour Haeckel naturaliste militant, la détermination s'exerce, d'une part, des sciences de la nature vers les sciences de l'homme –lesquelles restent bien entendu *naturelles* : anthropologie, psychologie, *etc.*– et d'autre part entre les sciences de la nature elles - mêmes, solidarisant par exemple l'avancée de Lamarck, de Darwin et de Huxley sur le chemin de la découverte de plus en plus fine des lois d'évolution, mais ne considérant jamais, sauf pour le cas de la "philosophie moniste" dotée d'un effet en retour –parce qu'elle *est*, de la façon que j'ai dite, la science–, le mouvement d'une possible détermination, en sens inverse, de la logique heuristique de telle science "pure" par des cadres gnoséologiques antérieurs ou extérieurs, disciplinairement, à la mise en œuvre de cette logique dans le champ de la science nouvelle. (18)

Ce que Haeckel distingue dans l'histoire des sciences, c'est l'effort de toutes les branches du savoir scientifique pour parvenir à l'idée d'évolution, et, conjointement, la lutte du savoir contre la religion et l'autorité qui la manœuvre. De Copernic à Darwin, la science s'est heurtée à l'opposition ouverte de la religion, et à la résistance –parfois sourdement intériorisée par la conscience scientifique– de la métaphysique. C'est ainsi que, même si les théories de Lamarck –ou, cinquante ans auparavant, celles de C.F. Wolff– sont venues "un demi-siècle trop tôt" pour être reconnues, elles ont contribué à acclimater, dans l'arrière-mémoire de la science, des éléments qui allaient servir à favoriser l'éclosion de la science darwinienne. Haeckel historien des sciences fait alors appel à deux éléments déterminants pour penser l'accession de la théorie darwinienne au statut de science reconnue :

> "... l'immense succès de ces œuvres de Darwin, qui font époque, tient à deux raisons différentes : la première c'est que le naturaliste anglais a mis à profit, dans la plus ingénieuse des combinaisons, un trésor inouï de matériaux empiriques, accumulés depuis cinquante ans et qui lui a fourni une démonstration en règle de la théorie de la descendance ; la seconde, c'est qu'il a complété

(18) Encore la "philosophie" moniste n'est-elle déterminante à son tour que parce qu'elle est proprement déterminée par les sciences particulières à devenir leur lieu d'unification.

cette théorie par une autre, à lui propre, la théorie de la sélection naturelle. Cette ***théorie de la sélection,*** qui fournit de la transformation de l'espèce une explication causale, est à proprement parler la seule qu'au sens rigoureux on devrait appeler 'darwinisme'." ***(Ibid.,*** pp. 17-18.)

Accumulation, nouvelle combinaison et *changement qualitatif :* telle est pour Haeckel la règle de l'avancée de la science et, à l'intérieur d'elle, de l'innovation théorique. Si le *phénomène* de la sélection naturelle est ce qui, dans l'univers du vivant, contribue d'une façon déterminante à assurer la marche de l'évolution, la *théorie* de la sélection naturelle est, parallèlement, ce qui dans l'univers de la science, assure l'émergement et le triomphe du transformisme nouveau de Darwin. La théorie de la sélection est l'*élément différenciateur,* la *variation utile* par rapport à Lamarck, par exemple. On retrouve ici le reploiement déjà analysé, caractéristique d'une histoire de l'évolutionnisme écrite *du point de vue de l'évolution.* La *lutte pour l'existence* se trouve au cœur du dynamisme de l'évolution, comme elle se (re) trouve au cœur de l'évolution de la science. C'est pourquoi ce qui préoccupe d'abord Haeckel, c'est de retracer *l'histoire même de la lutte,* car elle est, précisément, celle de l'évolution de la science saisie à travers celle de l'avènement de la science de l'évolution :

"Ce qui nous intéresse (...), c'est l'influence sans exemple que le darwinisme et son application à l'homme ont exercée depuis quarante ans dans toutes les branches du savoir humain ; puis l'opposition dans laquelle cette théorie devait forcément se trouver vis-à-vis des dogmes de l'Eglise.

De toutes les conséquences qu'entraînait la théorie de la descendance, la plus intéressante et la plus grave était celle qui résultait de l'application anthropologique de la doctrine. Puisque tous les autres organismes s'étaient produits sans miracle, puisqu'ils étaient issus par des procédés naturels, de formes vivantes antérieures au moyen de transformations, il fallait nécessairement que la race humaine, elle aussi, provînt par transformation des mammifères les plus analogues à l'homme, des "Primates" de Linné : singes et demi-singes. Cette conséquence naturelle, que déjà ***Lamarck*** avait tirée en toute simplicité, sans chercher à la dissimuler, que ***Darwin,*** au contraire, avait d'abord supprimée intentionnellement, fut exposée tout au long par un zoologiste anglais de génie, ***Thomas Huxley*** (1863) dans ses trois conférences sur "La place de l'homme dans la nature". Il montra comment cette "question importante entre toutes les questions" trouvait sa réponse nette dans un triple et important "témoignage" : dans l'histoire naturelle des singes anthropoïdes, dans les relations anatomiques et embryologiques qui unissent l'homme aux animaux immédiatement inférieurs, dans les débris des fossiles humains, récemment découverts. ***Darwin*** exprima huit ans plus tard son adhésion aux vues de son ami Huxley et, dans son ouvrage en deux volumes, sur ***La descendance de l'homme et la sélection naturelle*** (1871), il donna une nouvelle série de preuves à l'appui du fait si redouté, que "l'homme descend du singe". Je repris moi-même (1874) l'essai tenté dès 1866 pour reconstituer hypothétiquement et approximativement, à l'aide de l'anatomie comparée et de l'ontogénie, sans négliger la paléontologie, la série entière des animaux disparus qui figurent les ancêtres de l'homme. Cet essai, grâce aux progrès de nos connaissances, a subi des améliorations dans les cinq éditions de mon ***Anthropogénie.*** Au cours de ces vingt dernières années une riche littérature a paru sur ce sujet : parmi tant d'ouvrages, les écrits populaires et très répandus de mes amis ***E. Krause*** (Carus Sterne) : ***Devenir et disparaître,*** et ***G. Bolsche, Vie amoureuse de la nature,*** etc., se distinguent par la beauté de la forme et la clarté de l'argumentation. Je crois pouvoir supposer le contenu de ces livres en grande partie connu, j'aborde donc tout de suite la solution de la question qui, aujourd'hui, nous intéresse particulièrement, à savoir : quelle forme a pris en ces derniers temps l'antagonisme inévitable entre ces importantes conquêtes de la science moderne, d'une part, et les dogmes de l'Eglise, de l'autre ?" (***Ibid.,*** pp. 18-20.)

En fait, si le grand ouvrage de Darwin constitue bien la *réponse,* attendue par les plus grands biologistes –dont Johannes Müller, maître révéré de Haeckel–, à l'énigme de l'origine des espèces, la réaction anti-évolutionniste de nombreux milieux scientifiques conservateurs a favorisé, après 1859 et malgré la rapide prise d'influence du darwinisme, la contre-attaque théologienne et métaphysique. Même dans les milieux progressistes, la question de la création organique et de l'apparition des diverses espèces animales, non encore résolue et non passible d'examen empirique, était fréquemment renvoyée du côté des conceptions transcendantes. Il est clair que la réaction cléricale proprement dite ne s'est pas manifestée envers la géologie évolutionniste de Lyell, pourtant antérieure à la formulation officielle des grands principes darwiniens, et la raison en est que la théorie de l'évolution de la Terre, moyennant quelques ré-aménagements figuristes de l'Ecriture, dont l'Eglise avait déjà fait ample usage, ne heurtait pas brutalement le dogme de la Création, ni celui de l'œuvre des six jours, lesquels pouvaient symboliser *ad libitum* une durée indéfiniment plus longue. C'est en cela que Haeckel a raison de constater qu'à partir de Lyell, "dans toute la nature inorganique, dans la formation des montagnes comme dans la révolution des astres, on n'admit plus que la rigoureuse nécessité de la *loi naturelle*". (*Ibid.*, pp. 24-25.) En revanche, le dogme de la création séparée des espèces, ne pouvant de toute nécessité se prêter à aucun aménagement figuriste apte à lui faire signifier précisément *le contraire* de ce qu'il signifie, la théorie de la descendance était *en principe* non admissible par le point de vue chrétien. Le premier repli de la théologie consistait donc à abandonner avec une sorte d'indifférence l'*inorganique* à l'opération de la loi naturelle, pour réserver en revanche l'*organique* à la loi transcendante. D'où l'opposition de l'inorganique et de l'organique, du non-plan et du plan, du mécanisme et de la téléologie. Il faut voir dans cette rupture, dans cette absence de transitivité inter-règnes la marque distinctive de cette époque de l'argumentation théologienne (19). Quant à la philosophie, ignorante, semble-t-il, des acquisitions laborieuses des sciences d'observation, elle n'aurait fait que demeurer dans les sphères idéalistes de la "pure science de l'esprit" officialisée au royaume de Prusse dans l'institution du hégélianisme comme philosophie d'Etat. Haeckel, ici, ignore –est-ce délibérément ?– tous les développements antérieurs des "philosophies de la nature", Schelling, Kielmayer, Oken, etc., dont le botaniste Schleiden avait –faisant une allusion manifeste à Schelling– très nettement condamné le "verbiage" (20). Cet anti-hégélianisme de Haeckel –qui cependant reconnaît chez Hegel "un développement systématique de l'idée d'évolution"– comporte de toute évidence une forte motivation politique, mais ne cesse pas pour autant de poser des problèmes théoriques à l'échelle des rapports entre l'histoire des sciences et celle de la philosophie : au sein de l'étonnante

(19) On peut rappeler ici qu'au sein d'une pensée *matérialiste* bien antérieure, celle de Diderot dans un passage célèbre de l'*Entretien* avec D'Alembert, cette transitivité se trouvait au contraire instaurée, au niveau d'une hypothèse révélatrice : celle de l'assimilation du marbre à la chair.

(20) *Ueber den Materialismus der neueren deutschen Naturwissenschaft, sein Wesen und seine Geschichte,* Leipzig, 1863.

complexité des relations qu'entretiennent, vers 1860, les sciences de la nature, les sciences de l'homme (et, en particulier, du langage), et la philosophie, la question de la lecture *positive ou négative* de Hegel par les tenants du progressisme scientifique reste entière. Examinons ici un seul phénomène apte à relativiser toute certitude trop affermie en ce domaine : en 1863, le linguiste August Schleicher adresse à son ami Ernst Haeckel, sous le titre de *La théorie de Darwin et la science du langage*, une lettre publique où, comme je l'ai montré ailleurs (21), culmine l'intuition de la convergence entre la théorie linguistique et l'évolutionnisme des sciences de la nature. Cette convergence conduit du reste à une subsomption pure et simple de la linguistique sous l'empire des *Naturwissenschaften*, unifié par la théorie darwinienne. Les langues *sont* pour Schleicher, *sans métaphore*, "des organismes naturels qui, en dehors de la volonté humaine, naissent, croissent, se développent, vieillissent et meurent ; elles manifestent donc, elles aussi, cette série de phénomènes qu'on comprend habituellement sous le nom de vie" (22). En conséquence, la science du langage –la "glottique" schleicherienne– est une *science naturelle* dont la méthode, si l'on en excepte la philologie qui est "une science historique", est en général la même que celle "des autres sciences naturelles" (23). La réception du darwinisme s'exprime d'ailleurs en tout premier lieu, chez Schleicher, sur le mode de l'allégation d'une intuition parallèle et simultanée : "En effet", *écrit-il,* "des idées semblables à celles que Darwin exprime au sujet des êtres vivants, sont assez généralement admises pour ce qui concerne les organismes linguistiques, et moi-même, en 1860, c'est-à-dire l'année où a paru la traduction allemande de l'ouvrage de Darwin, j'ai exposé, dans le domaine de la science des langues, sur le "combat pour l'existence", sur la disparition des anciennes formes, sur la grande extension et la grande différenciation dont est capable une seule espèce, des idées qui, à l'expression près, concordent d'une manière frappante avec les vues de Darwin. Il n'est donc pas étonnant que ces vues m'aient vivement intéressé." (*Ibid.*, p. 60.) L'intuition évolutionniste de la science linguistique prétend donc, sinon tout de suite à

(21) *Évolutionnisme et linguistique,* ouv. cit., p. 8 et suiv.

(22) *Ibid.*, p. 61.

(23) *Ibid.*, p. 62.

plus d'ancienneté que celle des sciences de la nature –ce que l'histoire de la réflexion linguistique allemande depuis la fin du XVIIIe siècle prouve cependant–, du moins à une genèse intra-disciplinaire parallèle, dont l'indépendance même est un indice de conditions favorables à l'unification qui sera décrite –et en partie rêvée– quarante ans plus tard par Haeckel. Nous sommes donc ici au cœur du schéma que nous analysons chez Haeckel, mais vécu à l'extérieur de la science biologique –ou plutôt au lieu même et au moment où cet extérieur se rallie et s'intègre, *moyennant la reconnaissance du fait que Darwin n'est pas un commencement absolu.* Et ce n'est pas un hasard si Schleicher, conscient de l'*avance* naturelle de la science du langage sur le terrain d'une logique des dérivations génétiques et des évolutions, fait une longue référence à Lyell, qui reconnaissait en toutes lettres l'aptitude particulière des objets linguistiques à illustrer de tels phénomènes. Haeckel, lui, ne reconnaît, comme nous l'avons montré, de précursion relative que dans le domaine des sciences de la nature : mais d'où pouvait alors venir "l'idée fondementale de l'évolution" qu'il signale au départ de la philosophie de Hegel ? Comment ne pas voir que cette idée était parvenue, du XVIIIe siècle finissant, à travers la réflexion anthropologique, linguistique –revivifiée en 1798 par la découverte du sanscrit–, et les sciences de la nature, enrichies des intuitions nouvelles de la paléontologie de Buffon, et des hypothèses génétiques de Maupertuis, puis dc Cabanis ? Quoi qu'il en soit, Haeckel, au nom de la science (ou de la philosophie) moniste, rejette le hégélianisme. Or l'homme qu'il exhortait, depuis 1860, à lire *L'origine des espèces* dans sa version allemande, qui avait lu effectivement Darwin et qui avait, par son ralliement, confirmé longtemps à l'avance la prétention de Haeckel à l'unification des domaines au sein d'une théorie générale de l'évolution, cet homme, August Schleicher, l'un des plus savants linguistes que l'Allemagne ait connus, *était un hégélien averti,* qui avait emprunté à la *Science de la logique* une théorie de la dégénérescence des langues au cours de leur période historique, et qui, en manière d'hommage à Hegel, installait aussi souvent que possible, dans la description des objets linguistiques, des répartitions triadiques –phénomène particulièrement remarquable dans sa classification des sons de l'indo-européen– ou des tripartitions hiérarchiques –phénomène sensible dans sa classification des langues du monde en trois types d'inégale perfection : le type *isolant,* rapporté au règne *minéral,* le type *agglutinant,* correspondant au règne *végétal,* et le type *flexionnel,* associé à l'*organisme animal* (24). Certes, dès 1850, lors de la publication du second volume des *Sprachvergleichende Untersuchungen* (Recherches de linguistique comparative), qui porte le titre de *Die Sprachen Europas in systematischer Uebersicht* (Étude systématique des langues européennes), Schleicher corrige la thèse hégélianisante selon laquelle la langue appartient, par son historicité, à la sphère de l'esprit humain, dont la *libération* provoquerait l'asservissement et la décadence du système linguistique ; la langue, dissociée de l'esprit, se trouve alors assimilée à un "organisme naturel" *(Naturorganismus)*, Schleicher opérant une conversion méthodologique capitale : "... la méthode de la linguistique diffère totalement de toute science historique et rejoint essentiellement celle des sciences naturelles (...). Comme les sciences naturelles, la linguistique se donne pour tâche l'exploration d'un domaine régi par des lois naturelles immuables que l'homme n'a pas le pouvoir d'infléchir selon son gré ou sa volonté." On pourrait croire qu'il s'agit là d'un passage, hautement transformateur de la démarche théorique, de Hegel à un naturalisme en attente de son achèvement doctrinal (Darwin). Or ce qui a changé, c'est le rapport de la langue à l'esprit et à l'histoire selon Hegel, qui se trouve en quelque sorte nié ; mais ce n'est nullement *la logique de la formation et du déclin des idiomes*, ni celle du passage anté-historique des langues indo-européennes par les trois stades successifs de l'*isolation*, de l'*agglutination* et de la *flexion*. Le *darwinisme* de Schleicher en arrive aux mêmes conclusions générales que son hégélianisme antérieur : la suprématie historique de la langue germanique, théorisée par Hegel, se retrouve, quant au résultat, dans l'identification "évolutionniste", par Schleicher, des langues "indo-germaniques" à un stade de prééminence actuelle manifestée dans la "lutte pour la vie". Il n'y a pas, en conséquence, contradiction au niveau des aboutissements doctrinaux de deux logiques pourtant divergentes. Et il n'y a pas non plus abandon du hégélianisme (qui continuera chez Schleicher à se produire sous la forme de la ternarité des classifications et de l'opération toujours subjacente du mouvement dialectique), mais combinaison-rectification de Hegel avec et par l'acquis observationnel et méthodologique des sciences modernes de la nature.

Sans apporter donc, pour l'instant, sur ce point précis de la lecture de Hegel par les évolutionnistes, de conclusion définitive, il nous suffit d'avoir montré que l'évolutionnisme ne pouvait, aussi

(24) *Les langues de l'Europe moderne*, Paris, 1852, p. 30.

nettement que chez Haeckel qui se livre quarante ans après à une rétrospective forcément schématisante, se poser d'emblée comme l'antidote à l'idéalisme hégélien.

Si, comme on l'a vu, le terrain de l'inorganique a été cédé assez facilement par la théologie à la science –premier repli–, l'Eglise ne saurait renoncer aussi vite au dogme de la création des espèces vivantes (végétales, animales et humaine). Or la résistance du milieu scientifique, plus encore, selon Haeckel, que la métaphysique universitaire, vient à son secours. A Berlin, en 1860, la plupart des savants rejettent les thèses de Darwin : le microscopiste Ehrenberg, l'anatomiste Reichert, le zoologiste Peters et le géologue Beyrich, entre autres. Emile du Bois-Reymond hésite, accueillant la théorie de la descendance comme la "seule solution naturelle à l'énigme de la création", et repoussant toutefois les conjectures logiques –"rêveries" ou "roman"– qui constituent son développement. Haeckel raconte cependant que c'est auprès d'un grand botaniste entièrement gagné à la théorie nouvelle, Alexander Braun, qu'il put parfaire sa première lecture de l'œuvre de Darwin. Mais il raconte aussi l'étrange retournement de son autre maître, Rudolf Virchow : "Dans cette grande bataille des esprits, mon célèbre maître *R. Virchow* joua un rôle remarquable ; je l'avais connu en 1852 à Würtzbourg et j'avais bientôt noué avec lui, comme élève particulier, puis comme assistant pénétré d'admiration, – les plus amicales relations. Je crois être du petit nombre de ces hommes qui, âgés aujourd'hui, ont suivi avec le plus vif intérêt, pendant un demi-siècle, l'évolution de *Virchow,* tant comme homme que comme naturaliste. Je distingue, dans sa métamorphose psychologique, trois périodes. Durant les dix premières années de son activité académique, passées en grande partie à Würtzbourg, de 1847 à 1858, il travaille à réaliser cette réforme capitale de la médecine qu'il couronna par sa pathologie cellulaire. Pendant les vingt années suivantes (1858-1877), il s'occupa surtout de politique et d'anthropologie ; son attitude vis-à-vis du darwinisme avait été favorable au début, elle fut ensuite celle d'un sceptique et finalement celle d'un adversaire. C'est à partir de 1877 seulement, que *Virchow* devient l'ennemi plus déclaré et plus écouté de la théorie de la descendance, depuis le moment où, dans son discours célèbre sur "La liberté de la science dans l'État moderne", il attaqua cette liberté à sa base, dénonça la théorie de la descendance comme menaçant l'État et exigea qu'on la chassât de l'école. Cette curieuse métamorphose est, d'une part si importante et si grosse de conséquences,d'autre part elle a été si faussement interprétée que je dois me réserver d'en parler plus longuement après-demain, dans ma seconde conférence, d'autant plus qu'au premier plan du sujet nous trouverons un problème spécial : la parenté de l'homme et du singe. Je me contente donc aujourd'hui d'insister sur ce fait qu'ici même, à *Berlin,* dans la "Métropole de l'intelligence", la théorie moderne, aujourd'hui régnante de l'évolution s'est heurtée à une résistance plus obstinée que dans la plupart des autres centres de culture intellectuelle, et que cette résistance doit être attribuée en première ligne à la puissante autorité de *Virchow.*" (*Ibid*., pp. 29-31.)

Haeckel reviendra en effet sur le cas de Virchow, dont "l'évolution psychologique" recouvre un cheminement idéologique qui ne peut s'interpréter valablement qu'en y percevant avec suffisamment de justesse l'intrication de la politique et de la science.

D'abord la science. Pour Haeckel, elle reste première : pour Virchow, c'est la période de Würtzbourg. Spécialiste des problèmes de l'hérédité, Virchow est mis en contact direct avec la faculté d'*adaptation* du vivant par ses études des altérations pathologiques au niveau des cellules. En outre, la question de l'origine de l'homme a été envisagée par lui dans le cadre de ses études anthropologiques, et ses habitudes de pensée le portent au rejet de tout dogmatisme comme de toute postulation transcendante. Tout dispose donc Virchow à une approche positive du darwinisme. Rappelant cette première période au cours de laquelle il fut son élève, Haeckel écrit : "Auprès de *Virchow,* en particulier, je n'appris pas seulement l'art analytique de l'observation pénétrante et de l'appréciation critique des faits anatomiques isolés, – j'acquis, en outre, la compréhension synthétique de l'organisation humaine tout entière, cette conviction fondamentale de l'*unité* de l'être humain, de la liaison indissoluble entre l'esprit et le corps, exprimée tout au long par *Virchow,* en 1849, dans son ouvrage classique sur *Les efforts vers l'unification dans la médecine scientifique.* Les articles de tête qu'il écrivit alors pour l'Archive d'anatomie et de physiologie pathologiques, fondée par lui, contiennent, à côté d'aperçus nouveaux et excellents sur les merveilles de la vie, un certain nombre de considérations générales non moins excellentes sur leur interprétation, pensées fécondes dont nous pouvons tirer un profit immédiat pour notre monisme." (*Ibid., deuxième conférence* de Berlin, p. 51.)

Et de fait, en 1862, Virchow maintient que "la possibilité

du passage d'une espèce à une autre espèce est un besoin de la science" ; en 1863, à Stettin, il témoigne de l'intérêt à l'exposé fait par Haeckel de la théorie darwinienne ; en 1865, il accueille deux textes de Haeckel reproduisant deux conférences sur l'origine et l'arbre généalogique de l'homme, et les publie ; plus tard encore, il manifeste son accord global avec Haeckel et le darwinisme, jusque dans ses observations d'anatomie comparée sur le crâne de l'homme et celui du singe.

La rupture et le renversement d'attitude par rapport à l'évolutionnisme datent de 1877. "Au congrès des naturalistes, qui se tint à cette époque à Münich, j'avais accepté, *écrit Haeckel,* sur les instances pressantes de mes amis de là-bas, de faire la première conférence (le 18 septembre) sur : "La théorie actuelle de l'évolution dans ses rapports avec l'ensemble de la science". J'avais développé, pour l'essentiel, les mêmes aperçus généraux que j'ai repris ensuite dans mes ouvrages sur *le Monisme, les Enigmes de l'Univers* et *les Merveilles de la vie.* Dans la capitale ultramontaine de la Bavière, en face d'une grande Université qui se qualifie elle-même avec insistance de catholique, une telle profession de foi moniste était chose très risquée. L'impression profonde qu'elle produisit éclata en effet dans les vives manifestations approbatives, d'une part, réprobatives, de l'autre, qui se produisirent tant au sein de la réunion que dans la presse. Je partis dès le lendemain pour l'Italie (ainsi que j'avais résolu depuis longtemps de le faire). *Virchow* n'arriva que deux jours après à Münich et là, sur les instances pressantes de personnages haut placés et influents, il fit le 22 septembre sa célèbre réplique sur "La liberté de la Science dans l'Etat moderne". La tendance de ce discours était de restreindre la liberté en question ; la théorie de la descendance était une hypothèse non vérifiée, on n'avait pas le droit de l'enseigner à l'école car elle était dangereuse pour l'Etat ; "nous n'avons pas le droit d'enseigner que l'homme descend du singe ou de n'importe quel autre animal". En 1849, le jeune *Virchow,* alors moniste, avait exprimé avec emphase sa conviction "qu'il ne se trouverait jamais dans le cas de renier le principe de l'*unité* de l'être humain, ni aucune de ses conséquences" ; en ce jour, vingt-huit ans plus tard, le sage politicien, devenu dualiste, reniait complètement ledit principe. Il avait jadis enseigné que tous les processus corporels et mentaux ayant leur siège dans l'organisme humain, étaient ramenables à la mécanique de la vie cellulaire ; en 1877 il faisait de l'âme une substance spéciale et immatérielle. Mais il mit le comble à ce discours réactionnaire par son compromis avec l'Eglise que, vingt ans auparavant, il avait combattue avec la plus vive énergie ; tranquillement cette fois, il déclarait trouver "les seules bases solides de l'enseignement dans la religion de l'Eglise"(*ibid.*, p. 55.).

L'insistance avec laquelle Haeckel suggère que le retournement de Virchow n'est pas dû seulement à des motifs tenant aux pures convictions scientifiques, incite à ébaucher le tableau des forces qui s'exercent à ce moment sur la vie politique de l'Empire allemand.

En 1877, soit six ans après la proclamation de l'Empire allemand, le *Kulturkampf* –"combat pour la civilisation"– de Bismarck est commencé depuis cinq ans, soutenu à son début par Virchow en personne, alors libéral progressiste, qui lui a donné ce nom. Cette notion recouvre la lutte du chancelier, des Allemands anti-cléricaux et d'une partie des protestants –donc des Prussiens– contre les catholiques défenseurs des prérogatives temporelles de l'Eglise et favorables à l'Autriche (catholique) dans la lutte pour l'hégémonie en Allemagne. Conformément à la Constitution de 1850, l'Eglise catholique de Prusse jouissait par rapport à l'État d'une indépendance qui lui permettait de bénéficier d'une liberté complète dans la direction de ses affaires intérieures, sans qu'elle renonçât toutefois à ses pouvoirs publics, parmi lesquels la direction de l'enseignement religieux à l'école primaire et son rôle dans l'état civil n'étaient pas les moindres. La lutte contre les Jésuites et la reprise en main du clergé catholique étaient ainsi devenues l'un des principaux objectifs politiques de Bismarck, inquiété par l'activisme politico-religieux du clergé allemand auprès des classes laborieuses, et par la constitution du parti catholique du Centre, organisé dès 1870, défenseur de la liberté de l'Eglise et de son emprise administrative et politique, lequel disposait d'une assez forte assise populaire (soixante-sept députés au Reichstag aux élections du 3 mars 1871). Parallèlement, depuis 1871, on assistait à la montée sensible des forces de la sociale-démocratie allemande.

Le début du *Kulturkampf* (1872) fait suite à la réaction de quelques professeurs des facultés de théologie –demeurées sous l'autorité étatique– contre la promulgation par le Concile du Vatican du dogme de l'infaillibilité pontificale : les brimades dont ces "Vieux Catholiques" furent victimes de la part des autorités ecclésiastiques (exclusion des écoles, refus du mariage religieux, excommunication, etc.) les déterminèrent à en appeler au gouvernement. Bismarck, qui n'attendait qu'une telle occasion, en profita pour désarmer institutionnellement et juridiquement tout l'appareil clérical : l'inspection des écoles primaires devint l'affaire des laïques, l'enseignement fut retiré aux congrégations, et les Jésuites furent expulsés dès le 4 juillet de la première année. C'est peu de temps avant cette expulsion, le 14 mai, que Bismarck, faisant une allusion célèbre, déclara : "nous n'irons pas à Canossa". Le pape ayant protesté, l'ambassade au Vatican fut supprimée à la fin de l'année, tandis qu'au cours des trois années suivantes, les fameuses "lois de mai" du ministre Falk retirèrent au clergé tout privilège d'indépendance en matière d'éducation, d'association et d'état civil. Des mesures autoritaires sanctionnèrent les chrétiens et ecclésiastiques protestataires, et en 1878 l'opération de contrôle du clergé était pour ainsi dire menée à son terme.

Par ailleurs, et simultanément, cet assaut allait entraîner pour Bismarck des conséquences graves : la première fut de susciter une vive et efficace résistance de l'Eglise, et en même temps de déplaire à l'empereur Guillaume, à certains protestants et au puissant parti conservateur, qui était favorable depuis toujours à l'influence du clergé –catholique ou protestant– sur l'école. Mais la plus importante fut sans doute le rapide gonflement du parti catholique du Centre, conduit par Windthorst : il obtint quatre-vingt-onze députés au Parlement en 1874, et ne cessa de croître en nombre et en influence.

Dès 1878, Bismarck dut reculer jusqu'à abolir la plupart des dispositions légales qu'il avait prises contre les catholiques, afin de traiter par ailleurs, avec la vigueur que l'on sait, le problème apparemment plus urgent de la montée de la social-démocratie, et de faire face également aux libéraux qui refusaient l'augmentation des droits de douane.

Si l'on revient à Virchow, dont la variation est située à présent dans ce contexte de luttes politiques, l'accusation à peine implicite d'opportunisme que lui porte Haeckel devient claire et manifeste. A Berlin, à partir de 1856, au rapport de Haeckel, Virchow s'occupe surtout de politique et d'anthropologie. Libéral progressiste, il va soutenir de son nom et de son autorité le *Kulturkampf* entrepris contre les forces cléricales, puis se contredire publiquement dans son discours de Münich en 1877, en un moment où le renversement du rapport des forces politiques en faveur du Centre chrétien ne fait déjà plus de doute : "Ce qui fait le mieux ressortir le caractère de ce discours de *Virchow* fait à Münich", *écrit Haeckel,* "c'est le vif succès qu'il eut aussitôt dans tous les journaux réactionnaires et cléricaux ; c'est aussi le regret profond qu'exprimèrent toutes les voix de la presse libérale, aussi bien dans le camp politique que dans le camp religieux. *Darwin*, d'ordinaire si modéré dans ses jugements, écrivit après avoir lu la traduction anglaise de ce discours : "La conduite de *Virchow* est honteuse et j'espère qu' un jour viendra où il en aura honte". *(...) Depuis le tournant décisif que marque, dans la vie de *Virchow* son discours de Münich, jusqu'à sa mort, c'est-à-dire pendant vingt-cinq ans, il est resté l'infatigable et puissant adversaire de la théorie de la descendance. Dans les congrès où il se rendait chaque année, il n'a cessé de combattre cette théorie et, en particulier, il s'est obstiné à défendre sa phrase : "Il est absolument certain que l'homme ne descend ni du singe ni d'aucun autre animal." A la question : "D'où donc, alors,vient-il ?" *Virchow* ne trouvait pas de réponse et il se réfugiait dans l'attitude résignée des agnostiques, prédominante jusqu'à *Darwin :* "Nous ne savons pas comment la vie est apparue ni comment les espèces se sont produites sur terre." Le gendre de Virchow, le professeur *Rabl*, a récemment tenté de ressusciter le premier point de vue du maître et il a prétendu que *Virchow*, même dans la dernière période de sa vie, reconnaissait pleinement le bien-fondé de la théorie de la descendance lorsqu'il causait avec quelque interlocuteur. Ce ne serait que plus mal de sa part d'avoir toujours professé le contraire en public. Un fait demeure certain, c'est que depuis 1877 tous les adversaires de la théorie de la descendance, les réactionnaires et les cléricaux avant tous les autres, invoquent la haute autorité de *Virchow.*" (*Ouv. cit.* pp. 55-56.)

Il apparaît donc que l'on peut tracer une sorte de parallèle entre la période de développement du darwinisme et de la théorie de la descendance (1866-1874, année de la parution de l'*Anthropogénie* de Haeckel) et la période de libéralisme progressiste et laïque de Virchow –puis entre la montée critique des forces religieuses du Centre et le revirement du grand pathologiste. Or l'*Anthropogénie* est précisément le texte où s'articule, onze ans

* Ce passage figure dans une très courte lettre de Darwin adressée à Haeckel à la suite de la traduction anglaise de son travail intitulé *Freie Wissenschaft und freie Lehre,* réponse au discours de Virchow sur la liberté de la science dans l'État moderne, édité à Stuttgart en 1878. La lettre de Darwin est datée du 29 avril 1879, et a été reproduite par Haeckel dans la note 17 de son *Origine de l'homme* (trad. Laloy, Reinwald, Schleicher, *s. d.*). p. 65.

après Huxley mais pour la première fois en Allemagne, la thèse de la descendance de l'homme, et la reconstitution hypothétique de la série de ses ancêtres animaux. Trois ans plus tard, c'est *cette* théorie qui sera, d'une façon particulière, attaquée par Virchow, dont l'autorité se maintiendra "pendant vingt ans, tout aussi puissante dans la presse berlinoise, dans les journaux libéraux aussi bien que dans les journaux conservateurs" (*ibid.*, p. 57). Afin de donner une idée de ce consensus, Haeckel amorce une véritable revue de presse : "Le *Journal de la croix* et le *Journal de l'Eglise évangélique* étaient ravis que "le progressiste érudit fût, en ce qui concernait l'évolutionnisme, conservateur au meilleur sens du mot" ; la *Germania* ultramontaine jubilait de ce que l'austère représentant de la science pure "eût mis, par de véritables coups de massue, la ridicule théorie pithécoïde et son principal défenseur E. Haeckel hors d'état de nuire" ; le *Journal National* ne pouvait pas assez remercier le citoyen libéral qui nous avait délivré à jamais du cauchemar opprimant de l'origine pithécoïde ; le rédacteur du *Journal du peuple*, *Bernstein* qui, dans ses excellents manuels scientifiques populaires, avait tant fait pour le progrès des lumières, se refusait obstinément à accepter les articles qui soutenaient la trompeuse théorie pithécoïde, "réfutée" par *Virchow*." (*Ibid.*, p. 58.)

Le tour de l'horizon idéologique est à peu près complet. Il tend à prouver que si le premier repli de la théologie (renonçant à la lettre de ses dogmes sur la création du monde inorganique) s'était opéré sans heurt, le *second*, effectué contre toute logique scientifique et contre la rigueur théologique elle-même, *fait obstacle* à l'officialisation de l'une des conséquences directes d'un évolutionnisme qui avait été cependant admis au niveau de la théorie générale de la descendance. Ce second repli –le premier ayant consisté à préserver de la phylogénèse darwinienne le monde *organique* dans son ensemble, ce qui présentait une plus grande cohérence– préserve maintenant l'*humanité*, que la théologie persiste à isoler en ayant recours au même système argumentatif qu'elle utilisait déjà au XVIIe siècle : quels que soient les rapports et les ressemblances anatomiques et constitutionnels entre le singe et l'homme, le premier, malgré une similitude remarquable de son appareil phonateur par exemple, *ne parle pas* en vertu d'une essence qui lui fait défaut, et qui caractérise précisément l'humanité dans son irréductibilité générique (25).

(25) *Histoire de l'Académie royale des Sciences de Paris*, 1674.

Contre le consensus idéologique qui s'efforce de soustraire l'homme à sa phylogénèse spécifique, Haeckel mobilise le consensus scientifique et la convergence doctrinale des disciplines : il rappelle qu'au cours des trois dernières décennies du XIXe siècle, l'idée d'évolution a rallié à elle toutes les branches de la biologie, leur servant à son tour de "base". Il invoque les milliers de découvertes réalisées en botanique et en zoologie, dans les domaines divers de la protistique et de l'anthropologie, comme "autant d'arguments à l'appui du transformisme, autant de données empiriques sur l'histoire des familles" (*ibid.,* p. 32). Il insiste sur les progrès "merveilleux" de la paléontologie, de l'anatomie comparée et de l'ontogénie. Il mentionne également ceux de la physiologie, de la chorologie et de l'écologie. Cette convergence affirmée par Haeckel travaille ouvertement selon lui à la généralisation d'une conception moniste de la nature. L'unification, du reste, qui relève de l'essence même du monisme comme philosophie de l'unité de l'être et, nous l'avons vu, de la convergence unitaire des sciences, s'étend également aux "sciences anthropologiques un peu plus éloignées" : l'ethnographie, la sociologie, l'éthique et la jurisprudence, lesquelles, "elles aussi, contractent des liens toujours plus étroits avec la théorie de la descendance et ne peuvent plus se soustraire à son influence". *Naturellement,* la tendance de l'idée d'évolution est de recouvrir globalement les multiples disciplines des sciences de la nature et de ces "sciences un peu plus éloignées" qui par leur rattachement à l'anthropologie manifestent cependant sans coupure leur lien à la nature, où s'énonce précisément la loi unificatrice de l'évolution. Cela même, dans sa redondance sans cesse réitérée, nous permet de comprendre le *vertige épistémologique* propre à l'évolutionnisme, et qu'il ne partage au même degré, sans doute, avec aucune autre doctrine : *la science, c'est-à-dire l'évolution intellectuelle de l'humanité dans sa connaissance de la nature et d'elle-même comme nature, est elle-même une partie de la nature en évolution.* Ainsi, lorsque la science et sa vérité s'opposent au dogmatisme théologien, c'est, plus que la vérité d'une science particulière, *la vérité de la nature* qui lutte, pour elle-même, dans l'une de ses régions : c'est la *nature* se manifestant, simplement, *au niveau de la science.*

Ainsi s'explique l'équivalence, dans le discours de Haeckel, ou, si l'on veut, l'interchangeabilité des termes de *science* et de *philosophie* pour désigner le *monisme.* L'unité de la nature engendrant l'unité de la science comme science de la nature et, elle-même, nature en évolution : telle est la double détermination redondante du monisme évolutionniste : si le monisme haeckelien est science et/ou philosophie, c'est que l'objet de la philosophie et de la science est l'unité de la nature, et, par voie de conséquence, le même nécessairement. Mais cette philosophie parle le langage de la science, et cette science est un effet de nature. Haeckel ne peut ainsi être l'épistémologue de sa propre science : sa "philosophie" *est* la science, elle continue à être le discours de la science engagée dans le combat de nature. Les conférences polémiques de Haeckel excluent précisément, d'une manière à peu près systématique, toute appréciation d'ordre épistémologique, comme celle qui pourrait résulter par exemple d'une mise en rapport et d'une comparaison, du point de vue de la validité ou des nouveaux apports scientifiques, entre la théorie darwinienne de la sélection et la théorie weismannienne du plasma germinatif (1884) ou encore la théorie mutationniste de De Vries (1900). Haeckel se veut uniquement, pour lors, historien de l'avancée de l'idée d'évolution, car une telle *histoire* est elle-même la trace redondante de la *validation progressive d'un concept progressif* qui s'applique, autant qu'à la nature tout entière, à la science *tout entière naturelle.* Cela ressemble fort, on l'a vu, à une métaphysique, ou même à une théologie : mais peut-être fallait-il l'équivalent d'une métaphysique ou d'une théologie pour lutter contre *la* métaphysique et *la* théologie.

Cette théologie, pour Haeckel, a un nom : le jésuitisme, une désignation politique : le papisme ultramontain, un corps représentatif au Reichstag : le Centre chrétien. En outre, elle a même une identité scientifique, celle du Père Erich Wasmann.

Wasmann, entomologue érudit au rapport de Haeckel, avait particulièrement étudié les myrmécophiles, minuscules coléoptères, parasites des fourmis, lesquels, par adaptation à l'habitat et aux conditions écologiques de ces dernières, subissent des transformations surprenantes prouvant, selon lui, que ces parasites proviennent d'autres insectes ayant mené une existence indépendante. Ces observations, parues d'abord dans une revue catholique ("Voix de Maria-Laach") de 1901 à 1903, ont été, avec d'autres textes, rassemblées dans un volume intitulé *La biologie moderne et la théorie de l'évolution* (Fribourg, Herder, 1904), et, quant à cette thèse, épousent sans ambiguïté les principes généraux du transformisme : "Ce remarquable livre de *Wasmann,* écrit Haeckel, ... est composé de trois parties tout à fait différentes. Le premier tiers, sous forme d'introduction, est un exposé clair et intéressant de la biologie moderne, en particulier de la théorie cellulaire et de celle de l'évolution, à l'usage des catholiques instruits (chap. I à VIII). Le second tiers, le chapitre IX, est la partie la plus précieuse de l'ouvrage, il est intitulé : *Théorie de la stabilité ou Théorie de la descendance ?* L'entomologue érudit nous donne ici un exposé intéressant des résultats de ses longues recherches sur la morphologie et l'écologie des fourmis et de leurs parasites, les myrmécophiles ; ingénument et d'une manière convaincante, il démontre que tous ces phénomènes curieux et embrouillés ne sont explicables que par la théorie de la descendance ; il montre que l'ancienne doctrine de la stabilité et de la création distincte des espèces est complètement inadmissible." (*Ibid.*, p. 34) Ce chapitre IX est déjà à lui seul, pour Haeckel, une victoire sanctionnée par un nouveau repli de la théologie dogmatique, qui se traduit par un abandon de terrain du côté de l'univers des formes vivantes, en faveur de la théorie de l'évolution : du coup, Haeckel redeviendrait presque lamarckien en histoire des sciences, juste assez longtemps pour penser la survie de l'Eglise sur le mode du *compromis adaptatif*, en notant que : "Le plus grand triomphe qu'ait... remporté notre théorie de l'évolution, c'est qu' elle a forcé, au début du XXe siècle, sa plus puissante adversaire, l'Eglise, à s'adapter à elle et à faire la première tentative en vue d'établir la bonne harmonie entre le darwinisme et le dogme". A travers ces images de lutte et d'adaptation, confirmant nos interprétations précédentes, se poursuit la naturalisation –et même la biologisation– du conflit scientifico-théologique. Mais ce qui reste provisoirement indécidable, c'est la question de savoir si le fait de la religion s'adaptant à l'évolutionnisme est une victoire polémique de l'évolutionnisme ou une victoire adaptative de la religion. Car "Le chapitre suivant (le Xe)," *continue Haeckel,* "en même temps que le dernier tiers de l'ouvrage, forme avec le précédent un violent contraste ; la théorie de la descendance y est appliquée à l'homme d'une manière presque absurde ; le lecteur en vient forcément à se demander si *Wasmann* adopte réellement le galimatias d'idées stupides qu'il expose, ou bien si sa seule intention n'a pas été d'embrouiller complètement le lecteur et de l'acheminer par ce procédé à adopter le dogme le plus plat de l'Eglise" (*ibid.*, pp. 34-35). Notre propos n'est pas ici d'entrer dans le détail de l'argumentation de Wasmann. Haeckel, certes, n'en retrace que les linéaments les plus repérables du point de vue de la provenance idéologique, mais c'est parce qu'elle reste une démarche toujours déjà *repérée,* quant à ses éléments et quant à sa "logique", comme un "chef-d'œuvre de la sophistique et de l'art jésuitiques de la déformation" : "En pur jésuite, *Wasmann* cherche à prouver que le darwinisme n'a pas pour conséquence d'anéantir, mais d'établir solidement la théorie de la création surnaturelle, et que ce ne sont pas, à proprement parler, *Lamarck* et *Darwin* mais *saint Augustin* et *saint Thomas d'Aquin* qui ont fondé la théorie de l'évolution. "Car Dieu n'intervient pas immédiatement dans l'ordre de la nature, là où il peut agir par des causes naturelles." L'homme seul fait une remarquable exception, car : "L'âme humaine, en tant qu'être spirituel, ne peut même pas être tirée par la puissance de Dieu de la matière, comme les formes substantielles des plantes et des animaux."

Le compromis adaptatif est ici encore un *repli,* du dogme littéral de l'Écriture vers les doctrines des Pères de l'Eglise, sorte de marge philosophique de manœuvre pour un dogmatisme en difficulté. C'est pourquoi Haeckel n'en veut retenir que le recul, manifesté par la concession –pour tout ce qui n'est pas *l'homme, sommet de l'arbre de l'évolution,* ni la *génération spontanée* des formes les plus simples de la vie (ou *archigonie*), racines du même arbre– faite à l'idée que "les espèces les plus compliquées, parmi les organismes vivants, sont issues, par transformation, suivant les lois du darwinisme, d'une série de formes originelles plus simples" (*ibid.,* p. 37). Arbre sans cime et sans racines, évolution sans terme actuel ni commencement naturel dans l'être, la nature fragmentée, amputée par éradication et étêtement du fait de la nécessité de remettre Dieu à la fin et au commencement, donne une image plus claire des abandons successifs de la théologie, qui a déjà dû se dégager de sa *lettre,* que de sa cohérence doctrinale. Pour nous, l'une des questions les plus intéressantes posées par Haeckel reste celle-ci : Wasmann croit-il en la valeur de son argumentation, ou cette dernière n'est-elle qu'une manœuvre de *brouillage* destinée à sauvegarder, par une tactique de *méconnaissance savante de la science,* c'est-à-dire par l'effraction calculée de sa logique, l'essentiel du dogme réduit aux éléments nécessaires au maintien de la croyance ? Cette question n'est qu'en apparence une question de psychologie. En réalité, ce qui à travers elle se trouve interrogé par Haeckel, c'est une constante transhistorique de la "science jésuitique" qui consiste à la fois à trouver des compromis et des biais d'adaptation destinés à s'accommoder à la science laïque –donc à feindre de n'accuser aucun *retard*–, et à *retarder,* par une fragmentation logiquement et historiquement paralysante, l'avancée décisive de ladite science. Nous ne craignons pas d'employer l'expression apparemment peu dialectique de "constante transhistorique", pour une raison qui apparaîtra grâce à un rapprochement historique dont l'importance s'éclairera sur le plan de l'analyse des complexes discursifs.

Il nous faut ici revenir à des choses simplement évoquées au commencement de ce chapitre. Vers les années 1738-1741, le prêtre anglican W. Warburton, évêque de Glocester, produit dans l'*Essai sur les hiéroglyphes des Egyptiens,* fragment assez long formant un ensemble relativement autonome à l'intérieur d'un grand ouvrage apologétique –*La mission divine de Moïse*– une théorie de l'*évolution des systèmes de graphie* dans l'histoire des peuples. Nous avons exposé à deux reprises le schéma évolutif établi par Warburton (26). Il installe, entre les différents stades successifs repérables dans l'histoire de ces systèmes, un processus d'abréviation et de raffinement consécutif au gonflement numérique et à la lourdeur paralysante de l'appareil de signes mis en œuvre par les procédés de notation les plus rudimentaires, lesquels *de ce fait* ne peuvent survivre et font place à de nouveaux procédés mieux adaptés aux besoins de l'expression et de la communication. On passe ainsi de la pictographie mexicaine –"écriture en peinture" entièrement représentative– à la simplification picto-idéographique des premiers hiéroglyphes (entre les différents états desquels s'effectue parallèlement une complexification de la relation symbolisante), puis à une idéographie par caractères non représentatifs –c'est-à-dire en fait grandement démotivés–, et enfin à la notation alphabétique. Cette théorie de l'évolution historique de l'écriture, opérée à partir d'un réordonnancement de la diachronie qu'en donnaient Porphyre et Clément d'Alexandrie, rend compte de l'origine, par oubli du sens premier des symboles représentatifs, de l'idolâtrie païenne. Mais son effet second et imprévu est d'inscrire en théorie, pour tous les peuples de la terre, la possibilité d'avoir suivi, à cet égard, la même *évolution naturelle.* Lorsque la théologie commence à prendre sourdement conscience de ce qu'elle vient d'autoriser, et qui ruine virtuellement l'emprise, sur l'histoire des peuples, du dogme chrétien de la *diffusion,* elle réagit en suscitant la thèse diffusionniste de l'abbé De Guignes, auteur d'un

(26) *Transfigurations (archéologie du symbolique)*, introduction à *l'Essai sur les hiéroglyphes des Egyptiens* de Warburton, Aubier, 1978.

Voir également *La constellation de Thot (hiéroglyphe et histoire)*, Aubier, 1981.

Mémoire sur l'origine égyptienne des Chinois, dans lequel la parenté originaire des langues de tous les peuples voisins de la Méditerranée, et leur extension à l'Orient, sont "prouvées" par la comparaison des anciens systèmes de notation graphique appartenant à ces différents peuples (27). S'en induit une pratique comparatiste qui, née de ces recherches, va déborder largement sur les domaines de l'histoire et de l'anthropologie culturelle et religieuse, et qui, se mettant en devoir de retrouver des parentés génétiques, va tenter de redonner son universalité au dogme diffusionniste. Mais la logique *évolutionniste* tirée de Warburton s'était imposée au point d'être la base à peu près unanimement acceptée de tous les raisonnements érudits et philosophiques en matière d'histoire de l'écriture : ne pouvant ni l'éviter, ni la détruire, De Guignes se comporte alors *exactement de la même façon* que Wasmann par rapport à Darwin : il brouille, fragmente, déforme, mutile, revient subrepticement à la diachronie de Porphyre et de Clément tout en continuant à affirmer une obédience de principe envers les certitudes établies par Warburton, faisant commencer l'écriture égyptienne par l'écriture épistolique (alphabétique) tout en reconnaissant contradictoirement qu'elle "dérive des hiéroglyphes les plus simples", entretient une confusion logique reposant sur le compromis impraticable entre la thèse naturaliste de Warburton qui permet de penser des évolutions parallèles où s'avère simplement "la marche naturelle de l'esprit humain", et qui dispense de ce fait d'en revenir à la révélation et à la diffusion, et d'autre part la thèse chrétienne de l'origine unique du peuplement de la terre, dont serait la trace, précisément, la ressemblance des écritures. Le brouillage logique, ici, est une arme défensive de la théologie jésuitique, et Deshautesrayes, l'adversaire laïque de De Guignes, le fera en quelque sorte apparaître en renvoyant à l'autorité de Warburton et en témoignant son incompréhension devant un discours dessaisi de sa rigueur la plus constitutive, et auquel son interlocuteur a fait subir d'ininterprétables violences (28).

(27) De Guignes, *Mémoire dans lequel, après avoir examiné l'origine des lettres phéniciennes, hébraïques, etc., on essaie d'établir que le caractère épistolique, hiéroglyphique et symbolique des Egyptiens se retrouve dans les caractères des Chinois, et que la nation chinoise est une colonie égyptienne.* Mémoires de l'Académie des Inscriptions et Belles-Lettres, tome XXIX, pp. 1-26. Repris dans un *Précis* séparé en 1759.

(28) Cf. Leroux Deshautesrayes, *Doutes sur la dissertation de M. de*

L'intérêt d'un tel parallélisme est immense. Il l'est d'autant plus que l'on pourrait en tracer beaucoup d'autres : il suffirait pour cela d'écrire cette histoire irremplaçable qui serait celle de la *théologie physique,* c'est-à-dire de l'effort de "rattrapage" et de recouvrement de la science par la théologie. On pourrait aussi, très vite, apercevoir que toute l'histoire de l'anthropologie occidentale, depuis le début du XVIIIe siècle, est structurée de cette manière.

Quelles conclusions en tirer, qui soient, cette fois sans ambages, de l'ordre de la méthodologie ?

Certes, la linguistique et les théories de l'écriture au XVIIIe siècle *ne sont pas* la science de la nature à la fin du XIXe. L'évolution inscrite dans l'histoire des systèmes graphiques et relevée systématiquement par Warburton comme une *loi* du devenir *n'opère pas sur la même matière* que celle relevée par Darwin comme loi du devenir des organismes naturels. De Guignes cherchant à brouiller l'ordre diachronique de la loi établie par Warburton ne dispose pas plus du savoir naturaliste de Wasmann que ce dernier ne possède l'expérience grammatologique de De Guignes. *Et cependant,* abstraction faite de la spécificité des contenus, les gestes intellectuels et les tactiques polémiques sont rigoureusement *les mêmes,* indiquant par là qu'ils répondent à des obligations discursives identiques, et que le rapport des forces en présence est *exactement analogue.* Dans les deux cas, la théologie doit faire face au *même problème,* dont la résolution conditionne le *maintien de son emprise.* Dans le cas de De Guignes, pour sauver la prééminence du dogme de l'origine unique, il faut briser la logique évolutionniste qui préside chez Warburton à l'énonciation de l'histoire et des déterminations, non seulement de l'écriture, mais du paganisme iconolâtrique et, de proche en proche, des religions. Mais De Guignes doit en même temps, *à cause de la science, endosser,* du moins en apparence, cette logique. D'où le recours à cette méthode de désespoir qui est la fragmentation ou la mésinterprétation tactique. Dans le cas de Wasmann, pour sauver la prééminence du dogme de la création divine et de l'essence singulière de l'homme, il faut briser la logique évolutionniste qui préside, chez Darwin ou Haeckel, à l'énonciation de l'histoire de ce que l'on n'appelle déjà plus que

Guignes, qui a pour titre : Mémoire dans lequel on prouve que les Chinois sont une colonie égyptienne. Proposés à Messieurs de l'Académie Royale des Belles-Lettres. Paris, Prault et Duchesne, 1759. Voir *La constellation de Thot,* ouv. cit.

par commodité la "création". Mais, *à cause de la science,* Wasman doit en même temps *endosser,* du moins en apparence, cette logique. D'où, là aussi, fragmentation et mésinterprétation tactique, et refus contradictoire de l'endossement complet des logiques.

Cette répétition des structures polémiques et des configurations argumentatives a nécessairement un sens et suggère sa propre interprétation. Elle indique notamment, par le parallélisme qu'elle instaure entre deux fragments d'histoire et entre deux événements conflictuels dans l'ordre du discours sur l'homme , que ces deux événements discursifs *obéissent à des déterminations logiques de même nature.* Certes, le dogme chrétien est moins directement menacé par la grammatologie diachronique de Warburton que par l'évolutionnisme darwinien, qui touche au dogme essentiel : celui de la création, et singulièrement celui de la création de l'homme. Mais, de l'un à l'autre, la théologie ne fait que prendre plus nettement conscience de la menace qui pèse sur elle. D'une contestation du dogme qui concerne l'*histoire* –laquelle est toujours plus ou moins affaire d'interprétation–, on passe à une contestation qui concerne l'*Etre,* et qui engage virtuellement, et bientôt activement, un renversement radical de la croyance par un savoir qui se donne de plus en plus comme une vérité indépendante, totalisatrice et exclusive de toute autre qui n'aurait pas le même fondement. Mais quoi qu'il en soit des différences de degré dans la menace et son appréhension, les voies logico-discursives de l'affrontement sont identiquement frayées, les ressorts polémiques sont les mêmes et, tout comme on oubliera De Guignes –dont les thèses eurent cependant un retentissement profond et durable dans le monde savant jusqu'à la fin du XVIIIe siècle et même au-delà–, on oubliera Wasmann. *La métaphysique peut toujours dire que la science se trompe ; mais lorsqu'elle veut le montrer, elle ne peut le faire que sur le terrain de la science, où elle finit par perdre son combat.*

La récapitulation

Dans la pré-histoire du darwinisme, on sait la part du développement de l'anatomie comparée et de l'embryologie.

Au début du siècle, Lamarck produit la définition des Vertébrés, et Cuvier établit l'unité naturelle de ce groupe, dont l'élément anatomique différenciateur est la détention d'une colonne vertébrale osseuse ou cartilagineuse, laquelle s'accompagne d'une ressemblance générale dans la distribution des principaux organes et dans leur structure relationnelle. Ces éléments de ressemblance anatomique avaient incité Goethe, avant Cuvier, à s'interroger sur le principe d'unité du groupe et, de la même façon qu'il avait cherché à identifier un tel principe, à l'intérieur du domaine végétal, dans la détention d'un organe commun à tous les individus : la feuille, il avait, grâce à sa théorie vertébrale du crâne, qui devait recevoir confirmation de Oken (*Sur la signification des os du crâne,* 1807) et de différents mémoires de Geoffroy Saint-Hilaire, unifié de même le critère relatif à l'identification des Vertébrés. Après les travaux de Cuvier, que sanctionna l'élévation de l'anatomie comparée au rang de science indépendante, celle-ci fut développée par les recherches de J. Müller, G. Gegenbaur, R. Owen, T. Huxley, etc., et Haeckel note à ce propos que "plus tard le darwinisme put puiser ses armes les plus puissantes dans ce riche arsenal". Le transformisme, en effet, est ce qui viendra rendre compte de l'identité et de la différence en anatomie comparée, expliquant la *différence* de forme et de structure interne par l'*adaptation* aux diverses activités des organes et aux conditions d'existence dans les milieux d'origine, et l'*uniformité* par l'*hérédité* d'ancêtres communs. L'anatomie comparée ayant établi l'unité morphologique de la famille des Vertébrés, le transformisme n'est, à ce stade, qu'un essai d'interprétation généalogique de cette unité, lequel demande à être confirmé par d'autres données d'observation.

Cette confirmation devait dériver des progrès de l'étude des formations embryonnaires. En 1758 et 1769, les observations de Caspar Friedrich Wolff sur le développement embryonnaire du poulet avaient, avant l'heure, validé la thèse épigénétiste en la modifiant : la formation de l'embryon n'est plus simplement juxtapositive comme chez Harvey, mais s'effectue par successive complexification de parties initiales simples dont l'évolution anatomique aboutit à créer progressivement la forme des organes. La notion de "feuillets germinatifs", élaborée entre Pander (1817), von Baer qui, corrigeant De Graaf, affirme la présence de l'œuf des Mammifères à l'intérieur du follicule ovarien, et Remak (1845), viendra étayer ces observations qui ruinent le dogme préformationniste, dont j'ai montré ailleurs qu'il commençait à perdre quelque chose de son hégémonie dès le milieu du XVIIIe siècle (29). La genèse de

(29) Dans le champ de l'histoire de la tératogenèse, cf. *L'ordre et les monstres,* Le Sycomore, 1980. Dans le champ de l'histoire des théories

cette notion est coextensive au développement de la théorie cellulaire et des techniques histologiques (Bichat est mort en 1802, après sa contribution fondatrice à l'anatomie des tissus).

Dès lors, la mise en rapport des deux régions de la science peut sembler, sinon programmée, du moins praticable en raison de la présence, de part et d'autre, des composantes d'une analogie *possible :* le témoignage de l'anatomie comparée, ordonnant la diversité cependant homogène de la grande famille des Vertébrés, peut accréditer la thèse lamarckienne des *transformations,* et le témoignage de l'observation embryogénétique établit l'existence des *transformations* au sein même du développement épigénétique du fœtus. C'est cette analogie qui sera exploitée par von Baer dans l'hypothèse à laquelle, près de quarante ans plus tard, Fritz Müller (1864) et Haeckel (1866) donneront la forme de la *loi biogénétique fondamentale,* selon laquelle le développement embryonnaire *–ontogénétique–* de l'individu reproduit des phases de développement correspondant à des états de l'évolution *phylogénétique :* le développement de l'embryon humain passerait ainsi par différentes étapes caractérisées par leur ressemblance avec les formes adultes successivement identifiables au sein de la série de ses ancêtres animaux. Mais ce qu'enseigne d'abord l'étude du développement embryonnaire des Vertébrés, c'est que, bien que chaque individu se développe, de même que les autres animaux, à partir d'une cellule initiale ou œuf, ce processus se singularise toutefois par des traits particuliers et des formes germinatives spéciales, indécelables chez les invertébrés, et qui semblent permettre d'envisager l'origine du groupe comme devant être cherchée dans une forme primitive commune. Cependant, il y a encore loin de l'ontogénie ainsi mise en lumière à la reconnaissance de la grande analogie phylogénétique, et l'embryologie comparée, malgré ses développements, ne parvient pas immédiatement à provoquer chez les savants l'induction de l'une à l'autre. Haeckel fera, du reste, assez discrètement comprendre que cette possibilité de rapprochement des données fournies par l'étude du développement embryonnaire et de celles fournies par l'histoire zoologique ne sera rendue réellement opératoire qu'en 1866, date de la publication de sa *Morphologie générale.* Mais si ce rapport –même après 1866– ne va pas de soi,

de la génération, et sur le problème particulier de leur rapport avec les théories physiques , cf. *L'ordre du corps,* présentation de la *Vénus physique* de Maupertuis, Aubier, 1980.

si l'on peut hésiter sur le risque d'une analogie et reculer devant une interprétation qui paraît trop hardiment systématisante, une autre science sera, selon Haeckel, en mesure d'apporter à l'hypothèse de l'évolution une confirmation plus tenace : la *paléontologie*. La paléontologie dispose devant elle les preuves solidifiées des existences antérieures : traces, empreintes, documents enregistrés dans la matière géologique, *fossiles* d'où l'on peut assurément induire le fait de l'existence préhistorique d'animaux et de plantes disparus de la surface terrestre. La terre est l'archive de l'évolution : elle *récapitule* dans son immobilité ce que l'embryon, d'une façon moins clairement saisissable, *récapitule* dans sa mouvance. On peut y marquer, sans possibilité rigoureuse de datation, mais avec l'assurance minimale de pouvoir distinguer des périodes, l'apparition de la vie organique et de ses successives modifications. "La *succession historique*", écrit Haeckel, "dans laquelle se présentent ainsi, l'un après l'autre, les divers groupes figurant les étapes du développement des vertébrés, correspondent exactement à la suite d'étapes morphologiques qu'ils parcourent dans leur perfectionnement graduel et que nous a fait connaître l'étude de l'anatomie comparée et de l'ontogénie." (*Ibid.*, p. 63.)

Le devenir historique complet des espèces trouve ainsi sa représentation accélérée dans le développement embryologique de l'individu humain. Ce que récapitule l'évolution embryogénique (ontogénie) de l'homme, c'est, à l'échelle des formes zoologiques actuellement existantes et connues à travers l'anatomie comparée, l'évolution des organismes vers leur "perfectionnement" et, au-delà, c'est-à-dire à l'échelle des formes zoologiques ayant existé et connues par la paléontologie animale, l'évolution qui conduit des formes archaïques aux formes contemporaines. Ainsi, le propre de l'embryogénie humaine –développement ontogénique de l'organisme le plus "perfectionné"– est de donner sur une courte période l'image de la succession historique de toutes les formes animales. La *loi biogénétique fondamentale* ou loi de la *récapitulation,* qui joue après 1866 un rôle important dans le discours de Haeckel, instaure donc chez lui, à partir de l'évolution intra-utérine de l'organisme humain, une représentation *réplicable* des grands processus évolutifs. Il n'y a plus ainsi qu'une seule science, la *science de l'évolution,* objet commun, à travers des périodisations différentes, de la paléontologie, de l'anatomie comparée et de l'embryologie : la loi biogénétique, qui rapproche l'embryologie et la paléontologie en montrant la convergence de l'archive morte et de l'archive vivante, et qui permet de renforcer, du côté du passé et du côté d'un présent efficient, les inductions transformistes qui reposaient déjà depuis assez longtemps sur les données de l'anatomie comparée, est bien de ce point de vue la figure la plus caractéristique, non de la science transformiste, auprès de laquelle sa fortune sera médiocre et de peu de durée, mais de la *théorie moniste de la connaissance* qui semble naturellement s'édifier sur la généralisation de la loi d'évolution.

La signification du monisme

Dans *Les merveilles de la vie* (30), Haeckel notait que l'histoire de la philosophie mettait en évidence l'opposition de deux conceptions dominantes de la nature du monde et des phénomènes : le dualisme, selon lequel "il y a dans l'univers deux principes distincts, qui s'opposent, soit sous les noms de Dieu et du monde, soit sous ceux de monde spirituel et de monde des corps, ou encore sous ceux d'esprit et de nature, etc.", et d'autre part le monisme, plus rare, qui rapporte l'ensemble des phénomènes à un principe unique.

Cette opposition du dualisme et du monisme, ajoute-t-il, est de la plus haute importance : "Toutes les autres formes de la pensée se laissent ramener à l'un de ces deux systèmes ou à un mélange plus ou moins obscur, plus ou moins hybride, des deux."

Pour Haeckel, il n'y aura pas de mélange. Le monisme radical auquel il se rattache peut se redéfinir comme un hylozoïsme(ou hylonisme), ou encore un matérialisme théorique. L'hylozoïsme ou hylonisme reconnaît dans la substance l'existence indissociable de deux attributs fondamentaux : la substance est à la fois matière –ce par quoi elle occupe l'espace– et énergie (ou esprit) –ce par quoi elle est douée de sensibilité. L'énergie et la matière sont inséparables, et de ce fait excluent l'existence de forces immatérielles. Le matérialisme théorique de Haeckel se différencie du matérialisme purement mécaniste en déclarant que ce dernier a tort de refuser toute sensation à la matière –et il rassemble sous cette caractérisation Démocrite, Lucrèce, d'Holbach, La Mettrie et la

(30) 1904. Trad. française : *Les merveilles de la vie. Études de philosophie biologique pour servir de complément aux Enigmes de l'univers.* Paris, Schleicher frères, 1907.

plupart des physiciens et chimistes de la fin du XIXe siècle. "Ils considèrent", écrit Haeckel à propos de ces derniers, "l'attraction des masses (gravitation) et l'affinité comme une mécanique atomique et en font la base de tous les phénomènes. Ils ne veulent pas admettre que ces mouvements supposent une façon de sensation inconsciente. Dans des discussions avec des physiciens et des chimistes éminents, je me suis souvent convaincu qu'ils ne veulent pas attribuer une âme aux atomes. Je crois au contraire que cela est indispensable pour expliquer les phénomènes physiques et chimiques les plus simples ; naturellement, il ne faut pas penser à l'activité psychique de l'homme et des animaux supérieurs, mais descendre jusqu'aux Protistes et aux Monères. Chez celles-ci, par exemple chez les Chromacées, la vie psychique n'est guère supérieure à celle des cristaux, et de même que dans la synthèse des Monères, il faut admettre dans la cristallisation un faible degré de sensation (non de conscience) pour expliquer l'arrangement régulier des molécules en une construction de forme définie." (31)

Pour qui connaît quelque peu l'histoire de la réflexion sur le vivant et sa genèse, un tel passage ne peut manquer d'évoquer les relations complexes qu'entretiennent, dans le discours conjectural des théories antérieures de la génération, le modèle gravitationnel et la notion chimique d'affinité repensée à la lumière du newtonisme introduit en France en 1732 par Maupertuis (32). Certains éléments épars chez Buffon –le modèle cristallin et son rapport de semi-analogie avec celui de l'assemblage des molécules organiques– et chez Maupertuis –existence supposée d'un psychisme particulaire présidant aux ordinations des parties élémentaires mises en contact lors de la fécondation– se retrouvent mêlés ici dans la confuse évocation de Haeckel, plus proche de Maupertuis sans doute, mais qui n'a pas opéré de nette distinction ni de choix entre les deux auteurs. De toute évidence, Haeckel a quitté le champ des certitudes positives pour chercher dans le passé préscientifique de la biologie et de la génétique des intuitions philosophiques qu'il croit encore capables de servir de guides pour le conduire au-delà du domaine des assertions actuellement légitimes

(31) *Ibid.*, p. 75.

(32) Maupertuis, *Sur les lois de l'attraction*, Mémoires de l'Académie royale des Sciences, année 1732. Voir par ailleurs notre édition de la *Vénus physique* (Aubier, 1980) et, plus haut, notre chapitre sur Buffon.

de la science des organismes.

La biologie et l'expérience enseignent respectivement que l'esprit est inséparable de la matière et que l'on ne connaît pas d'exemple observable du contraire. Haeckel rejette donc d'un même geste le matérialisme pur (mécanisme) et le dynamisme pur qui réduit la substance à l'énergie (énergétisme d'Ostwald, et dérive, à partir de Leibniz, de Fechner et Zöllner). Le monisme hylozoïste de Haeckel est un naturalisme fondé sur l'anthropogénie et sur la théorie de la place de l'homme dans la nature développée au début des *Enigmes de l'univers* (chapitres II à IV). Sa formule est contenue dans la définition de l'homme qui résume sa généalogie : "L'homme est un mammifère placentaire de l'ordre des primates. Il s'est développé au cours de la période tertiaire et provient d'une série de primates inférieurs (anthropoïdes, singes et lémuriens). Le primitif tel que nous le connaissons encore actuellement chez les Weddahs et les Australiens, se rapproche psychologiquement davantage du singe que de l'homme cultivé." (33)

Ce dernier énoncé, qui se renouvelle sous d'innombrables formes chez Haeckel –plus souvent encore que chez Darwin– n'obtiendra que plus tard le commentaire auquel il a droit. L'important pour l'instant, c'est que pour Haeckel la théorie de la descendance de l'homme inscrit dans sa logique le regroupement de toutes les sciences de l'homme sous le chef de la zoologie. Cette unification est la conséquence de la conception moniste de l'univers et de la vie :

> "L'anthropologie, au sens large du mot, n'est donc qu'une branche de la zoologie. Par suite, au point de vue moniste, toutes les sciences qui s'occupent de l'homme et de son activité psychique –y compris les sciences dites de l'esprit– sont des rameaux de la zoologie, des sciences naturelles. La psychologie de l'homme est inséparable de celle des animaux, et celle-ci se relie à celle des plantes et des Protistes. La linguistique étudie dans les langues humaines un phénomène complexe qui, comme le langage des mammifères et des oiseaux, repose sur l'activité combinée des cellules cérébrales du phronéma (34), des muscles de la langue et des cordes vocales du larynx. L'histoire des peuples (que dans notre sot orgueil anthropocentrique nous appelons l'histoire universelle), et sa branche la plus

(33) *Les merveilles de la vie*, pp. 77-78.

(34) Ce terme désigne, chez Haeckel, l'ensemble des foyers encéphaliens de la pensée.

> élevée, l'histoire des civilisations, se relie par la préhistoire à l'histoire des primates et des autres mammifères, et à la phylogénie des vertébrés inférieurs. Ainsi il n'y a pas à proprement parler de science humaine qui sorte du cadre des sciences de la nature, de même qu'il n'existe pas, en face de la nature, un "surnaturel". (35)

Le monisme évolutionniste implique donc une classification arborescente des sciences qui reproduit du côté des sciences humaines –dont l'autonomie ne peut plus dès lors être pensée que comme la trace d'une conception *dualiste*– le modèle *ramifié* qui sert à figurer depuis Darwin les dérivations interspécifiques et intervariétales. Une même logique phylogénétique semble présider à l'évolution des sciences de l'homme, dont les ramifications disciplinaires sortent du tronc de la biologie et portent le biologique jusqu'en ses différenciations les plus extrêmes sans marquer de rupture, et à l'évolution des êtres organisés –ce qui prépare à concevoir la sphère de la pensée scientifique en évolution *sur le modèle* de l'évolution de la sphère naturelle. Lorsque Haeckel, par exemple, évoque la linguistique, il fait plus que répercuter en écho les vieilles préoccupations de Lyell et de Darwin, il renvoie nécessairement, à quarante ans de distance, à la lettre publique que lui avait adressée le linguiste évolutionniste August Schleicher, et où s'opérait précisément le reploiement de la classification et de l'évolution linguistiques sur le modèle fourni par les classifications généalogiques des organismes naturels chez Darwin, et en même temps sur le modèle (statique) de la division des règnes –langues minérales, végétales et animales– et sur celui du développement de l'organisme individuel (naissance, développement et mort), pour ne rien dire ici de la sélection naturelle, qui joue également son rôle. C'est sans doute sur ce point essentiel que l'on peut percevoir l'une des grandes difficultés logiques du système moniste de l'évolution. Le rattachement global des sciences de l'homme aux sciences de la nature s'accompagne d'une véritable *démesure analogique :* les auteurs les plus sincèrement préoccupés d'établir ce rattachement lui donnent malencontreusement la figure d'un *rapprochement* qui les porte à confondre l'*ordre successif des filiations et des dérivations naturelles* avec l'*ordre répétitif du parallèle analogique :* Certes, un monisme évolutionniste conséquent autorise à penser les manifestations psychiques, linguistiques et gnoséologiques comme des manifestations

(35) *Ibid.*, p. 78.

développées de la vie, c'est-à-dire comme des dépendances de la biologie. Mais pourquoi alors, comme Schleicher affirmant que les langues *sont* des organismes naturels et évoluent *comme* eux, ou comme Spencer déclarant qu'une société *est* un organisme et évolue *comme* tel, confondre systématiquement avec un *parallélisme* ce qui doit être avant tout un *développement ?* Au lieu d'étudier, dans la dépendance de l'évolution biologique, ce que peut être la spécificité de l'évolution de l'organisme linguistique, Schleicher lui fait reproduire tour à tour le vieux modèle de la hiérarchie des règnes, celui de l'évolution des organismes naturels dans le transformisme et celui du développement et du dépérissement de l'individu, sans apercevoir que ces modèles non seulement n'expriment pas l'identité des transformations linguistiques, mais sont en outre, dans leur juxtaposition et leur fausse convergence, profondément contradictoires. De même, au lieu de véritablement fonder une sociologie sur l'étude de la spécificité des phénomènes structurels et évolutifs au sein des sociétés humaines, Spencer, comme nous le verrons, va la reployer sur le schéma de fonctionnement et de développement de l'organisme individuel, sans apercevoir la contradiction qui va s'installer entre les pôles de son analogie lorsque, par une nécessité qu'il ne maîtrisera pas, le rapprochement avec l'espèce se substituera au rapprochement avec l'individu : car le modèle de l'organisme individuel est un modèle coopératif qui ne saurait tolérer entre ses parties l'introduction d'une relation analogue à celle de la concurrence vitale et du triomphe des plus aptes, qui se laisse appréhender entre les unités composantes de l'espèce. En outre, dans l'évolution générale, la société apparaît postérieurement au perfectionnement de l'organisation biologique, et comme l'un de ses effets principaux : or dans l'ordre de l'évolution, il n'y a aucune nécessité logique à penser que ce qui est successif doive être en même temps parallèle : la loi de récapitulation de Haeckel n'est ainsi que le fantasme de ce reploiement ou de cette réitération qui structure curieusement toute la pensée évolutionniste : la confusion du modèle évolutif (l'espèce) et du modèle de la croissance simple ou du développement individuel, qui produit en fait une pseudo-combinaison, est la pierre d'achoppement idéologique de l'évolutionnisme, alors qu'elle ne se présente jamais chez Darwin, dont le discours, comme je l'ai fait voir précédemment, exclut tout organicisme comme il exclut le reploiement des catégories qui servent à décrire l'évolution biologique sur celles qui doivent servir à penser l'évolution sociale, morale, rationnelle et psychologique dans l'état de civilisation. Il y a incontestablement chez Darwin un monisme matérialiste, mais qui demeure une position de fait, non théorisée au niveau de l'œuvre scientifique, car dépendante du seul *pouvoir-dire* de la science et n'outrepassant jamais son seuil de légitimité. Darwin, on l'a souvent répété, bien que rejetant pour sa part l'idée de création par un dieu personnel, a toujours refusé d'attaquer ouvertement la religion, conscient qu'il était des effets probables d'une telle attaque dans le champ de l'idéologie. Sa victoire étant remportée du côté de la science, il ne s'est jamais soucié de donner à la vérité, en ce domaine, le soutien d'une idéologie militante à la manière de Haeckel. C'est ainsi qu'avec une cohérence admirable, il prouve à travers son propre comportement l'avènement effectif de ce qu'il avait décrit dans *La descendance de l'homme* comme le propre de la civilisation : une évolution débarrassée de la prédominance de la lutte. Alors que le monisme évolutionniste (Spencer, Haeckel) prendra pour règle théorique et pratique la continuation de la lutte et du triomphe des plus aptes –à la fois dans la société et dans le savoir– sous l'état de civilisation, Darwin inaugure quant à lui l'ère d'un pacifisme gnoséologique et culturel qui n'est que le reflet de l'extension tout aussi réelle qu'il entendait reconnaître au sentiment social de la *sympathie.* Et pourtant, par une inconséquence qui peut sembler étonnante, ce sont Haeckel et Spencer, les partisans de la lutte, qui s'occuperont de réaliser la *conciliation* (philosophique) de la religion et de la science –le premier à travers une référence particulièrement peu explicite au "panthéisme" spinoziste (36), le second à travers l'agnosticisme d'une théorie de l'*Inconnaissable* (37).

Or la conciliation véritable –elle n'est que rhétorique chez Haeckel et négative chez Spencer–, c'est Darwin qui, sans se l'être proposé et sans même y prétendre, l'instaure *en fait* sur un mode *dialectique.* La contradiction entre le dualisme et le monisme, Darwin la dépasse dans *La descendance de l'homme* en exhibant le ressort d'illusion qui produit le dualisme à partir de l'évolution psychique elle-même : la sélection naturelle dirige l'évolution du monde organique ; elle pourvoit non seulement à la survie

(36) Cf. par exemple *Les merveilles de la vie,* pp. 74 et 77 ; 375-376. *Religion et évolution,* p. 122. *Le Monisme,* p. 34, etc.

(37) *Premiers principes,* première partie.

des plus aptes, mais aussi, à mesure que progresse l'organisation, à la sélection des *instincts sociaux* générateurs du sentiment de *sympathie* qui conduit à la protection des faibles, et simultanément à celle des *compensations rationnelles* qui accompagnent *de plus en plus* le déficit *de plus en plus accusé* de sa propre efficace *en tant que sélection purement biologique :* autrement dit, la sphère culturelle (spirituelle, éthique, rationnelle, sociale, psychologique) *se détourne, tout en ayant été sélectionnée par lui,* du processus antérieur de la sélection naturelle : le *dualisme* naît alors de la méconnaissance de ce phénomène complexe et difficilement représentable d'éloignement sans rupture, de renversement continu et progressif : là encore, *natura non facit saltum,* mais la sélection naturelle sélectionne dialectiquement *son contraire.* En élisant l'exténuation progressive des comportements sélectifs fondés anciennement sur la prédominance des rapports agonistiques dans la nature et dans les sociétés primitives, l'évolution darwinienne s'inscrit à l'avance, dans sa logique profonde, contre celle des extrapolations sociologiques et politiques de Haeckel et de Spencer, et contre tout pseudo-darwinisme éthique ou socio-politique construit sur l'idée anti-darwinienne du maintien de la prépondérance de la lutte au sein de la civilisation. Telle est la signification la plus directement intelligible du monisme non militant de Darwin : celle d'une *naturalisation dialectique de la morale.* Le monisme de Spencer et de Haeckel, cantonné autour de l'idée de perpétuation de la lutte, ne pouvait "retrouver la morale" qu'à travers un compromis non dialectique.

Pseudo-darwinisme éthique et pseudo-darwinisme social

On peut dire dès maintenant, à la lumière de ce qui précède, que tout ce que l'on a nommé "darwinisme social" est la simple projection du mécanisme de la sélection naturelle sur l'évolution de la société, projection qui est ignorante ou ne tient aucun compte du développement anthropologique que Darwin lui-même a apporté à sa théorie, et que je résumerai ici dans la mention de l'*effet réversif* comme *passage dialectique de la nature à la civilisation.* Pour exister, le "darwinisme social", tel qu'il s'est historiquement signalé à notre connaissance, a dû non seulement fragmenter le darwinisme –si l'on veut bien entendre par là, sans entrer dans le détail, le *texte* scientifico-philosophique de Darwin–, mais amputer la théorie de la sélection elle-même de tout son versant anthropologique. La fausseté de l'expression et de la notion idéologique de "darwinisme social" entendue comme perpétuation sociale des supériorités et des infériorités héréditaires, et éloge des effets inégalitaires, qualifiants et disqualifiants –voire éliminatoires– de la sélection au sein du groupe humain civilisé, est donc démontrée d'entrée de jeu à travers une simple confrontation avec les déclarations expresses de Darwin à ce sujet. Cette fausseté n'exclut pas d'ailleurs l'intérêt que peut susciter l'analyse du système argumentatif qu'une telle "théorie" met en œuvre pour assurer son pouvoir de conviction.

J'ai établi un peu plus haut que l'évolutionnisme finissait par être, chez des théoriciens comme Haeckel et Spencer, une philosophie de la *conciliation* entre la religion et la science –conciliation expressément tentée et donnée comme achevée sur le plan théorique, mais essentiellement contradictoire–, alors que le darwinisme, qui n'a jamais eu pour objet de chercher cette conciliation *philosophique* et a toujours reconnu la contradiction, *réalisait* effectivement cette conciliation *du seul côté de la science* en faisant produire à cette dernière le principe de l'explication moniste du dualisme ainsi que du vécu spirituel et éthico-religieux. Au reste, Spencer développera dans ses écrits ethno-sociologiques divers une théorie de la genèse psychologique du sentiment d'obligation morale qui peut s'accorder sur beaucoup de points avec la logique de Darwin, mais qui s'obstine à ne pouvoir rapporter cette logique à son embrayeur dialectique : le renversement sans rupture qui distance d'une façon progressive, chez l'homme, les instances naturelles et culturelles de l'évolution. Spencer identifie fort bien le mécanisme d'intériorisation des contraintes interdictives et des obligations positives qui maintiennent, une fois intériorisées, et du fait de leur origine extérieure (politique, religieuse, doxique), l'empreinte psychologique de leur provenance transcendante au sujet. Mais il ne relie pas le phénomène coercitif lui-même –qui contrarie la satisfaction immédiate des appétits individuels et la brutalité de la règle sélective– à une réversion foncière qui *doit* pourtant avoir eu lieu au sein de l'évolution instinctuelle et psychologique de l'homme vivant en société. Et cela s'explique à l'évidence par le fait que le spencérisme éthique et sociologique, libéral-sélectionniste, n'aurait pu se constituer comme doctrine si son auteur avait repris à son compte la théorie darwinienne de l'évolution anthropologique, qui contredit à l'avance tout l'édifice spencérien en contrariant ce à quoi Spencer a choisi de relier son système : le combat pour l'existence et la survivance des plus aptes en tant que sélection éliminatoire (38) maintenue au sein de l'humanité civilisée.

On le sait encore vaguement, "darwinisme social" évoque non seulement Spencer, mais aussi Haeckel. Là encore cependant, il faudra distinguer entre ce que dit Haeckel et ce que ses interprètes auprès du public français se sont cru en droit de dire après ou d'après lui.

Le Monisme, lien entre la religion et la science, texte improvisé par Haeckel le 9 octobre 1892 à Altenburg à l'occasion du soixante-quinzième anniversaire de la *Naturforschende Gesellschaft des Osterlandes,* est traduit en français en 1896 par Georges Vacher de Lapouge, qui l'agrémente d'une introduction pour le moins radicalisante. Le sociologue français y fait état de la crise de conscience suscitée par l'effondrement général des croyances religieuses et, reconnaissant le *besoin de croyance* comme l'effet combiné, chez l'homme, de la sélection et de l'éducation, il rend hommage à la tentative qui consiste "à concilier ce besoin devenu naturel avec

(38) Une précision s'impose à ce sujet : on a pu dire –c'est le cas de Lalande à l'article *Darwinisme* de son *Vocabulaire*– que le darwinisme s'opposait à la théorie de Lamarck et de Spencer *(Principes de biologie)* sur l'*adaptation par l'exercice et l'hérédité,* et se concentrait essentiellement autour de l'opération de la *sélection naturelle.* En fait, au niveau de la doctrine sociologique de Spencer, on ne saurait distinguer aussi nettement entre un "modèle" dit lamarckien –combinant adaptation et hérédité– et un "modèle" darwinien dont l'élément central (la sélection naturelle) présuppose nécessairement l'hérédité, et une "adaptation" qui se produit précisément sous la forme de ce que Spencer lui-même, comme l'a rappelé Darwin, a nommé la "survivance des plus aptes". Spencer, dans cette expression, entend peut-être effectivement davantage "survivance des mieux adaptés" (en un sens lamarckien), la différence tenant essentiellement à ce que la *variation* sera interprétée par Spencer dans les termes mécanistes de l'hérédité lamarckienne, alors qu'elle restera pour Darwin dans une indétermination provisoire qui fait signe explicitement toutefois vers la sphère non encore élucidée de la génétique. Le résultat quant à la sociologie étant le même et Spencer se référant tantôt à Lamarck, tantôt à Darwin, on a donc raison de n'installer aucune différence profonde entre les deux théories au niveau de leur "aptitude" à produire une représentation finalement sélectionniste –au sens courant– du devenir des organismes.

les exigences de la science, qui nous a révelé, de vérité certaine, combien incompatibles sont nos anciennes croyances avec l'histoire, la physique et la biologie (39). Nul doute que cette incompatibilité pourra être réduite si l'on admet que l'on doive dans ce cas "demander une religion à la science". C'est en effet la science, déclare Vacher, "qui nous donnera –combien différentes de celles d'autrefois !– la religion nouvelle, la morale nouvelle, et la politique nouvelle". Cette religion, cette morale et cette politique nouvelles –car la crise atteint, dit-il, "le principe de toute croyance"– seront fondées sans ambiguïté sur le monisme évolutionniste, théorie unitaire des phénomènes. Chose intéressante, il semble que jusque-là, morale, religion et politique appartinssent selon Vacher au domaine de la croyance, et que la grande mutation qu'il signale comme étant celle du XIXe siècle finissant soit de les transférer au domaine de la science : mais alors comment espérer de ce changement de champ qu'il conduise à l'instauration d'attitudes nouvelles du côté, précisément, de la croyance ? Cette confusion des catégories n'empêche pas toutefois son auteur d'affirmer avec détermination que "le vingtième siècle verra entre la morale scientifique et les morales religieuses, entre la politique sélectionniste et les autres une plus formidable bataille que celles de la Réforme et de la Révolution" (40). Tel est donc le paradoxe de toutes les *professions de foi* évolutionnistes : la théorie de l'évolution –en principe du côté de la *science*– désagrège les édifices de croyance en procédant à l'exhibition de la généalogie du sacré, des pouvoirs, de l'obligation morale, etc. Mais en même temps, elle identifie dans ces éléments de croyance des facteurs sélectionnés et transmis de l'équilibre vital des organismes sociaux –donc des éléments sans lesquels l'évolution elle-même serait impensable. Le transfert absolu impliqué par la reconnaissance de la vérité du monisme transformiste et de la loi d'évolution devrait pourtant conduire à l'abandon complet du champ de la croyance pour un investissement unitaire du champ scientifique. Or c'est également une vérité de *fait* que la croyance subsiste en tant que telle dans l'état présent de la civilisation, et qu'il faudrait par conséquent que l'évolution fût

(39) *Le Monisme, lien entre la religion et la science. Profession de foi d'un naturaliste.* Par Ernest Haeckel, Professeur à l'Université d'Iéna. Préface et traduction de G. Vacher de Lapouge. Paris, Reinwald, Schleicher, 1897.

(40) *Ibid.*, pp. 1-2.

achevée pour que la science eût entièrement *remplacé* la croyance. L'évolution n'étant à l'évidence pas encore achevée, et le "besoin de croyance" subsistant comme tel *à côté de la science,* il est donc nécessairement vain d'espérer que "ce besoin devenu naturel" cesse brusquement de requérir, en marge des vérités positives du monisme, une satisfaction dont le rôle dans la réalisation des équilibres vitaux des sociétés a été sélectionné depuis des millénaires, et continue de l'être. D'où naturellement la projection vers l'avenir qui est ici celle de Vacher de Lapouge. Mais cette projection trahit encore son caractère foncièrement contradictoire dans le maintien des termes opposés de "religion" et de "science". La religion évolutionniste –celle de Vacher comme celle de Haeckel– repose sur le contresens qui consiste à penser que l'on peut, selon l'expression du premier, "demander une religion à la science", et attendre de celle-ci qu'elle réponde à cette demande en se conformant au dualisme implicite et irréductible de ses termes. Or la science *moniste* apportera, par essence, à cette requête, une réponse forcément unitaire. On ne peut, sans tomber dans l'idéologie, attendre d'une science que des énoncés scientifiques. Ce que l'on aperçoit alors, c'est que la *demande* même des évolutionnistes correspond à la persistance du "besoin de croyance" thématisé en passant par Vacher de Lapouge : dans notre langage épistémologique, ce "besoin de croyance" qui affleure dans le geste même par lequel les évolutionnistes demandent à la science ce qu'elle ne saurait fournir qu'en cessant d'être elle-même et en se dénaturant, nous l'appellerons le *besoin d'idéologie.* L'un de ses caractères principaux est de se montrer résistant, au sein même d'un scientisme unitaire militant, à toute idée d'un règne sans partage de la science.

Le fond de la conviction évolutionniste est que la morale, la religion et la politique se *déduisent* des sciences de la nature réduites au dynamisme unitaire de la loi d'évolution. Cela implique l'identification de *tendances* –comme, chez Spencer, la tendance à la disparition du sentiment de l'obligation morale, ou au dépérissement de l'État, ou à l'abandon des systèmes coercitifs liés à la phase militaire de l'évolution sociale ; comme, chez Haeckel, la tendance à l'abandon de la croyance en un dieu personnel et distinct de la création–, tendances dont le terme ne peut être désigné que comme un *horizon.* Pour Spencer, l'homme du XIXe siècle n'a pas encore atteint le niveau de développement nécessaire pour que sa "nature" soit adaptée aux fins ultimes de la vie sociale (déduites de l'évolution passée), qui sont en fait celles de la société industrielle anglaise d'économie libérale, fondée sur la libre concurrence et la hiérarchie "naturelle" du mérite. C'est un calcul de tendances –déductif– qui permet à Spencer, à partir des *inductions* historiques qui ont conduit à l'énoncé général de la loi de l'évolution des sociétés, de fixer comme *fin* de celle-ci l'adaptation idéale –c'est-à-dire non tensionnelle– de l'homme à la condition sociale, cette dernière étant caractérisée comme l'extension harmonique de certaines lois et de certains équilibres naturels : concurrence vitale, transmission des avantages héréditaires, élimination des inaptes, hiérarchie interindividuelle fondée sur la valeur, régulation automatique des déséquilibres momentanés au sein de l'organisme collectif.

Or ce calcul de tendances n'est qu'illusoirement déductif et illusoirement rigoureux lorsqu'il s'applique aux domaines qui sont progressivement tombés sous la juridiction de la conscience et de la rationalité.

Lorsque Haeckel fonde son monisme sur les deux principes de la conservation de la matière (Lavoisier, 1789) et de la conservation de la force (Mayer, 1842, Helmholtz, 1847), qu'il fait fusionner pour sa part, afin d'exprimer l'unité indissociable de la matière et de l'énergie, dans l'expression "loi de conservation de la substance" ou plus simplement encore "loi de substance", il fait usage d'un concept qui, pour sa teneur et sa généalogie, est à peu près l'équivalent du principe spencérien de "persistance de la force". L'unité doctrinale du monisme évolutionniste se constitue donc véritablement entre Spencer et Haeckel. Mais chez l'un comme chez l'autre, la prétention à déduire les fins de l'évolution humaine du passé de cette évolution se heurte à l'objection suivante : pour que l'évolution future soit la simple projection ou extrapolation d'une dynamique régulière identifiée au sein de toute l'évolution phénoménale antérieure, il faudrait au moins que cette évolution passée n'eût produit aucun changement *qualitatif* apte à en transformer le cours. Que ce changement qualitatif soit donné comme accompli ou non par Spencer ou Haeckel ne change rien au fait que leur appel en faveur d'une morale, d'une religion et d'une politique nouvelles fait signe vers la nécessité par eux ressentie et proclamée d'une *prise de conscience* et d'une intervention de la volonté du côté de la vérité du monisme – prise de conscience et option volontaire elles-mêmes pensées axiologiquement comme bonnes et positives quant à la réalisation de l'idéal éthico-social. La reconnaissance de la vérité du monisme est un élément de l'évolution de l'homme qui passe sous son propre contrôle rationnel et qui prouve par là même que, de quelque manière qu'elle advienne, la conscience de l'évolution doit s'accompagner de sa maîtrise croissante, et que là s'installe la différence qualitative profonde avec le règne de l'instinct et de la pure mécanique des forces inconscientes.

Spencer ressentira cette difficulté, et tentera de la réduire en indiquant que l'adhésion à la conception évolutionniste *hâterait* simplement l'établissement de l'équilibre social appelé par l'évolution, sans en modifier la forme dictée par des forces évolutives inconscientes auprès desquelles l'intervention tardive d'une volonté éclairée par la raison reste d'assez peu de poids pour que son rôle se borne à en *approuver* et à en *favoriser* le cours. A proprement parler, il n'y a pas pour l'évolutionnisme d'instauration *humaine* en quelque domaine que ce soit, car il faudrait pour cela penser quelque chose comme une *rupture,* tandis qu'il s'agit au contraire de travailler à l'extinction de toute forme de dualisme : une fois encore reste inaperçu le remarquable geste dialectique de Darwin – l'installation progressive de la spécificité éthico-sociale de l'homme, *renversant sans rupture* la logique inconsciente de la sélection. La philosophie, la morale, la sociologie et la politique évolutionnistes et libérales, pour n'avoir pas reconnu cela, se bornent ainsi à n'être qu'un vaste éloge conscient de l'inconscience première, une approbation non dialectique du déterminisme.

Déterminisme sera d'ailleurs l'une des notions-clés de la nouvelle philosophie monistico-évolutionniste. Sa traduction politique est immédiate chez Vacher de La pouge : "Et la politique elle-même est touchée", écrit-il, "car à la formule célèbre qui résume le christianisme laïcisé de la Révolution : Liberté, Égalité, Fraternité, – nous répondrons : Déterminisme, Inégalité, Sélection !" (41). Le "darwinisme social" se trouve ici résumé en une phrase. Défini dans le même texte comme panthéisme sélectionniste (42), il est anti-égalitaire, anti-religieux et, pour Vacher qui refuse de reconnaître avec Haeckel la supériorité morale du Christianisme et lui préfère l'Islam, spécialement anti-chrétien. Il aboutit finalement à une théologie panthéistique repliée sur la hiérarchie naturelle des formes de conscience

(41) *Loc. cit.,* p. 2.

(42) *Ibid.,* p. 8.

> "Sans réserve, je m'associe au grand naturaliste *(Haeckel)* dans la profession du dogme moniste suprême : Dieu est tout, dans tout, partout. Il est éternel, il est infini. Mais j'ajoute ce complément nécessaire, résumé des derniers progrès de la théologie et de la morale sélectionnistes :
>
> Dieu a conscience par la hiérarchie des êtres qui sentent et qui pensent, depuis la monère en qui l'âme s'éveille jusqu'au savant qui connaît l'infiniment grand et l'infiniment petit, fouille la goutte d'eau et la nébuleuse, mesure la force et pèse la matière, pénètre le passé et prévoit l'avenir. C'est pourquoi le savant est l'avatar partiel de Dieu, c'est pourquoi le but moral de l'homme est la plus grande conscience. La moindre parcelle de matière est Dieu agissant, le savant à la conscience totale serait Dieu pensant." (43)

Dans la nouvelle religion scientiste, le prophète est le savant. La place de la religion se trouve fixée dans l'écart qui réside éternellement entre les certitudes positives de la science effectivement détenue et la totalité de conscience qui résulterait idéalement de la détention de la science absolue. Ainsi, le monisme assigne à la religion le lieu et le rôle que nous avions reconnu comme étant ceux de l'*idéologie post-scientifique* (spéculation extra-scientifique sur l'avenir de la science) : sur l'axe des temps, elle n'est en fait que la projection vers l'avenir d'une idéologie *pré-scientifique* qui a précédé et accompagné le développement d'une science jusqu'à créer l'illusion de son ancrage initial réel dans le discours même de cette science —en d'autres termes l'illusion, déjà analysée, d'une *science fondatrice d'idéologie. Ce qui, dans le texte du savant, parle de l'avenir de la science, est toujours autre chose que le discours de la science.*

Si l'on veut ici rappeler rapidement, pour illustrer ce propos, quelles sont en l'occurrence les composantes identifiables de cette idéologie, il faut mentionner certaines figures du matérialisme du siècle précédent, la gnoséologie génétique unitaire de Condillac, les théories du progrès de la civilisation édifiées sur le modèle spiralé du libéralisme économique, les classifications hiérarchiques de l'évolutionnisme anthropologique des Lumières, et l'ancien compromis théologique, toujours en attente de réutilisation et de refonte opportune, que représente le "panthéisme" de Spinoza ou de ses très libres exégètes.

(43) *Ibidem.*

Si l'on veut en outre recenser les éléments de savoir qui seront récursivement "travaillés" par l'idéologie évolutionniste pour servir de fondements *fictifs* à la *science* dont elle parle et de fondements *réels* à ses propres constructions, il faut évoquer entre autres les théories dix-huitiémistes du langage, des signes, de la symbolicité, de la valeur économique, du progrès technico-culturel, l'histoire des religions et des cultes, les relations de voyages, la découverte de la généalogie des idiomes indo-européens, les hypothèses génétiques de Buffon et de Maupertuis, les intuitions transformistes de Goethe, l'œuvre de Geoffroy Saint-Hilaire, la théorie de la descendance de Lamarck, les lois physiques formulées par Mayer et Helmholtz en écho au principe lavoisien de conservation de la matière, la mise au point par Schwann et Schleiden de la théorie cellulaire, la fondation par Bichat de l'anatomie des tissus, les progrès de la méthode expérimentale avec Claude Bernard, la condamnation de plus en plus nette du vitalisme métaphysique, l'anatomie comparée de Huxley, la géologie de Lyell, la découverte à Java du *Pithecanthropus erectus* vérifiant l'hypothèse de Haeckel, et, bien entendu, la théorie darwinienne de la sélection naturelle. On apercevra aisément qu'au sein de cette énumération nécessairement incomplète, figurent pêle-mêle des éléments empruntés à l'histoire des sciences de la nature et des éléments prélevés dans celle des sciences "de l'homme", ce qui est conforme à la logique évolutionniste pour laquelle la filiation des sciences humaines par rapport aux sciences de la nature (physique et biologie) est un progrès continu et sans rupture. De même que la filiation des théories scientifiques elles-mêmes. Le fameux "mythe du précurseur" à propos duquel Georges Canguilhem a écrit les lignes que nous commentions au début de cet ouvrage, est par essence un mythe évolutionniste. *L'évolutionnisme en tant que théorie unitaire du devenir est par nécessité un continuisme. Scientia non facit saltum.*

Au sein de cette progression sans rupture, la politique relève elle aussi, à son niveau, du déterminisme naturel, et Vacher de Lapouge annonce l'avènement de la politique scientifique. Or dans le texte de Haeckel ainsi introduit, s'il est question principalement de science, de religion et quelque peu de morale, il n'est pratiquement jamais question de politique, ce qui conduit à penser que Vacher poursuit un propos qui excède la portée immédiate du texte de Haeckel, et cependant qu'une telle extension lui est permise par l'antériorité d'autres textes ou discours exprès de Haeckel sur l'exigence scientifique en politique et les attitudes pratiques dans lesquelles elle engage. Dans *Le Monisme,* la seule évocation politique a lieu à l'endroit où Haeckel se défend contre l'accusation de "favoriser les progrès de la démocratie socialiste, ennemie de la civilisation" (44). Le caractère citationnel de cette formule mérite d'être interrogé dans toute sa profondeur historique : il évoque en effet le *Kulturkampf* bismarckien et reporte Haeckel très exactement vingt années en arrière.

De 1871 à 1876, Bismarck cherche à se donner les moyens politiques de travailler efficacement au renforcement de l'unité du nouveau *Reich* allemand. Il s'appuie pour ce faire sur les Conservateurs favorables à l'unité et sur les Nationaux Libéraux, fraction libérale ralliée à sa politique.

Dans le même temps, le Centre catholique, sur des positions particularistes anti-unitaires –parce que fondamentalement anti-prussiennes et anti-protestantes–, regroupe un électorat de plus en plus considérable autour d'un programme de mesures sociales en faveur des travailleurs, de défense des droits individuels et des valeurs chrétiennes en politique ; il est hostile au libéralisme, à la concentration industrielle et au pouvoir centralisateur.

C'est contre le *Zentrum* catholique que Bismarck va entreprendre le fameux "Combat pour la civilisation" (1872-1878). A ce moment, les "ennemis de la civilisation", ce sont les catholiques, et Haeckel, partisan de l'unité allemande, préférant le protestantisme luthérien au catholicisme, et paraissant porté, du fait de ses options déterministes et naturalistes, vers le libéralisme économique, a toutes les raisons possibles d'être bismarckien. Mais l'échec du *Kulturkampf* et la montée du socialisme contraint Bismarck à rompre avec les Libéraux pour nouer une nouvelle alliance avec le Centre, dont la puissance parlementaire en 1878 était devenue considérable, et les Conservateurs. Les "ennemis de la civilisation", ce sont alors les Socialistes, devenus plus forts depuis la fusion, à Gotha (1875), des Lassalliens et des Marxistes, et dont le nombre augmentera régulièrement, malgré les lois d'exception et la clandestinité, jusqu'à la fin de l'époque bismarckienne et au-delà. Rien d'étonnant dès lors à ce que les forces conservatrices allemandes, sur lesquelles Bismarck fonda sa majorité pendant la dernière décennie de son gouvernement, aient interprété le monisme évolutionniste athée comme un appui apporté à la philosophie du socialisme.

(44) *Le Monisme,* p. 31.

Il semble donc que Haeckel ait été, sur le plan politique, un National Libéral déçu par Bismarck –il évoquera souvent avec amertume le souvenir du "Voyage à Canossa"–, et qui a l'impression d'avoir été trahi. En outre, beaucoup d'éléments, au nombre desquels figure l'éloge réitéré de Spencer, semblent indiquer qu'il n'y avait pas pour Haeckel d'autre "solution" que le libéralisme. Cependant, dans le même ouvrage et au même endroit, il indique sans autre précision que "le libéralisme politique n'a rien à faire avec la libre pensée de notre religion naturelle moniste". A l'époque où Haeckel prononce cette phrase (1892), il a nettement en mémoire la scission survenue en 1880 au sein du parti national libéral, amputé de son aile gauche ralliée aux progressistes, et réduit à n'être plus dès lors qu'un parti gouvernemental. C'est sans doute ce qui explique cette réserve par rapport au "libéralisme politique" rallié à des positions conservatrices, et qui allait devoir cautionner la reprise en main de l'école par la religion et bien d'autres mesures du même genre. Haeckel manifestera d'ailleurs jusqu'à la fin de sa vie une grande sensibilité devant le problème de la liberté de l'enseignement –cette liberté étant pour lui synonyme de laïcité et de diffusion sans restriction des connaissances scientifiques. En 1905, à Berlin, il constate une fois de plus, avec une satisfaction chargée de raillerie, le recul de la théologie dogmatique et la victoire que représente, pour l'enseignement des vérités naturelles, la reconnaissance du darwinisme par les Jésuites eux-mêmes : "Vu l'étendue de l'influence que le *papisme,* par l'intermédiaire du centre ultramontain, exerce actuellement en Allemagne sur l'ensemble de la vie publique, ce changement d'attitude, de la part de l'Eglise militante, constitue, pour nos écoles elles-mêmes, un grand progrès. *Virchow,* en 1877, avait encore réclamé que la théorie de l'évolution, dangereuse pour l'État, fût exclue de l'enseignement à l'école. Les ministres de l'instruction publique –ceux de deux des plus grands états allemands– accueillirent avec reconnaissance ce conseil donné par le chef du parti progressiste, ils interdirent l'enseignement des théories darwinistes et s'efforcèrent autant que possible de masquer la lumière qui venait d'éclairer la biologie. Et aujourd'hui, vingt-cinq ans après cela, les Jésuites arrivent et réclament le contraire ; ils reconnaissent ouvertement la théorie détestée de la descendance et s'efforcent de la réconcilier avec le dogme de l'Eglise ! Quelle ironie de l'histoire !" (45) L'ironie est encore plus grande,

(45) *Religion et évolution,* pp. 39-40.

si l'on en croit Haeckel, lorsque l'on jette un regard sur les combats analogues qui sont livrés dans les autres pays européens : il apparaît alors que le catholique allemand est de tous le plus intellectuellement arriéré, et qu'en conséquence il est la pierre sur laquelle le Pape a décidé de fonder son empire : "C'est un fait caractéristique de l'état intellectuel arriéré des catholiques allemands, que le Pape lui-même les regarde comme ses soldats les plus sûrs et les propose comme modèles aux fidèles des autres nations. Ainsi que nous l'enseigne l'histoire tout entière du papisme romain, le grand charlatan qui réside au Vatican est l'ennemi mortel de la libre science et du libre enseignement tel qu'on le pratique dans les Universités allemandes. Le jeune empire allemand devrait considérer comme son devoir le plus sacré d'entretenir cet esprit de réforme et d'élever le niveau de la culture allemande dans l'esprit où Frédéric II avait travaillé à la même tâche. Au lieu de cela, nous sommes obligés de constater avec une profonde anxiété que l'empereur, mal conseillé et induit en erreur par son entourage influent, se laisse envelopper de plus en plus dans les filets du clergé romain et, en lui abandonnant l'école, lui sacrifie déjà la raison de la génération qui grandit. En septembre 1904, les journaux romains annonçaient triomphalement que la conversion de l'empereur et de son chancelier (protestants tous deux) à la confession catholique était chose imminente." (46)

Dès 1892 en effet, pendant la chancellerie du Caprivi, qui avait succédé à Bismarck aux côtés du nouvel empereur Guillaume II, un projet de réforme en faveur d'un contrôle accru des Eglises sur l'école avait dû être violemment combattu par les Nationaux-libéraux et les Progressistes, la presse libérale et les universités : Guillaume II en avait alors abandonné le dessein. Mais en 1903, se trouvant dans l'obligation politique de faire des concessions au parti du Centre, il lui accorde la suppression de la loi contre les Jésuites, ce qui entraîne, de la part de Haeckel lors de sa troisième conférence de Berlin, une réaction violente :

> "Notre philosophie n'est une ennemie que pour ces formes inférieures de religion, fondées sur la superstition et l'ignorance et qui, par un formalisme vide, par la croyance au surnaturel, veulent opprimer la raison humaine afin de la dominer et de l'exploiter dans un but politique. C'est, au suprême degré, le cas du *papisme* ou ul-

(46) *Religion et évolution* (deuxième conférence de Berlin), pp. 40-41.

tramontanisme, cette odieuse caricature du pur christianisme, qui de nos jours joue encore une fois un rôle si important. Notre grand réformateur, ***Martin Luther,*** se redresserait dans son tombeau s'il voyait la prépondérance actuelle dans l'Empire allemand, du centre romain. De fait, c'est le pape de Rome, l'ennemi naturel et mortel de l'Empire allemand protestant, qui en dirige les destinées et le parlement allemand se soumet volontairement à la direction des Jésuites. Ce lamentable parlement allemand, qui devrait être la véritable représentation de la nation intelligente et cultivée, réclame la suppression de la loi contre les Jésuites et abandonne les intérêts les plus sacrés de la liberté de penser. Aucun de ces représentants de la nation ne s'avise de réclamer, au Reichstag, la suppression des trois institutions les plus dangereuses et les plus funestes au bien public qu'ait créées le papisme romain : le célibat obligatoire du clergé catholique, la confession auriculaire et le commerce des indulgences. Bien que ces institutions tardives de l'Eglise romaine n'aient rien à voir avec l'organisation primitive de l'Eglise des vieux catholiques et du christianisme pur, bien que leurs conséquences immorales soient connues de tous comme préjudiciables à la famille et à l'État, elles subsistent cependant, aujourd'hui encore, comme avant la Réforme. Plus d'un prince protestant encourage, malheureusement, l'arrogance du clergé ultramontain en ce sens qu'il va faire à Rome le "Voyage de Canossa" et courber le genou devant le grand charlatan du Vatican." (47)

Ce qui représente pour Haeckel l'obstacle véritable sur la voie du progrès scientifique, philosophique et culturel, c'est donc moins la religion en elle-même que l'Eglise comme force politique réactionnaire, et c'est aux institutions ecclésiastiques qu'il attribue sans relâche la responsabilité du caractère rétrograde de l'idéologie religieuse. Dans *Le Monisme* et, plus tard, dans ses dernières conférences de Berlin, il ne fera pas de difficulté pour reconnaître "la haute valeur éthique de la morale chrétienne" (48). A la limite, un christianisme éthique débarrassé des scories dogmatiques de la théologie et de la corruption du clergé lui serait supportable, et ce d'autant plus aisément que les travaux de Feuerbach –*L'Essence du christianisme* est de 1841–, les recherches historiques de David F.

(47) *Ibid.*, troisième conférence, pp. 106-107.

(48) *Ibid.*, p. 109.

Strauss et de Renan –tous deux auteurs d'une *Vie de Jésus,* le premier en 1835, le second en 1863– ont porté de sérieuses atteintes à l'orthodoxie. En quelque sorte, le rationalisme théologien et l'histoire du christianisme ont fait plus de tort à l'Eglise que le développement des sciences naturelles. Le combat scientifique livré pour la vérité de l'évolution est simultanément le combat même de l'évolution humaine contre des institutions figées ou rétrogrades, dont la politique scolaire, entre autres, offre l'image décevante et néfaste : c'est pour Haeckel la constatation d'un "triste anachronisme" que de prendre acte du fait qu'au moment même où il s'acquitte de ses derniers devoirs polémiques en faveur de l'évolution, "dans les deux plus grands États allemands, la Prusse et la Bavière, les ministères influents de l'instruction naviguent en plein dans l'eau trouble de l'Eglise romaine et cherchent à implanter l'esprit jésuite dans l'enseignement primaire comme dans le supérieur." (49) Haeckel ne fait pas autre chose ici qu'incriminer la politique de droite qui a été celle des successeurs de Bismarck –Caprivi, Hohenlohe et Bülow–. C'est sous la chancellerie de Hohenlohe que la parti du Centre, en 1895, prit la présidence du Reichstag, qu'il devait conserver jusqu'en 1906, après avoir tiré de sa position politique dominante et de son rôle de pivot des majorités de multiples concessions de la part du gouvernement du Reich, notamment dans le domaine scolaire.

L'ensemble de ces éléments historiques, bien qu'il contribue à souligner l'extrême complexité d'une localisation précise de Haeckel dans le quadrillage mouvant des partis politiques en Allemagne de 1870 à 1905, permet toutefois d'affirmer que son discours, qui semble n'avoir jamais beaucoup varié –discours nationaliste, anti-théologique, anti-socialiste, hostile toufefois à le reprise de pouvoir d'une droite traditionnelle et conservatrice,et farouchement opposé à l'emprise politico-idéologique du Centre catholique–, est parfaitement coextensif de la montée du libéralisme et de sa *crise.* La question du "darwinisme social" de Haeckel, pour être définitivement éclaircie, nécessiterait sans doute une étude beaucoup plus approfondie, qui cependant n'aboutirait pas nécessairement à une conclusion univoque, dans la mesure où l'exportation en sociologie de la notion darwinienne de combat pour l'existence peut aussi bien justifier l'existence de la lutte des classes que l'hégémonie actuelle des classes dominantes. Spencer lui-même ne s'est

(49) *Ibid.*, p. 110.

jamais totalement dégagé de cette difficulté – ce que prouve son attitude équivoque à l'égard des organisations syndicales. Quant à décider, comme ont tenté de le faire d'une façon particulièrement mystificatrice certains idéologues contemporains intéressés à passer outre la nécessaire rigueur conceptuelle et logique qui doit guider ces appréciations, si le "darwinisme social" est une idéologie de gauche ou de droite, nous nous en acquitterons à travers deux remarques :

1/ L'expression "darwinisme social" est impropre, et ne peut plus être maintenue après l'analyse que nous avons faite de *La descendance de l'homme,* sauf à considérer que Darwin ait cessé de vivre et de penser en 1859. C'est pourquoi nous parlerons ici, en dehors des endroits où cette ancienne expression vaut par son caractère de syntagme figé, de *pseudo-darwinisme social.*

2/ Ledit "darwinisme social", dans sa définition *historique,* est le produit de la *sociologie de Spencer,* et se fonde sur l'exportation du modèle de la concurrence vitale et de l'élimination individuelle des moins aptes, et de ce fait ne peut s'accorder avec les réquisits d'aucun *socialisme.* Le rejet de cet aspect du darwinisme par Engels –même si l'on peut à bon droit le tenir pour une erreur de jugement scientifique dictée par l'idéologie– est au moins parfaitement clair à cet égard. *A fortiori,* le rejet de toute importation de ces concepts en sociologie et en politique. Dans ces conditions, le "darwinisme social", apparu et thématisé au sein de discours aussi pénétrés de libéralisme que celui de Spencer ou de Haeckel, ne peut être considéré autrement que comme une idéologie naturellement anti-socialiste (50). Que des socialistes aient trouvé dans le darwinisme d'*autres éléments* aptes à renforcer le projet d'une organisation socialiste de la société, est un *autre problème.* Il reste à présent que si l'on veut connaître en profondeur les tenants et aboutissants du pseudo-darwinisme social, c'est l'*ensemble de l'œu-*

(50) Il faut sans doute avoir été "journaliste scientifique" au "Figaro-Magazine", comme Monsieur Yves Christen, pour affirmer sérieusement le contraire. Dans un livre intitulé *Marx et Darwin,* et publié –comble d'humour– dans une collection intitulée "Sciences d'aujourd'hui" (qu'il dirige), cet adepte de la lecture rapide fait passer toute référence socialiste ou socialisante à Darwin sous l'étiquette "Darwinisme social", afin de montrer apparemment deux choses contradictoires : 1) que les socialistes étaient aussi des extermi-

vre de Spencer –c'est-à-dire le *système* de la *philosophie évolutionniste*– qu'il faut analyser.

nateurs, et 2) qu'on doit sans frémir être "darwiniste social" (comme Monsieur Yves Christen), puisque l'histoire "prouve" qu'il peut s'accorder même avec les idéaux d'égalité et de fraternité qui ont guidé l'action des socialistes. Cela évite en tout cas à l'auteur d'étudier la naissance *réelle* du *vrai* "Darwinisme social" –on trouve dans ce livre, au chapitre concerné, douze lignes sur Spencer, apparemment recopiées d'un quelconque résumé de sa philosophie–. En tout état de cause, si Monsieur Y. Christen, au lieu de consacrer des dizaines de pages au vomissement anti-marxiste le plus dérisoire, avait simplement *lu* les deux pages de *La descendance de l'homme* que j'ai commentées plus haut, il aurait peut-être épargné au public une lecture moins utile : la sienne.

Thèse n° 17

Toute *analogie* à vocation heuristique, référant une science humaine à une science de la nature et cherchant à fonder la légitimité des imports qu'elle pratique, doit nécessairement, à un certain moment, *se dénier comme analogie* et se muer en *assimilation.*

Ainsi, l'*organicisme*, pour fonctionner heuristiquement en sociologie –ou du moins s'en donner l'apparence–, doit nécessairement passer par ce *déni de métaphoricité*, et produire un énoncé du type : "Une société *est* un organisme".

Thèse n° 18

Dans sa tentative d'unification des phénomènes et des faits de connaissance sous la *loi d'évolution*, Spencer accomplit –bien que suivant des déterminations en partie renouvelées, notamment du côté des sciences de la nature– le même geste gnoséologique que Condillac rapportant "à un seul principe" le développement à la fois multiple et solidaire des connaissances humaines.

Thèse n° 19

L'*évolutionnisme philosophique* est une théorie du *progrès* qui a ses racines gnoséologiques dans le XVIIIe siècle, et qui s'élabore en partie dans la *méconnaissance* des implications anthropologiques réelles du discours de Darwin.

Thèse n° 20

L'*assimilation organiciste* pratiquée par Spencer à propos de la société rencontre sa *limite* dès qu'apparaît la forme de la *conscience* et de la *sensibilité* : il n'y a pas de *sensorium* social comme il y a un système perception-conscience centralisé dans l'organisme humain. Après avoir tiré de l'analogie organiciste muée en assimilation pure et simple les ressources argumentatives qui lui permettaient de naturaliser le phénomène social, Spencer va fonder son individualisme éthique et politique sur la *rupture* même de cet organicisme.

Thèse n° 21

Cette *réduction de l'analogie* permet à Spencer de rejeter, avec toutes ses conséquences, l'idée d'une conscience *collective*.

Thèse n° 22

Cette réduction ne préserve en définitive que l'analogie qui a été établie entre la *division du travail social* et la *division du travail physiologique*, la seconde naturalisant la première, et, l'analogie étant transposée dans le champ de l'*évolution*, le modèle du progrès dans la division physiologique du travail permet d'*évacuer du processus social analogue toute rupture de type révolutionnaire*.

Thèse n° 23

L'organicisme sociologique de Spencer est fondé sur des *analogies incompatibles* qui en ruinent la cohérence logique.

– Le modèle de la *structure* de l'*organisme individuel* est incompatible avec celui de la *structure* de *l'espèce.*

– Le modèle de l'*évolution de l'organisme individuel* est incompatible avec celui de l'*évolution de l'espèce.*

– Les rapports entre les unités fonctionnelles d'un organisme *excluent* les rapports sélectifs et éliminatoires qui existent entre les individus à l'intérieur d'une espèce.

Thèse n° 24

La sociologie évolutionniste et libérale de Spencer repose sur *trois exclusions majeures :*

– celle de la *conscience de classe ;*
– celle de l'*organisation de classe* (mouvement syndical) ;
– celle de la *lutte de classe* (prolétarienne).

Thèse n° 25

La *hiérarcologie sociale* de Spencer reconduit dans l'analyse de la société et de ses fins organiques le modèle biologique de la *concurrence vitale* entre les individus, ce qui contradit une fois de plus les implications anthropologiques du motif darwinien de l'*effet réversif.*

Thèse n° 26

Le *libéralisme éthique* de Spencer est la transposition du *mécanisme lamarckien* en morale.

Thèse n° 27

La morale de Spencer repose sur le dosage réciproquement conditionnant de l'*égoïsme* et de l'*altruisme*. Cependant, dans l'ordre de la genèse comme dans l'ordre des fins, c'est l'égoïsme qui est *premier*, l'altruisme n'étant qu'un moyen, et non un but.

Thèse n° 28

La part "biologique" de l'altruisme –aliénation de substance corporelle– se réduit au cours de l'évolution au profit de la part psychologique –conscience–, selon un mécanisme de compensation. Ainsi, *la plus grande aliénation physique s'accompagne du minimum de conscience, et inversement.* Cette proposition est en accord logique avec la *non-reconnaissance par Spencer de la conscience prolétarienne.*

Thèse n° 29

L'ultime contradiction de la sociobiologie de Spencer est de faire du caractère biologique le plus primitif –la concurrence vitale et ses résultats sélectifs– la marque permanente de l'état social le plus développé (l'industrialisme capitaliste).

Thèse n° 30

Lorsque l'analogie a une fonction heuristique déterminante dans la constitution d'un objet de savoir –c'est-à-dire lorsqu'elle aboutit à une *assimilation* par le jeu d'un *déni de métaphoricité*, comme c'est le cas jusqu'à un certain point chez Spencer à propos de la *société*–, toute *contradiction* au niveau de l'analogie entraîne que le savoir correspondant se constitue d'une façon *contradictoire.*

La synthèse organiciste
(Spencer et l'évolutionnisme)

L'évolutionnisme comme *philosophie* est un organicisme porté sur l'axe du devenir. Dans son *Vocabulaire*, Lalande donnera du terme d'*évolution* une liste assez variée de définitions historiques. On pourrait en déduire, en laissant pour l'instant de côté l'apport spécifique et majeur de Spencer –qu'il s'agira ensuite d'analyser avec précision–, une définition moyenne qui, pour être hyperextensive et ne correspondre, du fait de cette extension, à aucune actualisation historique particulière, n'en reproduira pas moins la donnée la plus essentielle : autant que l'on puisse en juger, l'élément commun à toutes ces versions historiques de la notion est que l'*évolution* doit être comprise comme un *changement d'état* (présenté par un corps, un phénomène matériel ou psychique, un système quelconque) *qui s'effectue au cours d'un processus dont le sens est plus ou moins déterminé.*

Ici commence notre interprétation. Ce qui *évolue*, c'est ce qui *change*, et ce qui est le plus immédiatement vécu comme changement, c'est, intimement lié à l'être subjectif et au monde, le *corps propre*. C'est pourquoi toute philosophie qui part des données du corps et de la sensation d'une façon exclusive s'achève, par une sorte de nécessité logique identifiable dans l'histoire (1), au sein d'un évolutionnisme (2). Et c'est pourquoi, en retour, tout évolutionnisme est, plus ou moins directement, un organicisme. Les modèles du développement du corps organisé et de son harmonie fonctionnelle hantent respectivement la plupart des philosophies de l'histoire et la plupart des systèmes de la nature –et (cela est important) pas seulement ceux qui sont le fait des théoriciens empi - ristes. Car si l'empirisme et le sensualisme, sourdement organicistes car projetant dans l'interprétation des phénomènes l'image du corps comme équivalent analogique universel parce qu'il est le premier objet de l'expérience sensible et le *medium* –organique/ organisant– à travers quoi l'univers est connu (3), utilisent ces modèles, la métaphysique les exploite aussi par le biais de l'idée théologienne du grand tout harmonique dirigé par une intelligence transcendante, et semblable en cela, *mutatis mutandis,* au corps de l'homme dans la philosophie dualiste.

Une telle situation, ici sommairement décrite, ne laisse pas d'être complexe, l'organicisme n'apparaissant pas comme étant le caractère distinctif d'*un* discours dont les options philosophiques seraient univoquement définies, mais comme se distribuant entre deux types de philosophies diamétralement opposés. Il n'y a rien de commun en apparence entre certains matérialistes français du XVIIIe siècle, et certains philosophes, philologues ou ethnologues allemands du "pré-romantisme" ou du "romantisme" ralliés à la mystique de la Révélation. Rien, si ce n'est précisément un évolutionnisme à base plus ou moins expressément organiciste (4). L'opposition véritable et première se situe donc au niveau même

(1) Voir par exemple le versant anthropologique de l'empirisme des Lumières, dont j'ai parlé en évoquant, entre autres, Condillac et Warburton.

(2) C'est aussi ce qu'entre autres choses démontre le présent livre.

(3) C'est cette intuition philosophique qui fait l'objet principal de *L'ordre du corps,* texte écrit en préface à la réédition de la *Vénus physique* de Maupertuis, Aubier, 1980.

(4) Voir notamment un *Fragment* de Herder intitulé *Des âges d'une langue* (traduit par Denise Modigliani dans le n° 25-26 de la revue *Romantisme,* 1979), dans lequel l'évolution d'un idiome est mise en parallèle systématique avec celle d'un organisme.

de la conception de l'être, lequel est, pour certains, composé de deux substances hiérarchisées quant à leur nature et leurs opérations, et, pour d'autres, composé d'une seule substance produisant au cours de son devenir le raffinement organisationnel et psychique qui donne lieu, précisément, à la méprise dualiste. L'opposition véritable se situe donc entre le *dualisme* et le *monisme*. Cette opposition se met en place dès qu'une philosophie se déclare ouvertement matérialiste, et cela est arrivé dans l'histoire à plusieurs reprises. Mais elle ne se signale comme cruciale qu'à partir de l'instant où le matérialisme peut être revendiqué comme une conséquence des données positives de la science –et cela n'arrive, tout au moins d'une façon manifeste et nettement thématisée, qu'au XIXe siècle. Admettons pour l'occasion ce fait comme suffisamment démontré. Dans une telle situation, le débat qui structure le champ philosophique peut être décrit de la façon suivante :

1) D'une part, le discours moniste se présente d'une manière offensive comme soutenant le combat pour la vérité, contre les dogmes fondamentaux de la religion, et au nom de la science. L'illustration la meilleure sans doute en a été fournie par l'œuvre de vulgarisation scientifique de Haeckel.

2) D'autre part, le discours dualiste se présente d'une manière défensive comme menant la lutte contre une science jugée fausse, trompeuse ou illusoire, au nom de la vérité du dogme, puis, sous la pression des connaissances positives, au nom de "vérités" de plus en plus fractionnées et de moins en moins littérales. Lorsque la vérité de la science doit être reconnue, elle ne l'est que partiellement, et cette reconnaissance se ménage indéfiniment des replis, une telle attitude entrant en contradiction avec l'exigence globaliste de l'explication scientifique. Ce comportement, qui fut toujours celui de l'Eglise, fut en l'occurrence celui de Wasmann.

3) Enfin, le triomphe du monisme n'étant jamais complet dans le champ idéologique du fait, essentiellement, du conservatisme éthique, la philosophie moniste, lieu de convergence des sciences et d'élaboration des vérités générales, offre des solutions de conciliation sur la base d'une reconnaissance des limites de la science et de la religion, des consensus pratiques et d'un accord objectif sur l'essentiel de ce qui constitue la régulation de la vie morale. Ce discours de la *conciliation*, et, à un autre niveau, du *compromis*, sera celui de Spencer.

Il y a donc, tout au long de l'histoire de la philosophie, et en conflit latent jusqu'aux premières professions de matérialisme scientifique, un organicisme dualiste et un organicisme moniste, qui s'opposent comme s'opposent la théologie naturelle et la science laïque qui se signale par l'exclusion opératoire de la métaphysique, et que cette même théologie tente indéfiniment de réintégrer dans les anciens cadres providentialistes.

Ce qui m'intéresse ici, c'est l'organicisme moniste, plus récent que l'autre dans l'histoire de la philosophie moderne. On peut déclarer d'emblée que le problème principal du monisme en général est qu'il s'élabore, sur le plan gnoséologique, à l'intérieur d'une référence étroite aux sciences de la nature, dont il représente philosophiquement et vulgarise le progrès –entrant ainsi d'une façon directement polémique en conflit avec les dogmes religieux–, et qu'il se développe simultanément au sein d'une *morale dualiste* née de ces dogmes, mais avec laquelle *il ne peut* entrer directement en conflit. Cette impossibilité tient essentiellement à trois causes : la première, c'est que la morale dualiste représente une force de cohésion sociale qu'il serait imprudent et maladroit d'affronter dès l'abord. De fait, elle est *la* morale, c'est-à-dire aussi bien, au départ, celle de Darwin et celle de Spencer. La deuxième, c'est qu'elle est thématisée par la théorie moniste elle-même comme un élément important, quant à sa fonction, de l'organisme social des sociétés civilisées. La troisième, c'est qu'il y a *coïncidence* objective entre cette morale et ce que sera la morale moniste *au niveau des résultats pratiques et des préceptes fondamentaux de la régulation de la vie éthique.* Cette troisième raison, avec la théorie de l'Inconnaissable développée par Spencer dans la première partie des *Premiers principes,* est l'un des éléments déterminants de ce que sera la tentative de synthèse conciliatrice du spencérisme : la morale évolutionniste ne révolutionne aucunement le corpus des grands principes éthiques ; elle est donc, pour le non-philosophe, équivalente en fait à la morale issue de la religion. Et pourtant, c'est le terrain éthique –avec le sociologique et le politique– qui demeure l'un des derniers champs de la lutte entre l'évolutionnisme moniste et la théologie chrétienne, ce qui oblige à interroger ici, à la lumière de ce conflit persistant, l'essence même de la morale.

J'ai montré de quelle façon la morale de Darwin était un effet de la descendance modifiée selon la loi de sélection naturelle. Sélectionné, le développement des instincts sociaux, héritage perfectionné des "sociétés" animales, se combinant avec celui de la conscience et des facultés de rationalisation, *inverse* le mécanisme éliminatoire de la sélection naturelle, et ouvre sur une éthique assimilative de la solidarité humaine, éthique indéfiniment extensible quant à son champ d'application, et qui s'oppose désormais à toute élimination des faibles pour établir au contraire les règles d'assistance et de protection à mettre en œuvre en leur faveur. C'est ainsi, *dialectiquement,* que Darwin légitime en dernier ressort l'existence d'une morale assimilative dont les conclusions pratiques ne diffèrent pas des règles de comportement traditionnellement édictées par les préceptes des grandes religions. Mais d'une part les fondements de l'éthique transformiste ne seront pas perçus avec rigueur *dans le texte de Darwin* par les théoriciens évolutionnistes –comme ils auraient dû l'être pour être opposés aux déviations idéologiques qui n'ont cessé, depuis, d'en déformer l'esprit–, et d'autre part ce qui se nommera plus tard, sous la plume de Spencer et avec l'horizon d'une scientificité constituable, la *morale évolutionniste,* pourra de même être compris dans le nombre de ces déviations. Pour l'instant, l'essentiel reste que, même en la supposant constituée sur les meilleures bases, une morale moniste, *sécularisée,* ainsi que le souhaitait Spencer, ne peut être *substituée purement et simplement* à une morale de l'obligation transcendante, quelles que soient les coïncidences finales qui semblent pratiquement les appareiller. C'est l'intuition de l'impossibilité de cette substitution qui conduira Lalande, quelque temps après, à déclarer que la morale ne se justifie que par la morale, suggérant par là que la spécificité de l'action morale, subjectivement vécue comme passage à l'acte d'une *valeur,* est irréductible à toute explication généalogique par des déterminations matérielles : au contraire, s'il y a des déterminations matérielles identifiables qui président à l'acte du côté de son auteur, sa conduite perdra son caractère moral. Ainsi, le phénomène de la *valorisation* des conduites éthiques, en tant qu'expérience subjective apparemment indépassable, constituera l'objection majeure à la bonne intelligence et à la réception de ce qui se trouve pourtant inscrit en toutes lettres chez Darwin : une génération progressive des sentiments moraux, coextensive au développement des instincts sociaux et de la rationalité, effet de la sélection naturelle parvenue à travailler à sa propre élimination. Contre une dialectique aussi fine, l'intuition immédiate des philosophes rebâtissait indéfiniment, sous diverses formes, le vieil édifice spiritualiste destiné à conserver à la morale son caractère de sublimité lié à la transcendance de l'obligation. Nietzsche, certes, a fait beaucoup pour que le geste esquissé par les penseurs matérialistes du XVIIIe siècle fût achevé du côté de la morale par une synthèse vaste et intelligible qui dénonçât, en en faisant l'histoire, l'illusion transcendante. Mais pour rompre philosophiquement avec le spiritualisme moral, il fallait plus qu'une hypothèse généalogique prolongée par l'annonciation du surhomme. Il fallait à la fois une référence anthropologique rattachée aux inductions des sciences de la nature, et un discours scientifique sur l'âme qui prit la forme d'une nouvelle théorie de l'appareil psychique : la plus offensive *généalogie de la morale,* c'est *Totem et tabou* de Freud –dont on connaît la référence matricielle à Darwin (5)– et c'est, plus globalement, toute la théorie de la *sublimation.* Ce n'est que lorsque la philosophie aura intégré certains des concepts fondamentaux de la psychanalyse qu'elle possédera l'élément qui lui manquait pour penser la morale d'une façon matérialiste, soit : la faculté d'analyser l'intuition vécue de la *valeur* qui soutenait le sentiment de la transcendance de la morale et de son irréductibilité à autre chose qu'elle-même (6). Et cela, naturellement, ne se fera pas sans "résistances". Il ne serait même pas exagéré de dire que c'est *ce* problème éthique qui domine l'essentiel de la vie philosophique depuis 1860 jusqu'au-delà du milieu du XXe siècle. Mais il faut revenir ici à la question de l'organicisme.

Tout organicisme commence par être une figure de rhétorique –figure avec laquelle les successives théories de l'État et du "corps" social ont familiarisé des générations d'exégètes préoccupés d'extraire des métaphores filées du discours politique le *sens* à déduire de l'usage préférentiel de tel ou tel infléchissement de la démarche comparative. Selon les époques et les données variables de la classification des tropes, la comparaison illustrative qui s'établit entre la société politique et l'individu organique sera désignée comme similitude, analogie, métaphore (filée ou continuée), allégorie, allégorisme, apologue, fable ou parabole : l'effet qui en est escompté est quasiment toujours un effet de conviction qui s'accorde en tout avec la nature rhétorique du procédé. Lorsque, au

(5) La psychanalyse est évolutionniste sur les grandes lignes de son discours anthropologique. Pour le reste, elle est, plus radicalement, *darwinienne,* en tant que théorie du *retour* ou de la *résurgence* de l'*archaïque.* C'est là une donnée qu'il faudrait plus longuement développer.

(6) Le même geste avait été accompli auparavant par Marx quant au dévoilement de la nature véritable de la *valeur* économique.

cours d'une période troublée de l'histoire de l'Angleterre, Shaftesbury écrit ses *Lettres sur l'enthousiasme,* son constant usage des métaphores de la pathologie de l'organisme et de l'épidémie a évidemment pour fonction d'amener celles de la cure et de la purgation appliquées à la guérison du corps social. La logique des métaphores ordonnées en séquences longues –analogies prolongées ou allégories– obéit à une loi d'associations empiriques dont la recevabilité se déduit de leur conformité avec certaines formes connues de l'expérience : ainsi, dans l'exemple qui vient d'être donné, la maladie suscite la cure qui suscite la guérison ; on a là une séquence causale parfaitement identifiable dans l'univers référentiel qui sert de cadre d'origine et de champ associatif à la métaphore choisie : *de la même façon,* en effet, les troubles populaires provoquent la reconnaissance du mal et l'intervention curative du gouvernement, qui provoque à son tour le rétablissement du calme politique. L'analogie rhétorique n'établit ainsi rien d'autre que des parallélismes entre des procédures empiriques courantes ou entre des déterminations de forme ou de fonctionnement, *examinées d'un certain point de vue.* C'est cet arbitraire et cette partialité, co-essentiels à la nature même des éléments de la persuasion rhétorique, qui interdisent que ses arguments puissent jamais être revêtus de nécessité logique. C'est aussi pourquoi une analogie rhétorique ne peut jamais être un élément de preuve dans un discours qui prétend à la science. Cela conduit à envisager autrement qu'on ne l'a fait jusqu'à présent le problème de l'organicisme.

Si l'analogie rhétorique, comme appartenant à l'éristique ou à la poésie, ne peut légitimement apporter à aucun discours un ancrage crédible dans la vérité de la science, et si l'organicisme est bien dans son origine une constellation de métaphores, alors l'organicisme qui se donne comme un import réussi des concepts et des méthodes de la science des organismes dans un champ initialement extérieur à elle, doit, pour être crédible, *dénier* à un certain moment sa nature métaphorique, abolir en quelque sorte la distance comparative incluse nécessairement dans toute opération figurale ressortissant de près ou de loin à la métaphorisation. Il doit se nier à présent comme import, modèle, analogie, métaphore. Et c'est très exactement ce qu'il fait dans tous les cas. L'organicisme linguistique de August Schleicher, dont il a été question plus haut (7), n'obtient son identité théorique qu'à partir du moment où, après

(7) Cf. notre chapitre consacré à Gobineau.

avoir établi la liste des analogies entre l'évolution des idiomes et celle des organismes vivants, il *quitte le champ analogique* pour déclarer que les langues *sont* des organismes naturels soumis à l'évolution. Le *déni de métaphoricité* conditionne ainsi le passage assimilatif d'une science à l'autre, et, alors seulement, la crédibilité théorique du propos. Le *système* de l'organicisme, amorcé par des procédures métaphoriques, ne s'accomplit que par le jeu d'une nette et définitive dé-métaphorisation. Dès lors, par voie de conséquence, la réintégration de la science des "organismes linguistiques" à l'intérieur de la science générale de la nature transforme la linguistique en une branche de la science naturelle, suggérant du même coup que pour devenir effective en théorie, leur unité fût, bien auparavant, effective en nature –quoique n'étant jusqu'alors jamais manifestement apparue. La désignation d'*organicisme* prend alors un tour d'extériorité et une valeur critique qui laisse à penser que ce qui est abusif dans un tel processus, c'est précisément la *dé-métaphorisation* par laquelle s'est opérée l'intégration de domaines dont aurait dû être maintenue la réciproque et légitime extériorité.

Or pour que l'organicisme s'accomplît sous les espèces de la réintégration, de l'unité recouvrée des connaissances dans le sein des sciences de la nature, il fallait un *découpage non dualiste des sciences* et, plus largement, une relativisation complète de la classification des disciplines scientifiques par l'introduction de la théorie moniste de l'évolution. Il fallait que l'évolutionnisme philosophique, corrélat idéologique du transformisme biologique conquérant, établît en quelque sorte l'unité généalogique des sciences, laquelle reflète nécessairement celle des phénomènes eux-mêmes au cours du procès de complexification qu'ils développent sous l'influence des mêmes facteurs primitifs. Il est évident, pour Spencer, que "dans cette classe de sciences formée par l'astronomie, la géologie, la biologie, la psychologie et la sociologie, nous avons un groupe naturel dont les parties ne peuvent être désunies ni placées dans un ordre inverse" (8). On passe ainsi de la métaphore à l'intégration. L'organicisme métaphorique diffus du XVIIIe siècle français, d'une certaine philosophie anglaise un peu antérieure (par exemple Hobbes), et des ethnologues et linguistes allemands du XIXe siècle (Humboldt et la plupart des comparativistes), fait place à la réunion –si fortement thématisée

(8) *Post-scriptum,* en réponse aux critiques adressées par A. Bain à la *Classification des sciences,* Paris, Alcan, onzième éd., 1930, p. 77.

par Haeckel– de diverses sciences (en particulier celles qui seront dites "humaines") sous la bannière des nouvelles sciences de la nature. Et cette réunion est logiquement cohérente si on l'examine du point de vue de l'évolutionnisme moniste, puisqu'elle envisage les phénomènes que Spencer dira "superorganiques" (société, langage, etc.) comme des produits de forces matérielles et non comme les marques ou les manifestations de l'essence transcendante de l'âme humaine. L'évolutionnisme est unificateur parce qu'il est normalement et intégralement *généalogique*. Dans sa recherche sans cesse affinée de la loi d'évolution, Spencer n'accomplit pas un geste intellectuel d'une autre nature que celui de Condillac ramenant à un principe unique tout ce qui se rapporte au développement de l'esprit humain. La division expositionnelle de son système en régions du savoir où la loi s'illustre ne change rien à l'uniformité de la loi ni à la liaison des phénomènes, pas plus que le découpage disciplinaire de l'œuvre de Condillac ne signifie un morcellement de la spirale unique du progrès des connaissances humaines, ni de la loi où se résume le processus lié de leur avancement. Dans son essence, et contrairement à des idées trop hâtivement répandues, l'évolutionnisme *philosophique* reste une théorie du *progrès*, et renvoie à une constellation de représentations et de modalités discursives vulgarisée au XVIIIe siècle. Sa référence à la biologie darwinienne est de ce fait un raccordement historique à une science émergente, destiné à lui apporter un surcroît de validation, et n'entraîne pas à sa suite les conséquences qu'elle devrait normalement entraîner. J'ai montré en effet que *le texte même* de Darwin –en un endroit où l'observation de l'homme prend le relais de la réflexion purement biologique, et où le *texte*, pour reprendre la distinction déjà faite, s'accorde entièrement à la logique du *discours*– interdisait que l'on pût légitimement inférer du darwinisme –*i. e.* de la théorie de la descendance modifiée au moyen de la sélection naturelle– un organicisme opérant du côté de la théorie de la connaissance, de la sociologie et de la politique, c'est-à-dire régissant l'évolution des phénomènes "superorganiques" identifiables et classables au sein de la "civilisation". Et ce pour la simple raison que si les phénomènes organiques sont régis par la loi de sélection naturelle, les phénomènes qui relèvent ultérieurement de la conscience développée, de la rationalité et de l'organisation sociale des groupes humains "civilisés" laissent apercevoir au contraire une constante *inversion* du processus sélectif tel qu'il avait été auparavant décrit au sein de la théorie de la descendance modifiée. Ce que déploie de plus en plus l'évolution sociale, intellectuelle et morale de l'homme civilisé, ce sont des conduites anti-sélectives, des gestes anti-éliminatoires, des comportements d'assistance, ainsi que des technologies de compensation visant à équilibrer les effets –par ailleurs indiscutablement néfastes quant à l'évolution des organismes– de la baisse d'efficacité de la sélection naturelle. Sur ce point précis le texte de Darwin ne saurait se prêter à une double interprétation : l'homme qui se refuserait à mettre en pratique cette éthique assimilative reposant sur l'extension de la *sympathie* aux faibles et aux peuples étrangers, déchoirait inévitablement de sa condition d'homme civilisé et se conduirait, précisément, en *barbare.* Et cela n'est pas à mettre au compte d'un retour irrationnel et compulsif, chez Darwin, de la morale chrétienne, ni d'un suivisme philosophique ou encore d'une indifférence éthique du même ordre que celle qui le conduisit, dans *L'origine des espèces,* à souscrire à l'opportunité d'une mention concernant l'existence d'un "créateur", et à régler d'une façon en définitive *politique* le problème de l'existence de Dieu par une reconnaissance nominale dépouillée de tout substrat. La morale de Darwin, je l'ai montré, est l'incontournable conséquence de la sélection naturelle elle-même, en tant qu'elle est l'agent qui a précisément sélectionné chez l'homme les instincts sociaux et la rationalité qui devaient ensuite, par un effet de retournement dialectique, travailler à sa progressive exténuation. Voilà ce qui chez Darwin s'oppose à tout jamais à un organicisme qui penserait l'évolution de la société sur le modèle de l'évolution d'un corps vivant soumis aux lois qui régissent dans la nature ses relations avec les autres organismes. Et voilà de même ce qui interdit que l'on pense comme analogues les rapports entre les individus civilisés au sein du groupe social, et les rapports qu'entretiennent les organismes d'une même espèce ou d'espèces différentes soumis à la concurrence vitale. Et c'est là justement ce qu'aucun théoricien évolutionniste n'a cru bon d'apercevoir, à commencer par les deux principaux, Spencer et Haeckel, qui l'un et l'autre, dans leur singularité comme dans leur accord, penseront et écriront au sein de cette méconnaissance.

Le système de Spencer

Tout le problème de la philosophie de Spencer se ramène à celui posé par l'organicisme. Quant à cela Lalande ne s'est pas trompé, qui, se fondant notamment sur la chronologie des œuvres, ne voyait dans la réflexion *physique* de Spencer qu'un complément ultérieur destiné à achever le système *en amont* de ce qui constitue en fait son noyau générateur, la référence biologique. Lalande cependant ne l'a peut-être pas suffisamment démontré ; au reste, une telle démonstration suppose que l'on puisse légitimement parler d'*organicisme* à propos de la philosophie de Spencer, et cela est rendu problématique par le fait que Spencer lui-même, en des termes suffisamment contradictoires pour que leur examen soit ici différé, a, après avoir promené tout au long de son œuvre l'analogie organique, dénié avec force, au tome second de ses *Principes de sociologie* (9), qu'elle pût entièrement y tenir lieu de modèle. Mais cela engagerait ici une analyse prématurée, qui de toute façon ne changerait rien au fait qu'à un certain moment, Spencer a accompli le geste dans lequel j'ai reconnu le passage entre un organicisme seulement rhétorique et l'organicisme proprement dit, et que j'ai nommé plus haut le *déni de métaphoricité :* il a lieu d'une manière singulièrement soulignée dans un titre de chapitre de ces mêmes *Principes de sociologie :* "Une société est un organisme" (10). Cet énoncé suffit donc, renchérissant d'une façon apparemment claire sur ce que tous les ouvrages antérieurs avaient établi, pour que nous nous sentions autorisé ici à parler, dans les limites de la mise au point précédente et sous réserve de réajustements ultérieurs, d'un *organicisme* de Spencer.

Toutefois, au sein du système constitué, la biologie prend rang dans la constellation des disciplines qui sont sollicitées de concourir à l'unification philosophique, et gomme en quelque sorte sa prépondérance dans l'ordre de la constitution de la théorie. La loi d'évolution progressivement définie dans les *Premiers Principes* est bien en fait une proposition philosophique –c'est-à-dire affectée d'un haut coefficient de généralité et applicable à l'ensemble des phénomènes– reposant sur certains principes physiques universels comme l'indestructibilité de la matière, la continuité du mouvement, et surtout la *persistance de la force.* C'est ce principe dernier, dont les autres sont des corollaires (11), qui permet à

(9) Au chapitre intitulé "Réserves et résumé", pp. 191-192 de l'édition française de 1898.

(10) Chapitre II, p. 4.

(11) *Premiers principes,* p. 482 de l'édition française de 1890.

Spencer de construire sa théorie comme un système déductif. De la persistance de la force en effet se déduisent la persistance des relations entre les forces, l'équivalence quantitative des corrélatifs dans les transformations de forces, la direction du mouvement suivant la ligne de la plus faible résistance ou de la plus grande action, la structure rythmique du mouvement. Dès lors, la *loi* recherchée est celle de la redistribution continue de la matière et du mouvement : "Quel principe dynamique, vrai de la métamorphose considérée dans la totalité et dans ses détails, exprime ces relations toujours changeantes ?"(12). Les différentes approches successives d'une formulation complète et complètement satisfaisante de la *loi d'évolution* sont pour Spencer l'occasion de mettre en place les grandes articulations conceptuelles dont la complémentarité va structurer son interprétation des phénomènes :

1) Intégration/Désintégration :

"Le passage d'un état diffus, imperceptible, à un état concentré, perceptible, est une intégration de matière et une dissipation concomitante de mouvement ; et le passage d'un état concentré, perceptible, à un état diffus, imperceptible est une absorption de mouvement et une désintégration concomitante de matière."(13)

2) Évolution/Dissolution :

"L'évolution sous sa forme la plus simple et la plus générale, c'est l'intégration de la matière et la dissipation concomitante du mouvement ; tandis que la dissolution, c'est l'absorption du mouvement et la désintégration concomitante de la matière." (14)

3) Évolution simple/Évolution composée :

"Déjà, en appelant évolution simple l'intégration de la matière et la dissipation du mouvement qui ne s'accompagne pas de redistributions secondaires, nous avons tacitement affirmé que la complexité se produit quand les redistributions secondaires se présentent. Évidemment, si, tandis qu'il s'est opéré une transformation de l'incohérent au cohérent, il s'est fait d'autres transformations,

(12) *Ibid.*, p. 250.

(13) *Ibid.*, p. 253.

(14) *Ibid.*, p. 257.

la masse, au lieu de rester uniforme, a dû devenir multiforme. La proposition est identique. Dire que la redistribution primaire s'accompagne de redistributions secondaires, c'est dire qu'à côté des changements allant d'un état diffus à un état concentré il se fait un changement allant d'un état homogène à un état hétérogène. En même temps que les composants de la masse s'intègrent, ils se différencient." (15)

"La conception de l'évolution doit donc unir ces caractères. Telle que nous la comprenons maintenant, l'évolution peut se définir un changement d'une homogénéité incohérente en une hétérogénéité cohérente, à la suite de la dissipation du mouvement et de l'intégration de la matière." (16)

4) Définition finale de l'Évolution :

"L'évolution est une intégration de matière accompagnée d'une dissipation de mouvement, pendant laquelle la matière passe d'une homogénéité indéfinie, cohérente, à une hétérogénéité définie, cohérente, et pendant laquelle aussi le mouvement retenu subit une transformation analogue." (17)

Il reste à achever formellement l'édifice déductif, en identifiant les principes universels qui servent de "raisons" au sens de l'évolution, et permettent de déduire le phénomène de l'évolution de la persistance de la force. Ces principes sont au nombre de deux. Il s'agit :

1) du principe de l'*instabilité de l'homogène,* en vertu duquel l'homogénéité d'un agrégat est une condition d'équilibre instable, du fait de la dissemblance de l'exposition spatiale des parties à des forces incidentes, et tend nécessairement vers l'hétérogénéité. Ce principe est un corollaire de la persistance de la force et peut être démontré *a priori :*

"Mais dire que les diverses parties d'un agrégat reçoivent des

(15) *Ibid.,* p. 296.

(16) *Ibid.,* p. 322.

(17) *Ibid.,* p. 355.

quantités différentes d'une force incidente, c'est dire que leurs états sont modifiés par elle à des degrés différents ; c'est dire que, si elles étaient auparavant homogènes dans leurs relations, elles doivent devenir jusqu'à un certain point hétérogènes, puisque, la force étant persistante, les quantités différentes de force qui tombent sur les différentes parties doivent y produire des quantités différentes d'effet, c'est-à-dire des changements différents. Nous pouvons par un raisonnement analogue arriver à la conclusion que, même en dehors de l'action d'une force extérieure, l'équilibre d'un agrégat homogène doit être détruit par les actions inégales que ses parties exercent l'une sur l'autre. L'influence mutuelle qui produit l'agrégation (pour ne pas parler des autres influences mutuelles) doit produire des effets différents sur les différentes parties, puisqu'elles reçoivent chacune cette force avec des intensités et des directions différentes. On le comprendra aisément si l'on se rappelle que les parties dont le tout se compose peuvent être considérées comme des touts moindres, que sur chacun de ces touts moindres l'action de l'agrégat total fait l'effet d'une force incidente extérieure, que cette force incidente extérieure doit, comme nous l'avons vu ci-dessus, opérer des changements différents dans les parties d'un tout moindre, et que, si par là chacun des touts moindres devient hétérogène, l'agrégat total devient hétérogène.

On peut donc déduire l'instabilité de l'homogène du principe primordial qui sert de fondement à l'intelligence." (18)

2) du principe de la *multiplication des effets*, en vertu duquel "une force unique se divise par son conflit avec la matière en forces qui divergent grandement" (19), multipliant de ce fait les actions et réactions à l'intérieur même des agrégats et des forces. Enfin, il est possible de déduire de même, de la persistance de la force, trois conséquences qui sont en même temps trois modalités successives du devenir physique des agrégats. Ce sont :

1) la ségrégation :

Elle consiste dans la séparation des unités semblables et dissemblables composant les agrégats sous l'action de forces incidentes

(18) *Ibid.*, pp. 384-385.

(19) *Ibid.*, p. 386.

elles-mêmes semblables ou dissemblables sous le rapport de la direction ou de l'intensité :

> "Premièrement, des unités semblables, soumises à une force uniforme capable de produire en elles du mouvement, se meuvent dans le même sens et la même vitesse. Secondement, des unités semblables, exposées à des forces dissemblables capables de produire en elles du mouvement, se meuvent différemment, soit dans des sens différents, soit avec des vitesses différentes dans le même sens. Troisièmement, des unités dissemblables, subissant l'action d'une force uniforme capable de produire en elles du mouvement, se meuvent différemment, soit dans des sens différents, soit avec des vitesses différentes dans le même sens. Quatrièmement, les forces incidentes mêmes doivent être affectées d'une manière analogue ; des forces semblables tombant sur des unités semblables doivent recevoir de ce choc des modifications semblables ; des forces dissemblables tombant sur des unités semblables doivent recevoir des modifications dissemblables ; et enfin des forces semblables tombant sur des unités dissemblables doivent recevoir des modifications dissemblables. On peut réduire ces propositions à une forme encore plus abstraite. Elles reviennent toutes à ceci : que, dans toutes les actions et réactions de force et de matière, une dissemblance dans l'un ou l'autre des facteurs nécessite une dissemblance dans les effets, et qu'en l'absence de toute dissemblance dans l'un ou l'autre des facteurs les effets doivent être semblables." (20)

2) l'équilibre :

Il est le point-limite de l'évolution entendue comme intégration de matière et dissipation de mouvement, et comme marche à l'hétérogène. Le principe de la multiplication des effets implique une décomposition des mouvements suivant un procès indéfiniment divergent et redivergent, qui se dirige par successives subdivisions vers l'insensible :

> "Nous trouvons donc partout une marche vers l'équilibre. La coexistence universelle de forces antagonistes, qui nécessite l'universalité du rythme et la décomposition de toute force en forces divergentes, nécessite en même temps l'établissement définitif de

(20) *Ibid.*, pp. 430-431.

l'équilibre. Tout mouvement, étant un mouvement soumis à la résistance, subit continuellement des soustractions qui aboutissent enfin à la cessation du mouvement." (21)

"C'est un corollaire de la persistance de la force que les divers mouvements possédés par un agrégat, soit par cet agrégat considéré comme un tout, soit par ses diverses parties, doivent être dissipés par les résistances qu'ils ont à vaincre ; et que par là ceux qui ont la moindre intensité ou qui rencontrent l'opposition la plus grande, ou qui subissent l'un et l'autre désavantage, doivent s'arrêter, tandis que les autres doivent continuer. D'où il suit que, dans tout agrégat animé de divers mouvements, ceux qui sont les plus faibles et qui rencontrent la plus grande résistance se dissipent relativement de très bonne heure, et ceux qui sont les plus forts et qui rencontrent le moins de résistance se conservent longtemps ; c'est ainsi que se forment les équilibres mobiles dépendants et les équilibres mobiles indépendants. D'où suit encore la tendance à la conservation de ces équilibres mobiles. Car les mouvements nouveaux communiqués par une force perturbatrice aux parties d'un équilibre mobile doivent être, ou bien d'une intensité et d'une espèce telles qu'ils ne puissent être dissipés avant les mouvements préexistants, auquel cas ils mettent fin à l'équilibre mobile, ou bien d'une intensité et d'une espèce telles qu'ils puissent être dissipés avant les mouvements préexistants, auquel cas l'équilibre mobile se rétablit.

Ainsi, de la persistance de la force découlent non seulement les équilibres directs et indirects qui s'établissent partout avec l'équilibre cosmique qui met fin à toutes les formes d'évolution, mais aussi ces équilibres moins manifestes que nous reconnaissons dans le rétablissement des équilibres mobiles qui ont été dérangés. Ce principe dernier peut servir à démontrer la tendance de tout organisme, dérangé par quelque influence insolite, à retourner à l'équilibre. C'est à lui qu'on peut aussi ramener le pouvoir que possèdent les individus, et plus encore les espèces, de s'adapter à des circonstances nouvelles." (22)

Il est intéressant de noter que pour Spencer, le progrès dans l'adaptation humaine, effet de la tendance à l'équilibre, est un

(21) *Ibid.*, p. 434.

(22) *Ibid.*, p. 462.

progrès vers l'harmonie et le bonheur, et que par ailleurs, dans l'univers organique, la figure de l'équilibration complète est la mort.

3) la dissolution :

Complémentaire obligé de l'évolution, elle est causée par la persistance même des forces incidentes venues de l'environnement :

> "Un agrégat en évolution, bien qu'en somme il perde du mouvement et s'intègre, reçoit toujours dans un sens ou dans l'autre quelque mouvement et par conséquent se désintègre ; dès que les mouvements intégrants ont cessé de prédominer, la réception de mouvement, quoique perpétuellement annulée par la dissipation, tend constamment à produire et finit par produire la transformation inverse. Quand l'évolution a accompli son cours, quand l'agrégat a, à la longue, abandonné son excès de mouvement et reçoit d'ordinaire de son milieu autant qu'il perd, quand il a atteint cet équilibre où tous ses changements viennent finir, il reste soumis à toutes les actions de son milieu qui peuvent accroître la quantité de mouvement qu'il contient et qui, dans le cours du temps, donneront assurément à ses parties, d'une manière lente ou subite, un excès de mouvement capable d'en causer la désintégration. Selon que son équilibre est très instable ou très stable, sa dissolution peut se faire très rapidement ou être indéfiniment retardée, s'opérer en quelques jours ou être ajournée jusqu'après des millions d'années. Mais, en définitive, il doit venir un temps où cet agrégat, exposé à tous les accidents qui dépendent non seulement des objets de son voisinage immédiat, mais d'un univers partout en mouvement, périra seul ou en compagnie des agrégats environnants par la décomposition de ses parties." (23)

Il apparaît donc que la dissolution, qui avait été déjà définie à l'intérieur du couple oppositionnel qu'elle forme avec l'évolution, est redéfinie à nouveau d'une façon spécifique, ce qui indique clairement qu'elle n'a jamais cessé d'être considérée par Spencer comme une phase nécessaire du devenir. Tous les changements –et cette affirmation vaut apparemment pour tous les univers de référence– se produisent d'abord comme perte de mouvement et intégration consécutive, puis comme acquisition de mouvement et désintégration consécutive. Et l'on se souvient que la désintégration elle-

(23) *Ibid.*, pp. 464-465.

même avait été déjà définie à l'intérieur du couple oppositionnel qu'elle forme avec l'intégration. Tout changement s'opère donc nécessairement dans le sens d'une *évolution* ou d'une *dissolution* et, si l'on considère un agrégat isolément, sa période évolutive, obéissant aux lois de différenciation et d'intégration progressives et d'hétérogénéité croissante, culminera dans la production d'un équilibre de variable durée, et s'achèvera nécessairement, du fait de la persistance de l'action des forces ambiantes, par une dissolution. On ne saurait donc reprocher à Spencer de n'avoir pas eu conscience de l'importance du travail dissolvant, ainsi que semblera l'indiquer Lalande (24). "Ce n'est pas à dire", notera simplement Spencer, "que nous devions insister longuement sur la dissolution, qui n'a aucun de ces aspects divers et intéressants que l'évolution présente ; mais il y a pourtant quelque chose à dire à ce sujet." (25)

Les principes de la philosophie de Spencer s'énoncent donc dans les termes d'une *physique générale,* dont le concept premier est celui de la *persistance de la force.* Mais avant de devenir une catégorie fondamentale du discours philosophique, et même un concept de la science physique, l'être de la *force* a été d'abord vécu dans l'expérience sensible des origines comme présidant à toute réalisation de *mouvement.* Le mouvement est d'abord, si l'on suit la genèse de sa représentation dans la conscience développée, une intuition vécue subjectivement à travers le *medium* de l'organisme, et qui comme telle dérive d'une certaine quantité d'*expériences de force :* "La conception de Mouvement, écrit Spencer, qui se présente ou se représente dans la conscience développée implique les conceptions d'Espace, de Temps et de Matière. Quelque chose qui se meut, une série de positions occupées successivement, et un groupe de positions coexistantes unies dans la pensée avec celles occupées successivement, tels sont les éléments de cette idée. Et puisque, comme nous l'avons vu, chacun de ces éléments est le résultat des expériences de *force* donnée dans certaines corrélations, il s'ensuit que c'est d'une synthèse plus avancée de ces expériences que sort l'idée de Mouvement. Il y a aussi dans cette idée un autre élément qui en est réellement l'élément fondamental (la nécessité où se trouve le corps en mouvement de changer ses positions) ; cet élément résulte directement de nos premières

(24) Voir ci-après le chapitre consacré à Lalande.

(25) *Ouv. cit.,* p. 464.

expériences de force. Les mouvements des différentes parties de l'organisme en relation l'une avec l'autre sont les premiers qui se présentent à la conscience. Produits par l'action des muscles, il nécessitent des réactions sur la conscience sous la forme de sensations de tension musculaire. En conséquence, toute flexion, toute extension d'un membre nous est d'abord connue comme une série de tensions musculaires qui varient d'intensité à mesure que la position du membre change. Cette intuition rudimentaire du Mouvement, composée d'une série d'impressions de force, s'unit inséparablement à l'intuition d'Espace et à celle de Temps toutes les fois que celles-ci se dégagent abstractivement de nouvelles impressions de force. Ou, pour mieux dire, c'est de cette conception primitive du Mouvement, que la conception achevée se dégage par un développement simultané avec celui des conceptions d'Espace et de Temps ; toutes les trois tirent leur origine des impressions de plus en plus nombreuses et diverses de tension musculaire et de résistance objective. Le Mouvement, comme nous le connaissons, peut donc se ramener comme les autres idées scientifiques ultimes à des expériences de force." (26) L'organisme se retrouve ainsi en position de relais originaire, d'intermédiaire primordial par où advient l'ensemble des connaissances. D'où la nécessité d'en passer par une description approfondie des appareils et des fonctionnements biologiques et psychologiques, mais aussi par la collecte préliminaire des principaux éléments qui, empruntés à ces sciences et à d'autres, contribuera à réaliser le noyau même de l'entreprise unificatrice dans laquelle consiste pour Spencer la philosophie, qui se tisse *organiquement* à partir des données fournies par toutes ces sciences particulières. Et il est de fait que les *Premiers principes* de Spencer ne peuvent être définis comme principes *premiers* qu'en regard d'une philosophie envisagée comme *unification complète* du savoir, la science étant *auparavant* son *unification partielle,* et la connaissance commune étant, *auparavant* encore, le savoir *non unifié* (27), mais sans nul doute passible de cette unification organique qui culminera dans un système parfaitement intégré. Ce qui est premier dans les *Premiers principes,* c'est la collecte d'informations scientifiques régionales destinées à concourir à l'unification complète des principes du savoir philosophique sous

(26) *Ibid.*, pp. 146-147.

(27) *Ibid.*, p. 117.

la forme d'une proposition de physique générale et de ses propositions dérivées. Et ce qui est premier de nouveau par rapport à ces informations régionales, c'est la connaissance non encore unifiée qui se tire des expériences de force vécues à travers l'organisation sensorielle et psychique, c'est-à-dire l'organisme. Là encore, que cela soit explicitement indiqué ou non, Spencer se situe dans la tradition de l'empirisme de Locke et de Condillac. En effet, la mise au point dans les *Premiers principes* d'un système entièrement déductif aboutissant à la formulation complète de la loi d'évolution et de ses conséquences, ne pourra faire oublier la base empirico-sensualiste de l'élément primordial de la construction : le concept de *force.* Au sein de la tradition philosophique qui relie Locke, Condillac, Turgot et Condorcet d'une part, et l'évolutionnisme spencérien de l'autre, il n'y a pas de fracture *logique* : on retrouve de part et d'autre la même théorie du progrès, la même efficience, au sein de ce progrès, de l'intégration-différenciation, le même développement spiralé de l'hétérogénéité et de la cohérence, la même notion de la croissance individuelle et collective, le même rôle central joué par l'analogie. L'irruption, entre ces deux figures de l'évolutionnisme philosophique et culturel, de Lavoisier, de Robert Julius Mayer et de Karl Ernst von Baer, fournit certes aux évolutionnistes du XIXe siècle des points d'ancrage scientifique plus nombreux et plus déterminants – parmi lesquels le darwinisme sera sans nul doute prépondérant après 1859 –, ce qui permet à la philosophie de prendre, autour de l'Évolution constituée en *loi,* un aspect précisément plus *intégré,* celui du système de Spencer, où l'on pourra finalement distinguer, d'une façon purement opératoire, deux moments : l'un statique, consacré à l'établissement du réseau des références scientifiques en vue de l'unification complète au sein de l'édifice philosophique ; l'autre dynamique, car en prise sur des débats contemporains de la production du système, et concernant la vie pratique d'une manière plus nettement prospective et programmatique. Ce que l'on peut représenter par le schéma suivant :

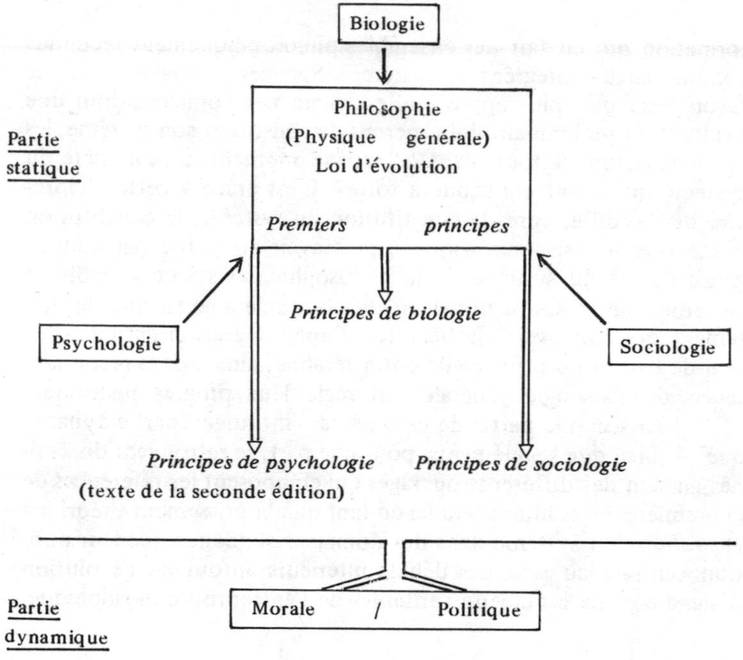

(Principes de morale, Essais de politique, L'individu contre l'État, etc.)

La première partie de ce schéma –intitulée imparfaitement et faute de mieux "partie statique"– se décompose elle-même en deux moments distincts : le premier est marqué par les flèches simples : c'est le moment de la *convergence* des trois sciences principales dont la confrontation produit les *Premiers principes* et la loi d'évolution qui s'y trouve formulée, c'est-à-dire le noyau du système philosophique de Spencer. Ce premier moment de convergence est celui de la *constitution du système philosophique* proprement dit. A la limite, le système de Spencer est connu, dans ses articulations principales et qui demeureront invariantes, dès la lecture des *Premiers principes.* Le second moment, matérialisé par les flèches doubles, est celui au cours duquel s'accomplit la démarche inverse : après avoir apporté leur contribution régionale à la constitution de la philosophie considérée comme unification complète du savoir autour de principes universels dérivant d'une seule loi, les sciences reçoivent à leur tour, du système constitué, une information qui en fait des ensembles philosophiquement reconnus comme parties intégrées du système : Spencer y reparcourt d'une façon beaucoup plus approfondie chacun des domaines dont une exploration préliminaire lui a permis de constituer son système, les examinant tour à tour, dans ce second moment, à la lumière du système qu'ils ont contribué à forger. C'est grâce à cette réciprocité que s'édifie, après la constitution du *système,* la constitution d'une *somme* épistémologique. Après avoir constitué par convergence l'unité du système de la philosophie, les sciences reçoivent en retour, de ce savoir unifié qu'elles ont aidé à construire, le traitement qui leur assure le bénéfice d'une intégration définitive au sein de leur unité principielle enfin rétablie, ainsi que la reconnaissance de l'analogie générale qui règle leur progrès historique.

La seconde partie de ce schéma –intitulée "partie dynamique"–, bien que ses éléments, pour une part, se retrouvent disséminés au sein des différents ouvrages qui composent les références de la première, nous intéressera ici en tant qu'aboutissement théorique et *pratique* du système dans des domaines solidaires que leur position centrale au sein des débats ultérieurs autour de l'évolution désigne comme les enjeux véritables de l'entreprise philosophique.

Les fondements de l'organicisme spencérien

La loi d'évolution, on l'a vu, est le fruit d'une élaboration progressive. Fondée sur une intuition dont l'origine, comme l'atteste Spencer lui-même, est indiscutablement biologique, elle n'apparaît d'abord qu'à travers des énoncés fragmentaires qui ne prendront leur véritable rang dans la formulation finale que lorsque la convergence et l'intégration des différentes données issues de la multiplicité des domaines auront été elles-mêmes réalisées. L'édifice du système et de la somme évolutionnistes de Spencer est le résultat de cette remise en ordre. Que l'intuition première et fondatrice –celle qui a eu dans l'ordre de la genèse des recherches philosophiques de Spencer une fonction de déclenchement– soit de type *biologique* d'abord, est affirmé par une note non ambiguë des *Premiers principes* (28) à travers laquelle apparaît le mouvement du cheminement réel des idées du philosophe, et qui se rattache à l'affirmation, consécutive aux démonstrations de C.F. Volff et K.E. von Baer

(28) p. 302.

"reprenant une idée émise par Harvey", de l'universalité de la loi du passage de l'homogène à l'hétérogène dans l'évolution des organismes. La genèse de la loi s'éclaire alors dans ses moments initiaux, retraçant le trajet qui conduit d'une *analogie organiciste* fondamentale empruntée à Milne Edwards à la loi plus générale empruntée à von Baer, laquelle trouvera enfin la place qui lui sera objectivement assignée par la loi générale d'évolution parvenue à l'étape ultime de sa formulation : "C'est en 1852", écrit Spencer dans cette note, "que j'ai connu la manière dont Baer exprimait ce principe général. L'universalité de la loi a toujours été pour moi un postulat emportant avec lui la croyance correspondante, tacite sinon avouée, à l'unité de procédé dans toute la nature. La proposition que toute plante et tout animal, originellement homogènes, deviennent graduellement hétérogènes, établit une coordination dans une foule d'idées non organisées. Il est vrai que, dans ma *Statique sociale* (part. IV, § 12-16), écrite avant que j'eusse connaissance de la formule de Baer, je faisais consister le développement d'un organisme individuel et celui de l'organisme social dans un progrès allant de la simplicité à la complexité, de parties semblables indépendantes à des parties dissemblables mutuellement dépendantes, d'après une analogie qui se trouve au fond des idées de Milne Edwards sur la *division du travail physiologique.* Mais, si la formule de Milne Edwards peut s'appliquer aux phénomènes superorganiques, elle est trop spéciale pour exprimer les phénomènes inorganiques. Le service rendu par la formule de Baer vient de ce qu'elle est bien plus générale, puisque ce n'est que lorsque les transformations organiques ont trouvé leur formule la plus générale, qu'on peut voir ce qu'elles ont de commun avec les transformations inorganiques. La première expression systématique de l'idée que l'opération de transformation qui se fait dans tout organisme en voie de développement, se fait aussi dans toutes les choses, se trouve dans un essai sur *le Progrès, sa loi et sa cause,* que j'ai publié dans *The Westminster Review,* avril 1857. Le présent chapitre reproduit la substance et une partie de la forme de cet essai. Mais je dois dire que j'y commettais une erreur que j'ai répétée dans la première édition de cet ouvrage : je supposais que la transformation de l'homogène en hétérogène constitue l'évolution ; nous venons de voir que cette transformation constitue la redistribution secondaire qui accompagne la redistribution primaire dans l'évolution dite composée, ou plutôt que, comme nous le voyons maintenant, elle constitue la partie la plus remarquable de cette redistribution secondaire."

Cette longue note, qui n'échappera pas, comme on le verra plus loin, à la vigilance de Lalande, affirme nettement :

1/ le fondement biologique de la loi du passage à l'hétérogène ;

2/ l'universalité de cette loi, c'est-à-dire son application de fait à tous les phénomènes ;

3/ l'explication de l' "erreur" première, qui tient à ce que le procès d'hétérogénéisation constitue la partie la plus *visible* de l'évolution.

En outre, elle laisse entrevoir quelle sera l'influence du modèle physiologique emprunté à Milne-Edwards sur la conception ultérieure de la division sociale du travail. Mais peut-on dire que cette conception soit effectivement ultérieure, puisque la *Statique sociale,* antérieure (1850), en renfermait déjà le schéma ? On se trouve là encore devant le cas de l'antécédence de l'idéologie par rapport aux effets de scientificité dont elle peut successivement se revêtir. Dépourvu de références comparables à celles qui devaient servir à étayer la théorie de Spencer, Condillac, au siècle précédent, n'en avait pas moins illustré d'une manière réellement *systématique* les phénomènes progressifs de la marche à l'hétérogène et de la différenciation/intégration socio-économique (29), et j'ai montré ailleurs à quel type d'organicisme foncier se rattachait la théorie sensualiste (30). L'organicisme est donc bien une constellation de discours qui possède une histoire et qui, à mesure que l'on progresse dans le sens de son développement historique, entretient un rapport de plus en plus étroit avec les disciplines scientifiques qui ont pour objet, sous divers angles d'approche, l'étude des corps organisés. Il y a un organicisme fonctionnant en relation avec l'anatomie, qui s'affine et se complexifie ensuite dans une référence à la physiologie lorsque celle-ci apparaît dans l'univers scientifique, pour donner un organicisme à base physiologique, lequel sera encore infléchi par l'irruption de la théorie cellulaire, etc. Il demeure qu'à travers ces différentes modulations historiques, ce qui reste inchangé dans la logique de l'organicisme multiple et un, c'est un modèle de dépendance, de subordination ou de coopération hiérarchique des éléments.

Enfin –et ceci est une observation à valeur générale–,

(29) Voir plus haut notre analyse de l'œuvre économique de Condillac.

(30) *L'ordre du corps,* ouv. cit.

l'organicisme possède deux versants que l'évolutionnisme rend nécessairement solidaires : l'un, que l'on pourrait dire statique, consiste simplement en une analogie descriptive entre le superorganique et l'organique au niveau des fonctionnements : c'est ce qui s'exprime dans la formule selon laquelle "une société est un organisme", qui signifie, une fois compris le mécanisme de dé-métaphorisation expliqué plus haut, que le superorganisme social possède la structure et les fonctions d'un organisme, *étant* lui-même un organisme. L'autre versant est dynamique, l'analogie portant sur le devenir : superorganisme, la société, à l'intérieur d'elle-même comme dans ses relations extérieures, évolue à la façon des autres organismes, et si l'on peut s'assurer de l'intelligence d'une loi générale d'évolution propre à tous les organismes, la *prévision* sociale et politique deviendra alors possible. C'est ce partage que tentait de figurer le précédent schéma, comprenant une partie descriptive et une partie prospective constituée notamment des ouvrages traitant expressément de morale et de politique, mais aussi des différents chapitres de la *Sociologie* concernant le passé et l'*avenir* des institutions.

C'est dans les premiers chapitres de la seconde partie des *Principes de sociologie* que l'on trouve développé l'essentiel des thèmes qui constituent le double versant organiciste de l'évolutionnisme (31). Qu'il y ait une concrétude propre à l'agrégat social –concrétude qui s'oppose à ce qu'une société soit une entité purement nominale dont la seule réalité serait celle de ses parties constituantes–, découle de la permanence qui existe dans l'arrangement de ces parties, permanence constitutive de l'individualité du tout qu'elles forment par leur union. La seconde partie des *Principes de sociologie*, partant de cette donnée, tente d'une façon déclarée d'examiner en conséquence "les raisons qu'il y a d'affirmer que les relations permanentes qui existent entre les parties d'une société, sont analogues aux relations permanentes qui existent entre les parties d'un corps vivant" (32). A la question : "Qu'est-ce qu'une société ?" posée par le premier chapitre, le second répond dès le titre : "Une société est un organisme", passant ainsi, comme je l'ai montré, d'un rapport d'analogie, c'est-à-dire d'extériorité, à un rapport d'intégration. Ou plus précisément : l'analogie ne fonctionne plus entre

(31) Chapitres 2 à 11, p. 4 à 185.

(32) Ch. I, p. 3.

la société et l'organisme, mais entre l'organisme social et l'organisme au sens habituel du terme. Entre l'organisme social et l'organisme vivant, Spencer relève une série de caractères communs, qui seront successivement analysés dans les chapitres ultérieurs. Ce sont :

— la croissance, définie comme augmentation de masse ;

— l'acquisition simultanée d'un volume plus fort et d'une structure plus complexe (référence biologique : la croissance de l'embryon d'un animal supérieur, ou encore, dans le cadre de l'évolution au sens large, la différence de structure entre un animal inférieur et un animal supérieur) ;

— l'arrêt de la différenciation lorsque l'organisme a atteint la maturité dont il est capable ;

— la multiplication des parties au cours de l'évolution ;

— la différenciation progressive conjointe de structure et de fonction ;

— la hiérarchie des fonctions ainsi différenciées ;

— la mutuelle détermination des parties ;

— la division du travail ;

— la possibilité d'une union combinatoire des unités en un ensemble vivant et individué reproduisant des caractères analogues à ceux qui définissent la vie de chaque unité (modèle du *plasmodium*) ;

— une durée de vie pour l'agrégat supérieure à celle des unités (sauf en cas de catastrophe, où le contraire a lieu) ;

— le remplacement des unités dans les mêmes fonctions.

L'organisme social comme l'organisme individuel vérifie donc la loi générale de l'évolution, passant par les étapes caractéristiques de l'accroissement de matière, de la différenciation/intégration et de l'hétérogénéité cohérente. Le pivot de l'analogie semble être la *division du travail* : "La division du travail", écrit Spencer, "dont les économistes ont fait les premiers un phénomène social de premier ordre, et que les biologistes ont reconnue ensuite parmi les phénomènes des corps vivants, en la nommant division physiologique du travail, est le fait qui constitue la société, comme l'animal, à l'état de corps vivant. Je ne saurai trop insister sur ce point, qu'en ce qui concerne ce caractère fondamental, il y a entre un organisme social et un organisme individuel une analogie parfaite." (33) La division du travail est en effet un concept *économique* sur le contenu duquel –quant à ses sources modernes tout au moins– Spencer a été

(33) *Ouv. cit.*, p. 8.

informé par la lecture de son principal vulgarisateur, Adam Smith. On ne saurait alors s'empêcher de se demander ce qui est *premier,* dans l'ordre de formation et dans la direction d'influence du *modèle :* est-ce l'économie politique qui devient modèle pour former une certaine idée du fonctionnement physiologique (Milne-Edwards) et revient ensuite influencer la conception des mécanismes sociaux sous la forme d'un modèle physiologique (Spencer) ? Ou bien est-ce l'*ordre du corps* qui médiatise *ab initio* la représentation fonctionnelle des ensembles socio-économiques, suivant en cela une tradition fort peu passible, quant à son origine, de datation historique précise, mais dont les relais seraient par exemple Esope, Tite-Live, Rabelais et La Fontaine, qui furent tous, certain jour, occupés, malgré d'inégales distances à la source, à retranscrire le même apologue de Menenius Agrippa ? Cette fable antique, réduite à ce qu'elle apprend de plus général et de moins susceptible de contestation, n'indique-t-elle pas que, dès lors qu'il cherche sa formulation, le signifié économique semble ne pouvoir trouver pour se traduire qu'un *signifiant organiciste* référant inévitablement à l'aperception originaire et liée du corps et du besoin, qui,elle, est le signifié primordial ? Quadruple temps d'une oscillation qui va du corps à l'économique, de l'économique au corps, et retourne du corps à l'économique : Agrippa, Milne-Edwards, Spencer. Le corps exprime l'économie comme l'économie exprime le corps, et cette idéologie, en effet, n'aurait pas eu d'histoire, si Marx n'en avait rompu le cours en montrant que c'est dans cette économie qu'au contraire le corps s'aliène, et que ces deux ordres sont, plutôt que d'éternels équivalents analogiques, des éléments en conflit.

Autre élément essentiel : la division du travail, pensée comme division organique, ne se dissocie pas chez Spencer d'un modèle de subordination, de l'idée directrice d'une *hiérarchie :* "Les divisions multipliées", écrit-il, "les primaires, les secondaires, les tertiaires qui naissent dans un animal qui se développe, ne prennent pas pour rien leurs caractères distinctifs majeurs et mineurs. A côté de différences dans la forme et la composition, elles offrent des différences dans les actes qu'elles accomplissent : elles deviennent des organes différents affectés à des fonctions différentes. En prenant la totalité de la fonction d'absorber les aliments en même temps qu'il prend ses caractères structuraux, le canal alimentaire se sectionne en parties nettement distinctes les unes des autres ; chacune a une fonction spéciale qui est une partie de la fonction générale. Un membre qui sert à la locomotion ou à la préhension se divise et se subdivise en parties qui jouent dans cet office les unes le rôle principal et les autres le rôle auxiliaire. Il en est de même des parties dans lesquelles une société se partage. Une classe dominante, en se formant, ne devient pas seulement différente du reste de la société, elle prend le commandement du reste ; et quand cette classe se divise en deux, l'une qui a une plus grande part du pouvoir, l'autre qui en a une moindre, chacune de ces sous-classes se met à remplir des rôles distincts dans l'office du gouvernement. Il en est de même des classes dont les actions sont soumises à l'autorité des autres." (34) La différenciation, organique ou sociale, s'accompagne donc d'une hiérarchisation, dont la représentation se précisera au cours des chapitres, mais dont il faut remarquer tout de suite qu'elle entretient avec la relation de *dépendance mutuelle* des parties un rapport qui n'est pas simple : en effet, la relation dite de dépendance mutuelle décrit elle-même une mutualité *hiérarchisée,* mais hiérarchisée *en sens inverse* de la hiérarchie formelle qui s'établit dans l'ordre politico-économique au terme du développement organique des sociétés. Pour mieux comprendre cette intéressante contradiction, il faut ici revenir au texte qui permet d'en voir l'articulation :

> "Chez un animal, l'arrêt des fonctions pulmonaires met promptement fin aux mouvements du cœur ; si l'estomac cesse absolument de faire son office, toutes les autres parties cessent bientôt d'agir ; la paralysie qui frappe les membres condamne tout le corps à mort faute de nourriture ou en ne lui permettant plus d'échapper au danger ; la perte des yeux, ces organes si petits, prive le reste du corps d'un service essentiel à sa conservation ; tous ces rapports ne nous permettent pas de douter que la dépendance mutuelle des parties ne soit un caractère essentiel. Dans une société, nous voyons que les métallurgistes s'arrêtent quand les mineurs ne leur fournissent plus de matière première ; que les fabricants de vêtements ne peuvent effectuer leur travail lorsque les fabricants de filés et de tissus manquent ; que la société manufacturière s'arrête, à moins que les sociétés productrices d'aliments ou distributrices d'aliments ne fonctionnent ; ***que les pouvoirs directeurs, gouvernement, bureaux, officiers judiciaires, police, ne peuvent maintenir l'ordre quand les objets nécessaires à la vie ne leur sont plus fournis par les parties maintenues dans l'ordre*** ; nous sommes obligés de dire que les parties d'une

(34) *Ibid.*, pp. 5-6.

> société sont unies par un rapport de dépendance aussi rigoureux que celui des parties d'un corps vivant. Si différents à bien des égards, ils se ressemblent par ce caractère fondamental, et par les caractères que celui-ci suppose." (35) Nous soulignons.

Cette mutualité de dépendance est nettement caractérisée ici comme une mutualité *à dominante.* Si dans l'ordre de l'évolution l'appareil *régulateur* (les pouvoirs directeurs appartenant à la classe dominante) est hiérarchiquement supérieur aux autres appareils, dans l'ordre de la coopération, c'est-à-dire des dépendances mutuelles et de l'urgence vitale, les appareils *producteur* et *distributeur* sont prédominants, et peuvent en cessant de fonctionner entraîner le dépérissement rapide des appareils supérieurs. Devant ce texte, il n'est pas hasardé de dire que cet aspect de l'analyse de Spencer renferme une conscience au moins affleurante du pouvoir virtuellement détenu par les classes productives. Ce sont bien les "parties maintenues dans l'ordre" qui permettent à cet ordre qui les maintient de se maintenir, mais qui pourront aussi, en se soustrayant à l'ordre, abolir son maintien. C'est exactement ce que Spencer, s'il avait eu l'intention de s'appesantir sur cette idée, aurait qualifié de conclusion tirée *par la voie déductive.* Selon le *point de vue* auquel on se place, l'organicisme peut dire aussi bien la nécessité de la société de classes que la possibilité de la grève générale et la puissance révolutionnaire des couches laborieuses. Le procès de l'organicisme ne peut donc pas être clôturé en le déclarant l'apanage d'une seule philosophie ou d'une seule politique.

Par ailleurs, aussi dominante qu'elle soit, l'analogie entre le corps social et le corps individuel comporte cependant quelques lignes de fracture. La première consiste dans la différence qui réside entre un agrégat *concret,* l'organisme vivant, et un agrégat *discret,* la société. Mais cette objection à l'analogie est vite résorbée par Spencer, qui fait valoir que l'organisme possède des zones de moindre vitalité (cartilage, tendon, tissu conjonctif) qui interrompent la cohérence des couches protoplasmiques, et que de son côté, la société possède, dans le langage et les systèmes de signes, une faculté analogue à celle qui dans les organismes supérieurs a reçu le nom d'*internonciale,* et dans laquelle il voit le palliatif de la discontinuité qui s'appréhende entre les unités isolées du tout social –ce qui redonne à ce tout la concrétude relative, ou si l'on préfère la

(35) *Ibid.,* pp. 8-9.

cohérence fonctionnelle, qui lui permet de satisfaire aux conditions de l'analogie. La seconde objection, à laquelle conduit la première, mais qui revêt pour Spencer une signification tout autre quant à la distinction fondamentale qu'elle permet d'établir, est celle de la différence qui existe entre l'agrégat organique qui ménage à la *conscience* une localisation précise découlant de l'existence d'un système nerveux central, et un organisme social au sein duquel chaque unité discrète est dotée de cette faculté : "De là, par conséquent", écrit Spencer, "une différence cardinale entre les deux genres d'organismes. Chez les uns, la conscience se concentre dans une petite partie de l'agrégat. Chez les autres, elle se trouve répandue partout dans l'agrégat : toutes les unités possèdent l'aptitude au bonheur et au malheur, sinon au même degré, du moins à des degrés voisins. Puis, donc, qu'il n'y a pas de sensorium social, il s'ensuit que le bien-être de l'agrégat, considéré à part de celui des unités, n'est pas une fin qu'il faille chercher. La société existe pour le profit de ses membres ; les membres n'existent pas pour le profit de la société. La société ne doit pas perdre de vue que, si grands que puissent être les efforts tentés en faveur de la prospérité du corps politique, les droits du corps politique ne sont rien en eux-mêmes ; ils ne deviennent quelque chose qu'à la condition d'incarner les droits des individus qui le composent." (36) Ce passage annonce avec exactitude l'option de la sociologie de Spencer, et les thèses qui seront ultérieurement soutenues dans *L'individu contre l'État*. Quant au modèle du corps, il faut encore inscrire ceci : le corps pris ici par Spencer pour terme de référence est le corps de l'homme, doté d'un système nerveux central et de conscience. Il est donc le corps qui, se trouvant au sommet de la hiérarchie des formes organiques, possède du même coup la structure intime la plus hiérarchisée. On pourrait donc croire que *ce* modèle est par là destiné à entraîner l'analogie spencérienne dans l'éloge du dirigisme et de la centralisation. Or la position de Spencer se situe exactement à l'opposé. Même si, suivant une vieille idée plus ou moins légitimement extrapolée du darwinisme et qui renvoie plutôt en fait au thème du *raffinement* propre à l'évolutionnisme culturel du XVIIIe siècle, la plus haute *sensibilité* se rencontre dans les couches les plus élevées de la société, de même que dans les sociétés les plus évoluées de l'humanité, la *sensibilité* demeure irréductiblement un fait, une finalité, une exigence et une revendication

(36) *Ibid.*, pp. 20-21.

de *toutes* les unités composant le corps social. C'est en conséquence de cela que ce que souhaite Spencer pour la société développée est précisément le *contraire* d'un pouvoir centralisateur et dirigiste de type militaire, modèle de ce qu'il nommera le régime de *coopération obligatoire.* Dans l'élément de la civilisation développée, c'est-à-dire de l'industrialisme, Spencer opte pour le type social qui selon lui incarne le degré le plus élevé de l'évolution : une société de *coopération volontaire* *, privilégiant la substitution du contrat à la contrainte, et le modèle de dépendance réciproque par rapport au modèle de subordination. Ce qu'il faut bien comprendre –il n'est pas sûr que Lalande l'ait fait–, c'est que *l'analogie organiciste est éclairante surtout là où elle cesse* : lorsque la répartition de la conscience dans toute l'étendue de l'agrégat, au sein de chaque unité, empêche que l'on puisse concevoir le bonheur social comme celui d'un *sensorium* centralisé. L'individualisme politique de Spencer est ainsi en rupture avec son propre organicisme qui trace ici sa limite: c'est peut-être ce qui vient expliquer la contradiction qui figure entre son ralliement global au modèle et le fait qu'il en arrive ensuite à lui refuser catégoriquement une pertinence complète : le refus d'une analogie intégrale entre les deux types d'organismes s'effectue dans ce chapitre-clé de la seconde partie des *Principes de sociologie* intitulé *Réserves et résumé.* La distance prise se mesure au symptôme que représente chez Spencer le retour au terme de *comparaison* pour désigner l'opération réalisée dans les chapitres précédents. Au déni de métaphoricité se substitue le rétablissement du fondement même de l'assimilation –assimilation qui dès lors est caractérisée comme non entièrement praticable, dès que l'analogie qui la fonde revient sous les espèces d'une comparaison explicitée point par point et traçant par là ses propres limites. Spencer aura d'abord recours à l'histoire philosophique de l'analogie entre l'individu et la société. Ainsi, la légitimation platonicienne de la division du travail, en dehors de l'argument de la qualité de performance d'un travail social spécialisé, repose en partie sur une analogie entre les membres de la société et la société elle-même, mettant en relation "la raison, la passion et le désir de l'homme avec les conseillers, les auxiliaires et les commerçants dans l'État" (37). L'analogie platonicienne n'est donc pas à proprement parler

* Voir l'ensemble du troisième volume des *Principes de sociologie.*

(37) *Principes de sociologie,* t. II, p. 189.

organiciste, dans la mesure où l'ensemble fonctionnel formé par l'organisme politique n'est pas mis en rapport avec les parties mutuellement dépendantes de l'organisme individuel, mais avec les facultés de l'*esprit* individuel. Pour Platon, les États sont les produits de la psychologie humaine –des produits artificiels élaborés sur sa décision, ce que Spencer ne peut évidemment admettre. Hobbes maintiendra quant à lui la notion de la facticité de l'organisation sociale, construisant une analogie entre les composantes organiques et spirituelles de l'homme, et les instances institutionnelles et politiques de l'État, au sein –ou plutôt à la tête– duquel "la souveraineté est une âme artificielle qui donne la vie et les mouvements à tout le corps" (38). Même si la comparaison semble plus défendable, si l'on remplace le terme d'*âme* par les termes spencériens de *conscience* ou de *sensibilité,* il apparaît qu'une telle conception n'est plus conciliable avec ce que l'on sait à présent du défaut radical d'analogie entre les deux sortes d'organismes, qui tient à ce que dans le corps politique l'individualité esthésique et consciente est le fait irréductible de chaque unité. Dans ce cas comme dans le précédent, l'analogie avec l'organisme individuel échoue du fait de sa trop grande spécialité. Comte, enfin, fera selon Spencer un progrès dans le sens de la compréhension des processus objectifs de développement graduel caractérisant l'organisme social, sans rompre toutefois avec un certain artificialisme volontariste en politique.

De l'analogie si longuement développée, il ne reste donc plus que le modèle de dépendance mutuelle, et une représentation abstraite de l'organisme considéré comme combinaison de structures et de fonctions : s'il est de nouveau question de dépendance mutuelle des parties, cette dépendance efface ici toute idée de subordination pour n'apparaître que sous son angle purement coopératif :

> "Répétons une fois de plus qu'il n'existe point d'analogies entre le corps politique et le corps vivant, sauf celles que nécessite la dépendance mutuelle des parties que ces deux corps présentent. Quoique nous ayons, dans les chapitres précédents, comparé la structure et les fonctions sociales à la structure et aux fonctions du corps humain, nous ne l'avons fait que parce que la structure et les fonctions du corps humain fournissent les exemples les mieux connus de la structure et des fonctions en général. L'organisme

(38) *Ibid.,* p. 190.

social, discret au lieu d'être concret, asymétrique au lieu d'être symétrique, sensible dans toutes ses unités au lieu d'avoir un centre sensible unique, n'est comparable à aucun type particulier d'organisme individuel, animal ou végétal. Tous les genres de créatures se ressemblent en ce que, dans chacune, les éléments qui la composent agissent en commun au profit de l'ensemble ; et ce caractère, commun à toutes, l'est aussi aux sociétés. En outre, chez les nombreux types d'organismes individuels, le degré de cette coopération marque le degré d'évolution ; et cette vérité générale se montre aussi chez les organismes sociaux. Encore une fois, pour accomplir une coopération croissante, les êtres de tout ordre montrent des organes d'une complexité croissante destinés à transmettre l'un à l'autre leur influence ; voilà un caractère général des organismes vivants auquel les sociétés de tout ordre opposent un caractère analogue. Le seul point commun que nous reconnaissons entre les deux genres d'organismes, c'est que les principes fondamentaux de l'organisation sont communs à l'un et à l'autre." (39)

Arrivé là, Spencer ne cherche plus qu'à se débarrasser des rêts de l'analogie –de la "prétendue analogie entre l'organisme individuel et l'organisme social"– qu'il a mis tant de soin à tisser : "Je me suis servi", écrit-il alors, "des analogies péniblement obtenues, mais seulement comme d'un échafaudage qui m'était utile pour édifier un corps cohérent d'inductions sociologiques. Démolissons l'échafaudage : les inductions se tiendront debout d'elles-mêmes." (40) Toute l'analogie n'aura donc servi qu'à construire un corpus "d'inductions sociologiques", c'est-à-dire d'hypothèses cohérentes touchant la réalité sociale. Selon la règle que je formulais à propos de Buffon –et ce fait renforce le rapprochement de la "méthode" de Spencer et du discours dix-huitiémiste de l'*hypothèse* dans les sciences de la nature–, le maximum d'analogie remporte le maximum de créance. A partir de la base empirique d'un savoir des phénomènes, au sein duquel s'affirme comme universel et nécessaire le principe de la persistance de la force, on assiste à la mise en forme déductive de ce savoir dans l'établissement de la loi d'évolution (le *système*), puis à l'approfondissement régional de sa validité à travers l'analyse des modalités de vérification de la loi dans chaque domaine de connaissance (la *somme*). Cette démarche suppose

(39) *Ibid.*, pp. 191-192.

(40) *Ibid.*, p. 192.

une analogie générale des phénomènes établie dès la formulation du caractère universel de la loi. La phase de validation régionale, enrichie de la connaissance de la loi et de l'analogie universelles, retourne donc à l'induction, c'est-à-dire en fait à des analogies spéciales. Le syllogisme de Spencer est à peu près celui-ci : tous les êtres –dont les organismes– sont soumis à l'évolution ; la société est un organisme ; donc la société est soumise à l'évolution. On peut apercevoir aisément les deux étages du syllogisme : 1) la société, en tant qu'être naturel, est soumise à l'évolution universelle (conséquence de l'universalité de la loi ; 2) la société, en tant qu'être particulier (organique, et composé d'organismes), est soumise à une évolution particulière (de type organique). C'est cette seconde proposition qui doit être illustrée par l'analogie spéciale que Spencer recherche dans l'organisme individuel, et, singulièrement, dans l'organisme *humain.* On peut noter au passage que le cours même de l'œuvre de Spencer renchérit illustrativement sur son axe théorique majeur : l'évolution différenciatrice. Des *Premiers principes,* en effet, aux différents ouvrages qui, s'y rattachant, constituent par agrégation successive la *somme* évolutionniste, on assiste à un enrichissement du système qui prend la forme d'une différenciation progressive de régionalités intégrées.

Or la différenciation habite l'analogie comme tous les autres phénomènes : il est normal par conséquent que des différences apparaissent entre ses termes, et ce d'autant plus qu'on l'aura, initialement, mieux réduite à l'homogène. Si l'analogie a effectivement produit, sur le mode déjà examiné du *déni de métaphoricité,* l'assimilation que l'on lit dans la phrase "une société est un organisme", c'est en vertu d'une hypothèse opératoire qui, une fois validée, détruit cette assimilation en tant que telle, et ne laisse subsister de l'analogie que les éléments suffisamment ouverts à la différenciation –ou à l'hétérogénéité– pour convenir à la spécificité de l'objet, qui se sera ainsi progressivement révélée. La différence s'avère désormais plus significative que la ressemblance. La finalisation consciente de l'action sociale et de la vie éthique –car la question se pose chez Spencer, en dépit même de son anti-artificialisme et de son anti-volontarisme dans l'approche historique des phénomènes socio-culturels– est déterminée par la différence qui réside entre la société, agrégat au sein duquel chaque unité est consciente et sensible, et l'organisme aux centres nerveux étroitement localisés. Cette différence, qui est un fait de nature et de structure, ne saurait être effacée, et la politique spencérienne en fera l'argument de base de son éloge du type social dont il élabore le projet –ou plutôt projette l'accomplissement– pour la société industrielle. Et si Spencer renonce à certains aspects de l'analogie organiciste, ce n'est pas faute d'avoir scrupuleusement cherché à la rendre totalement opérante, quitte à en prendre les éléments dans les règnes les plus lointains. C'est ainsi par exemple que l'analogie entre la vie d'une nation et la vie d'un individu peut être figurée approximativement par une référence micro-biologique : certains protistes, les myxomycètes, émettent des éléments séminaux ou spores qui laissent échapper hors de leur membrane de cellulose, au moment de la germination, un contenu mobile de forme amiboïde (myxamibe) qui se nourrit, croît et se multiplie par scissiparité. Après une période de vie isolée, les myxamibes se rassemblent et fusionnent le plus souvent en une masse de taille variable et de consistance gélatineuse, le *plasmodium*, qui rampe lentement à la surface des corps en décomposition, du sol, des feuilles et des tiges de plantes, etc. De cet exemple, Spencer fait ressortir que "l'union d'un grand nombre de petits individus vivants forme un agrégat relativement énorme, où leur individualité semble se perdre, mais où la combinaison de la vie des unités donne lieu à la vie de l'ensemble" (41). C'est, repris et transformé à la lumière récente de la protistologie, le modèle de l'*essaim*, que l'on trouve chez Hobbes (42). Si l'analogie n'avait pas été restreinte par l'apport d'une dissemblance fondamentale –l'existence dans les sociétés humaines d'une conscience pour chaque unité–, Spencer n'aurait fait, comme Hobbes, qu'asseoir la vie de l'ensemble sur l'évacuation des singularités individuelles : avec cette unique réserve, que pour Spencer naturaliste, l'essaim, comportant un élément de différenciation et une structure quasi-hiérarchique, formerait une entité supérieure, du point de vue de l'évolution des agrégats, à celle, apparemment privée de structure et d'élément directeur, du plasmodium indifférencié. Mais le fond reste le même : ces deux modèles, empruntés pour des raisons d'époque à des observations d'inégale portée, représentent l'union vitale d'organismes singuliers en un quasi-organisme dont la vie repose sur l'oubli de l'individualité : ce que Spencer, on le sait, refuse

(41) *Ibid.*, p. 10.

(42) Cf. *Le corps politique*, trad. Sorbière, rééditée dans les *Publications de l'Université de Saint-Etienne*, 5, 1977, et le commentaire que je consacre à cette question dans *Physique de l'État*, Vrin, 1978.

d'appliquer à la structure des sociétés humaines, et ce d'autant plus qu'elles sont plus avancées dans l'évolution. Le modèle du *plasmodium* ne peut servir d'image adéquate ou d'idéal naturel pour une société développée, pas plus que l'organisme humain qui se trouve pourtant au sommet de la hiérarchie des formes organiques. D'où cette certitude désormais irréversible : il n'y aura jamais d'analogie organique parfaite pour penser dans sa complétude la constitution et la nature de la société, ni dans les formes inférieures de la vie, ni dans ses formes supérieures, individuelles ou agrégatives. L'énoncé qui fait de la société un organisme ne vaut qu'accompagné de réserves et de restrictions assez fortes pour prouver la validité de l'énoncé contraire. Le plaisir totalisateur de l'analogie cède devant le principe de réalité, qui se confond ici avec le principe de dissemblance. La conclusion dès lors s'impose : pour que l'énoncé : "la société est un organisme" soit juste, il faut *réduire l'organique à la division du travail,* "caractère fondamental" qui *en ce qui le concerne* rend "parfaite" l'analogie par ailleurs inachevable entre l'organisme social et l'organisme individuel. Après ce qui se rêve et auprès de ce qui se rêve dans l'analogie organiciste au moment de son passage à l'assimilation, les restrictions limitant sa portée par l'énoncé des dissemblances produisent le sentiment d'un bénéfice conceptuel non atteint : si l'on admet le fait que comme concept explicité, la division du travail est d'abord un concept technique de l'économie, on reconnaîtra sans peine qu'à travers les oscillations de l'analogie, Spencer est revenu grâce au principe de dissemblance, et sans y ajouter grand-chose, au modèle économique incarné par l'industrialisme. Au niveau d'une mise en parallèle qui concerne la structure et le fonctionnement, le seul élément analogique que la comparaison peut abstraire est l'*organisation* définie comme union combinatoire et dépendance mutuelle des parties. Tout ce qui a été gagné à travers le passage à travers l'analogie de l'organisme individuel, c'est un rattachement, qui reste significatif, du social au biologique, mais surtout la naturalisation d'une certaine forme de progrès socio-politique et la production du concept de "super-organisme" qui opère la synthèse potentielle des identités et des dissemblances *du côté de l'évolution.* La société évolue comme évolue la division du travail social, de même que l'organisme évolue comme évolue la division du travail physiologique. Et surtout : *la division du travail social évolue comme évolue la division du travail physiologique, ce qui évacue toute rupture brusque de type révolutionnaire*. La société comme l'organisme évolue par différenciations successives concourant à un raffinement intégrationnel ascendant. Mais en tant que superorganisme –agrégat composé d'une multitude discrète d'organismes dotés de conscience et de sensibilité–, l'organisme social fait travailler ces différenciations non pas au profit d'un appareil centralisé, mais au bénéfice de ses membres considérés dans leur irréductible individualité. La logique évolutionniste décrit ici l'une de ses figures les plus délicates : d'une part elle a besoin de l'analogie organiciste pour étendre à la société, d'une manière intelligible, la loi d'évolution, et d'autre part cette loi même implique que la société, considérée comme développement de l'organisme par accroissement de masse, présente par rapport à l'organisme individuel une somme de traits spécifiques irréductibles qui ne sont que le résultat normal de la différenciation entraînée par l'accroissement de masse. Un agrégat d'organismes ne peut former un organisme que dans l'élément idéal –ou en tout cas mal exploré– d'une indifférenciation ou d'une homogénéité caractéristique des états inférieurs de la vie, où l'augmentation de la masse n'aurait encore produit aucune différenciation appréciable : l'apparence organique des agrégats d'organismes inférieurs ainsi formés par agglomération –comme dans les plasmodes– ne saurait servir de modèle pour l'intelligence de ce qui, dans une société, relève d'activités de relation réfléchies par la conscience de chaque unité coopérante, qui retire un profit direct et rationnellement calculé de sa contribution spéciale au fonctionnement de l'ensemble. Plus la conscience se développe –de pair, selon Spencer, avec la sensibilité–, plus la division du travail se complexifie, plus l'aptitude à la jouissance individuelle s'étend, et plus le modèle de l'organisme individuel révèle son inadéquation : en tant que centralisé et hiérarchique, ce modèle se retrouve peut-être dans la structure et le climat politique de la société de type militaire, société de transition qui est vouée à être déposée au cours de l'évolution par la société de type industriel. En d'autres termes, si la société évolue bien comme un organisme, ce n'est que sur le plan du *fait* de l'intégration/différenciation, et non sur le plan de la *forme* que revêt ce processus. Ou encore : dans le régime militaire, despotique ou monarchique, la société atteint effectivement un stade analogue, sous le rapport de la centralisation et de la hiérarchie, à celui atteint par l'organisme humain : l'évolution différenciatrice se manifeste de part et d'autre au stade où elle parvient à l'hégémonie d'un centre de commandement et de décision qui est en même temps un centre de sensibilité gouvernant en vue de son plus grand plaisir. Ce modèle est un modèle de *subordination.* Puis, la division du travail se développant, ainsi que la conscience et la sensibilité des individus socialisés, le modèle organique est transcendé par l'apparition du superorganisme, qui, du fait de l'inadéquation logique des modèles organiques, est nécessairement à lui-même son propre modèle. Le superorganisme social correspond à un palier de différenciation et d'intégration que n'a pu atteindre aucun organisme individuel, et, tout en pouvant globalement être caractérisé comme un organisme supérieur, sa cohérence est structurellement déterminée par l'irréversible et *égal* niveau d'individuation des unités : le modèle est alors celui de la *coordination.* Ainsi, à la structure du *plasmodium* correspondrait le stade hypothétique précédant la différenciation de la horde, à celle de l'organisme humain centralisé le régime de l'état militaire, et au superorganisme s'accomplissant dans son devenir coopératif en abolissant les anciennes hiérarchies, la société industrielle.

De la hiérarcologie évolutionniste

L'analyse qui précède, à travers le reflet que sa complexité peut donner de la complexité même et des réajustements continuels de la pensée de Spencer, aura permis d'aboutir à la conclusion que, la part étant faite, dans l'analogie organiciste, des ressemblances et des dissemblances, la portée de cette analogie s'exerce surtout dans le champ de l'*évolution* sociale, que Spencer, en dépit de sa réserve capitale fondée sur l'existence discrète de la sensibilité et de la conscience, pensera avec constance sur le modèle d'une évolution organique individuelle –en s'écartant toutefois, en dernier lieu et fidèle à ses restrictions précédentes, de l'aspect finalement centralisateur d'une telle évolution. Le modèle organiciste n'est donc efficient que d'une façon partielle, et cesse de fonctionner, comme je l'ai indiqué, dès que l'on aborde, dans l'organisme social, la question de la *forme* de l'intégration et des finalités de son développement.

Qu'en est-il alors pour Spencer du devenir des groupes humains et de leur structure politique ?

Au départ, naturellement, se trouvent les données de la biologie : la lutte pour l'existence, universelle dans la sphère animale, est clairement définie comme "un moyen indispensable de l'évolution (43). Au sein de la concurrence vitale intra-spécifique, la survie des plus aptes conditionne la production d'un type supérieur, en même temps que le conflit inter-spécifique joue à l'intérieur de chaque espèce le rôle de cause principale de la croissance et de l'organisation : "Sans ce conflit universel", écrit Spencer, "il n'y aurait pas eu de développement des facultés actives" (44). L'exercice des organes dans la poursuite ou la fuite, le perfectionnement des membres et des sens qui entraîne celui des appareils viscéraux et bénéficie d'un inévitable effet en retour, la disparition des individus les moins avantagés, la corrélation des progrès entre les classes animales en contact, constituent le puissant déterminisme mis en œuvre par le simple fait de la guerre. La logique sélectionniste est ici en tout point comparable à ce qu'elle est chez Darwin, et ce jusqu'à la réserve dont elle s'accompagne pour ce qui est de l'*avenir* des acquis de la sélection : "Remarquons néanmoins", écrit Spencer, "que si cette impitoyable discipline de la nature, ce monstre "aux dents et aux griffes rouges de sang", a été une condition nécessaire du progrès de la vie des êtres doués de sentiment, il n'en faut pas conclure qu'elle doive exister dans tous les temps et avec tous les êtres. L'organisation supérieure développée par cette lutte universelle, et qui s'y adapte, n'est pas nécessairement employée à jamais à des fins pareilles : la force et l'intelligence résultant de cette organisation sont de nature à servir à des emplois bien différents. La structure héréditaire qui la constitue n'est pas seulement bonne pour l'attaque ou la défense, elle est apte à d'autres fins diverses, lesquelles peuvent devenir pour l'être ainsi modifié les fins uniques de sa destinée. Les myriades d'années de guerre durant lesquelles se sont développées les forces de tous les types inférieurs d'êtres vivants, ont légué à l'être du type supérieur des forces pour des fins sans nombre, autres que celles de tuer et d'éviter d'être tué." (45). De même, la lutte pour l'existence entre les groupes humains a été l'instrument de leur évolution, dont les caractères développés renvoient en effet à la guerre comme à leur cause originelle, car "ce qui est le point de départ de la coopération sociale, c'est l'action combinée pour l'attaque et

(43) *Principes de sociologie*, t. III, p. 326.

(44) *Ibidem.*

(45) *Ibid.*, p. 327.

la défense" (46). Là encore, la convergence est manifeste avec les thèses darwiniennes : la sélection naturelle, avec son cortège d'améliorations physiques et intellectuelles, résulte en premier lieu de la lutte pour l'existence (47). Dans la phase qui précède et prépare l'avènement de la civilisation (chez Darwin) et plus spécialement (chez Spencer) du régime de coopération volontaire fondé par l'organisation industrielle, la guerre est donc source de progrès, et, de même, le régime de subordination sociale qui est requis pour son succès. L'analogie avec l'organisme individuel dure, comme on l'a vu, aussi longtemps que sont décrites les conditions de l'état de guerre. Le développement corrélatif des appareils producteurs (ou d'entretien), des appareils de distribution et des appareils de direction et de défense (nervo-moteur dans l'animal, gouvernemental et militaire dans l'organisme social), est le fait principal qui découle du conflit continué avec d'autres agrégats. Grâce à cette intégration, chaque agrégat acquiert l'aptitude à agir comme un seul être. A travers l'exercice des organes et leur perfectionnement subséquent, le progrès corrélatif de l'organisation du système nerveux, qui se fixe par transmission héréditaire, donne le modèle de l'intégration centralisatrice qui s'effectue dans le groupe social parvenu au stade de l'organisation militaire. Terme pour l'évolution de l'organisme, ce stade d'organisation hiérarchique à direction centralisée n'est qu'un stade intermédiaire pour l'évolution de la société, mais un stade *indispensable* en regard de l'accès qu'elle ouvre à la civilisation. Cette idée est darwinienne, et on la trouve exprimée dès le *Voyage d'un naturaliste* (48). La sélection naturelle étant le premier facteur du progrès, elle assure tout à la fois, dans les premiers temps, la *survie des plus aptes* –concept spencérien, ainsi que le rappelle Darwin

(46) *Ibid.*, p. 328.

(47) Cf. *La descendance de l'homme*, I, V, p. 155.

(48) Pp. 32-33 de l'éd. Maspero : "La parfaite égalité qui règne chez les individus composant les tribus fuégiennes retardera pendant longtemps leur civilisation. Il en est, pour les races humaines, de même que pour les animaux que leur instinct pousse à vivre en société ; ils sont plus propres au progrès s'ils obéissent à un chef." On retrouvera cette idée chez Spencer. Ce serait un contresens de penser que Darwin entend fixer là autre chose qu'un stade d'évolution des sociétés.

lui-même (49)– et l'*hégémonie des plus forts*, laquelle contribue à son tour au progrès de la cohésion organisationnelle du groupe devant les menaces extérieures. A l'entrecroisement de ces thèses darwino-spencériennes se trouve l'idée capitale que toute société qui n'a pas connu de période de forte hiérarchisation sociale reposant sur la domination exercée par un chef ou un groupe directeur, est vouée à échouer sur la voie du progrès, n'ayant jamais acquis de ce fait les moyens de s'opposer à la concurrence et à l'avantage détenu sur elle par des adversaires organisés pour la lutte. La soumission à l'autorité despotique est donc la condition du succès de la société guerrière, dont le perfectionnement s'accuse au sein de la persistance des conflits, laquelle renforce à son tour la centralisation politique, qui tend alors à l'emporter, dans les agrégats composés, sur l'autorité des pouvoirs locaux : "... la subordination des centres locaux de gouvernement à un centre général de gouvernement accompagne habituellement la coopération des parties de l'agrégat composé dans ses luttes avec d'autres agrégats de même espèce." (50) Le combat pour la vie est donc ce qui détermine le fait que –pour la société comme pour l'organisme– toute différenciation s'accompagne d'abord d'une intégration hiérarchique : "... dans l'appareil régulateur composé, formé pendant qu'un agrégat social se constituait, les centres locaux qui étaient indépendants dans le principe, deviennent des centres locaux dépendants, justement comme les ganglions locaux ... deviennent des agents qui exercent leur fonction sous la direction des ganglions céphaliques." (51) Ce développement de l'appareil régulateur s'accompagne d'une complexification du centre dominant et de la formation d'appareils auxiliaires qui sont autant de relais spécialisés, d'abord subordonnés au centre primitif, puis, par un effet de retournement des forces dont l'analogue existe dans l'ordre politico-administratif, finalement prépondérants :

(49) *L'origine des espèces*, ch. III, *éd. cit.*, p. 74 : "J'ai donné à ce principe, en vertu duquel toute variation avantageuse tend à être conservée, le nom de *sélection naturelle*, pour indiquer ses rapports avec la sélection appliquée par l'homme. Cependant l'expression souvent employée par M. Herbert Spencer, "la survivance du plus apte", est peut-être plus juste et parfois également convenable."

(50) *Principes de sociologie*, t. II, p. 105.

(51) *Ibid.*, p. 107.

"... de même que dans l'évolution nerveuse, après que la complication des centres directeurs et exécutifs se trouve portée à un certain point, des centres délibératifs s'organisent, d'abord peu apparents, mais plus tard prédominants ; de même, dans l'évolution politique, les assemblées qui considèrent les résultats éloignés des actions politiques ne sont au début que de chétifs accessoires de l'institution gouvernementale centrale, mais finissent par prendre le dessus sur le reste." (52) Ainsi le cerveau, qui est chez les animaux supérieurs l'organe le plus récemment formé de l'appareil régulateur, abandonne les automatismes et les actions de routine aux anciens centres de direction, devenus inférieurs. Il devient ainsi l'analogue fonctionnel de l'appareil législatif, au profit duquel le monarque perd progressivement un pouvoir que ses ministères lui ont déjà en partie confisqué. Il n'y a pas loin, de là, à prévoir le caractère finalement rudimentaire –au sens darwinien du terme– que revêtira la monarchie anglaise.

A une interdépendance accrue des parties correspond donc nécessairement, dans les sociétés comme dans les organismes individuels, un appareil régulateur de plus en plus efficace requérant, par suite de sa propre différenciation, la coopération de plusieurs centres, et des moyens pour communiquer leur influence : les organes *internonciaux*, reliés au centre et relais de transmission de son gouvernement, qui composent le réseau des nerfs dans le corps vivant et les canaux d'acheminement d'informations et de signaux –courrier, presse, télégraphe, etc.– dans la société moderne. L'appareil régulateur se compose au total d'un organe directeur et de ses agents de transmission nervo-moteurs servant à la coordination de l'activité externe –analogue, dans la société, à l'appareil politico-militaire–, d'un système nerveux viscéral intéressant l'appareil d'entretien et servant à la coordination des actions internes –analogue, dans la société, à l'appareil industriel–, et d'un troisième système internoncial dont l'action est requise par la nécessité d'une régulation permanente des flux d'approvisionnement. Ce troisième système est constitué par l'ensemble des nerfs vaso-moteurs, qui règle l'ajustement des fonctions de ravitaillement aux besoins singuliers des régions organiques, et pourvoit à l'opportunité des approvisionnements de matières consommables en fonction d'urgences locales circonstancielles :

(52) *Ibid.*, p. 110.

"Si un organe du corps de l'animal ou du corps politique, subitement appelé à fournir une action considérable, ne pouvait recevoir les matériaux nécessaires à sa nutrition ou à sa sécrétion, ou aux deux fonctions, que par le cours tranquille que suivent d'ordinaire les courants distributeurs, son action, un moment stimulée, ne tarderait pas à languir. Pour qu'elle continue à répondre à l'accroissement de demande, il faut que l'organe reçoive un supplément des matériaux qu'il consomme en fonctionnant, il faut qu'il ait un *crédit* ouvert, sur la fonction qu'il remplit. Dans l'organisme individuel, l'appareil vaso-moteur sert à cette fin." (53)

La métaphore économique effectue ici très intentionnellement l'acclimatation rhétorique de l'analogie qui va être développée entre le système nerveux vaso-moteur et les banques : les fibres de cet appareil, ramifiées autour des artères, les agrandissent ou les contractent en fonction des stimulations qu'elles reçoivent : c'est ce rôle précis que Spencer rend analogue à celui des établissements de crédit :

"Dans l'organisme social, ou mieux dans un organisme social avancé, tel que ceux des temps modernes, ce genre de service se trouve rempli par les banques et les compagnies financières qui prêtent le capital. Lorsqu'une industrie locale, sollicitée à une activité insolite par l'accroissement de consommation de ses produits, adresse d'abord ses demandes aux banques locales, celles-ci, pour répondre aux impressions que leur cause l'élévation de l'activité qui se fait remarquer autour d'elles, ouvrent plus largement les canaux à capital dont elles disposent ; et bientôt, la prospérité s'accroissant encore, l'impression se propage aux centres financiers de Londres et y produit une augmentation du crédit local, en sorte qu'il se fait sur le lieu de cette industrie une dilatation des courants afférents d'hommes et d'articles de consommation. En même temps, pour faire face à ce besoin local de capital, diverses industries sur d'autres points, qui ne sont pas stimulées de la même manière, et qui par conséquent ne sauraient offrir un aussi bon intérêt, ne trouvent plus qu'une offre diminuée : la circulation s'y resserre." (54)

(53) *Ibid.*, pp. 129-130.

(54) *Ibid.*, pp. 130-131.

Ainsi se parachève l'analogie de l'organisme évolué et de la société de libre entreprise. Aussi pesamment systématique qu'elle soit, elle n'en est pas moins porteuse de toutes les nuances requises par son extrême difficulté logique : l'*interdépendance* est maintenue entre les trois systèmes régulateurs –ce qui semble impliqué par le concept même d'organisme–, mais l'on assiste à une progressive prise d'*indépendance* de la part du système régulateur des organes d'entretien (l'industrie), puis du système de régulation vaso-motrice (les flux de financement) par rapport au système directeur (l'axe cérébro-spinal ou l'Etat). La liaison du troisième appareil à l'appareil régulateur principal ne doit pas être pensée, en conséquence, comme un assujettissement :

> "La volonté chez l'animal ne saurait modifier ces offres locales de sang, et, dans la société, la législation, cessant de porter les graves perturbations qu'elle causait jadis dans le mouvement du capital, le laisse faire aujourd'hui presque avec une liberté absolue : on peut même dire que l'Etat, avec les organes soumis à son autorité directe, se trouve, en face des corporations financières, dans la situation d'un client, tout comme le cerveau et les membres à l'égard des nerfs vaso-moteurs. Ce troisième appareil n'appartient pas non plus au second appareil régulateur qui régit les organes d'entretien, individuel ou social." (55)

Ainsi, dialectiquement, *la dépendance accrue crée de l'indépendance.* Dans la chronologie de l'évolution, il reste acquis toutefois que le premier centre directeur, celui qui règle la coordination des actions externes en vue de la défense et de l'attaque, répond à une exigence vitale non moins première. A mesure que l'organisme s'accroît par agrégation et, de simple, devient composé, l'intégration qui accompagne sa différenciation a pour effet d'adjoindre, dans le système régulateur, des organes subordonnés au centre principal, et de pourvoir à une meilleure combinaison d'appareils internonciaux. C'est ainsi qu'à l'appareil régulateur principal, affecté depuis le début à la rection de l'activité externe, vient s'ajouter un appareil régulateur concernant les organes d'entretien –que l'auteur ne nomme plus que par ce terme, comme s'il tenait à éviter, en ce point d'avancée de son analogie, les mots d'*appareil producteur– ;* "et ce second appareil", écrit Spencer, "se rend

(55) *Ibid.*, p. 131.

indépendant" (56). En dernier lieu s'y ajoute l'appareil de régulation attaché aux organes distributeurs, qui suit la même évolution. Il n'est donc pas question d'effacer l'antériorité ni même la prééminence, dans l'ordre du devenir des espèces organiques, de l'appareil directeur central. Sa prépondérance hiérarchique n'est pas remise en cause tant que l'on considère *le passé de l'évolution :* "La conservation de l'agrégat, individuel ou social, dépend avant tout d'une condition, celle d'échapper à la destruction par une cause externe, et cette condition implique une coordination complexe : en effet, tirer parti complètement des matériaux destinés à l'entretien est une chose moins urgente et qui implique une coordination relativement simple. Aussi l'appareil d'entretien n'acquiert-il que plus tard ses organes régulateurs. Enfin le troisième appareil, l'appareil distributeur, qui, s'il se produit nécessairement après les autres, leur est indispensable pour qu'ils prennent un développement considérable, finit par posséder un appareil régulateur qui lui est propre." (57) La *coordination centrale,* qui répond à l'urgence première de survie, est donc le stade de complexité que l'organisme individuel ou social *doit* atteindre pour accéder aux phases ultérieures –et dépendantes– de l'évolution. Évolution qui, par une sorte de démarche réversive là encore, va conduire, à travers l'extrême dépendance alors dépassée, à l'indépendance croissante des systèmes de régulation –c'est-à-dire, pour la société, des *pouvoirs*– les uns par rapport aux autres. La leçon que Spencer veut en tirer est double. C'est d'abord celle qui affirme que *la hiérarchie s'exténue à créer des subordinations.* Dans l'ordre du corps comme dans l'ordre politique en effet, un accroissement des organes régulateurs à l'intérieur d'une structure possédant une forte hiérarchie initiale aboutit à une confiscation progressive, par les nouveaux organes, de pouvoirs qui étaient originairement ceux du centre directeur. L'évolution est donc orientée vers le *dépérissement* du système hiérarchique. C'est ensuite, et indissociable, la leçon de l'indépendance croissante des appareils initialement maintenus dans la subordination, soit, dans le registre social : l'appareil industriel et l'appareil économique, appelés de plus en plus nettement à une auto-régulation. Ce double processus (solidaire) de retrait du pouvoir d'Etat et de

(56) *Ibid.*, pp. 132-133.

(57) *Ibid.*, p. 133.

prise d'indépendance des pouvoirs industriel et financier reste inachevé pour Spencer, dans la mesure où il subsiste encore quelque chose de la prééminence de la décision étatique en matière de politique économique, prééminence à laquelle personnellement il s'oppose comme à un élément contraire à la marche naturelle de l'évolution. Nécessairement donc, l'horizon en est le dépérissement complet de l'autorité de l'Etat en ces matières : dépérissement logique, certes, à l'intérieur de son système de données, puisqu'une indépendance complète des deux derniers appareils doit rendre toute direction extérieure injustifiable parce qu'inutile. Ce qui doit donc se perdre au fil du progrès des sociétés vers un système industriel de mieux en mieux intégré, c'est le pouvoir directeur du centre premier par rapport aux centres secondaires, ce qui ne supprime pas leur liaison ni l'exercice d'une réciproque influence. Une dépendance mutuelle de type coopératif se substitue à l'ancienne structure univoquement hiérarchisée, et l'image de l'organisme est partiellement sauve du fait de la persistance du lien d'interdépendance à travers et malgré les ultimes conséquences de la disjonction des appareils opérée par la division du travail physiologique au niveau des systèmes régulateurs. *Partiellement* en effet : car là se trouve l'aporie majeure de l'organicisme spencérien : même en conférant idéalement cette indépendance aux appareils de régulation des organes d'entretien et de distribution –geste qui, s'il avait lieu d'être réellement accompli, le serait pour Spencer à la *fin* de l'évolution sociale–, on ne saurait renoncer à une dépendance conservée par rapport à l'autorité centralisée si l'on veut maintenir l'analogie avec l'organisme individuel pourvu d'un système nerveux central et de conscience : c'est pourquoi Spencer, de toute nécessité, en arrive à dénier partiellement la pertinence de son analogie. Parvenu à ce stade, il doit, après avoir tiré parti du réseau des ressemblances, s'attacher à faire jouer la liste des dissemblances. Le caractère discret de la conscience dans l'agrégat social est là pour remplir au bon moment ce rôle de rupture d'une analogie qui, entendue rigoureusement et dans sa complétude, aurait inévitablement conclu, du côté socio-politique, au maintien d'un certain étatisme (58).

(58) Dans une *Étude critique sur la sociologie de Herbert Spencer* (Paris, 1938), un commentateur, Elias Diaconide, manifeste son désaccord avec cette rupture de l'analogie justifiée par l'absence de *sensorium* social, et y décèle l'irruption intempestive de la morale, qui "dépare la forte argumentation de

Mais, du point de vue de la cohérence même de l'analogie, cette rupture, ainsi pratiquée, est-elle légitime ? Sans doute faudrait-il préalablement s'interroger sur ce qu'il en est des conditions de légitimité d'une analogie rhétorique. Il semble toutefois naturel de penser que si ces conditions n'existaient pas, on ne pourrait parler, dans les matières spéculatives, de "bonnes" et de "mauvaises" analogies. Lorsqu'il choisit une analogie organiciste et la développe sur un certain nombre de plans, Spencer s'engage du même coup dans une *certaine voie* qui comporte des obligations dont il ne peut légitimement se défaire. Ce que l'on recherche ici, c'est la faute de Spencer dans la conduite de l'analogie, faute dont le symptôme paraît être justement la cessation brusque, à un certain moment, de l'analogie elle-même. Il semble en effet que la rupture de la construction analogique doive être comprise ici comme une *faute de syntaxe*. En réalité, il faudrait parler de plusieurs fautes, qui découlent normalement des propositions de base de l'organicisme spencérien, et singulièrement de contradictions qui surviennent entre certaines analogies concernant la structure, et certaines analogies concernant le développement. En conséquence, il faut d'abord examiner les étapes du cheminement analogique de Spencer, afin de reconnaître ensuite les lieux de ces contradictions.

Proposition n^o I : La société est un organisme.

Nous avons vu que cette proposition, formulée après ce qui a été nommé le "déni de métaphoricité", présuppose tout le travail d'une analogie systématiquement conduite dont les éléments, par leur convergence, permettent de s'affranchir de la distance comparative pour entrer de plain-pied dans une *assimilation.* Pour être entièrement fidèle à Spencer, il faudrait modifier la formule de la façon suivante : "La société est un organisme évolué, dont le modèle est le corps humain".

tout cet attachant chapitre des *Principles of Sociology,* qui avait pour but de faire de la société un véritable organisme". (p. 177.) Il semblerait plutôt que l'irruption soit celle d'une idéologie politique pré-constituée. Diaconide se demande également comment cette neutralisation morale de la société au profit de l'individu sentant et pensant pourra s'accorder avec la constitution de la sociologie comme science indépendante. On peut aussi douter qu'une assomption intégrale de l'organicisme eût été plus apte à la fonder.

Proposition n° 2 : La société est un agrégat d'organismes (humains).
Cette seconde proposition n'est nullement, comme la première, le résultat d'une analogie, mais le constat littéral d'un *fait.* Elle reste vraie en tout état de cause.

Corollaire : Un agrégat d'organismes est un organisme, ou, d'une façon un peu plus développée, constitue un organisme individué qui se comporte en tout comme l'organisme individuel qu'est chacune de ses unités.

Première faute : elle réside ici dans le fait que Spencer a clairement établi, à propos des myxomycètes et des plasmodes, que *seuls des agrégats d'organismes très inférieurs* ont la possibilité de conserver en eux les propriétés et le comportement des individus qui y fusionnent en y abandonnant leur individualité. Aucun organisme d'un plus haut niveau de différenciation –ce qui exclut donc éminemment l'organisme humain– n'est apte à se soumettre à cette forme de fusionnement désindividualisant. Cette contradiction suffit à montrer qu'avant même qu'il ne fût question de la sensibilité et de la conscience, l'analogie de Spencer était condamnée à être rompue.

D'autre part nous avons établi, d'après Spencer, que si l'on considère le fonctionnement de l'agrégat dans ses possibilités d'action externe, la société *militaire,* hiérarchique et centralisée, était analogue –c'est-à-dire atteignait quant au degré de différenciation-intégration un palier de développement analogue– à ce qu'est à cet égard l'organisme humain, lui-même doté d'un puissant appareil central de sensibilité et de régulation externe. Par contre si, toujours d'après Spencer, l'on considère à présent l'activité interne et la combinaison complexe d'interdépendance et d'indépendance relative que l'on rencontre entre les systèmes régulateurs, l'analogie n'existe plus alors qu'entre l'organisme humain ainsi tendanciellement dé-hiérarchisé et la société industrielle post-militaire de libre entreprise. Le même organisme pourrait donc, selon qu'on l'envisage sous différents *points de vue* (coordination externe/coordination interne), être l'analogue de stades différents de l'évolution sociale, ce qui est contradictoire avec les propositions de base de l'organicisme évolutionniste –dont la préoccupation majeure est de faire se correspondre un à un, entre l'organisme individuel et la société, les stades successifs de l'évolution–, et se trouve être de toute façon contradictoire en soi. C'est la *seconde faute* de Spencer.

Enfin, il faut rappeler que l'artifice rhétorique employé par Spencer pour affirmer contradictoirement que la société est et n'est pas un organisme consiste notamment à la qualifier de "superorganisme". Si l'on veut suivre sa démarche, il faut alors déclarer que, de même que la société est structurée *jusqu'à un certain point* comme un organisme, elle évolue *jusqu'à un certain point* comme un organisme ; et que, de même qu'*au-delà de ce point* elle possède une structure superorganique qui la singularise (l'existence de la conscience et de la sensibilité des unités discrètes), de même elle évolue, *au-delà de ce point,* d'une manière spécifique et imprévisible dans le cadre d'une analogie fondée strictement sur l'organisme individuel. On doit donc passer de l'analogie du tout et de la partie à la pure considération, non analogique –car il n'existe plus d'analogie possible dans le monde organique dont l'homme est la figure la plus différenciée–, de l'unité consciente et sensible renfermant en elle les véritables fins de l'évolution. Tel est le fondement de l'*individualisme* sociologique et politique de Spencer.

Certes, ce que Spencer a compris, c'est par exemple que la théorie du corps politique de Hobbes, qui demeure très présente à sa pensée, et manifeste sans doute à ses yeux le type de doctrine politique représentative d'une époque militaire, abolissait nécessairement la singularité du sujet sensible et psychologique pour en quelque sorte la dissoudre sous l'empire de la subjectivité centrale et toute-puissante du souverain –elle-même établie par le consensus contractuel des individus : dissolution subjective du sujet psychologique dans le sujet politique. Telle dut être en effet, pour Spencer, la principale erreur de Hobbes. Mais le discours de Hobbes était, lui, cohérent du point de vue de l'analogie, puisque, ayant choisi la métaphore mécanique du grand automate, il en avait mécanisé jusqu'aux fonctions les plus "hautes" –l'âme : le souverain–, et que son organicisme, parce que mécaniste, était resté pur de toute contamination psychologiste. Spencer, au sein d'une analogie où seuls auraient dû être pris en compte des facteurs structurels et combinatoires –l'organisme comme totalité fonctionnelle–, introduit l'élément de la psychologie individuelle poursuivant ses propres fins, et étant à lui-même sa propre fin. Pour Spencer, il n'y a pas de ce fait d'entité sociale qui puisse être distinguée des entités individuelles qui la composent. Voilà pourquoi, n'ayant pas trouvé dans les fonctions ou dans les caractères de la collectivité une instance qui fût l'analogue de l'instance psychologique du sujet individuel, Spencer renonce objectivement, sans bien sûr s'en rendre compte, à fonder une sociologie qui aurait la physionomie d'une psychologie sociale, d'une étude dont l'objet serait, entre autres, la mentalité collective : et pourtant cette dernière notion réapparaît à tous les moments de sa recherche, qu'il s'agisse d'analyser les phénomènes de croyance, de conception du monde, de représentation des forces naturelles, d'appréciation des valeurs morales, d'influence de l'opinion collective sur l'opinion individuelle, et réciproquement. C'est la troisième contradiction, ou, si l'on veut, la troisième faute de Spencer.

Dernier point : Spencer a établi qu'au cours du passage de la société militaire à la société industrielle —passage caractérisé par une complexification de la division du travail et par la prise d'indépendance et de pouvoir de catégories sociales primitivement inféodées à l'autorité des chefs—, l'évolution vers une société dé-hiérarchisée s'affirmait comme la règle du *progrès* social, et que sa continuation à l'intérieur de la période de l'industrialisme constituait une marche indéfiniment poursuivie en direction d'une organisation politique de plus en plus égalitaire. Après Darwin, Spencer, sans prétendre à l'extinction complète de la lutte ni à la cessation définitive de l'efficace de la sélection naturelle, insiste relativement sur le fait que les acquis positifs passés du combat pour l'existence, conservés dans les forces qu'il a développées au sein de l'humanité, pourront être réinvestis dans d'autres fonctions que les fonctions guerrières (59). La concurrence sociale entre les membres d'une nation, la concurrence économique des groupes et des sociétés entre elles, remplaceront pacifiquement les conflits ancestraux entre des individus, des groupes et des nations transormés par l'évolution démocratique qui accompagne nécessairement le développement de l'activité industrielle et la réduction corrélative des pouvoirs étatiques. L'optimisme de Spencer, qui s'est accordé de ne pas voir comment la concurrence économique elle-même pouvait être à l'origine des plus graves conflits, ne faiblit pas devant la condition de l'ouvrier des manufactures anglaises, et quoi qu'il en soit, les luttes sociales révolutionnaires ont déjà été étouffées en théorie par l'application sociologique de la loi d'évolution, qui ne laisse aucune place pour des ruptures violentes de l'ordre naturel. Quant à l'égalitarisme social de Spencer, fondé, comme on s'en souvient, sur l'identité

(59) *Principes de sociologie*, t. III, 5e partie, ch. I, *Préliminaires*, pp. 327-328.

interindividuelle relative des vœux de la conscience et de la sensibilité, il reste étroitement juridiste, et n'entame pas le principe de la répartition de la société en classes. Certes le développement de l'industrialisme se caractérise sur le plan politique par une multiplication d'institutions libres et par une représentativité élargie. Mais Spencer, qui ne considère que l'abstraction sociologique de la puissance industrielle et commerciale dans son rôle de réduction des pouvoirs de l'Etat, n'envisage pas un instant le sens de la nouvelle dépendance de l'Etat par rapport aux forces économiques, pas plus qu'il ne se préoccupe d'analyser le système d'assujettissement que met en place, à l'intérieur d'elle-même, la puissance économique. Il faudra revenir plus longuement d'ailleurs sur ce que Spencer, dans son "système de philosophie synthétique", *n'a pas* considéré. Suivant la règle de l'évolution générale, l'évolution sociale s'opère par accroissement et fusion de masses, hétérogénéité croissante et établissement d'une cohérence fondée sur des différences structurelles et fonctionnelles du plus en plus raffinées. La contradiction profonde de la sociologie de Spencer peut être saisie à ce niveau même, où la production générale de cohérence tend à masquer ce qui demeure nécessairement de *lutte* entre les formations de cohérences partielles. En effet, le rêve organiciste d'une totalité fondée sur des différences qui ne seraient que "structurelles et fonctionnelles" entre en contradiction avec la structuration homogène des classes dans la lutte socio-économique. La dénégation de la solidarité de classe et de ses manifestations sera le fait de toute une sociologie préoccupée de porter sur l'existence des groupes politiques et des phénomènes de masse un jugement axiologique médiatisé par des considérations psychologiques. Le Bon, Novicow, Palante et beaucoup d'autres s'accorderont à dire, en développant le thème obligé du rôle initiateur et conducteur des élites, que le niveau intellectuel et moral de l'individu s'abaisse au sein d'une foule solidaire –subissant, selon l'expression énergique de Palante, "cette tare, cette dépression mentale qu'on appelle l'esprit de corps"–, et ce n'est pas l'individualisme psychologique, moral et politique de Spencer qui pourra les détourner de leur vision systématiquement péjorativante de ce qu'ils nomment le *grégarisme* (60). Pour maintenir, à travers un système d'argu-

(60) Voir entre autres G. Palante, *Précis de sociologie*, Paris, Alcan, 1901, pp. 77-78.

mentation fonctionnaliste, l'utopie libérale de la cohérence organique de la société industrielle, il fallait de toute nécessité ne considérer que les rapports combinatoires des *individus* à l'intérieur de l'abstraction de la totalité, et *ne pas* considérer les effets disruptifs réels des intégrations partielles ou particulières constituées *contre* l'intégration totale. Si son individualisme à base psychologique permet à Spencer d'échapper à l'organicisme intégral qui constituait pour lui une erreur, une fausse analogie, et par là-même de se soustraire en apparence au piège de la centralisation et de l'étatisme, il instaure en dernière analyse un système où l'individualité toute-puissante et reconnue dans ses droits imprescriptibles n'a cependant pas d'autre possibilité que de travailler à la cohérence totalitaire de l'ensemble organique où, nécessairement, elle vient s'articuler au lieu et dans le rôle définis qui sont les siens. *Le régime de la coopération volontaire impose à la volonté d'être coopérative.* Ce qui s'oppose à cette imposition sera par conséquent, sous ce régime, l'objet d'une répression estimée juste : c'est ainsi que Spencer, tout en reconnaissant l'inadéquation de l'emploi de la force contre des ouvriers gaziers en grève et "l'interprétation forcée de la loi qui valut aux accusés la pénalité réservée aux complots", déclare cependant que celle réservée aux violations de contrat, applicable en l'occurrence, eût été "bien méritée" (61).

Spencer ne fera pas difficulté d'admettre que dans la société moderne, chaque individu se trouve lié, en deçà de sa qualité permanente de membre d'une nation, par son appartenance de plus en plus fréquente à des sociétés ou des groupements plus ou moins institutionnels. En dépit de son aversion pour l'esprit de corps, Spencer lui reconnaît toutefois un rôle positif dans la constitution et le maintien de l'indépendance des parties spécialisées de la communauté : Spencer doit ici composer avec les deux éléments tensionnels de son organicisme, la dépendance mutuelle et l'indépendance relative et croissante des parties. C'est pourquoi, malgré une réticence assez forte, il ne saurait sans se contredire condamner d'une façon radicale le patriotisme ou certaines formes de corporatisme : "Il résulte pour la société", écrit-il, "certains avantages de ce que chacun de ces groupes s'affirme et cherche à se conserver ; par là, chaque division et subdivision conserve la force dont elle a besoin pour accomplir sa fonction ; par contre, il en résulte aussi

(61) *Introduction à la science sociale,* 14e édition, Paris, Alcan, 1908, ch. X, *Les préjugés de classes,* p. 275.

divers inconvénients, entre autres la disposition à envisager tous les arrangements sociaux au point de vue de leurs rapports avec les intérêts de classe, et par suite l'incapacité de juger sainement leurs effets sur l'ensemble de la société" (62). On peut arrêter là la citation, et aller droit à la question qui de toute évidence est la plus importante pour l'identification précise de la teneur et de la portée du discours politique de Spencer : celle de son interprétation des phénomènes de regroupement ouvrier et de lutte syndicale. On sait déjà que l'attitude de Spencer sera à cet égard juridiste et contractualiste, et que le dernier mot de la justice et de la loi restera à la préservation –fût-elle sanctionnante et répressive– de la cohérence sociale au sein de laquelle lui, le philosophe, il assume sans faillir la tâche d'élucider les vérités générales qui permettent d'apercevoir la marche continue de l'humanité vers une fonctionnalité de plus en plus harmonique et, pour l'individu, de plus en plus gratifiante. Mais il faut suivre les choses de plus près. Il n'est pas sans intérêt de voir régulièrement apparaître, chez un philosophe qui condamne "la tendance universelle à blâmer les *individus* et à les rendre responsables du *système,* chaque fois qu'il y a antagonisme social" (63), un discours qui méconnaît absolument, en recourant à ce qu'il faut bien nommer, au sens propre, des ragots d'arrière-cuisine, les déterminations que le *système,* précisément, exerce sur le comportement et la psychologie des sujets sociaux :

> "Les artisans et les paysans ressentent vivement ce qu'ils ont à endurer, et s'en prenant pour des griefs réels aux hommes qui achètent leur travail et à ceux dont l'influence est prépondérante sur la confection des lois, concluent que les hommes placés au-dessus d'eux sont personnellement méchants, qu'on les envisage isolément ou en corps – qu'ils sont égoïstes, tyranniques, chacun dans sa mesure. Il ne leur vient jamais à l'esprit que les maux dont ils se plaignent résultent de la nature humaine moyenne de notre époque. Sans les préjugés de classe, ils trouveraient dans leurs propres rapports mutuels nombre de preuves que si les fonctions sociales supérieures étaient exercées par des individus pris parmi eux, les injustices dont ils se plaignent seraient certainement aussi grandes, plus

(62) *Ibid.,* p. 263.

(63) *Ibid.,* p. 267.

> grandes peut-être, qu'elles ne le sont. Un seul fait, bien notoire, devrait les en convaincre : c'est que les ouvriers qui font des économies et deviennent patrons, ne sont pas plus considérés que les autres, et souvent même moins, par ceux qu'ils font travailler. Les témoignages affluent à cet égard. Que les ouvriers aillent regarder ce qui se passe dans toute cuisine où il y a plusieurs domestiques. Ils verront des gens qui se disputent la haute main, qui rejettent leurs fautes les uns sur les autres, tyrannisent les nouveaux venus et leur font faire leur ouvrage, se livrent à toutes les variétés d'inconduite résultant de l'absence de sens moral ; les maux qui se développent à l'intérieur de ces groupes restreints surpassent très souvent en intensité ceux qui envahissent la société en général. Ce qui se passe dans les ateliers démontre que les artisans ne s'épargnent pas non plus les mauvais traitements entre eux." (64)

Quant à sa rigueur philosophique, un tel passage, manifestant ce qu'il y a de plus trompeur et de plus superficiel dans une observation qui n'accède pas à la saisie des mécanismes de production et de modelage des mentalités, se passe de commentaire. Spencer y sélectionne simplement certains lieux communs des couches laborieuses pour leur faire subir une généralisation qui n'est elle-même rien de plus que le lieu commun idéologique de la classe moyenne. Il n'y a pas de sociologie chez Spencer parce que Spencer n'a jamais vraiment quitté lui-même son *point de vue* de classe, et parce que la psychologie sociale ne s'est pas constituée chez lui indépendamment des jugements de valeur et des condamnations morales dérivés eux-mêmes de l'attitude essentiellement axiologique et idéologique qui consiste à privilégier partout et toujours l'examen des consciences individuelles envisagées en elles-mêmes et comme fins. Il n'y a ainsi pour Spencer que deux droits harmoniquement articulés l'un avec l'autre : le droit de l'individu et le droit de la société tout entière –ce dernier étant fixé une fois pour toutes par la loi de cohérence fonctionnelle et dissimulant sous ce qu'il accorde de droits à l'individu son *devoir* réel de coopération. La solidarité prolétarienne, qui tend à édifier *contre* cette cohérence son propre système de fins et de moyens, sa propre éthique des rapports inter-individuels et des relations de l'individu avec le groupe, ainsi parfois que son propre code de justice, est donc inévitablement condamnée, tant sur le plan de la morale que sur celui de la rationalité :

(64) *Ibidem.*

"En cachant les outils de ceux qui ne se conforment pas à des usages déraisonnables et en gâtant leur ouvrage, les ouvriers prouvent combien la liberté individuelle est peu respectée parmi eux. Cela ressort encore mieux de l'organisation intérieure des *trades-combinations.* Sans parler des meurtres commis de temps à autre sur les hommes qui affirment leur droit de vendre librement leur main-d'œuvre ; sans nous arrêter aux actes de violence ou d'intimidation auxquels sont en butte les ouvriers qui prennent l'ouvrage refusé par les grévistes ; il suffira de citer la tyrannie exercée par les agents des *trades-unions.* Ceux-ci montrent quotidiennement par leurs actes que le pouvoir gouvernant que les ouvriers se sont donné à eux-mêmes leur cause des maux au moins aussi grands, que les pouvoirs gouvernants, politiques ou sociaux, qu'ils décrient. Quand les chefs d'une association dont fait partie un houilleur défendent à cet homme de travailler plus de trois jours par semaine et lui interdisent de gagner en ces trois jours plus d'une certaine somme – quand le houilleur n'ose pas accepter de son patron un supplément de salaire pour les journées de travail extraordinaire – quand il allègue pour raison de son refus que ses camarades le tourmenteraient et qu'on ne parlerait même plus à sa femme ; il devient manifeste que lui et tous les autres se sont donné une tyrannie pire que celle dont ils se plaignaient. Le bon ouvrier capable de faire plus de besogne dans un temps donné, mais n'osant pas, de peur d'être exclu de la société et ne recueillant pas, par conséquent, les fruits de sa supériorité, verrait, s'il portait dans l'examen des faits un esprit affranchi du préjugé de classe, qu'il est plus sérieusement lésé par ses confrères que par les actes du Parlement ou les coalitions des capitalistes. Il verrait en outre que le sentiment de la justice n'est certainement pas plus développé dans sa propre classe, que dans celles qu'il trouve si injustes." (65)

Etonnante accumulation sophistique de lieux communs démobilisateurs et d'erreurs de raisonnement. La logique du mouvement syndical échappe à Spencer en tant qu'elle s'oppose à celle de l'exploitation de classe, alors que cette opposition même est ce qui le constitue et rend raison de son existence. En réalité, ce qui gêne Spencer dans la lutte politique du prolétariat, c'est qu'elle manifeste une forme de conscience collective qui travaille en tant que telle à infléchir le cours de l'histoire, devenant ainsi le grain de sable dans la

(65) *Ibid.*, p. 268.

grande machine évolutive de l'ingénieur Spencer qui entendait bien continuer de tirer, à sa manière, des "inductions du passé", les "déductions de l'avenir". Machine évolutive sans conscience propre, et dotée seulement de systèmes régulateurs et d'appareils internonciaux faisant communiquer entre elles des consciences toujours individuelles et irréductiblement sporadiques quant à ce qu'elles retirent de profit personnel de leur coopération sociale. Agrégat d'organismes conscients dont la conscience de *corps* n'existerait pas, neutralisée par la chimie combinatoire et naturellement cohésive de consciences individuelles dont la diversité, hautement proclamée, est en même temps très efficacement absorbée et rentabilisée par la division du travail. Pourquoi Spencer ne s'intéresse-t-il à cette forme d'organisation particulière –possédant donc une différenciation et une intégration consécutives à une augmentation de masse, au même titre que tous les autres agrégats–, que pour en blâmer les motifs fondateurs et les stratégies ? Pourquoi Spencer, qui n'a jamais proclamé la fin prochaine de la *lutte* pour la vie, mais en a au contraire fréquemment souligné la naturelle persistance au sein des sociétés modernes, s'oppose-t-il à ce que cette lutte soit *collective, consciente et organisée* sur la base de revendications communes contre des inégalités qui sont des injustices objectives ? Car la question n'est pas, comme il l'insinue habilement dans le passage pré-cité, de demander s'il y a plus ou moins de justice à l'intérieur de la classe prolétarienne qu'à l'intérieur de la classe capitaliste : replacée en son véritable lieu, la question dont il s'agit est celle de la justice qui règne ou non *entre* deux classes dont l'une achète au meilleur prix le travail de l'autre. La condamnation morale du syndicalisme dans ses démarches coercitives à l'égard des individus non coopératifs indique que Spencer semble contradictoirement amené à constater le fait d'une lutte de groupe et à lui refuser le caractère qu'il a toujours reconnu comme le trait propre des groupes en lutte : celui de la coopération obligatoire. Le scandale logique pour Spencer –entendons : le scandale de *sa* logique de l'évolution sociale–, c'est l'union, qui lui semble difficile à admettre au niveau des principes, dans le même groupe humain (en l'occurrence le syndicat), de la société industrielle et de la société guerrière. Car un syndicat peut se définir, à l'intérieur des classifications spencériennes, comme une portion de la société industrielle –et plus précisément de son appareil producteur– entrée en guerre contre la classe dominante –et, en fait, régulatrice– de cette même société. En outre, Spencer n'apercoit pas que sa condamnation des attitudes coercitives au sein de la classe ouvrière en lutte –attitudes dont sont victimes les individus qui rompent la solidarité de classe– est elle-même liée à l'attitude "légalement" coercitive qui fonde sur la notion de non-respect des contrats la "légitimité" des sanctions que la société dite de coopération volontaire prend contre les individus non coopératifs réunis contre la coercition contractuelle elle-même. Telles sont les contradictions du libéralisme. La logique de la différenciation n'admet que les différenciations fonctionnelles, tout comme celle de l'intégration n'admet que les intégrations cohésives. Par ailleurs, et comme il va de soi, la condamnation morale et juridique de certains actes relevant de la discipline coercitive de la lutte économique du prolétariat ouvrier est sous-tendue par l'argumentation particulièrement indigente selon laquelle ce qui est accordé à une catégorie professionnelle l'est nécessairement au détriment d'une autre ou au détriment de l'ensemble des consommateurs dont elle constitue une portion. Pas une fois l'existence des marges de profit n'est mise en cause, ni l'inégalité manifeste de la redistribution sociale des bénéfices tirés du travail. En outre, Spencer entretient subtilement l'illusion que la lutte révolutionnaire –jamais évoquée dans sa dimension historique réelle– se réduit pratiquement à une lutte d'intérêts étroitement corporatistes. S'il ne le faisait pas, et s'il reconnaissait, sous ce qu'il nomme le "préjugé de classe", ce que Marx a autrement nommé la *conscience* de classe –élargie à l'ensemble des catégories exploitées–, il serait alors contraint d'admettre qu'il existe une conscience collective qui tend à restituer à l'appareil producteur sa prééminence vitale à travers l'expérience, qu'il peut faire subir par la grève au reste du corps social, de la privation de ses apports ; et d'admettre par là-même que c'est bien un mouvement d'une ampleur générale et susceptible de s'organiser sur une grande échelle qui travaille à l'avènement d'un autre type de cohérence sociale, d'un autre type de fonctionnalité et d'un autre type de justice. Et cet autre type, parce que nécessairement ultérieur, étant lui aussi un produit de l'évolution, serait, en bonne logique évolutionniste, tout aussi nécessairement plus "élevé". Force était donc, moyennant un impressionnant aveuglement historique, de réduire la lutte syndicale et le mouvement politique révolutionnaire à un "inconvénient", une perturbation momentanée de la différenciation du superorganisme social.

On peut toutefois rendre compte de cet aveuglement :

insensible à l'histoire, Spencer ne l'est que dans la mesure où son horizon est généralement borné à l'histoire la plus immédiatement antérieure. Si l'on rappelle que les chapitres qui composent *The Study of Sociology* –sorte de préambule ou, comme l'écrit Spencer lui-même, d'introduction ou de volume préliminaire aux futurs *Principes de sociologie*– ont été publiés de mai à octobre 1872 (66), puis revus et légèrement augmentés jusqu'en juillet 1873 en vue de leur publication définitive, on peut concevoir que l'image du mouvement syndical anglais y ait été considérablement influencée par la constatation de sa tendance manifeste au repli vers des tactiques visant à raréfier la main-d'œuvre à l'intérieur des branches professionnelles, afin de faire jouer en faveur de ses membres installés le mécanisme de l'augmentation des salaires. En fait, Spencer se contredit encore en condamnant *moralement* un syndicalisme qui, dans ses intentions et ses tactiques, *n'est plus révolutionnaire* –comme l'était par exemple le mouvement chartiste organisateur de la grande grève générale de 1842–, mais qui a épousé les roueries de l'économie capitaliste et qui de ce fait sera définitivement intégré deux ans plus tard, en 1875, au fonctionnement régulier du système industriel ainsi qu'à sa superstructure juridique. Spencer ne donne pas ici la preuve d'une bien grande intuition historique en limitant son appréhension du phénomène syndical aux manifestations corporatistes violentes –comme celles de Sheffield en 1867– ou insidieuses –comme celles des syndicats professionnels dépourvus de conscience de classe et travaillant à conserver et à accroître aux dépens des autres catégories d'ouvriers ou des nouveaux venus les privilèges économiques de leurs membres. S'il paraît normal que Spencer, partisan du respect des contrats, condamne juridiquement les premières, il semble beaucoup moins logique qu'il blâme moralement les secondes, qui sont l'expression d'un syndicalisme intégré et coopératif dont il ne pouvait normalement qu'approuver le style d'évolution. Là encore, la sociologie est momentanément investie par la morale, et la politique spencérienne y perd quelque chose de son réalisme pragmatique. Ce n'est pas ici le lieu pour s'engager dans l'interprétation des causes de cette baisse conjoncturelle, dans les années 1870, du niveau de la conscience de classe, et de cette dégradation des formes de la lutte des travailleurs

(66) Parution simultanée en Grande-Bretagne dans la *Contemporary Review* et en Amérique dans le *Popular Science Monthly*.

anglais. Il suffit d'indiquer d'une manière très générale que la réussite relative de l'industrie anglaise vers la fin des années 1840, les assouplissements qui de ce fait furent consentis dans la législation du travail, et la rupture de la solidarité prolétarienne par la formation d'une couche plus aisée au sein de la classe ouvrière, sont les éléments principaux d'une telle explication. Tout cela pouvait effectivement donner à Spencer l'impression d'une harmonieuse conformité avec les lois naturelles de la différenciation et de l'intégration progressives. Mais comment concilier, chez le libéral Spencer, défenseur des principes d'humanité et de la liberté de l'individu, la défense même de ces principes avec l'appel rétrograde aux sanctions contre des grévistes, surtout lorsque l'on sait que ces sanctions prises contre les ouvriers pour rupture de contrat remontaient à la loi de 1823 sur les rapports entre le serviteur et le maître, frappant l'un et l'autre d'une façon fort inégale ? Au lieu d'y faire aussi ouvertement appel, le sociologue évolutionniste Spencer aurait dû pour le moins diagnostiquer la caducité de cette loi qui en effet allait être abrogée en 1875. Telles apparaissent, une nouvelle fois, les contradictions du libéralisme. Dans une société dont il a prédit qu'elle apporterait l'égalité la plus grande et le bonheur des individus, le penseur libéral, qui pas un instant n'a rappelé que la prospétité du système dont il salue l'avènement libérateur a commencé à s'édifier sur l'esclavage des Noirs dans les exploitations cotonnières du sud de l'Amérique, s'oppose au nom de la morale et de l'humanité à tels ou tels excès du colonialisme, et, dans le même temps, reste sourd aux révoltes et à la souffrance du prolétariat anglais, et tente d'assourdir lui-même les voix qui s'unissent dans la protestation et dans la lutte contre un esclavage économique dont nul ne pouvait sérieusement prétendre, au milieu des famines et des épidémies de la première période d'industrialisation, qu'il était destiné à conduire à l'égalitarisme harmonieux et paisible du régime de coopération volontaire. La résurrection du socialisme anglais et de formes authentiques de lutte syndicale et politique au cours des deux dernières décennies du XIXe siècle prouve largement qu'à cet égard au moins la crédibilité du capitalisme, après la seconde période d'industrialisation et malgré des succès sectoriels et momentanés, était redevenue très relative.

La sociologie évolutionniste et libérale de Spencer repose donc sur trois principales dénégations : dénégation de l'existence de la conscience collective, d'un esprit de corps élargi ou d'une solidarité de classe comme composante active du progrès social ;

dénégation de la nature réelle et de l'évolution historique large du mouvement syndical ; dénégation enfin de l'effectivité de la lutte des classes comme facteur de transformation révolutionnaire de la société. Corrélativement, cette sociologie, que seule intéresse l'abstraction organiciste du corps social cohérent, fonctionnel et au devenir auto-régulé, exaltera au contraire la performance de la conscience individuelle, la coopération volontaire et contractuelle, et la saine émulation qui est censée régner sous ce régime entre des *individus* auxquels une "permission" égale aura été donnée de développer leurs aptitudes, pour ne plus laisser saillir que de nécessaires et naturelles différences entre supérieurs et inférieurs. Or quiconque a étudié l'évolution du système scolaire dans la seconde moitié du XIXe siècle en Grande-Bretagne est frappé du caractère résolument élitiste d'un enseignement qui tient les enfants de la classe ouvrière à l'écart des connaissances scientifiques, ce dont les conséquences néfastes pour le pays apparaîtront dans leur rigueur dès le début du XXe. Méconnaissant avec constance ce phénomène de rétention du savoir par les classes aisées, Spencer déclarera au tome III de ses *Principes de sociologie* que "la permission pour l'homme de faire dépendre sa carrière de ses aptitudes est le principe du changement dans l'organisation sociale"(p. 352).Or le changement dont il est question est naturellement celui qu'il faut, dans l'esprit de Spencer, porter à l'actif de la société industrielle : la mobilité sociale, le déplacement rendu théoriquement possible des individus d'une classe à l'autre et le nivellement qui doit logiquement en résulter. Là encore, les déterminations de classe sont escamotées et remplacées par l'éloge de la performance et de l'exemplarité individuelles : "Ceux qui désertent les fonctions que leur assigne leur origine", écrit Spencer, "ont le désavantage dans la lutte avec ceux dont ils prennent les fonctions ; ils ne peuvent surmonter ce désavantage que grâce à quelque supériorité : il faut qu'ils fassent mieux que ceux qui sont nés pour cela, et qu'ils ouvrent la voie par leur exemple à une amélioration." (67) Ainsi la "permission" pour l'individu issu des basses classes de progresser socialement grâce à ses capacités ne repose au mieux que sur une permissivité politico-juridique, qui, du fait

(67) *Ibidem.*

de la différence considérable qui règne sur le plan économique et sur celui des capacités d'accès à l'instruction entre les classes riches et les classes pauvres, risque fort de rester longtemps sans effet appréciable. Etrange justice selon laquelle le plus désavantagé doit prouver qu'il est le plus fort : mais logique habile qui borne la dynamique de l'égalisation des conditions à la performance ascensionnelle d'*individus* qui transgressent en quelque sorte leur assignation originaire à une place inférieure : loin donc de remettre en cause le principe même de la subordination et de l'infériorité culturelle des classes pauvres, cette logique de l'ascension individuelle laisse intacte la division de la société et le poids de son déterminisme sur les individus, puisqu'elle reconnaît que le mérite de l'inférieur qui s'élève doit être d'autant plus grand qu'il lui faut d'abord vaincre les obstacles nés de sa position initiale désavantagée. La mobilité sociale comme facteur d'égalité et d'échanges stabilisateurs –thème qui sera autrement repris par Lalande pour illustrer une tendance à l'assimilation des caractéristiques sociales entre les classes– requiert donc l'exception individuelle du *don,* qui, en tant que telle, renvoie à l'existence indéfiniment reconnue et maintenue de la structure hiérarchique de la société industrielle capitaliste et de ses normes inégalitaires. Corrélativement à cet appel à la singularité du surcroît naturel de *don,* la virulente critique adressée par Spencer à toute tentative de démocratisation de l'institution scolaire en dit long sur ce qu'il faut retenir de ses déclarations d'ordre général sur la marche vers l'égalité sociale dans le système industriel. L'avant-dernier chapitre de l'*Introduction à la science sociale* (68) est sous ce rapport aussi clair que possible : Spencer y entreprend de démontrer que l'instruction rendue universelle et obligatoire ne déterminera chez les individus des classes inférieures ni relèvement moral, ni réduction de la criminalité, ni amélioration de la conscience civique :

> "Qu'est-ce que l'idée mère commune aux sécularistes et aux dénominationalistes, sinon le principe que la diffusion de l'instruction est la seule chose nécessaire pour améliorer la conduite ? S'étant tous nourris de certaines erreurs de statistique, ils se sont tous persuadés que l'éducation de l'État réprimerait la mauvaise conduite. Ils sont souvent tombés dans les journaux sur des comparaisons entre le nombre

(68) Portant en titre *Préparation par la psychologie,* il fait suite au chapitre intitulé *Préparation par la biologie* et précède immédiatement la conclusion de l'ouvrage.

des criminels sachant lire et écrire et celui des criminels illettrés ; voyant que le nombre des illettrés l'emporte de beaucoup sur celui des autres, ils admettent la conclusion que l'ignorance est la cause du crime. Il ne leur vient pas à l'esprit de se demander si d'autres statistiques, établies d'après le même système, ne prouveraient pas d'une façon tout aussi convaincante que le crime est causé par l'absence d'ablution et de linge propre, ou par la mauvaise ventilation des logements, ou par le défaut de chambres à coucher séparées. Entrez dans une prison quelconque et demandez combien de prisonniers avaient l'habitude de se baigner le matin ; vous trouverez que la criminalité va habituellement de pair avec la saleté de la peau. Faites le compte de ceux qui possédaient un costume de rechange ; la comparaison des chiffres vous montrera qu'une bien faible proportion de criminels ont habituellement de quoi se changer. Demandez s'ils logeaient sur les grandes rues ou au fond des cours ; vous découvrirez que presque tous les criminels des villes sortent de bouges. Un partisan fanatique de l'abstinence complète de liqueurs, ou des améliorations hygiéniques, trouverait de même dans la statistique de quoi justifier non moins complètement sa croyance. Mais si vous n'acceptez pas la conclusion, tirée au hasard, qu'ignorance et crime sont cause et effet ; si vous examinez comme ci-dessus si l'on ne pourrait pas avec tout autant de raison attribuer le crime à diverses autres causes – vous êtes conduit à voir qu'il existe une relation réelle entre le crime et un genre de vie inférieur ; que celui-ci est ordinairement la conséquence d'une infériorité originelle de nature ; enfin que l'ignorance n'est qu'un concomitant, qui n'est pas plus que toutes les autres la cause du crime." (69)

Ce texte, qu'il faut conserver en mémoire si l'on désire ne rien omettre des tenants et aboutissants de la logique du libéralisme dans ses trois moments théoriques principaux –biologique, psychologique, sociologique–, est la preuve, s'il en doit être une à privilégier entre cent autres également significatives, de ce que l'immense détour dont se constitue la synthèse spencérienne n'a rien apporté d'autre à la philosophie que la plus pauvre application du concept de la sélection naturelle ; encore faut-il ajouter ici cette restriction, que Spencer ayant écrit et publié une grande partie de son œuvre avant la parution en 1871 de *La descendance de l'homme* de Darwin, la logique de l'*effet*

(69) *Ouv. cit.*, pp. 387-388.

réversif (70) qui s'y trouve articulée au niveau de la théorie anthropologique de l'évolution n'a pas suscité chez lui l'analyse où elle engage normalement tout lecteur attentif et non prévenu de ce livre capital, et qui eût pu le préserver peut-être de se trouver si manifestement en deçà de ce que la science biologique elle-même, dans son extension vers la sociologie et la morale, était en train de construire. Nul ne peut imaginer en effet Darwin argumentant au nom de sa propre théorie contre les progrès de la scolarisation. Spencer par contre, multipliant les contradictions, s'attaque à l'obligation scolaire, en ne respectant plus que le dogme négatif du libéralisme économique, qui chez lui condamne sans distinction toutes les formes d'obligation émanant de l'autorité politique.

Pour paradoxale qu'elle paraisse aux yeux de qui considère la masse des écrits de Spencer se rapportant aux questions de la société comme structure et comme évolution, la thèse suivant laquelle il n'y a pas de sociologie chez Spencer a de grandes chances d'être justifiée. D'abord, il est permis, après analyse, de dire qu'il n'y a pas de sociologie chez Spencer –ou, plus particulièrement, pas de sociologie dynamique– parce qu'il n'y a pas de spécificité réelle des facteurs qui président à l'évolution sociale. Tout au plus peut-on prétendre à l'existence d'une sociologie statique, qui tient tout entière à l'intérieur de l'analogie organiciste – analogie qui, à un certain moment, cesse d'être réelle pour retourner au simple rang de comparaison illustrative (mais illustrative de quoi ?). A l'intérieur de sa réflexion de sociologie statique, Spencer fait jouer un rôle discriminant et capital à l'existence discrète de la conscience et de la sensibilité individuelles au sein de l'agrégat social, ce qui interdit à ce dernier d'être rigoureusement envisagé comme un organisme individuel, et ce qui permet de fonder sur cette différence le dogme de l'individualisme. Mais une fois ce point acquis, par lequel Spencer semble légitimer le fait de constituer l'individu en *fin* de l'activité sociale, l'existence de la conscience, quant à ses effets sur l'évolution socio-politique des groupes humains, demeure en état de complète léthargie : malgré sa singularité hautement déterminante lorsqu'il s'agit de définir la spécificité du groupe humain par rapport aux autres agrégats, la conscience comme pouvoir d'infléchir le cours de la nature disparaît du discours de Spencer lorsqu'elle a fini d'y jouer son rôle idéologique de naturalisation absolue de l'individualisme. La conscience est

(70) Cf. notre chapitre consacré à Darwin et à ce concept.

déniée lorsqu'elle s'exprime sur le mode de la volonté collective ou de la décision étatique, lorsqu'elle s'érige en pouvoir de rection de l'histoire. Le *laissez-faire* de Spencer est inséparable de sa théorie de l'évolution *inconsciente* des sociétés, fondant sur un vieux modèle de croissance biologique le naturalisme libéral, qui accorde à la conscience d'être bénéficiaire de l'évolution sans lui reconnaître de rôle directeur dans la conduite de l'évolution elle-même. C'est essentiellement sur ce point que spencérisme et darwinisme sont absolument inconciliables, si l'on se souvient du rôle majeur que détient chez Darwin la conscience au sein de l'évolution morale et sociale de l'homme à l'état de civilisation.

L'anti-volontarisme ou l'anti-activisme de Spencer n'est à ce niveau que l'une des figures de sa fidélité au double modèle de la croissance (involontaire) de l'organisme individuel et de son adaptation (inconsciente) au milieu. L'individualisme de Spencer est le corrélat général de son choix politico-économique de la non-intervention de l'État, celle-ci s'étayant d'une représentation étroitement organiciste de la société : l'essentiel, en effet, de la croissance et de l'accomplissement des fonctions vitales de l'individu organique ne requiert aucunement l'intervention régulatrice de la conscience. Spencer retourne donc en permanence au modèle de l'individu organique dont tour à tour, et selon ses besoins, il fait saillir la conscience, ou au contraire l'exclut. En tant qu'évoluant suivant des lois indépendantes de la volonté, le corps social est maintenu dans la sphère d'influence du modèle organiciste *quant à son mode d'évolution.* En tant que composé d'une multitude différenciée d'organismes individuellement dotés de conscience, le corps social échappe à l'emprise du modèle, *quant aux fins de l'évolution.* Un agrégat de consciences et de volontés différenciées et coopératives évoluerait donc comme un organisme individuel –c'est-à-dire indépendamment de la conscience– sans toutefois en être véritablement un –à cause de l'existence discrète, entre ses unités, de cette faculté. Prisonnier de ses fins démonstratives, Spencer n'apercevra jamais clairement cette contradiction entre un mode d'évolution identique et des fins contraires.

En fait, la retombée de Spencer dans le biologisme était prévisible, parce qu'il n'est jamais réellement sorti de la biologie, entendue restrictivement comme description de l'individualité organique dans ses mécanismes de croissance et d'adaptation. L'existence discrète de la conscience et de la sensibilité, argument qui a semblé s'opposer un moment à l'acceptation complète de l'analogie organiciste, y renvoie de nouveau, en dernier lieu, comme à une obsession théorique un instant refoulée. Simultanément en effet, cette existence discrète de la conscience appréciative émet une postulation individualiste et une postulation égalitaire : la revendication du désir pour l'obtention du plus grand bonheur individuel est selon Spencer, à quelques nuances près, la même pour tous les individus –ce qui n'entraîne pas pour lui qu'elle doive être partout également satisfaite. La satisfaction doit être proportionnelle au "mérite", et si le *droit* à l'obtention de cette satisfaction doit être reconnu comme universel –ce qui correspond à l'idéologie de l'ascension sociale de l'individu doué, quelle que soit son origine, de "supériorité"–, ce *droit* est toujours limité par le *fait*, car le "mérite", chez Spencer, c'est précisément cette supériorité psychologique et, partant, biologique, qui demeure l'élément foncier et imprescriptible de la réussite. On assiste ainsi au développement de cet étrange paradoxe au terme duquel l'intervention favorisante pourra être refusée aux faibles (ou, dans le vocabulaire spencérien, aux "moins méritants") pour permettre aux forts (les "plus méritants") de ne pas en éprouver de gêne. Le philosophe libéral, qui parle de "genre de vie inférieur" pour éviter le mot "misère", saura cependant exprimer là-dessus un avis sans nuance :

> "En effet, si l'on aide les moins méritants à se propager en les affranchissant de la mortalité à laquelle les vouerait naturellement leur défaut de mérite, le mérite deviendra de plus en plus rare de génération en génération. D'un emploi moins actif des facultés tendant à la conservation de l'individu et déjà insuffisantes, résultera pour la postérité une dose encore moindre de ces facultés. La loi générale que nous avons constatée plus haut dans ses applications au corps, peut être constatée ici dans ses applications à l'intelligence. La suppression de certaines difficultés contre lesquelles l'intelligence et l'activité ont à lutter a pour conséquence une aptitude moindre à faire face aux difficultés et aux dangers. Lorsque les plus capables se marient avec les moins capables, conservés ainsi artificiellement, non seulement la faculté de se conserver est en moyenne moindre chez leurs enfants qu'elle ne l'aurait été autrement, mais leur incapacité est dans certains cas poussée à l'extrême. De petites difficultés et de petits dangers deviennent funestes quand on a écarté les grands. Ce n'est pas là le seul inconvénient. Ces membres de la population, qui ne savent pas prendre soin d'eux-mêmes et dont il faut s'occuper, font inévitablement peser sur les autres une besogne

de plus ; soit parce qu'il faut leur fournir les choses nécessaires à la vie, soit parce qu'il faut exercer sur eux une surveillance indispensable, soit pour les deux raisons à la fois. C'est-à-dire qu'outre leur propre conservation et la conservation de leurs familles, les bons ont aussi à veiller à la conservation des mauvais et de leurs familles et sont ainsi exposés à être surmenés. Dans certains cas cette situation les empêche de se marier ; dans d'autres elle restreint le nombre de leurs enfants ou les oblige à ne leur donner qu'une nourriture insuffisante ; dans d'autres cas encore elle les enlève à leur famille ; de toute façon elle tend à arrêter la propagation des capables, à altérer leur constitution et à les ramener au niveau des incapables.

Nourrir les incapables aux dépens des capables, c'est une grande cruauté. C'est une réserve de misères amassée à dessein pour les générations futures. On ne peut faire un plus triste cadeau à la postérité que de l'encombrer d'un nombre toujours croissant d'imbéciles, de paresseux et de criminels. Aider les méchants à se multiplier, c'est au fond préparer malicieusement à nos descendants une multitude d'ennemis. On a le droit de se demander si la sotte philanthropie qui ne pense qu'à adoucir les maux du moment et persiste à ne pas voir les maux indirects, ne produit pas au total une plus grande somme de misère que l'égoïsme extrême." (71)

Il faut donc laisser faire la sélection dans son opération amélioratrice. Il semble que l'on soit revenu d'une façon privilégiée à l'une des deux grandes propositions de base qui constituaient l'organicisme évolutionniste : *l'organisme social évolue comme l'organisme individuel.* Et si cette proposition se maintient avec autant de force, c'est naturellement qu'elle devait être préservée de toute remise en cause analogue à celle dont a été l'objet l'organicisme statique : tout l'effort de Spencer pour pousser jusqu'à ses limites logiques l'analogie "réelle" entre l'organisme social et l'organisme individuel avait pour but de parvenir à mettre hors de doute l'analogie, plus importante, qu'il voulait établir entre leurs régimes d'évolution. Or Spencer en arrive à conclure que les rapports entre les parties de l'organisme social sont ce que sont les rapports entre les individus concurrents au sein de l'espèce. Là se trouve sa principale erreur logique. Erreur logique, car dans l'organisme individuel les parties sont coopérantes et en aucun cas ne s'entre-éliminent en vue de la survivance des plus aptes. Le rapport cohésif de mutuelle

(71) *Introduction à la science sociale*, pp. 368-369.

dépendance élimine au contraire les effets d'une irreprésentable concurrence vitale entre les éléments de l'organisme. L'analogie doit fonctionner entre les *parties* de l'organisme individuel et celles de l'organisme social : or ce que fait en réalité Spencer, c'est prétendre, en dévoyant l'analogie primitive, montrer comment les parties de l'organisme social présentent les mêmes caractéristiques évolutives que l'organisme individuel *dans son ensemble* au milieu de la lutte qui l'oppose à ses congénères et aux difficultés extérieures. Maintenir, comme Spencer tente de le faire, un processus de sélection naturelle entre les membres de l'agrégat social pensé comme organisme, est donc absolument contradictoire, et montre que l'auteur est passé indûment de la considération des rapports intra-individuels (ou intra-organiques) à celle des relations inter-individuelles (ou inter-organiques) au sein de l'espèce. L'analogie est logiquement fausse parce que l'un de ses termes a changé de niveau. Ainsi, quoi que Spencer ait pu dire de la diminution tendancielle de la lutte au fil de l'évolution humaine, sa logique erronée, tendanciellement aussi, la reconstitue. En même temps, à travers le creusement du modèle physiologique lui-même, elle réinstaure par ailleurs la correspondance avec l'organisme individuel en évoquant les fonctions organiques d'où la conscience est exclue : en l'occurrence, les fonctions de régulation automatique. Le cerveau, ou la conscience, ne décide pas d'apporter plus de sang à l'appareil organique producteur : *donc* la puissance étatique ne *doit* pas décider d'apporter plus d'assistance aux classes productives qui sont censées, en vertu de l'analogie, être naturellement et automatiquement rémunérées et instruites selon leurs besoins. Mais cela même conduit à reconnaître que le gouvernement du corps social est l'analogue de la conscience du corps individuel, donc d'une conscience ayant bien la fonction d'un pouvoir régulateur centralisé –ce que Spencer a refusé lorsqu'il a rejeté, au nom de la répartition individuelle de cette faculté, l'analogie organiciste poussée à son terme. Les analogies se reforment ainsi là où elles ont été rejetées, pour la seule et unique raison que le philosophe en a besoin sur certains plans d'analyse tandis que sur d'autres, gênant ses objectifs de démonstration, elles demandent au contraire à être exclues. Objectivement, c'est-à-dire à l'intérieur même de ses constructions logiques, le discours de Spencer échoue à fonder totalement le libéralisme économique et politique sur un organicisme rigoureux. C'est pourquoi la "sociologie" de Spencer présente indéfiniment, dans ses contradictions permanentes, la trace de cette faute de logique qui plane entre l'organisation et l'évolution, de même qu'entre la croissance du corps et celle de l'espèce. Fondée sur une conception en partie hiérarchique et en partie dé-hiérarchisée de l'ordre du corps organique, elle retourne à l'individualisme de la conscience non, comme il semble d'abord, pour briser l'analogie organiciste, mais pour y retourner sur un autre plan : celui du combat vital au sein de l'espèce, du conflit des unités dans la lutte ancestrale pour l'existence. Une fois reconnue, dans ce changement de plan, la faille logique de l'organicisme de Spencer, on peut avec lui –mais en sachant qu'elles ne sont fondées que sur une impertinence logique– en examiner les conséquences : les inégalités sociales ne sont que le reflet des inégalités biologiques normalement sanctionnées par la survivance des plus aptes et l'hégémonie des plus forts. Il en aurait été exactement de même si la *conscience* n'avait jamais existé. La morale évolutionniste –entendons : celle de Spencer, et non celle de Darwin– ne sera de ce fait rien d'autre qu'un long et contradictoire essai pour préserver et entretenir, au cœur de la civilisation, l'effet persistant des hiérarchies biologiques.

Du libéralisme en éthique

Comme il est naturel dans l'hypothèse évolutionniste, il n'y a pas, pour Spencer, de sphère propre de la morale, au sens ou celle-ci formerait un système d'obligations distinct dans sa nature et son origine de celui qui s'est progressivement fait jour au sein de la sociologie et de la politique, elles-mêmes solidaires des lois générales de l'évolution biologique et culturelle. Le discours de Spencer sur la morale, qui consent formellement à reconnaître un "domaine" là où n'existe pour lui, en réalité, qu'un *niveau* de manifestation des phénomènes humains, est donc un discours d'*annexion.*

Annexion, d'abord, de la morale à la sociologie. Dans la *Préface* des *Bases de la morale évolutionniste (The data of ethics),* ouvrage publié en 1879, Spencer indique que ce volume constitue la première partie des *Principes de Morale* qui doivent clore le *Système de philosophie synthétique,* et la "suite logique" des second et troisième volumes des *Principes de Sociologie,* non encore publiés. Spencer y explique que cette anticipation ou cette hâte provient de l'importance primordiale qu'il attache, d'une façon très aristotélicienne, à la *fin* de son œuvre, qu'il tient à préserver des aléas d'une santé menacée. Il fait en outre remonter à 1842, date de la publication de son ouvrage sur *La sphère propre du gouvernement*, l'idée de "l'existence de certains principes généraux de bien et de mal dans la conduite politique". L'indication du *but* de l'œuvre tout entière figure également dans une autre *Préface*, que Spencer devait écrire en 1891, en tête du quatrième volume des *Principes de Morale*, intitulé *La morale de la vie sociale : la justice* (72). S'il s'agissait dans la *Préface* du premier volume de "découvrir une base scientifique pour les principes du bien et du mal dans la conduite en général" (73), il s'agit, dans la *Préface* du quatrième, d'effectuer "l'affiliation de la morale à la doctrine de l'Évolution", dernière partie de sa tâche et "pour laquelle", écrit-il, "toutes les parties précédentes ne sont (...) qu'une préparation" (74). L'annexion de la morale est une conséquence directe de la sociologie et de l'ethnologie modernes –dont les *Principes de Sociologie* fournissent une considérable somme documentaire–, et une conséquence dernière de la loi générale d'évolution, qui rend nécessaire, après extinction de la croyance en leur origine sacrée, une *sécularisation* des règles de la conduite droite.

Deux principes dominent la morale de Spencer :

– Le premier pourrait être nommé *principe fonctionnel de limitation réciproque*, et situe la régulation de la vie morale du côté de l'équilibre qui s'instaure entre des droits également répartis et mutuellement reconnus parmi les individus qui composent une société. En vertu de ce principe, la limite naturelle de la liberté d'un individu s'atteint là où elle rencontre l'exercice normal de celle des autres. Il s'agit là d'un principe de *non-empiètement*, essentiel à l'harmonisation des conduites individuelles (75).

(72) Titre français : *Justice*, trad. E. Castelot, Paris, Guillaumin, 3e éd., 1903.

(73) *Les bases de la morale évolutionniste*, Paris, Baillière, 1880, p. V.

(74) *Justice*, p. V.

(75) L'analogie organiciste réintervient également dans la définition de la *conduite* : "La conduite est un ensemble, et, en un sens, un ensemble organique, un agrégat d'actions mutuellement liées accomplies par un organisme. La division ou l'aspect de la conduite dont traite la morale est une partie de ce tout organique, et une partie dont les composantes sont indissolublement unies avec le reste." (*Bases...*, p. 2.)

– Le second principe est celui de la *rémunération proportionnelle des aptitudes,* et consiste à fonder la *justice* sur le droit des individus supérieurs à tirer profit, dans le cadre d'une égalité *juridique,* des avantages naturels qui constituent ce que Spencer appelle leur "supériorité" ou leur "mérite".

A cela, qui fixe une fois pour toutes les lignes de force de l'éthique du libéralisme, il faut ajouter ce que l'on connaît déjà par l'analyse des travaux sociologiques : une hostilité marquée envers tout ce qui ressemble à une stratégie de compensation des déficiences des faibles ou des "moins méritants" revêtant un caractère d'obligation et visant à réduire l'application du principe de la rémunération proportionnelle au mérite.

Là encore, une branche de la biologie –disons : l'éthologie animale– est sollicitée de fournir un modèle, au reste déjà utilisé dans la *Sociologie* et dans *L'individu contre l'Etat* (1884), et qui trouve dans l'ouvrage sur la *Justice* sa formulation définitive : "Durant l'enfance des animaux, les avantages leur sont accordés en raison inverse de leur aptitude à s'aider eux-mêmes. Dans le groupe familial, le membre le mieux partagé est celui qui mériterait le moins de l'être, si son mérite se mesurait à l'échelle des services rendus. Au contraire, à l'âge adulte, la part d'avantages est en raison directe du mérite, celui-ci étant déterminé par l'adaptation aux conditions de l'existence. Les uns souffrent des conséquences de leur adaptation défectueuse, les autres jouissent de celles de leur adaptation plus parfaite." (76) L'idée, étroitement biologiste, selon laquelle l'espèce serait menacée dans sa vie organique et dans sa propre survie "si les avantages étaient accordés aux adultes en raison de leur faiblesse", est la conséquence logique de ce point de vue qui exclut à ce moment toute prise en compte des technologies compensatoires dont Darwin avait clairement indiqué l'effet rééquilibrateur. Des leçons de l'histoire naturelle, Spencer ne veut ici retenir que celle qui résulte de l'opération continuée de la *sélection :* la progression des types inférieurs vers les types supérieurs s'est accomplie en vertu de la loi qui porte naturellement le supérieur à profiter de sa supériorité et l'inférieur à souffrir de son infériorité (77), et l'eudémonisme biologiste de Spencer ne reconnaît pas dans le développement de la conscience l'occasion

(76) *Justice,* p. 3.

(77) *Les bases...,* p. 170.

d'une trêve avec cette loi qui récompense héréditairement les mieux adaptés. Aussi sa référence à Darwin est-elle nécessairement incomplète, lorsqu'il tente de la faire venir à l'appui de son propre sélectionnisme sociologique : "M. Darwin a prouvé que la "sélection naturelle" jointe à une tendance à la variation et à l'hérédité des variations, était une des causes principales (mais non la seule cause, à ce que je crois) de cette évolution grâce à laquelle tous les êtres vivants, en commençant par les plus humbles, ont atteint leur organisation actuelle et l'adaptation à leur mode d'existence. Cette vérité est devenue tellement familière que je dois m'excuser de la citer. Et cependant, chose étrange à dire, maintenant que cette vérité est admise par la plupart des gens éclairés, maintenant qu'ils sont pénétrés de l'influence bienfaisante de la perpétuation des plus capables à tel point qu'on devrait s'attendre à les voir hésiter avant d'en neutraliser les effets, maintenant plus qu'à aucune autre époque antérieure de l'histoire du monde, ils font tous leurs efforts pour favoriser la perpétuation des plus incapables." (78) La "morale évolutionniste" –celle de Spencer– serait donc celle de Darwin, ou sa conséquence rigoureusement impliquée. On assiste là à deux des opérations simples couramment mobilisées par tout usage idéologique de la science : la fragmentation et l'amalgame. Spencer en effet commet l'erreur de vouloir légitimer sa théorie de l'évolution morale par une référence à un concept –la "sélection naturelle"– qui ne fonctionne dans son intégrité chez Darwin qu'en ce qui concerne le devenir des êtres *qui n'ont pas atteint le stade de la civilisation.* Malgré le poids influent de tout l'eugénisme qui se déduit inévitablement de l'action constatée de la sélection artificielle ou naturelle, malgré une réticence et une hésitation sensibles dans le texte même de *La descendance de l'homme,* l'anthropologie darwinienne –dont on ne niera pas qu'elle ne présente par ailleurs de fortes incitations à classer selon une certaine hiérarchie les cultures et les races– exclut non seulement de son esprit, mais encore de sa lettre, une éthique sociale fondée sur l'approbation des effets hiérarchisants et éliminatoires de la sélection naturelle au sein du groupe humain civilisé. Cela a été amplement dit et démontré en son lieu ; Spencer, ici comme en beaucoup d'endroits, ne peut s'autoriser que de lui-même.

Examinons à présent les thèmes principaux de la morale spencérienne en conservant à l'esprit ce qui en fait la particularité

(78) *L'individu contre l'Etat,* 3e éd., Paris, Alcan, 1892.

au sein de la synthèse philosophique : leur caractère *final,* fortement accusé par Spencer lui-même, et qui *oriente* le système vers la formulation des principes éthiques conçus comme l'aboutissement et le but de tout ce qui en a précédé et déterminé l'élaboration. C'est, comme je l'ai déjà annoncé, dans la morale et dans la politique que Spencer passe véritablement du système à la projection, de l'analyse du donné à l'anticipation d'un avenir qui est en fait la *déduction* d'un *devoir-être.* Diaconide, dans un ouvrage déjà cité sur la sociologie de Spencer, y décrivait ce phénomène en disant qu'à un certain moment, le philosophe substituait au *sein* le *sollen* – formule que l'on peut retenir bien qu'elle ne soit pas, comme le pense un peu rapidement ce commentateur, le relevé d'une simple faute de méthode qui serait l'immixtion de la morale dans la sociologie. En réalité, dans l'ordre artificiel du système –c'est-à-dire dans son ordre *logique,* et non psychologique– le *sollen* n'est que le versant pratique, dynamique, tourné vers le futur, d'un *sein* dont le système tout entier, grâce à l'universalité reconnue de la loi d'évolution, permet de projeter dans l'avenir une représentation que Spencer dira *déductive.* De fait, le véritable passage problématique est celui qui conduit de la reconnaissance du sens du devenir à l'approbation ou à la recommandation de ce sens comme étant *le meilleur.* Une morale fondée sur la sélection naturelle –une morale qui est donc, je le répète, non-darwinienne ou même anti-darwinienne– est nécessairement optimiste, comme son fondement naturaliste lui-même, dans l'exacte mesure où la théorie de la sélection est une théorie de l'optimisation croissante des individus et des espèces qui l'emportent dans le combat pour l'existence, au sein de l'univers organique. *Mais non pas au sein de l'univers de la civilisation.* La morale de Spencer est donc un optimisme évolutionniste en tant qu'elle peut se définir comme un naturalisme prenant ses références –entre autres– dans la théorie darwinienne de l'évolution des organismes par descendance modifiée et sélection naturelle, *et non dans la morale de Darwin,* conséquence et prolongement *réversif* de cette même théorie. La troisième opération mise en œuvre par l'usage idéologique de la science est ici, consécutivement à la fragmentation du discours scientifique de référence, le *retranchement* ou l'*évacuation* de ses conséquences réelles dans le champ considéré.

Comment s'opère alors, chez Spencer ainsi réduit à être à lui-même sa propre caution, la fameuse "affiliation" de la morale à la théorie de l'évolution ? Elle s'effectue d'abord à travers la saisie de l'*ancrage biologique des attitudes altruistes.* La conduite en général peut être définie comme l'ensemble des actions adaptées à des fins (79). L'évolution trans-spécifique manifeste à l'observation une évolution simultanée de la conduite qui tend à assurer une préservation et une indépendance croissantes des organismes par rapport aux menaces et aux dangers extérieurs, une sorte de progrès vers l'intégrité allant de pair avec le progrès de l'intégration. Corrélativement se développe le raffinement de la conduite relative à l'*élevage des petits,* qui assure inconsciemment la conservation de l'individu et de la race. A mesure que l'humanité, qui offre nécessairement, à cet égard, l'exemple de la conduite la plus développée, s'éloigne de l'état de guerre, le progrès de la paix permet de voir s'épanouir sans entraves les traits qui caractérisent la conduite morale, prolongement sans rupture des conduites antérieures dont la finalité semblait être –et dont le résultat était en effet– la préservation de l'existence individuelle et de la race. La morale, dans cette perspective, "a pour sujet la forme que revêt la conduite universelle dans les dernières étapes de son évolution" (80). Son progrès étant conditionné par l'établissement de la paix –qui seule permet à tous les individus d'échapper aux conséquences destructives de la lutte–, il apparaît donc naturellement impliqué par l'abolition du régime militant et son remplacement par le système industrialiste de coopération volontaire, cohésive et paisible. Il n'y a donc pas d'indépendance de la morale, puisqu'elle est déterminée dans son irruption finale par l'ensemble de l'évolution de la conduite en général, qui est elle-même liée à celle de l'organisme et de la socialité : sa place –chronologique et logique– dans l'œuvre de Spencer est donc le reflet de sa situation réelle à l'intérieur du processus évolutif – à condition toutefois de ne pas oublier que ce caractère *final* est également l'indice de la *finalisation* du système tout entier. En matière de systèmes philosophiques comme en toute chose, le plus important, c'est la *fin,* qui de ce point de vue est *première.* La *fin* du système, chez Spencer, c'est la *morale,* en tant qu'elle fonde, recouvre ou justifie une *politique,* qui est proprement son enjeu.

Si l'idéal de la conduite est d'atteindre la plus grande somme de vie, il faut donc reconnaître que le régime de la lutte et de la

(79) *Les bases...,* ch. I.

(80) *Ibid.,* p. 15.

non-assistance est caractéristique d'un stade d'imparfait développement. En revanche, si, de cette incomplétude, l'on s'élève "à la pensée d'adaptations telles que toutes les créatures pourraient les faire sans empêcher les autres créatures de les faire également" (81), il faudra nécessairement placer dans cet état "le caractère distinctif de la conduite la plus développée". "Nous sommes ainsi arrivés", écrit Spencer, "à ce corollaire, que la conduite obtient une sanction morale à mesure que les activités, devenant de moins en moins militantes et de plus en plus industrielles, sont telles qu'elles ne nécessitent plus ni injustice ni opposition mutuelles, mais consistent en coopérations, en aides réciproques, et se développent par cela même" (82). Sur le plan des résultats, ces conclusions tirées de l'hypothèse de l'évolution ne diffèrent en rien de celles qui sont couramment affirmées par les morales transcendantes ou intuitionnistes. Dans l'obligation, le *fait* s'est simplement substitué au *devoir*. Ce qui en outre signifie que l'adaptation s'est substituée à l'éternité, une légalité dérivée à une légalité primitive, et une obligation relative à une obligation absolue. Car la morale évolutionniste est nécessairement relativiste, ainsi que l'indique Spencer lorsqu'il invite l'intuitionniste qui croit à l'absoluité originelle des sentiments moraux à comparer son intuition à celle d'un Figien "qui regarde le meurtre comme un acte honorable et n'a pas de repos avant d'avoir massacré quelques individus" (83). Pour argumenter en faveur de sa propre intuition, le premier devra en venir à reconnaître et à faire *valoir* qu'en s'y conformant, on arrive au bien-être, tandis que l'autre comportement conduit inévitablement à des désagréments individuels et sociaux. Cela prouve suffisamment que le relativisme de la morale spencérienne, différant par là de celui de quelques philosophes du siècle précédent, n'a pas en lui-même la valeur d'une incitation au scepticisme généralisé en matière d'éthique, de culture ou d'institutions : il y a un *optimum* de la conduite morale qui se réalise à travers l'accession au plus haut degré possible de développement et d'adaptation. Il n'y a pas d'équivalence morale entre la conduite du Figien et celle de l'homme civilisé, dans la mesure exacte où cette dernière est adaptée à un état

(81) *Ibid.*, p. 14.

(82) *Ibid.*, p. 16.

(83) *Ibid.*, p. 32.

supérieur de développement de l'organisation sociale, elle-même déterminée et déterminante, agissant et réagissant en de multiples sens sur les caractères dominants de l'intelligence et des mœurs, qui influent à leur tour sur elle. De ce fait, le relativisme évolutionniste consiste à affirmer qu'à chaque stade de développement correspond un stade lié du développement de la vie éthique. Le seul *absolu* en ce domaine, c'est, à l'horizon de la mutuelle adaptation des stades et des modifications héréditaires de la conduite produites par les expériences accumulées, l'idée d'une *perfection* éthique qui se définit encore en termes de cohésion et de fonctionnalité comme la complète adaptation des actes aux fins, conduisant nécessairement au plus grand bonheur. L'absolu s'est ainsi déplacé de l'origine vers la *fin*, et la *règle* est devenue immanente, qui rattache fondamentalement à la distinction des plaisirs et des peines celle, tant discutée, du bien et du mal, et le choix moral du bien à celui du plaisir.

D'après Spencer, les morales utilitaires se sont constituées sur la base de généralisations empiriques, mais elles se sont arrêtées en chemin : elles ne sont pas passées de l'utilitarisme inductif à l'utilitarisme déductif qui, du progrès de la vie et de ses conditions réelles, déduit les principes et les règles de la conduite à venir. Elles n'ont pas totalement perçu l'effectivité des relations nécessaires entre les causes et les effets, et de là ont négligé les conséquences ultimes rationnellement impliquées dans le déterminisme entièrement compris de la vie éthique. La constitution de la morale comme science dépend donc de l'englobement des généralisations empiriques dans une généralisation rationnelle, c'est-à-dire qu'elle doit subir la même transformation qui, d'une somme de réflexions incidentes et de faits bruts consignés par l'histoire, a fait la science nouvelle que Comte a nommée *sociologie*. En ce sens, la morale est le produit ultime de l'intégration du savoir, puisqu'elle survient en dernier lieu, et représente à la fois la clôture et le couronnement du système :

> "Il faut cependant que les sciences plus simples lui aient d'abord préparé la voie. La morale a un côté physique, puisqu'elle traite des activités humaines soumises, comme toutes les manifestations de l'énergie, à la loi de la conservation de la force : les principes moraux doivent donc être conformes aux nécessités physiques. Elle a aussi un côté biologique, car elle concerne certains effets, internes ou externes, individuels ou sociaux, des changements vitaux

> qui se produisent dans le type le plus élevé de l'animalité. Elle présente également un côté psychologique ; car elle s'occupe d'un ensemble d'actions inspirées par les sentiments et guidées par l'intelligence. Enfin, elle a encore un côté sociologique, car ces actions –quelques-unes directement et toutes indirectement– affectent des êtres réunis en société.
>
> Quelle est la conclusion ? Appartenant, par l'un de ces côtés, à des sciences diverses, physique, biologie, psychologie et sociologie, la morale ne peut être définitivement comprise qu'au moyen des vérités fondamentales communes à toutes ces sciences." (84).

Comme construction empirique, la morale est un produit de l'évolution. Comme construction rationnelle, elle est un produit des sciences logiquement antérieures à elle. Dans le passage de l'empirique au rationnel s'effectue donc aussi le passage du vécu inconscient des comportements moraux à la *conscience* de leur origine, de leur devenir et de leur fin. On en arrive ainsi à cette conclusion nécessaire, que la morale évolutionniste étant la seule à avoir fait reposer ses principes sur la théorie de l'évolution morale, elle représente, comme stade du développement de la morale elle-même, l'*accession à la conscience* –c'est-à-dire, d'une façon plus précise, l'accession à la conscience complète de la *causation* en matière de morale. Et cette conscience doit naturellement s'intégrer, du côté de l'existence, et en tant que fait d'évolution, dans le *vécu* de la morale.

La science morale comme généralisation rationnelle repose donc d'abord sur une généalogie de la morale empirique, et ouvre sur la déduction des principes de la morale future –déduction qui devra prendre en compte l'*irruption de la conscience causale* dans l'intelligence des faits et des motifs éthiques, ce qui doit impliquer du même coup la faculté d'infléchir la conduite individuelle et collective, et de la guider selon des intentions fondées sur la rationalité. Or Spencer ne peut guère éviter ce paradoxe qui consiste à faire intervenir la conscience pour la laisser en définitive à peu près sans emploi : "Or toujours et partout", écrit-il, "il se forme parmi les hommes une théorie conforme à leur pratique" (85). C'est ainsi par exemple que la nature sauvage produit la repré-

(84) *Ibid.*, p. 52.

(85) *Ibid.*, p. 83.

sentation d'une divinité sauvage sur laquelle se fonde la théorie d'un contrôle surnaturel suffisamment rigoureux pour réfréner les excès de la conduite individuelle. Dans la mesure où l'absence de conscience des vraies causes, les croyances et les fausses rationalisations ont toujours dominé les mentalités d'une façon parfaitement adaptative, que résultera-t-il de l'éclairage *conscient* que la théorie évolutionniste de la morale vient de jeter sur ses fondements et sur son histoire ? En toute rigueur, la théorie évolutionniste de la morale doit se penser elle-même comme le corrélat théorique de la pratique sociale de l'industrialisme –ce que d'ailleurs ne cesse de déclarer Spencer. Mais en même temps, elle rompt la conformité automatique entre pratique et théorie, puisque la conscience portée dans l'élucidation de la pratique, lorsqu'elle s'intègre à cette dernière, détermine nécessairement la perturbation d'un équilibre jusque-là adaptatif, c'est-à-dire inconscient. C'est pourquoi Spencer, combinant nécessité et liberté, se mettra en devoir de limiter la seconde à la possibilité qu'elle a, désormais, de comprendre, d'approuver, et même de hâter ou de favoriser l'éclosion de la première. C'est pourquoi il censurera et rejettera, comme je l'ai déjà montré, les formes de conscience qui refusent d'apporter, à ce qu'il considère comme l'évolution nécessaire de la société, leur coopération ou leur approbation – les formes de conscience interventionnistes de toute nature qui voudraient désauxiliariser la raison pour la rendre responsable du changement historique, et qui créent dans l'évolution le scandale de la rupture de l'ordre naturel.

Si l'on revient aux rapprochements physiques, il y a lieu de relever chez Spencer une analogie entre l'*équilibre mobile* atteint par l'organisme évolué et celui qui se dégage de la pondération de plus en plus hétérogène et définie des actions humaines, qu'elles soient ou non morales. La métaphore de la *statique*, déjà ancienne dans l'œuvre de Spencer, commune à l'évolutionnisme et au positivisme, mais aussi constamment sous-jacente chez Hobbes et dans la plupart des théories de l'Etat, révèle ici sa prégnance en débordant du domaine physique sur le domaine biologique où les fonctions organiques, dans leur ajustement aux activités requises par la complétude vitale, sont caractérisées comme une *balance* de fonctions (86). Or ce qui est vrai pour le règne organique en général peut cesser de l'être en partie pour l'homme, chez lequel, par suite

(86) *Ibid.*, p. 84.

d'un "changement de conditions d'une grandeur et d'une complexité inusitées", sensations et émotions ne dirigent plus la conduite d'une façon infailliblement adaptée : le plaisir devient ainsi source de peines, et certaines souffrances endurées peuvent au contraire se muer en plaisirs. D'où l'élaboration de systèmes de morale qui inversent les rapports naturels entre le plaisir et le bien, la souffrance et le mal. Mais ces théories erronées n'ont pour Spencer qu'une existence transitoire à laquelle est appelé à succéder, selon une loi quasi rythmique, le rétablissement de l'ordre :

> "Les théories morales caractérisées par ces erreurs de jugement sont produites par des formes de vie sociale correspondant à une constitution humaine imparfaitement adaptée, et sont appropriées à ces formes. Mais avec le progrès de l'adaptation, qui établit l'harmonie entre les facultés et les besoins, tous ces désordres, et les fautes de théorie qui en sont la conséquence, doivent diminuer, jusqu'à ce que, grâce à un complet ajustement de l'humanité à l'état social, on reconnaisse que les actions, pour être complètement bonnes, ne doivent pas seulement conduire à un bonheur futur, spécial et général, mais en outre être immédiatement agréables, et que la souffrance, non seulement éloignée mais prochaine, caractérise des actions mauvaises." (87)

Tout le système de Spencer, en tant qu'il concerne l'évolution de l'homme et de la société, peut être résumé dans cette phrase qui est le *credo* évolutionniste : *le progrès de l'adaptation établit l'harmonie entre les facultés et les besoins.* Auto-régulation, auto-équilibration, harmonie de la demande et de l'offre : la physique, la biologie et, plus discrètement, l'économie politique s'accordent à recommander une confiance attentive et attentiste dans l'évolution stabilisatrice. Reste cependant à rendre raison du sentiment coercitif de l'*obligation* morale. La psychologie sera alors convoquée pour reconstituer à son tour l'explication généalogique de cette donnée profondément intime du vécu éthique : le sentiment d'obligation qui se rattache à la moralité dérive en fait d'une triple sommation politico-légale, religieuse et sociale (rôle de l'opinion publique) d'assujettir la conduite à des règles –triple sommation qui détermine chez l'individu l'intuition très accusée d'une extériorité de la contrainte morale, c'est-à-dire d'une forme particulière

(87) *Ibid.*, p. 85.

de coercition s'exerçant de l'extérieur sur les actions et les dispositions intérieures du sujet social et psychologique. L'évolution psychologique qui accompagne l'évolution sociale vers une diminution de la contrainte tend alors nécessairement à révéler le caractère transitoire du sentiment du devoir ou de l'obligation morale. Le fait, affirmé par Spencer, que la moralisation des conduites elle-même travaille à l'exténuation du sentiment du devoir, cesse ainsi d'être un paradoxe : "Il est donc évident", écrit-il, "qu'avec une adaptation complète à l'état social, cet élément de la conscience sociale exprimé par le mot d'obligation disparaîtra. Les actions d'ordre élevé nécessaires pour le développement harmonieux de la vie seront aussi ordinaires et faciles que les actes inférieurs auxquels nous portent de simples désirs." (88) Ainsi, "Les plaisirs et les peines qui ont leur origine dans le sentiment moral, deviendront, comme les plaisirs et les peines physiques, des causes d'agir ou de ne pas agir si bien adaptées, dans leurs forces, aux besoins, que la conduite morale sera la conduite naturelle." (89) Le passage par la rationalité, après une phase intermédiaire de perturbations, réinscrit la conduite morale du côté d'une naturalité restaurée et enrichie. Ce qui s'établit à ce moment chez Spencer, c'est l'équivalence absolue de trois formulations également aptes à signifier la transformation adaptative heureusement subie par la vie éthique : *sécularisation, rationalisation* et *naturalisation de la morale.* On peut se demander cependant où Spencer a pu trouver le concept d'*adaptation complète.* Ce ne saurait être, évidemment, chez Darwin, et l'expression ne s'en trouve pas davantage chez Lamarck, bien que ce dernier crût, ainsi que le rappelle Darwin, "à une tendance innée et inévitable vers la perfection chez tous les êtres organisés" (90). Mais le degré de perfection d'un organisme est sans rapport nécessaire avec celui de son adaptation : en effet, "les conditions nécessaires à l'existence de la vie" peuvent se trouver "complètes dans l'organisation la moins composée" (91). Il est ainsi plus facile de juger de la complétude éventuelle de l'adaptation

(88) *Ibid.*, p. 111.

(89) *Ibid.*, p. 113.

(90) *L'origine des espèces*, p. 135.

(91) Lamarck, *Philosophie zoologique*, UGE, 10/18, *Avertissement*, p. 39.

de l'huître au rocher que de celle de l'homme, "où l'organisation, parvenue à son terme de composition et de perfectionnement, offre dans les causes des phénomènes de la vie, dans celles du sentiment, enfin dans celles des facultés dont il jouit, la plus grande complication, et où conséquemment il est le plus difficile de saisir la source de tant de phénomènes" (92). En outre, dans la mesure où, pour s'exprimer en termes lamarckiens, le changement dans les circonstances ne peut se voir fixer de terme, le progrès réajusteur de l'adaptation ne peut davantage se laisser assigner de fin. Au surplus, la logique darwinienne de la sélection naturelle est également, quant à l'adaptation des organismes, une logique de l'amélioration sans fin : "La sélection naturelle", écrit Darwin, "agit exclusivement par la conservation et l'accumulation des variations qui sont avantageuses à chaque être, dans les conditions organiques et inorganiques auxquelles il peut être exposé à chaque période successive de sa vie, et a pour résultat final une amélioration toujours croissante de l'être relativement à ces conditions " (93). L'adaptation complète comme état d'équilibre stable n'existe pas, car elle correspondrait, pour un être ou une espèce organique, chez Darwin, à la cessation des variations avantageuses, c'est-à-dire en fait au commencement de son déclin ou de sa défaite au sein de la lutte pour la vie devant d'autres individus ou d'autres espèces qui continueraient à varier avantageusement. Or c'est bien comme un état d'équilibre que Spencer se représente cette ininterprétable "adaptation complète" de l'homme à l'état social : l'idéal d'adaptation totale de l'homme à sa condition sociale est un idéal stabiliste –celui de "l'établissement définitif de l'équilibre" thématisé par les *Premiers principes* (94)– et qui en l'occurrence prendrait nécessairement la forme d'un "rétablissement d'équilibre mobile" après les désordres provoqués par les forces de moindre intensité qui résultent de la persistance, à l'intérieur du régime social de libre coopération, de certains éléments de contrainte issus de la période antérieure.

Cela toutefois n'empêche que tôt ou tard doive advenir la *dissolution* qui dérive des conditions universelles et imprévisibles de

(92) *Ibid., Discours préliminaire,* p. 51.

(93) *L'origine des espèces,* éd. cit., p. 134.

(94) Cf. *Premiers principes,* pp. 462-463.

rupture d'équilibre –les "forces incidentes" qui menacent tout agrégat stable. Aussi est-ce la théorie même de Spencer –qui est en fin de compte une théorie de la cyclicité des processus évolutifs et dissolvants, ou encore une théorie de la *rythmicité* des phénomènes– qui l'oblige réellement à ne jamais postuler l'existence d'un équilibre définitif. La durée de cette "adaptation complète" et idéale de l'homme moralisé à la socialité sera donc seulement fonction du degré de stabilité de l'agrégat social développé et ayant substitué un comportement devenu naturel aux tensions antérieurement suscitées par la régulation éthique. Mais non pas définitive ni éternelle. Du modèle biologique défaillant, Spencer est retourné presque insensiblement au modèle plus général qu'il avait, dès les *Premiers principes*, emprunté à la physique.

> "Ce principe dernier (*la persistance de la force*) peut servir à démontrer la tendance de tout organisme, dérangé par quelque influence insolite, à retourner à l'équilibre. C'est à lui qu'on peut aussi ramener le pouvoir que possèdent les individus, et plus encore les espèces, de s'adapter à des circonstances nouvelles. Une autre raison vient encore appuyer notre conclusion : c'est le progrès naturel vers l'harmonie, entre la nature mentale de l'homme et les conditions de son existence. Après avoir trouvé que l'on peut déduire de ce principe dernier les divers caractères de l'évolution, nous en tirons finalement une raison de croire que l'évolution ne peut se terminer que par l'établissement de la plus grande perfection et du bonheur le plus complet."

C'est là, en même temps, l'inscription du lamarckisme à l'intérieur de la physique générale, et son application à l'évolution des sociétés humaines.

Mais ce retour à la physique –ressourcement constant des analyses particulières dans le principe universel qui dicte la loi d'évolution–, on le comprend mieux en l'occurrence lorsque l'on aperçoit qu'il peut n'être en réalité qu'un retour –avec, comme de coutume, un aspect fragmentaire et des insuffisances logiques– au *mécanisme lamarckien*, auquel Spencer n'a jamais cessé de se référer implicitement. Tout ce qui a été développé jusqu'ici du système de Spencer quant à son versant bio-sociologique peut se ramener ultimement au principe de l'*adaptation aux circonstances* par le biais de la modification des habitudes : comme chez Lamarck, la clef du devenir est donnée chez Spencer par les notions de ré-ajustement adaptatif, de convenance restaurée entre les facultés et les besoins, de régulation instinctive ou inconsciente, de rétablissement d'équilibres vitaux, de corrélations fonctionnelles reconstituées après modification, de tendance à l'*harmonisation* entre l'individu et les conditions de son existence. Cela vaut pour tous les domaines qui sont ouverts à l'activité vitale de l'homme en société. Spencer dit chaque fois la même chose lorsqu'il déclare qu'à chaque époque les hommes produisent une théorie en harmonie avec leur pratique, un système de régulation politique en harmonie avec le type de société qu'ils ont atteint, un code de conduite et de pénalité en harmonie avec les exigences de l'état social qui est le leur, ou un ensemble de croyances et d'obligations s'accordant avec les conditions objectives (pour l'historien évolutionniste) d'accomplissement de chaque âge de l'évolution sociale, morale et psychologique. Le changement dans les conditions détermine comme chez Lamarck le développement de nouveaux comportements tendant à restaurer l'équilibre un moment rompu entre l'individu et le milieu, et toute la *Sociologie* ne fait que redire à travers ce thème organisateur la fidélité –qu'avait parfaitement exprimée les *Principes de biologie* (95)– de Spencer à Lamarck. Et c'est là, semble-t-il, que s'articule, sur fond de lamarckisme, la référence darwinienne : seuls survivent en effet les individus ou les sociétés les plus aptes –c'est-à-dire non les mieux adaptés, mais, du fait de cette étrange synthèse des deux théories, les plus adaptables–, et sur ce point les deux références principales de Spencer en matière d'histoire naturelle s'enchevêtrent sans toutefois parvenir à produire la problématique de leur combinaison, et la question de sa légitimité. Car lorsque Lamarck parle de changement survenu dans les "circonstances" ou dans les "conditions", il attribue le plus souvent ce changement à des causes accidentelles déterminant dans le milieu un bouleversement lent ou brusque. L'adaptation, bien qu'elle soit médiatisée par la faculté que détient le vivant de fournir des réponses comportementales, physiologiques et anatomiques à ce changement de cadre, reste néanmoins un *effet* de la

(95) Cf. en particulier le chapitre intitulé *Variation*, où Darwin est plusieurs fois nommé, mais qui n'est en fait, à quelques détails près, que l'exhibition de la concordance de la théorie lamarckienne de l'adaptation avec le principe général mécanique de tendance au rétablissement des équilibres mobiles.

variation imprévisible de ce dernier. Chez Darwin, qui reconnaît dans *La descendance de l'homme* avoir longtemps sous-évalué l'importance de l'influence du milieu, la *variation imprévisible* se situe *à l'intérieur de l'organisme* lui-même, et procède d'un déterminisme tout aussi obscur : "Jusqu'ici", écrit Darwin au début du chapitre V de *L'origine des espèces (Lois de la variation),* "il m'est arrivé quelquefois de parler comme si les variations, si communes et si multiformes chez les êtres organiques soumis à la domestication, et à un degré moindre chez ceux qui sont restés à l'état de nature, étaient dues au hasard. Cette manière de parler est tout à fait inexacte, mais elle a au moins l'avantage d'avouer loyalement notre ignorance des causes de chacune de ces variations en particulier." (96) Ce passage, cité par Spencer, ne doit pas faire oublier que pour Darwin, "dans tous les cas, deux facteurs sont en présence, la nature de l'organisme, *de beaucoup le plus important des deux,* et celle des conditions elles-mêmes" (97) (Nous soulignons). Dans la représentation darwinienne, la *variation spontanée,* qui ne peut encore dévoiler la série exacte et précisément hiérarchisée de ses causes, prend sa source principale dans l'organisme, lequel se prête à la modification d'une façon qui peut être à la limite indépendante des transformations du milieu : ce qui fait que Darwin, lorsqu'il parle, à propos des organismes, de variations spontanées et fortuites –avec toutes les réserves déjà faites sur cet article–, pense rarement qu'elles sont déterminées par une modification brutale du milieu ou des "conditions d'existence". Chez Lamarck, les transformations organiques suivent les transformations du milieu comme une conséquence adaptative. Chez Darwin, les variations spontanées peuvent survenir dans un cadre de vie qui reste en équilibre, et se trouver, dans ce cadre, être "avantageuses" ou non, modifiant ainsi le milieu sans bouleversement brusque, et dans la seule mesure où leur propre variation inscrit des corrélations nouvelles dans la grande combinatoire écologique de la lutte pour l'existence. Spencer, lui, tente, par un geste qui indique d'une certaine façon la contamination inconsciente de la théorie par l'objet qu'elle privilégie, d'*adapter* la thèse darwinienne au contexte lamarckien de l'adaptation. C'est dans cette perspective plus ou

(96) Passage retranscrit par Spencer dans *Principes de biologie,* t. 1., p. 321. Dans notre édition, p. 153.

(97) *L'origine des espèces, ibidem.*

moins clairement perçue qu'il fait remonter aux principes généraux de la physique l'étiologie de la variation : on peut, dit-il, assigner une cause définie à ces variations d'apparence spontanée : c'est le principe physique de l'instabilité de l'homogène. Dès le premier moment de la génération, on ne peut que constater la nécessité de différences initiales insensibles, puisque les cellules germinatives ou spermatiques qui se détachent d'un même parent ne sauraient être exactement identiques entre elles, se trouvant exposées diversement à l'action des forces incidentes. Cette diversité initiale doit nécessairement aboutir, dans le cours de l'évolution, à une multiplication des différences. De même, entre les différentes fécondations, la différence quantitative de la contribution physiologique de chaque parent (98) doit entraîner une différence au niveau des rejetons. La *ségrégation* s'opérera entre les unités physiologiques de chaque parent et l'on aboutira non pas à une moyenne homogène, mais à un mélange de traits constitutionnels se rattachant les uns au type de l'un des parents, les autres au type de l'autre. Enfin, l'ascendance, elle-même dissemblable, des parents détermine au départ des variations quantitatives et qualitatives dans les cellules germinatives ou spermatiques de tout organisme. Cette accumulation ségrégative des différences au fil des générations suit donc la voie d'une intégration et d'une différenciation qui accusent chaque fois un peu plus les dissemblances individuelles :

> "Les inégalités une fois établies entre ces cellules doivent tendre toujours à se prononcer davantage ; puisque partout où des unités d'un ordre donné ont commencé à se séparer, le cours de la différenciation et de l'intégration tend à les séparer de plus en plus. Ainsi donc, tout germe fécondé contient non seulement des *quantités* différentes des deux influences des parents, mais il doit contenir des influences d'*espèces* différentes, tel germe portant le cachet d'un ancêtre maternel ou paternel, et tel autre celui d'un autre ancêtre.
>
> Voilà la clef des variations multipliées, et dans quelques cas des variations extrêmes, qui se produisent dans les races qui ont commencé à varier. Parmi d'innombrables combinaisons différentes d'unités dérivées des parents, et par eux d'ancêtres immédiats ou éloignés, parmi les divers antagonismes de leurs propriétés polaires

(98) Spencer parle à ce moment, d'une façon très abstraite, d' "unités physiologiques". Cf. *Principes de biologie,* p. 326.

> légèrement différentes, opposées ou concordantes entre elles de toutes les manières et à tous les degrés, il se produira de temps en temps des proportions spéciales causant des déviations spéciales. D'après la loi générale des probabilités, on peut conclure que, si les influences compliquées dérivées d'un grand nombre d'ancêtres, doivent, la plupart du temps, se masquer ou se neutraliser mutuellement en partie, il doit en résulter de temps en temps des combinaisons de nature à produire des écarts très marqués." (99)

Or même si l'on suppose des circonstances fixes et identiques, les membres d'une espèce ne seront pas identiquement affectés, parce qu'il n'existe pas entre eux d'uniformité absolue : donc *la variation spontanée existe bien indépendamment de l'influence différenciatrice du milieu,* en raison de motifs constitutionnels premiers. Et Spencer, pour avoir accordé cela, sans le déclarer ouvertement, au darwinisme, va ensuite revenir à Lamarck et à la conception des changements brusques du milieu pour accréditer la théorie inverse de la dépendance des variations par rapport aux modifications des circonstances :

> "Le froid plus intense du climat où une espèce a émigré, peut être cause qu'un individu consommera une plus grande quantité de nourriture pour compenser la perte de chaleur qu'il subit, tandis qu'un autre individu satisfera la même exigence en se couvrant d'un pelage plus épais. Il peut se faire aussi qu'en présence des nouvelles substances alimentaires fournies par la nouvelle région, un simple accident détermine un membre de l'espèce à commencer par une espèce de substance, et un autre membre par une autre. Cet accident peut donner naissance à de nouvelles habitudes chez chacun de ces membres et chez leurs descendants. Or, quand les divergences fonctionnelles ainsi inaugurées dans plusieurs familles d'une espèce ont duré assez longtemps pour affecter profondément leur constitution et pour modifier un peu les unités détachées dans leurs cellules reproductrices, la divergence que ces unités produiront dans le rejeton seront de divers genres. L'homogénéité originelle de constitution une fois détruite, la variation peut continuer avec une facilité croissante. Il se produira comme résultat un mélange hétérogène de modifications de structures, causées par des modifications de fonction et des modifications corrélatives encore plus

(99) *Principes de biologie,* p. 326.

> nombreuses dues à la même cause. Grâce à la sélection naturelle des formes les plus divergentes, la dissemblance des parents deviendra plus marquée, et les limites de la variation plus étendues, jusqu'à ce qu'à la longue les divergences de constitution et de manières de vivre deviennent assez grandes pour amener la ségrégation des variétés." (100)

Changement brusque de conditions, influence des conditions nouvelles sur la vie des êtres organiques, production chez ces derniers de nouvelles habitudes, modifications fonctionnelles entraînant des modifications de structure, transmission héréditaire des habitudes acquises, tous ces éléments constitutifs du transformisme lamarckien, après avoir été réinstallés dans la grande logique déductive du mécanisme universel, sont associés sans autre forme de transition aux concepts darwiniens de sélection naturelle et de ségrégation progressive des variétés. Malgré l'effort de conciliation de Spencer, qui tente de faire de l'étiologie lamarckienne de la variation –à base de mécanisme, d'adaptation, d'hérédité et d'accentuation des divergences– l'antécédent de la variation spontanée de Darwin, les deux points de vue théoriques sur cet objet essentiel à tout transformisme restent juxtaposés sans que puisse s'établir entre eux l'esquisse véritable d'une combinaison légitime. En fait, pour juger de la compatibilité ou de l'incompatibilité du discours de Darwin et de celui de Lamarck au sujet de la variation, il faudrait se livrer à une étude systématique dont la longueur et les nuances seraient ici un obstacle à la saisie de ses conclusions : on se contentera donc ici d'en indiquer brièvement les résultats volontairement réduits à un schéma simple.

Il suffit de lire Lamarck pour apprendre que les variations sont déterminées par une pression adaptative exercée par des *circonstances* qui peuvent évoluer avec une extrême lenteur (les changements climatiques, par exemple), ou d'une façon brusque (accidents divers tenant au milieu physique ou même au hasard de circonstances proprement humaines, ou encore changement de cadre résultant d'une migration). Or Darwin, il est vrai, ne nie pas le fait de l'adaptation aux circonstances, et même accepte dans une certaine mesure qu'elle puisse avoir parfois des effets héréditaires : "Quelques auteurs", dit-il, "emploient le terme "variation" dans un sens technique et comme impliquant une modification due

(100) *Ibid.*, p. 328.

directement aux conditions physiques de la vie, et, dans ce sens, les variations ne sont pas supposées être héréditaires : mais, qui peut dire que le rapetissement des mollusques des eaux saumâtres de la Baltique, ou celui des plantes des sommets des Alpes, ou l'épaisseur de la fourrure d'un animal arctique, ne soient pas héréditaires pendant quelques générations au moins ?" (101). Mais ce n'est pas là l'essentiel du propos de Darwin. Pour lui, la première évidence –qui est une évidence d'observation– est celle de la variation *subite* des individus sous l'influence de la domestication ou dans leur milieu naturel, variation qui permet dans le premier cas aux éleveurs de se livrer à leur travail sélectif, et dont l'hérédité, à quelque degré que l'on remonte, "ne peut rendre compte" (102). Darwin reconnaît que l' "on peut mettre en doute que les déviations de structure, aussi subites et aussi prononcées que celles que nous observons dans nos productions domestiques, les plantes surtout, puissent se propager d'une manière permanente à l'état de nature" (103). Mais ce doute se résorbe si l'on admet pour cela "un concours de circonstances favorables très exceptionnel" (104). Donc la variation se conserve héréditairement par sélection, si elle est avantageuse. Cela toutefois n'explique pas le premier surgissement de la variation subite elle-même, et c'est pourquoi Darwin a recours à l'invocation du hasard, qui symbolise, comme on l'a déjà dit, l'opération intra-organique d'un déterminisme complexe et non encore élucidé. Cette zone d'ombre dans l'étiologie de la variation, c'est, chez Darwin, ce que viendra éclairer plus tard la génétique.

On peut donc dire en toute certitude que le facteur premier de la variation se localise chez Darwin dans l'organisme lui-même : pour Darwin, c'est l'organisme qui est le plus déterminant, alors que pour Lamarck, c'est l'organisme qui est en quelque sorte le plus déterminé. Et quoi que l'on fasse pour penser en termes d'accumulation des dissemblances la production finale d'une variation marquée, celle-ci ne sera en fait, à terme, qu'une variété qui se sera

(101) *L'origine des espèces*, p. 55.

(102) *Ibid.*, p. 23.

(103) *Ibid.*, p. 55.

(104) *Ibid.*, p. 56.

constituée progressivement sans pouvoir rendre compte du mystère de l'irruption *subite*, entre un couple de géniteurs et sa descendance, de la variation première à laquelle elle doit d'exister. Et ce n'est pas le recours spencérien aux avatars des agrégats physiques qui permettra de mieux concilier ces deux points de vue : malgré l'effort qu'il dépense pour réinsérer le darwinisme dans le mécanisme lamarckien de l'adaptation progressive et de l'hérédité d'ailleurs admise par Darwin– des habitudes acquises, Spencer demeure dans une logique de la variation lente et graduelle ou de la variation liée à un changement des circonstances, et ne se place nullement, malgré son recours à la variabilité indéfinie des agrégats physiques, devant le fait *biologique* de la variation *subite* et "spontanée".

Ainsi, au lieu de remarquer et de traiter l'aporie qui résulte du heurt des points de vue lamarckien et darwinien, Spencer feint de combiner leurs éléments théoriques en les *juxtaposant.*

Le point obscur de la théorie darwinienne de la variation coïncide, on l'a dit, avec l'ignorance des principes de la génétique. Or d'une façon caractéristique de la hâte totalisatrice qui est celle de tout système philosophique de la science, Spencer substitue sa philosophie à la science non encore advenue. Et cette philosophie substitutive, qui se donne pour apte à combler cette lacune majeure de la science biologique, se constitue en fait d'un renvoi au vieux *mécanisme* qui servait déjà de cadre aux hypothèses de Lamarck. Ici, paradoxalement, l'on aperçoit que ce qui est *scientifique* chez Darwin, c'est précisément la désignation de l'origine et des causes de la variation "spontanée" comme zone d'ombre, comme *non-su actuel* de la science biologique. Ce qui est un mystère actuel pour la science reste, dans le discours de la science, un mystère actuel. L'idéologie, elle, dispose toujours des explications –et ces explications, lorsqu'elles interviennent, *ont toujours déjà servi.*

On semble ici s'être beaucoup éloigné de l'éthique. Cependant il n'en est rien. Car les deux analyses qui précèdent –celle de la contradiction interne de l'analogie organiciste, et celle de l'incompatibilité non réduite des points de vue lamarckien et darwinien sur la variation– ont pour conséquence de ruiner les fondements biologiques sur lesquels Spencer établit sa doctrine sociologique et les bases mêmes de sa morale. On peut voir ainsi comment Spencer juxtapose lamarckisme et darwinisme *parce qu'il a besoin,* pour légitimer sa théorie évolutionnaire des sociétés, des harmonies mécaniques de Lamarck, et *parce qu'il a besoin,* pour fonder sa théorie de la prééminence sociale des plus "méritants", de la sélection naturelle telle qu'elle est décrite par Darwin dans la période d'évolution qui précède le stade de la civilisation. Fragmentation, juxtaposition, collage : le travail de l'idéologie emprunte au nouveau ce qui est compatible avec l'ancien et fait taire les divergences. Sur de telles bases, de même qu'il ne pouvait y avoir de *science* sociale, on ne pourra pas davantage voir s'édifier une *science* morale.

Les fins organiques de l'altruisme

La morale de Spencer est fondée sur la prééminence –qui est la conséquence et le reflet d'une primordialité– du maintien du principe vital. C'est une "vérité évidente par elle-même" (105) que les actes qui concourent au maintien de la vie ont le pas sur les autres actes de l'existence. L'altruisme est donc second par rapport à un égoïsme biologique fondateur et, quelle que doive être ensuite sa problématique, il n'existe, forme dérivée, qu'à l'intérieur d'une dépendance première et primordialement univoque par rapport à ce qui sert à la conservation de la vie individuelle : dans cette relation, l'égoïsme est le seul terme conditionnant. Le défaut d'égoïsme, sanctionné par la mort, rend impraticable l'altruisme. Le biologique est, ici encore, à l'origine et au fondement. Dans l'univers vivant, les supériorités innées, avantageuses, se transmettent régulièrement à la descendance, et il en est de même pour les supériorités acquises, fruits d'un usage accru de certaines fonctions. Spencer, on le constate une nouvelle fois, joue ici sur le double clavier du darwinisme et du lamarckisme. L'adhésion à la doctrine de l'évolution entraîne donc nécessairement la reconnaissance de l'*égoïsme* comme *principe* de la vie morale :

> "Comme nous l'avons déjà dit, la loi d'après laquelle chaque être doit recueillir les avantages et les inconvénients de sa propre nature, qu'ils soient hérités des ancêtres ou qu'ils soient dus à des modifications spontanées, est la loi sous laquelle la vie s'est développée jusqu'à ce jour, et elle doit subsister, quelque doive être le terme de l'évolution de la vie. Quelques modifications que ce cours naturel d'action puisse subir maintenant ou dans la suite, ce sont

(105) *Les bases de la morale évolutionniste*, p. 161.

> des modifications qui ne peuvent, sous peine d'un résultat fatal, le changer beaucoup. Tous les arrangements qui empêchent à un haut degré la supériorité de profiter des avantages de la supériorité, ou qui protègent l'infériorité contre les maux qu'elle produit ; tous les arrangements qui tendent à supprimer toute différence entre le supérieur et l'inférieur, sont des arrangements diamétralement opposés au progrès de l'organisation et à l'avènement d'une vie plus haute." (106)

Mais ceux que l'intelligence de l'évolution portera à approuver cette proposition biologique n'en reconnaîtront sans doute pas, note Spencer, la conséquence morale. Or cette reconnaissance est pourtant nécessaire pour qui admet le primat du biologique. Le heurt de la morale et de la biologie doit donc, à terme, produire le concept de l'*inversion* qui existe entre les *lois* de celle-ci et les *commandements* de celle-là, et surtout en démonter l'opération illusionnante : c'est à Freud, comme je l'ai dit plus haut, dont on connaît le lien avec le versant anthropologique de l'évolutionnisme, qu'il devait échoir de produire, à travers la théorie des phénomènes d'identification et de *sublimation,* ce concept et cette explication. Sans parvenir à ce résultat, l'eudémonisme moral de Spencer, attaché à restaurer, au-delà des illusions dogmatiques et de la fausse transcendance du sentiment de l'obligation, l'union fonctionnelle, organique, de la biologie et de la morale, se doit donc logiquement d'établir que le plus grand bonheur –horizon de cette dernière– sera nécessairement la conséquence de l'harmonie idéale qui résulte du plus grand développement bio-sociologique de l'homme. Dans le règne animal, l'hérédité des caractères d'adaptation ou d'inadaptation innés ou acquis se combine avec la sélection naturelle pour produire la survivance des plus aptes et l'amélioration indéfinie de l'espèce : telle est la loi qui, pour Spencer, "tend toujours à accroître le bonheur général de l'espèce, en favorisant la multiplication des plus heureux, en empêchant celle des moins heureux" (107). Or "tout cela", déclare-t-il, "est vrai des êtres humains comme des autres êtres" (108). La réduction biologiste s'opère dans cette phrase-clé, où l'on peut identifier la formule même autour de la-

(106) *Ibid.*, pp. 162-163.

(107) *Ibid.*, p. 164.

(108) *Ibidem.*

quelle s'articule le rapport complexe de la science transformiste et de l'idéologie de l'évolution. Le propre du transformisme est bien sûr de s'inscrire polémiquement contre l'histoire théologique de la nature en affirmant un principe de continuité entre l'animal et l'homme. La biologie darwinienne parle ainsi, entre leurs traits respectifs, de différences de *degré* et non de *nature*. Et certes, dans le contexte d'idéologies scientifiques hérité du siècle précédent, le *degré* évoque l'échelle des êtres et son gravissement régulier, l'étagement hiérarchique des formes organiques, le *non facit saltum* d'une nature nuancée à l'infini, la continuité de la chaîne ou, ce qui revient à peu près au même, sa différenciation graduelle et insensible. Considéré d'un strict point de vue biologique, le transformisme énonce bien une exigence de continuité, de non-rupture entre les formes qui peut apparaître de l'extérieur comme la transposition dans la durée du motif esthético-métaphysique de la gradation insensible et indéfiniment nuancée des formes vivantes dans les théories de ses faux précurseurs. Ces théories tenaient cependant à une rupture essentielle, qui était constituée par la nature spirituelle de l'homme, laquelle sera inscrite par Darwin dans la continuité du développement biologique. Mais le transformisme darwinien énonce aussi une double exigence de *rupture*. S'arrêter, dans la lecture de Darwin, au principe de continuité, c'est refuser ce qui fait du darwinisme autre chose et plus qu'une théorie de la gradation des formes organiques selon leur niveau de complexité, voire de "perfection" fonctionnelle. C'est éliminer le fait de la *variation spontanée* –qui existe fondamentalement en dépit de son étiologie momentanément indéchiffrable–, et c'est éliminer aussi, dans l'histoire naturelle de l'homme social, l'*effet réversif* de la sélection naturelle, si nettement décrit en 1871. C'est en fait le réduire à ce qui en lui n'excède pas les positions lamarckiennes. La *rupture* darwinienne elle-même s'effectue précisément sur le mode d'une double thématisation de la *discontinuité* : discontinuité primordiale dans la variation imprévisible des organismes, discontinuité finale dans l'éclatement et le retournement interne de la sélection naturelle à l'intérieur de l'état de civilisation. En outre, Spencer émet une proposition anti-darwinienne lorsqu'il déclare que les modifications actuelles et futures du processus sélectif ne pourront, sous peine de catastrophe, "le changer beaucoup". Il évacue purement et simplement tout ce qu'établit Darwin à propos de la perte d'efficace de la sélection biologique, et de la suppléance exercée alors par ce que j'ai nommé les *technologies de compensation,* qui tendent à réduire de plus en plus les causes de dégénérescence physique et de malheur dont sont porteurs les individus les moins favorisés. Une morale assimilative et tendanciellement égalitariste se profile chez Darwin comme l'horizon de l'état de civilisation en tant qu'il est fondé sur le développement des instincts sociaux et l'universalisation du sentiment corrélatif de la *sympathie.* Ainsi, en n'étant qu'une pure combinaison d'instinct et de rationalité, la morale de Darwin atteint autrement et plus rapidement que celle de Spencer l'objectif que cette dernière s'est fixé : celui de produire la formule d'une morale immanente, rationnelle, fruit de l'évolution biologique et coïncidant pour une grande part, de ce fait, avec ce que les morales "transcendantes" avaient élaboré comme système de recommandations pratiques. La morale de Darwin atteint directement l'altruisme comme l'effet pour ainsi dire inconscient de l'évolution instinctuelle et psychologique, tandis que la rationalité s'applique sans calcul d'intérêt à répondre aux requêtes nouvelles qui en découlent. Chez Spencer, l'altruisme devient rationnel, c'est-à-dire qu'il ne se donne plus directement comme effet de nature, mais comme calcul réflexif, médiation consciente de l'intérêt en vue de l'amélioration du bien-être organique de la collectivité, que l'on sait maintenant fondé, à la fin comme au commencement, sur celui de l'individu. *L'altruisme rationnel commence et finit par un égoïsme rationnel :* "Car si", écrit-il, "la santé, la force et la capacité sont habituellement transmises, si la maladie, la faiblesse et la stupidité reparaissent généralement chez les descendants, alors un altruisme rationnel exige que l'on s'applique à cet égoïsme qui consiste à se procurer les satisfactions dont la conservation du corps et de l'esprit dans le meilleur état possible est accompagnée. La conséquence nécessaire est que le bonheur de nos descendants sera le fruit du soin que chacun prendra de sa personne dans des limites légitimes, tandis que l'oubli de ce soin poussé trop loin sera une source de maux." (109)

La subordination de l'égoïsme est donc dans cette mesure illégitime, et le mode de justification de cette proposition pourrait surpendre, car il fait rentrer en compte, du côté des fins, un altruisme qui n'a pas encore véritablement produit sa raison d'être dans le système : en effet, si l'égoïsme est le premier mot (en tant que spontané) et le dernier mot (en tant que rationnel) du système éthique de Spencer, la mention de l'*altruisme comme fin proposée à*

(109) *Ibid.,* p. 165.

l'activité peut sembler être ici une concession illogique aux morales classiques : "L'individu qui a le degré d'égoïsme voulu, garde les facultés qui rendent possibles les activités altruistes" (110).

Mais si ces activités altruistes ne sont que le relais de l'égoïsme qui est le fondement et la fin de la morale, elles sont donc elles-mêmes dans une position de subordination qui interdit précisément qu'elles soient proposées comme *fins.* Or Spencer, poussant à son terme la logique de la sélection, présente cependant l'altruisme comme un produit noble de l'évolution et envisage comme un mal l'extinction tendancielle qui le frapperait en cas de subordination excessive de l'égoïsme :

> "Lorsque les prétentions égoïstes sont subordonnées aux prétentions altruistes au point de produire un dommage physique, il se manifeste une tendance à diminuer le nombre des altruistes et à faire prédominer les égoïstes. Poussé à l'extrême, le sacrifice de soi-même au profit des autres peut faire que l'on meure avant l'époque ordinaire du mariage ; il peut quelquefois aussi détourner du mariage, comme cela arrive pour les sœurs de charité ; il a pour résultat, d'autres fois, une mauvaise santé ou la perte de l'attrait qui porte au mariage, ou empêche de se procurer les moyens pécuniaires de se marier, et, dans ces différents cas, celui qui s'est montré altruiste de cette manière excessive ne laisse pas de descendants. Lorsque la subordination du bien-être personnel au bien-être des autres n'a pas été portée au point d'empêcher le mariage, il arrive encore assez ordinairement que l'altération physique résultant de plusieurs années de négligence amène la stérilité ; d'où suit que l'homme du naturel le plus altruiste ne laisse pas de postérité douée du même naturel. Dans des cas moins frappants et plus nombreux, l'affaiblissement ainsi produit se manifeste par la procréation d'enfants relativement faibles ; les uns meurent de bonne heure ; les autres sont moins capables que ce n'est l'usage, de transmettre aux générations futures le type paternel. Il en résulte inévitablement que l'adoucissement de l'égoïsme, qui se serait sans cela produit dans la nature humaine, est empêché. Ce mépris de soi-même, en même temps qu'il affaiblit la vigueur corporelle et abaisse le niveau normal, cause nécessairement dans la société un excès du soin de soi-même qui le contrebalance." (111)

(110) *Ibid.*, p. 167.

(111) *Ibid.*, pp. 169-170.

L'altruisme est donc une manifestation positive de l'évolution, en tant qu' "adoucissement de l'égoïsme". Ce texte établit en effet la positivité des comportements altruistes, mais aussi que cette positivité se renverse en négativité si son impulsion est *excessive*. Dialectiquement, l'altruisme hypertrophié conduit par son auto-élimination à un renforcement de l'égoïsme, qui de même, bien qu'originairement positif, se convertit en force négative lors de son passage à l'*excès*. Le modèle appliqué ici par Spencer est encore un modèle d'équilibre fondé sur l'intercompensation des forces –et l'on vient de voir comment ce modèle intègre en lui-même la théorie biologique de la sélection. La société industrielle de coopération volontaire est donc fondée sur un équilibre entre l'égoïsme et l'altruisme, équilibre dont l'expression éthique apparaît ici sous les modalités d'un calcul rationnel de stabilisation, et d'une causalité circulaire entre l'égoïsme raisonnable et l'altruisme raisonnable, l'un enrichissant la sphère de l'autre et réciproquement : c'est ainsi que ce cercle se transforme en fait en *spirale* évolutive, pour peu que l'on prenne garde à ce qui s'y implique de différenciations et d'améliorations : le *progrès* se fait de l'égoïsme –point de départ biologique– vers l'altruisme –point d'arrivée sociologique–, mais c'est dans la mesure où ce dernier par cette voie devra produire le plus grand bonheur individuel, c'est-à-dire les plus grandes satisfactions *égoïstes*, aptes à servir à leur tour à la relance d'un altruisme éclairé, qui aura du côté des satisfactions individuelles des effets indéfiniment amplificateurs. On retrouve ici, au sein d'une belle cohérence, toutes les conséquences non destructives –intégration/différenciation, multiplication des effets, rythmicité, équilibre mobile– du principe premier de la persistance de la force.

Cet équilibre mobile est donc en fait orienté vers la polarité individuelle, qui a été définie par la sociologie spencérienne comme le seul centre réel d'appréciation du bonheur. L'altruisme est donc moins un but qu'une fonction, moins une finalité naturelle ou morale qu'un instrument à la fois organique et rationnel, le *moyen* d'une éthique construite selon la formule d'un impératif hypothétique. En ce sens, la clé de la morale évolutionniste est à chercher du côté de l'activité rationnelle de la *justice* plutôt que du côté de la sympathie instinctive ou de la "bonté". Les notions de "sympathie"et d' "instincts sociaux", telles qu'on les rencontre parfois chez Spencer, n'ont ni la densité ni la portée de leurs originaux darwiniens. Les modèles réellement opérants, par-delà de superficiels emprunts de termes, restent pour Spencer, du côté de Darwin, le thème isolé et fragmenté de la sélection naturelle dans la sphère pré-civilisationnelle, et, du côté de Hobbes, la préservation égoïste de la vie individuelle à travers le respect convenu de la justice des pactes.

Ainsi, le primat de l'égoïsme dans la régulation *réelle* de la vie éthique repose sur son antériorité biologique et sur sa finalité sociologique. Cause initiale et finale de la moralisation, il disparaît cependant du discours des morales intuitionnistes. La tendance altruiste telle qu'elle est mise en scène par ces morales reposerait donc, pour Spencer, sur l'oubli de ses motivations antérieures et finales –de même que l'oubli des motivations conduisit, dans un autre champ, à croire à la sacralité des hiéroglyphes– ; elle reposerait sur l'effacement de sa double détermination égoïste, et sur son propre recouvrement comme *médiation utile.* C'est ainsi l'illusion d'immédiateté qui fonde la croyance de l'intuitionnisme courant : "En un mot", dit Spencer, "ce qui a été établi plus haut comme la croyance à laquelle nous conduit la morale scientifique, est celle que les hommes professent réellement en opposition à celle qu'ils croient professer" (112). Cet effet d'illusion, il sera aisé dès lors de le rapporter comme à sa cause à l'impérativité de l'obligation extérieure convertie en sentiment de contrainte intérieure avec "effet de transcendance" : en d'autres termes, au *surmoi moral* dans lequel Freud, avec des armes dont ne disposait pas Spencer, reconnaîtra justement l'intériorisation de l'instance régulante.

En ce point de l'analyse, Spencer, si l'on tient compte de tout ce qui précède et de l'acquis préalable de sa sociologie, est parvenu à une double conclusion :

– d'une part, l'égoïsme est dans l'humanité "la règle générale", ce qui signifie plus précisément qu'il est le fondement et la fin des comportements moraux, lesquels renferment, selon une certaine loi de dosage et d'équilibration, les comportements altruistes ;

– d'autre part, l' "adoucissement de l'égoïsme" –c'est-à-dire, nécessairement, puisqu'il s'agit d'équilibres compensatoires, le renforcement de l'altruisme– est paradoxalement le *signe* de l'évolution positive de l'humanité.

L'égoïsme et l'altruisme sont donc co-essentiels dans la constitution et le maintien de l'équilibre mobile qui est l'horizon de l'évolution humaine, et dans le processus de cette évolution elle-même. Mais le point de vue biologique implique que l'on dépasse

(112) *Ibid.*, pp. 171-172.

vers l'avant les simples données de l'histoire anthropologique. Il apparaît alors que l'altruisme peut prétendre à une originarité capable de le soustraire à ce qui semble le cantonner, au sein de l'humanité considérée aux stades ultimes de son devenir, dans une position dérivée, seconde –ou secondaire. L'altruisme est lui aussi un comportement originaire, car il est une loi biogénétique. Dans les types inférieurs de l'animalité, la reproduction par division spontanée ou par éclatement total du corps en cellules germinatives, est la marque d'un altruisme biologique dont la manifestation est absolument primitive. Or l'évolution ascendante des organismes permet de suivre un mouvement parallèle de récession de l'altruisme biologique au sein des formes plus élevées : à mesure que l'on gravit l'échelle de complexité croissante des êtres biologiques, il s'impose de constater l'amoindrissement du sacrifice vital et le maintien de plus en plus accusé de l'intégrité physique de l'individu dans l'acte procréateur –quoiqu'il y ait toujours, y compris chez l'homme, une partie sacrifiée.

Quelle conclusion –provisoire– peut-on en tirer ? D'abord, avec Spencer, il faut reconnaître que "le sacrifice de soi n'est donc pas moins primordial que la conservation de soi", à cela près que l'existence continue d'apparaître à l'évidence comme la condition antérieure de toute reproduction. Mais on aperçoit ensuite que du point de vue de l'évolution des formes organiques, la marche suivie par la nature est celle qui conduit, sur le plan strictement biologique, d'un altruisme total à un altruisme infinitésimal. Le monde organique évolue donc de ce point de vue d'une façon *contraire* au mouvement de croissance des attitudes altruistes que l'on constate au cours de l'évolution humaine. Il n'est, bien entendu, pas question pour Spencer d'*aboutir* à cette simple conclusion. Il faudra continuer à gravir l'échelle des créatures organiques pour voir comment cette contradiction se résorbe à travers le jeu de l'activité croissante et *compensatoire* de la *conscience* qui s'affirme graduellement et substitutivement dans l'acte altruiste :

> "Mais, laissant ces types inférieurs, dans lesquels l'altruisme est purement physique, ou dans lesquels il est seulement physique et automatiquement psychique, élevons-nous à l'étude de ceux dans lesquels il est aussi conscient à un haut degré. Bien que chez les oiseaux et les mammifères, de telles activités des parents, guidées comme elles le sont par l'instinct, ne soient accompagnées d'aucune représentation, ou seulement d'une représentation vague des avantages

> qui en résultent pour les jeunes, elles comportent cependant des actions que nous pouvons regarder comme altruistes dans le sens le plus élevé du mot. L'agitation que ces êtres manifestent lorsque leurs petits sont en danger, jointe souvent à des efforts pour leur venir en aide, aussi bien que la douleur qu'ils laissent paraître s'ils les ont perdus, prouve bien qu'en eux l'altruisme paternel a pour concomitant une émotion." (113)

Là encore, jusqu'à l'homme, pas de rupture, malgré l'extraordinaire changement qualitatif qui résulte de la production de conscience. Ce qui change *physiquement* entre l'altruisme biologique des origines et l'altruisme qui accompagne la procréation humaine, c'est la quantité de substance corporelle sacrifiée, et la substitution d'un sacrifice indirect à un sacrifice direct de substance. Toute la profonde modification qualitative qui correspond à l'apparition de la conscience n'est sans nul doute pour Spencer que l'effet compensatoire de cette diminution quantitative de la part physiquement aliénée. Plus l'aliénation physique est immense, moins elle s'accompagne de conscience. Moins elle est importante, plus elle s'accompagne d'investissement altruiste conscient. Au plus haut degré de conscience doit correspondre le plus faible degré d'aliénation physique obligatoire, *et inversement :* or c'est ce principe –peu nous importe ici de savoir si c'est consciemment ou inconsciemment– qui sera appliqué par Spencer à l'analyse incroyablement fallacieuse et superficielle qu'il fait des inégalités morales au sein de la société, et des données de l'économie politique. Le *manque de conscience* supposé des classes populaires, fréquemment thématisé par Spencer au niveau de la politique, de la morale et de l'éducation (114), sera rapporté sans hésitation à une infériorité de *nature* sensible tant dans la perversité des domestiques que dans l'égoïsme de classe dont fait preuve à ses yeux la classe ouvrière dans son ensemble : il ne s'attardera cependant jamais sur le *sacrifice physique* qu'il avait pourtant tout lieu de penser, selon la règle d'une bonne analogie, comme le corrélat de ce déficit. La plus efficace démonstration du caractère falsificateur des grandes analogies biologiques de Spencer consiste ainsi à faire

(113) *Ibidem.*

(114) Cf. entre autres textes l'*Introduction à la science sociale,* éd. cit., ch. X (*Les préjugés de classe*) et XV (*Préparation par la psychologie*).

voir quelles conséquences nécessaires d'*elles-mêmes* elles refusent d'apercevoir. Il faudra, une fois encore, attendre la diffusion du discours de Marx pour que l'intelligence reconnaisse ce que le *prolétaire* aliène sans retour de sa substance physique dans l'élevage de ses petits. Et pour qu'elle reconnaisse en même temps que de cette aliénation doit jaillir, à l'inverse de tout ce qui est supposé par Spencer, la *conscience.* Il faut donc nécessairement, soit que quelque part l'analogie biologique manipulée par Spencer soit fausse –et nous en avons plusieurs fois illustré les contradictions–, soit, comme Spencer essaie de le montrer d'une façon plus instinctive que rationnelle, que la conscience de classe n'existe que comme erreur ou "préjugé", ce qui l'exclut des formes "élevées" de la conscience. Et pourtant la logique du *laissez-faire* interdit à Spencer de condamner univoquement le principe d'une association visant à la défense d'intérêts communs. C'est pourquoi le principe même du groupement et de l'action syndicaux, en tant que procédant d'une opération évolutivement normale d'intégration/différenciation au même titre qu'une association d'usagers des chemins de fer ou qu'un groupe régional militant pour l'irrigation d'une province, n'est pas en lui-même condamnable, mais représente un élément utile à l'harmonisation de la vie organique de la société. Ce contre quoi Spencer s'élève, c'est *la forme même de la lutte,* qui semble à ses yeux une survivance d'un stade dépassé de l'évolution sociale dont la péremption aurait été signée sans retour par le passage à la société industrialiste de libre concurrence : or Spencer, ici encore, n'aperçoit pas la conséquence de l'analogie qu'il réaffirme avec force entre la concurrence économique et la concurrence vitale : si la "civilisation" s'atteint avec l'apparition de l'industrialisme capitaliste, c'est au prix d'une concordance insistante avec la primitivité radicale de la loi du triomphe du plus fort jouissant de sa supériorité en lui-même et dans sa descendance. Spencer ne saurait échapper à cette contradiction qui consiste à présenter ce qui est le plus évolué sur le plan sociologique comme l'analogue parfait de ce qui est le plus primitif sur le plan biologique. Ce qui implique, entre les deux ordres, rupture et renversement, donc l'abandon du continuisme spencérien lui-même.

Mais ce divorce ne se produira pas entre l'ordre naturel et l'ordre de la civilisation, car Spencer s'est refusé le moyen (darwinien) de le penser comme un processus de dissociation continue, de mutation lente et sans rupture inversant la hiérarchie des instances présidant à l'évolution, et faisant travailler l'activité sélective elle-même à sa propre et progressive évacuation. Et pourtant Spencer a d'une certaine façon frôlé la reconnaissance de cette grande vérité darwinienne de l'*effet réversif* –qu'aucun épistémologue n'a cru jusqu'ici nécessaire de relever : lorsqu'il présente le développement de la conscience altruiste comme *compensation*, et même *surcompensation* d'un déficit croissant du sacrifice physique de l'individu au cours de l'évolution des formes de la procréation et de l'élevage, il effectue bien une démarche qui le rapproche du Darwin de *La descendance de l'homme*, lequel avait appliqué un schéma analogue au rapport entre la baisse tendancielle de l'efficacité sélective, et le développement compensatoire de la conscience et de la rationalité. Mais, mauvais dialecticien ou idéologue trop rigide, Spencer continuera à *juxtaposer* le maintien de la sélection à la source du progrès, et une théorie du développement compensatoire de la conscience dont la justification ne peut se trouver que dans l'abolition de ce maintien.

Or qu'implique, au cœur du système spencérien lui-même, le maintien de la concurrence vitale et de la sélection naturelle dans le champ de la vie sociale ? En toute rigueur, il oblige à penser la lutte pour l'existence entre les unités : or cette lutte n'est pas compatible avec une représentation cohérente de l'organisme individuel, dont les parties sont nécessairement coopératives. La faute logique apparaît une fois encore dans le glissement indu qui fait passer de l'analogie du corps à celle de l'*espèce:* "... nous avons fait remarquer", écrit Spencer "qu'*une société, comme une espèce,* subsiste à la condition seulement que chaque génération de ses membres transmette à la suivante des avantages équivalents à ceux qu'elle a reçus de la précédente." (115) *Nous soulignons.*

Quoi qu'il en soit du caractère assez correctement "transformiste" de cette proposition sur l'hérédité des avantages, il demeure que cette seconde analogie établie entre la société et l'espèce contredit absolument, dans sa logique, l'analogie première que les plus importants des textes antérieurs avaient installée entre l' "organisme social" et l'organisme individuel.

Lorsque l'analogie a une fonction heuristique déterminante dans la constitution d'un objet de savoir –c'est-à-dire lorsqu'elle aboutit à une *assimilation* par le jeu d'un déni de *métaphoricité*, comme c'est le cas jusqu'à un certain point chez Spencer à propos de la *société*–, toute contradiction au niveau de l'analogie entraîne que le savoir correspondant se constitue d'une façon contradictoire.

(115) *Ibid.*, p. 186.

Thèse n° 31

Contre l'évolutionnisme de Spencer, construit sur une extension de propositions biologiques, le "dissolutionnisme" de Lalande, fondé sur une extension des principes de la thermodynamique, produit une théorie *inverse* de la marche générale des phénomènes.

Cependant, cet autre "système" aboutit, *au sein de la même méconnaissance du darwinisme* et à travers une série équivalente de contradictions, à une préservation identique des effets sociaux hiérarchisants de la *division du travail*, et à l'évacuation finale de toute possibilité d'égalitarisme social *révolutionnairement* imposé par les classes laborieuses.

La Dissolution
(L'anti-évolutionnisme de Lalande)

Les Illusions évolutionnistes (1) d'André Lalande –l'auteur, comme l'on sait, du *Vocabulaire technique et critique de la philosophie* (2)– est un livre aujourd'hui presque introuvable, et qui n'a suscité dans une période récente aucun commentaire suivi. Cette référence semble avoir quasiment disparu du champ de l'histoire et de la philosophie des sciences, tandis que le *Vocabulaire*, fréquemment réimprimé depuis sa première parution en 1926, reste l'une des bases de l'apprentissage des concepts en philosophie. Ainsi, le *dictionnaire* demeure là où la *thèse* s'efface. Car les *Illusions* reprennent, en 1930, la modifiant sur quelques points et l'abrégeant, "une thèse de doctorat commencée vers 1892, sur *La Morale et l'Évolution* et dont le sujet, au fond, n'a guère changé..." (3).

Au cours des sept années qui servirent à mener à terme ce travail, son champ s'était, si l'on en croit Lalande lui-même, "élargi en cours de route" et la thèse, soutenue en 1899, portait le titre de : *L'idée directrice de la Dissolution, opposée à celle de l'Évolution, dans la méthode des sciences physiques et morales*, et fut d'abord publiée sous cette première forme (4).

(1) Alcan, 1930.

(2) Presses Universitaires de France, 1926.

(3) *Avertissement*, p. V.

(4) *La dissolution opposée à l'évolution dans les sciences physiques et morales*, Paris, 1899. Dans la suite, nous désignerons cet ouvrage par l'initiale *D*.

Or les quelque trente années qui séparent la première édition de la seconde remaniée et raccourcie sont justifiées par Lalande à travers l'évocation d'un retard consécutif à l'achèvement du *Vocabulaire* "entrepris avec le concours de la Société de philosophie, et qui avait précisément pour but de contribuer, d'une manière active, à l'assimilation des esprits dont on avait essayé l'analyse théorique dans *La Dissolution*". Ces indications renseignent sur l'effectivité chez Lalande d'une démarche en deux temps :

1. De 1892 à 1899, l'élaboration d'une thèse dont le titre porte clairement l'intention d'entretenir un dialogue avec Spencer (5), et au cours de laquelle se produit une transformation qui *élargit* en effet sa problématique aux sciences "physiques", et ouvre ou ré-ouvre une polémique entre deux idées génératrices de constructions interprétatives sensiblement opposées dans le domaine de la théorie de la connaissance et des méthodes heuristiques des sciences, ainsi qu'en sociologie et en morale.

2. De 1899 à 1930, une révision rendue indispensable par l'évolution des faits scientifiques et de la problématique elle-même : révision traversée par la guerre et retardée par l'achèvement du *Vocabulaire*, lequel est en même temps une étape importante quant à l'établissement des définitions conceptuelles et des problématiques philosophiques –c'est un vocabulaire *critique*– et quant à l'avancement propre des idées de Lalande sur la question même du *sens* de l'Évolution. Le *Vocabulaire*, Lalande le dit en toutes lettres, a pour *but* de favoriser ce qu'il appelle l'*assimilation des esprits*, ce qui signifie très immédiatement qu'il prend *parti* dans une querelle dont l'enjeu semble avoir dépassé, vers une lutte idéologique active, les questions purement gnoséologiques. Il s'agit de renverser "le culte évolutionniste de la différenciation", dérivé de la thèse darwino-spencérienne de l'évolution différenciatrice, laquelle aurait des implications de plus en plus nettes, et donc à combattre avec de plus en plus de vigilance, du côté des sciences sociales et de l'histoire des cultures. *Dissolution* –terme dominant dans la première rédaction–, *Involution* et *Assimilation* –termes dominants dans la seconde– s'opposent donc à *Évolution* et à *Différenciation*, ainsi qu'à un certain usage du terme d'*Intégration*. La polémique scientifico-philoso-

(5) Herbert Spencer, *Les bases de la morale évolutionniste*, Paris, Baillière et Cie, 1880. Traduction française de *The Data of Ethics*, 1879.

phique s'ordonnera tout entière autour de ce conflit de notions, produisant les *pièces* terminologiques et conceptuelles qui seront constamment avancées au cours de l'affrontement. Elle fonctionnera sur le mode de l'opposition *terme à terme*, selon une technique du contre-pied. L'opposition de ces termes renvoie donc à une *sémantique* philosophique, dans laquelle le *Vocabulaire* est assurément un facteur d'ordre et de stabilisation. Ce travail est d'autant plus nécessaire –car informant, dans le cas de Lalande, un projet de vérification et de consolidation doctrinale– que Lalande lui-même, évoquant sans nul doute Condillac, déclare en tête des *Illusions* que "notre savoir demeure en grande partie une langue bien ou mal faite, où l'algorithme et la terminologie tiennent la première place" (*ouv. cit.*, p. 3). Dans le *Vocabulaire*, Lalande, définissant les concepts et leur champ d'application, vérifie que sa langue est bien faite.

Plaçons-nous donc dans cette perspective. Le *Vocabulaire* consacre un article à chacune des six notions cardinales utilisées au sein du débat sur l'évolution. D'une part, *Évolution*, *Différenciation* et *Intégration* ; d'autre part, *Involution*, *Dissolution* et *Assimilation*. Entre ces termes, le *Vocabulaire* installe un dispositif de renvois qui retrace la structure de la polémique elle-même. C'est ce chemin qu'il faut suivre pour en comprendre d'abord, du point de vue de Lalande lexicographe, les données conceptuelles. En effet, chacun de ces articles concourt à l'*exclusion* tendancielle des sens qui n'ont pas de rapport direct avec la problématique traitée par Lalande au niveau de sa thèse : la thèse resurgit dans le dictionnaire, avec cette fois l'autorité et le calme empreints par le lexicographe stabilisant les concepts autour d'une *pertinence* qui est précisément ici ce que nous interrogeons.

Il y a, dans le *Vocabulaire*, cinq sens à *Évolution* :

A. Développement d'un principe interne : passage de la latence à la manifestation.

B. Transformation graduelle insensible.

C. Suite de transformations en un même sens, donc prévisibles.

D. "Transformations faisant passer un agrégat de l'homogène à l'hétérogène, ou du moins hétérogène au plus hétérogène (Spencer). S'oppose à *dissolution* ou à *involution*."

E. "Transformation (continue ou brusque) d'une espèce vivante en une autre espèce."

Après une traversée de l'histoire du terme –saisi d'abord chez les préformationnistes Swammerdam et Malpighi, chez Berkeley, puis au sein des diverses théories du développement, du progrès ou de la croissance organique, puis chez Berthelot–, Lalande en arrive enfin à Spencer, auquel il consacre le plus long commentaire critique. Il commence par identifier chez le philosophe anglais une variation définitionnelle porteuse d'oppositions internes. Pour l'établir, il cite d'abord un extrait des *Premiers principes* (1862) :

"L'évolution est une intégration de matière et une dissipation concomitante de mouvement, durant laquelle la matière passe d'une homogénéité indéfinie et incohérente à une hétérogénéité définie et cohérente, et durant laquelle le mouvement retenu subit une transformation parallèle."

Cette définition semble à Lalande contestable parce que réunissant deux conceptions différentes "pour former un concept unique" : par sa première partie, cette définition serait *mécanique* et *quantitative* –et Lalande renvoie ici à la critique du mot *Intégration* (6)– et, dans sa seconde partie, *biologique* et *qualitative*. Le cheminement de cette analyse transpose exactement, en les abrégeant, les éléments de définition et de discussion terminologiques dès 1899 dans la thèse originale, et que l'on retrouve, également abrégés et réduits souvent à un renvoi ou à une allusion, dans les *Illusions* de 1930. Pour Lalande, les *Premiers principes* de Spencer ne permettent pas de donner au terme d'*évolution* –ni, plus globalement, au couple oppositionnel qu'il forme avec celui de *dissolution* – un sens fixe et précis. Il attribue au souci passager de Spencer de trouver une similarité entre les phénomènes physiques et les phénomènes physiologiques l'installation, dans l'ordre physique, d'une "instabilité de l'homogène." En somme, Lalande ne reconnaît pas à l'énoncé précité de Spencer le caractère d'une *loi* :

(6) Voici ce passage : "Ce mot est entré dans la langue courante en un sens très vague, et avec une nuance de respect et d'admiration analogue à celle qui s'attache souvent à "la Vie". Mais il est à remarquer que la valeur de l'idéal organiciste et totalitaire que suppose cet import est très sujette à discussion".
Curieusement, cette *critique*, à laquelle renvoie Lalande, n'apporte strictement rien à l'éclairement de la question du "mécanique" et du "quantitatif".

"Cette *loi* n'est pas une loi ; car elle n'affirme aucune relation constante entre des phénomènes donnés, aucune manière d'être régulière dans un certain nombre de faits ou d'individus déterminés. Elle ne constitue même pas une proposition, un jugement logique, puisque le sujet n'y a d'autre sens que celui qui est connoté par le prédicat. Elle consiste simplement en une série de termes juxtaposés. Les lois sont des rapports nécessaires, ou tout au moins invariables, entre concepts distincts ; tous les corps s'attirent en raison directe de leurs masses ; le soleil se lève à l'est ; la lumière se propage en ligne droite ; et ainsi de suite. Ici, rien de semblable : aucune idée n'est catégoriquement affirmée d'une autre, ni totalement, ni partiellement." (7)

Il convient ici, pour une meilleure saisie du problème, de revenir à l'analyse détaillée des concepts telle qu'elle figurait, d'une manière plus développée, dans *La Dissolution* : "Qu'est-ce que l'intégration de la matière ?", se demandait Lalande, "qu'est-ce que la dissipation du mouvement ?". Ces deux termes sont-ils vraiment liés par un rapport nécessaire rendant leur dissociation impraticable ?

L'examen du concept d'*intégration* va révéler que selon le point de vue à partir duquel on envisage un phénomène –une lampe qui brûle ou l'explosion d'une cartouche–, il sera apte ou inapte –exactement comme son contraire, le concept de *désintégration*– à caractériser ce phénomène.

Dans les deux exemples cités, c'est la *désintégration* qui apparaît tout d'abord. A l'intérieur de l'huile et de la poudre a lieu une agitation moléculaire qui tend évidemment à produire une augmentation du mouvement. Après l'explosion de la cartouche, l'agrégat matériel initial, de son état concentré, a passé à un état diffus, avec un accroissement considérable du volume occupé et du mouvement intérieur. Cela semble du reste convenir avec la définition que donnait Spencer (*Premiers principes*, p. 253) de la désintégration opposée à l'intégration : "Le passage d'un état diffus, imperceptible, à un état concentré, perceptible, est une intégration de matière et une dissipation concomitante de mouvement ; et le passage d'un état concentré, perceptible, à un état diffus, imperceptible, est une absorption de mouvement et une désintégration concomitante de matière."

(7) *Les Illusions évolutionnistes*, pp. 9-10.

Désintégration, donc. Mais si l'on considère le résultat de la détonation ou de la combustion, on remarque qu'elles ont produit des composés chimiques plus stables que les matières initiales, et contenant de ce fait une moins grande quantité d'énergie potentielle (considérée par Lalande comme l'équivalent du mouvement interne). Si cette énergie se dissipe, l'agrégat perd du mouvement et, selon les définitions données, *s'intègre* : la combustion et l'explosion ont déterminé une diminution du mouvement interne de l'agrégat : le système s'est *intégré*.

En fait, ce qui est désintégration d'un point de vue géométrique est intégration d'un point de vue mécanique, et l'évolutionnisme peut ainsi, en adoptant tour à tour sans le préciser l'un ou l'autre, maintenir une ambiguïté qui lui permet d'accorder toujours les phénomènes à ses "lois" ainsi formulées.

On comprend à présent pourquoi Lalande conteste à la définition spencérienne de l'*évolution* le caractère d'une *loi*, ou même d'une *proposition* qui serait autre chose qu'un jugement analytique, une pure tautologie : en effet, le rapport "nécessaire" installé entre l'intégration de la matière et la dissipation du mouvement ne fait que mettre en relation deux phénomènes qui ne sont nullement extérieurs l'un à l'autre dans le cas particulier –dit Lalande– où l'intégration est définie par cette dissipation même.

En outre, Spencer, dans le même passage (*PP*, p. 255), identifie l'intégration comme un accroissement de matière, et la désintégration comme une diminution de matière, subis par un système donné. Mais l'augmentation de matière survenue à un système accroît à la fois son volume et son énergie interne, et peut être absolument indépendante d'une dissipation de mouvement, ce qui, si l'on envisage à la manière de Lalande l'énergie comme l'équivalent du *mouvement* interne, renverse le rapport posé par Spencer entre la dissipation de ce dernier et l'intégration de la matière.

La systématisation de Spencer est donc, pour Lalande, hâtive, abusive, non rigoureuse et, proprement, *illusoire*. Ce qui semble vouloir dire qu'elle relève d'un *désir* philosophique dont il faudrait peut-être, après en avoir, pour le bien de la vérité et de la science, détruit les mirages, éclairer un peu mieux les motifs. Or quelle est, pour Lalande et sa diagnose d'historien des idées, la tendance profonde du discours spencérien ? La réponse est immédiate et survient dès la page 3 de l'*Avant-propos* de *La*

Dissolution, dans la description du conflit qui oppose les deux options dominantes qui orientent la réflexion au sein des sciences physiques et morales :

> "Or, il y a, dans la méthode des sciences physiques et morales, deux tendances actuellement en conflit, qui suscitent des écoles antagonistes, et souvent se combattent à l'intérieur d'un même esprit. L'une est le naturalisme, cherchant avant tout l'unité dans les lois du monde, admettant que la vie morale est le prolongement de la vie physique, et l'organisme social, une répétition sur une plus vaste échelle de l'organisme physiologique. C'est l'idée dominante de l'école célèbre qui ramène tous les faits à la loi d'évolution, et dont la méthode consiste à transporter dans l'étude de l'art, dc la morale et de la société, les découvertes et les hypothèses de la biologie. Ce monisme a eu son centre en France au XVIIIe siècle ; en Angleterre, au XIXe ; il semble en ce moment avoir jeté une racine profonde aux États-Unis."

Sous "XVIIIe siècle", il faut lire, essentiellement, d'Holbach ; sous "XIXe", naturellement, Spencer et les penseurs ralliés au darwinisme ; et sous "États-Unis", l'anthropologie évolutionniste américaine, avec et après Morgan. Ainsi, le désir systématique de Spencer, ce "désir qu'il ne reconnaissait pas nettement, mais qui opérait sourdement en lui" (p. 10, d'après Spencer luimême), se situe dans cette perspective historique et sur cet axe discursif, et consiste dans la recherche d'une "interprétation purement physique" de l'ensemble des phénomènes. Cette vision unitaire est, pour Lalande, celle de tous les évolutionnistes, de Spencer à Haeckel, pour qui cette unité fonde la "philosophie" indispensable à l'avancement des idées dans les sciences de la nature, car elle est cette partie de la science qui dépasse l'observation empirique étroite vers les hypothèses et les conclusions générales, vers l'intelligibilité profonde du savoir scientifique. Cet unitarisme ou ce monisme scientifico-philosophique n'a pas cessé cependant d'être combattu :

> "La doctrine adverse appuie ses méthodes sur l'opinion contraire : elle croit qu'il y a, dans les phénomènes et les lois du monde, deux actions opposées, dont l'une prédomine dans la vie instinctive et matérielle, l'autre dans le développement intellectuel et moral. Elle oppose les principes de la raison aux sensations, et le

droit aux luttes naturelles. Elle n'admet entre l'animal et la société qu'une analogie temporaire et limitée, définie par la mesure où cette dernière évolue sous des influences encore inconscientes et automatiques. Elle prépare des formules qui laissent place à la marche inverse, et considère toute transformation non comme une droite, mais comme une trajectoire, courbée par deux tendances antagonistes : la loi de la nature et celle de la volonté réfléchie. Cette opposition paraît avoir été l'idée dominante de la philosophie de Platon, du bouddhisme et du christianisme, par qui elle demeure encore active en face de l'idée contraire."

Le problème est dès lors clairement posé : la *thèse* de Lalande se fixe la tâche d'instruire ce procès d'une façon décisoire, en dépit du fait que l'antagonisme des deux méthodes et des deux "idées directrices" se résolve souvent en des compromis tensionnels "à l'intérieur d'un même esprit". La science désire contre la morale et la morale désire contre la science. Loin d'être réductrice, cette schématisation montre son exactitude sous l'énoncé même par lequel Lalande annonce l'intention générale de sa thèse : "Nous voulons essayer d'examiner, écrit-il, et, s'il se peut, de déterminer, par des considérations expérimentales et logiques, quelle est la plus scientifique de ces deux méthodes ; et, de ces deux idées directrices, laquelle est vraie." (p. 4.) Dès l'annonce du plan, une dichotomie se forme entre la *méthode* et l'*idée*, entre la *scientificité* –susceptible de varier du moins au plus–, et la *vérité* –qui semble ici très nettement requérir de régner sans partage, d'être le fait de l'*une* seulement des deux "idées directrices" : une "méthode" est susceptible d'être *plus* ou *moins* scientifique, mais la "vérité" ne peut pas être plus ou moins vraie. Or il est clair que dans l'esprit de Lalande, la première proposition s'applique aux sciences de la nature, et la seconde aux sciences qui se rattachent à la "direction" de la volonté humaine : dès lors, les conclusions de Lalande ne sont plus mystérieuses. Ce qui nous intéresse ici, c'est plutôt son itinéraire.

Il ressort des critiques déjà faites que les "concepts" physiques d'*intégration de la matière* et de *dissipation du mouvement*, vagues ou impropres, ou encore d'une adéquation toujours relative à une certaine délimitation du "système" considéré, ne remplissent pas les conditions de rigueur qu'exige tout discours prétendant à la vérité –et c'est par cette visée que, pour Lalande, la philosophie doit être considérée comme science–, et sont sans relation nécessaire entre eux. Par ailleurs, la définition *quantitative* de l'évolution, qui a été examinée et critiquée, n'est pas initiale chez Spencer : elle a été précédée en effet d'une définition *qualitative*, dont "pendant longtemps son auteur lui-même a pensé qu'on ne pouvait la déduire d'aucune autre : "L'évolution est le passage de l'homogène à l'hétérogène par la différenciation, la ségrégation et la multiplication des effets" (*D* , p. 23).

Priorité du qualitatif. La définition quantitative ne serait, selon Lalande, qu'un ajout second, destiné à asseoir la possibilité de l'unification du système, et qui reste subordonnée à la première dans la psychologie, la morale et la sociologie, ainsi que dans le champ de la biologie et de la théorie esthétique ou littéraire. Les *Premiers principes* opèrent d'ailleurs la synthèse de ces deux définitions dans la formule dont nous sommes parti, et qui figure dans ce texte p. 355, pour se retrouver citée par Lalande dans le premier chapitre de *La Dissolution* (p. 24), puis des *Illusions évolutionnistes (p. 9) : "L'évolution est une intégration de matière accompagnée d'une dissipation de mouvement, pendant laquelle la matière passe d'une homogénéité indéfinie, incohérente, à une hétérogénéité définie, cohérente, et pendant laquelle le mouvement retenu subit une transformation analogue."* (*D*, p. 24.)

Cependant, dans cette "loi", le passage à l'hétérogène est, de l'aveu même de Spencer (*PP*, p. 302, note), que "la redistribution secondaire qui accompagne la redistribution primaire dans l'évolution dite composée, ou plutôt qui constitue la partie la plus remarquable de cette redistribution". L'évolution simple ne serait ainsi rien de plus "qu'une intégration de matière et une dissipation de mouvement" (*PP*. p. 295).

Il apparaît bien que Lalande souligne comme à plaisir la difficulté qu'a sans doute éprouvée Spencer à réordonner, en vue d'un maximum d'extension de sa "loi", les éléments de sa définition. L'exigence philosophique qui gouverne cette démarche de Spencer étant, bien entendu, de découvrir l'élément commun à toutes les transformations effectives dans les choses : penser la loi du changement –tel est l'impératif– et, autant que possible, la raison de la loi.

Dans son évaluation des prétentions gnoséologiques de l'évolutionnisme, Lalande ne se trompe pas –la chose, d'ailleurs, eût été surprenante– : il s'y agit bien d'un profond désir d'*unifi-*

cation, et c'est à un très juste titre qu'il reconnaît en Haeckel celui qui, avec Spencer, a porté ce désir jusqu'à son expression systématique la plus poussée : pour Haeckel en effet, le darwinisme, fondement majeur et génial de la légalité du transformisme biologique, n'est toutefois, à ce titre, qu' "un petit fragment d'une doctrine bien plus compréhensive", la "théorie universelle de l'évolution, dont l'immense importance embrasse le domaine tout entier des connaissances humaines" (8). Darwin, auteur de la théorie de la descendance sous sa forme définitivement acceptable, est ainsi l'embrayeur décisif de son extension, sous les espèces de la théorie générale de l'évolution différenciatrice, à l'ensemble du monde vivant et des sociétés humaines saisies dans toutes leurs dimensions. La théorie généalogique de Darwin vient jouer exactement le rôle d'une *étiologie universelle* applicable aux différentes catégories de "lois" de transformation jusqu'alors simplement observées comme des faits constants et inexpliqués :

> "On en peut dire autant de toutes les lois générales de l'anatomie comparée et particulièrement de la grande loi de la division du travail ou de différenciation (polymorphisme), cette loi qui joue un rôle capital aussi bien dans la société humaine, en général, que dans l'organisation individuelle des animaux et des plantes, et suppose une diversité de plus en plus grande ainsi qu'une évolution de plus en plus progressive. De même la loi d'évolution progressive jusqu'à présent admise aussi, à titre de fait, comme celle de la division du travail, cette loi du progrès, visible partout, dans l'histoire des peuples aussi bien que dans celle des animaux et des plantes, est aussi éclairée dans ses origines par la doctrine généalogique." (9)

Une telle unification étant le but visé par la constitution de la théorie générale de l'évolution, le versant physique de la loi apparaît à Lalande comme surajouté, aux fins de remplir les conditions d'un véritable monisme. En outre, sa validité douteuse et l'effort qu'il faut faire pour réduire à un seul de ses sens possibles

(8) Haeckel, *Histoire de la création des êtres organisés d'après les lois naturelles*, trad. Letourneau, Paris, Costes, 1922, p. 2. L'édition originale allemande est de 1868.

(9) Haeckel, *ouv. cit.*, pp. 20-21.

—et pas toujours le même— le terme d'*intégration*, rend assez vraisemblable le fait qu'il puisse s'agir là d'une construction ultérieure et complémentaire, achevant de répondre —en quelque sorte *esthétiquement*— au désir d'une systématisation réellement unitaire.

Ce qui donc est plus hautement significatif, c'est la définition de l'*évolution* comme passage de l'homogène à l'hétérogène. Cette dynamique du passage à l'hétérogène existe en effet au sein de tous les phénomènes constatables de différenciation à partir du semblable. Lalande en donne comme exemples généraux les genres engendrant "peut-être" des espèces, les espèces engendrant "certainement" des genres ; des esprits "analogues" qui "se différencient par des carrières diverses" ; des civilisations qui "se divisent par leur extension". Simultanément, il relativise l'universalité et la prépondérance du phénomène en lui opposant une liste aussi longue d'illustrations du phénomène inverse : l'assimilation des esprits au sein d'une discipline et d'une culture communes, le retour au type spécifique des variétés botaniques —exemple qu'il a pu, d'ailleurs, emprunter à l'ouvrage déjà cité de Haeckel, p. 148—, la disparition par répartition homogène dans les corps des différences de température et de pression.

Mais il reste que le concept employé cette fois est "un vrai concept". La formule a un sens. Toutefois, si Lalande en vient à le reconnaître, c'est sans doute parce qu'elle est intégralement réversible, et qu'en réalité elle en a *deux*. Si l'évolution est bien le passage de l'homogène à l'hétérogène, la *dissolution*, son contraire —qui sera nommée ensuite tour à tour "involution" et "assimilation"—, doit être définie comme le passage inverse de l'hétérogène à l'homogène. C'est là ce que, selon Lalande, les évolutionnistes ont toujours refusé de prendre en considération, car l'importance prépondérante du premier phénomène leur semblait rendre le second négligeable.

Le trajet du désir systématisant des évolutionnistes se reconstitue alors, pour Lalande, non pas, comme il semblerait à un lecteur non averti, de l'univers physique à l'univers culturel et social, mais de celui-ci à celui-là. Le point téléologique et ordonnateur du *sens* de l'unification des phénomènes sous la loi d'évolution, est situé dans la sphère socio-politique :

> "Mais si le passage de l'homogène à l'hétérogène est nécessaire à l'évolution, il n'est pas suffisant pour la constituer. Il faut aussi le passage de l'incohérence à la cohérence, de l'in-

défini au défini : un volume croissant, la cohésion, la différenciation et la netteté définie des formes sont données dans les ***Principes de sociologie*** pour les caractéristiques de l'évolution. Il faut la centralisation, la subordination des parties, leur organisation par des différenciations secondaires, en un mot cette unité architecturale et synergique qui constitue l'***individu***. Nous touchons enfin le centre de l'idée. Le mot que nous venons d'employer ne se trouve pas dans la "loi" des ***Premiers principes*** ; mais il y a des synonymes et qui ne sont plus obscurs que parce qu'ils veulent être généraux jusqu'à l'universalité. Il est justifié par toute la suite des œuvres qui se réclament de cette loi, par l'usage courant qu'en ont fait MM. Maudsley, Romanes, Haeckel, Weismann pour opposer l'individuation et la croissance à la dissolution, la vieillesse et la mort. La production des espèces est une œuvre de cet ordre : la concurrence vitale l'engendre, l'hérédité la soutient. Lutte pour la vie, création d'êtres de plus en plus forts, de mieux en mieux adaptés au milieu, de plus en plus centralisés, telle est l'histoire du monde. C'est peut-être pour cela que l'antinomie est plus forte dans le système évolutionniste que partout ailleurs quand vient à se poser le problème de "l'individu contre l'État". (*D*, pp. 29-30.)

C'est cette orientation du trajet par sa *fin* véritable qui permet de comprendre, *a posteriori*, l'investissement réel des concepts physiques invoqués comme "bases" de la loi. Ainsi le concept d'*intégration* se découvre porteur d'un sens supplémentaire que Lalande veut saisir comme étant en fait le plus marquant pour Spencer : il désignerait alors une concentration, un resserrement d'éléments autour d'un centre, impliquant coordination et organisation : l'*intégration* d'ailleurs se confond, dans les *Principes de biologie* (II, 319), avec "une grande division physiologique du travail, produisant une grande unité physiologique". Ce qui domine le processus, ce ne sont plus des composantes quantitatives, mais des facteurs de diversification et d'organisation fonctionnelles qui appartiennent au registre de la qualité et de la forme, et unifient sous ce rapport le biologique, le psychologique et le social. Le "qualitatif" retrouve ici un primat qu'il n'avait en fait jamais perdu :

"Loin de serrer de près la physique, il faut donc s'en écarter pour comprendre l'évolution. Elle concerne les formes, non les grandeurs ; le divers, et non le semblable. Elle s'efforce d'expliquer la multiplicité des apparences, qui sont toutes choses de sentiment et de qualité. En négligeant ainsi la lettre contradictoire des formules, l'esprit de la loi se manifeste clairement. Dans le monde, dit-elle, toutes choses croissent dans l'ensemble en dissemblance et en individualité. Cette marche vers l'hétérogène se répète à tous les degrés de l'être visible, dans le minéral, la plante, l'animal, l'homme qui pense, dans la vie de la nation comme dans la conduite de ses membres ; et cette différenciation générale est une heureuse nécessité qui constitue le progrès." (*D*, p. 31.)

Faisons faire à la critique de Lalande un pas de plus –ce qui sera non pas le trahir, mais lui faire formuler intégralement, avec un peu d'avance, une partie des choses qu'il se prépare à démontrer– : la théorie "universelle" de l'évolution ne serait, dans son essence et dans ses motivations, rien d'autre en réalité que la théorie classique –dix-huitiémiste– du *progrès.* Cette idée, plusieurs fois suggérée par Lalande à travers ses références au XVIIIe siècle, peut contribuer à montrer, à notre sens, ce qu'il en est de la provenance réelle des grandes synthèses idéologiques qui utilisent un moment de la science –ici le darwinisme– comme *relais fondateur*.

La division de l'ouvrage de Lalande est d'une simplicité extrême : elle obéit à la structure d'une réfutation, région par région, de la loi spencérienne d'évolution là où son opération a été thématisée par les principaux ouvrages de Spencer, c'est-à-dire essentiellement dans quatre grands domaines : mécanique, physiologie, psychologie et sociologie. L'objectif de chacun des chapitres spéciaux consacrés à cette réfutation est d'établir la prééminence de la *dissolution* sur l'*évolution*, de la marche à l'homogène sur la marche à l'hétérogène à l'intérieur de chacune des grandes catégories de phénomènes envisagées.

1. *Dissolution mécanique*

Le but de cette première analyse est de démontrer que les principes fondamentaux de *permanence de la masse* et de *permanence de l'énergie* ne renferment aucunement, *a priori*, la nécessité de l'*évolution*, et que par contre, un troisième principe, celui de *dispersion* ou de *dégradation de l'énergie*, implique à l'inverse, au sein de chaque masse finie, la *dissolution* des agrégats différenciés. Les deux premiers principes peuvent encore, à l'époque où écrit Lalande, être réunis sous la désignation approximative de *loi* ou *principe de substance*, dont la dénomination même assonne avec un certain nombre de réquisits philosophiques : ce principe fonde l'intelligibilité des phénomènes, et par là la possibilité de la science, de la même façon que l'idée de permanence, de substrat intemporel qui s'attache en philosophie à l'idée de substance, s'harmonise parfaitement avec la condition même de la connaissance scientifique. Si, dans les sciences, le conséquent s'explique par l'antécédent, c'est parce que l'on sait qu'il y a dans l'antécédent tout ce qui est nécessaire à produire le conséquent, et que ce qui est retiré au premier se retrouve dans le second. D'où Lalande tire cette conclusion, où se perçoit déjà nettement une tendance à rapporter, en quelque sorte ontologiquement, les données expérimentales à la structure des idéalités logiques et psychologiques, selon laquelle "la permanence de l'énergie n'est (donc) que l'énoncé rigoureux du principe de causalité" (p. 35). La loi de permanence de la quantité d'énergie impliquant une compensation non moins rigoureuse entre les variations énergétiques des différents éléments d'un système, il apparaît que d'un point de vue *quantitatif*, l'évolution est impossible, sauf à la considérer comme déterminée par un agent supra-physique.

Mais qu'en est-il maintenant du principe de conservation de l'énergie dans son rapport aux phénomènes *qualitatifs* d'homogénéité et de différenciation ? L'évolution, c'est l'accroissement des variétés. Dans l'*Essai sur le progrès*, Spencer assimilait synonymiquement les concepts d'évolution, de progrès et de différenciation, et les déduisait en quelque sorte du principe de causalité : toute cause physique produisant non pas un seul, mais plusieurs effets, il s'ensuit nécessairement un accroissement de l'hétérogénéité en proportion géométrique –par exemple un choc produit du mouvement, de la chaleur, du son, et chacun de ces effets est à son tour cause d'autres effets, etc. Répondant à l'argument, Lalande souligne que Spencer omet que tout phénomène a également plusieurs causes, et que parfois le nombre des causes dépasse celui des effets : il prend l'exemple de la Colonne Vendôme, pour l'édification de laquelle on dû converger des séries indénombrables de causes, et qui ne saurait selon lui avoir produit un nombre comparable d'effets une fois son érection achevée. On perçoit ici la nature entièrement polémique de l'argumentation : à une proposition qui n'est justiciable pour sa validation que d'illustrations arbitrairement découpées dans le flux d'un processus ou l'espace morcelé d'un système, Lalande, opérant un autre découpage arbitraire, parvient aux conclusions inverses, et le jeu peut dans cette mesure être poursuivi indéfiniment. Dans une argumentation du même ordre, Lalande reproche à Spencer l'erreur qui consiste à concevoir la série causale comme un fil séparé dans ce qui devient alors, pour Lalande et pour la circonstance, la compénétration inextricable des causes et des effets au sein du monde phénoménal, la structure réticulaire des déterminations. Toute perception nette et "linéaire" de causalité au sein de cette complexité serait donc, pour Lalande formulant cette critique, illusoire parce qu'arbitraire : il conviendrait mieux à l'infinie diversité du sensible de concevoir en son sein la causalité comme un réseau de solidarités plus ou moins indiscriminables. La nécessité de la différenciation en vertu de la *multiplication des effets* ne peut donc être légitimement déduite du *principe de causalité* : on peut en revanche se demander si Lalande accepterait de se soumettre à la même critique hyperbolique chaque fois que, ne procédant pas autrement que l'auteur qu'il combat, il s'attache à établir le déterminisme de tel ou tel phénomène de dissolution.

Si la multiplication des effets n'est pas apte à rendre raison du fait de la différenciation, celle-ci pourra-t-elle être mieux expliquée par le principe de la *conservation de l'énergie*, en vertu de l'*instabilité de l'homogène* ? Un bouleversement survenu dans un système homogène engendre, d'après Spencer, une redistribution de l'énergie, redistribution non uniforme qui, ajoutant à la complexité, accroît l'hétérogénéité. Pour échapper à cette conséquence, Lalande se rend coupable d'un surprenant sophisme : il s'adresse au cas idéal de l'homogénéité *absolue*, qui "n'existe pas en fait", celle –souverainement immuable– de l'espace géométrique : faire ainsi appel à une idéalité sans corps pour y rapporter comme à un archétype ou une loi la nature et le sens réels d'un processus physique ne semble pas relever de la meilleure méthode expérimentale. De tels traits ne sont pas rares chez Lalande, et de tels écarts hors de la rigueur, une telle mixtion des catégories renforcent visiblement l'aspect polémique du débat en suggérant fortement que l'enjeu véritable s'en découvrira, aussi, *à l'écart de la science*. Revenant à la physique, Lalande prétendra, à l'inverse de Spencer, et en faisant simplement varier, comme à l'habitude, ses repères dans le découpage des phénomènes, que partout où il y a différenciation, c'est que l'on peut déceler, à la base du système ou du processus considéré, une hétérogénéité préexistante.

C'est donc l'hétérogène qui est instable. (10)

L'évolution n'est donc pas, pour Lalande, une conséquence nécessaire des principes mécaniques de la conservation de la masse et de la conservation de l'énergie, lesquels paraissent indifférents par eux-mêmes au sens des transformations qu'ils gouvernent. On pourrait même imaginer comme non contradictoire avec ces principes une réversibilité généralisée des phénomènes. Mais la physique moderne a introduit dans ce domaine une nouvelle conception qui prouve l'existence d'une orientation effective des phénomènes. Lalande la résume comme suit :

I. Il y a un *sens naturel* dans lequel marchent spontanément les phénomènes physiques.

II. Ce sens ne peut être interverti sur un point que si, d'une façon naturelle ou artificielle (par une machine, par exemple), une transformation du sens naturel au moins équivalente est accomplie sur un autre point.

III. Ce sens naturel est celui qui diminue les différences perceptibles, et en particulier les inégalités existant dans la répartition des énergies par rapport aux masses. (p. 49.)

La référence majeure est ici, naturellement, la *thermodynamique*. Mais elle ne sera développée que secondairement, Lalande paraissant d'abord désireux d'asseoir sur une base empruntée à la physique traditionnelle l'idée fondamentale d'une tendance à l'égalisation ou au "nivellement". Les exemples en seront tirés de la mécanique des fluides (tendance à l'égalisation des niveaux et des pressions dans l'expérience célèbre des vases communiquants), à la physique atmosphérique (vents), à l'hydrologie (écoulement des fleuves), aux machines hydrauliques, à la géologie (érosion terrestre), à l'électricité (phénomène de conduction), à la calorimétrie (répartition égale de la chaleur entre deux corps susceptibles d'en échanger). Dans ce dernier cas cependant, on peut objecter que l'égalisation des températures s'effectue en mettant en œuvre des quantités de chaleur qui varient selon la

(10) Le refroidissement d'un fer rouge et l'oxydation d'un morceau de cuivre sont ainsi des différenciations qui s'opèrent *en vertu d'une hétérogénéité principielle* entre des molécules uniquement contiguës les unes aux autres et des molécules en contact avec l'air. En outre, note Lalande, si l'on considère le système plus large métal + air, "le phénomène est au contraire une assimilation". (*D*, pp. 42-43.)

chaleur spécifique –ou *massique* dans une terminologie plus récente : chaleur nécessaire pour élever d'un degré la température de l'unité de masse–, éminemment variable entre les différents corps. Mais cette objection même n'est pas retenue comme favorable à la thèse spencérienne : en effet, l'allocation de quantités de chaleur différentes en fonction de la diversité des chaleurs spécifiques (dépendant elle-même de l'hétérogénéité primordiale qui existe entre les multiples constitutions physiques des corps) n'est pas un facteur d'inégalité, mais au contraire une tendance à l'égalisation et à l'équilibre. Il arrive ainsi que l'hétérogénéité, en fin de parcours, ne soit qu'une apparence. Dulong et Petit ont d'ailleurs établi que le produit de la chaleur spécifique d'un corps par son poids atomique donne un nombre sensiblement constant (loi rigoureuse pour les gaz parfaits, mais qui perd de son exactitude dans le cas de corps à structure plus complexe). La conséquence en est que "les atomes de tous les corps simples ont la même capacité calorifique", d'où "l'égalisation de la température est bien une égale répartition de la chaleur entre les éléments constitutifs des corps, comme il fallait le démontrer" (p. 55). Cette démonstration, cependant, aura fait apparaître –mais Lalande se garde d'y insister– que cette belle loi d'égalisation, qui doit servir à mettre en évidence un processus de marche vers l'homogène, perd de sa rigueur à proportion de la complexification structurelle des corps, ce qui pourrait valoir aussi bien pour une démonstration évolutionniste de la marche vers l'hétérogène.

Le dernier problème de Lalande est à présent, dans cette partie "mécanique", de faire jouer la branche la plus importante de la physique moderne, la *thermodynamique*, *contre l'évolutionnisme*. Dès ses énoncés fondateurs, cette science nouvelle affirme l'existence dans la nature de transformations *irréversibles* du type de celle qui gouverne le passage naturel *en sens unique* de la chaleur d'un corps chaud vers un corps froid. Selon la version donnée par Clausius du principe de Carnot, la transformation ou le passage inverse n'a jamais lieu "spontanément" ou sans compensation. Toute élévation de la température d'un corps pouvant être considéré, dans le système d'oppositions conceptuelles à l'intérieur duquel s'affrontent Lalande et les évolutionnistes, comme une tendance à l'hétérogénéité, et inversement tout mouvement contraire pouvant l'être comme un retour vers l'état de stabilité et d'homogénéité initiales, et même comme l'indice d'une tendance à produire une absence d'inégalité par dissipation homogène, la thermodynamique représente donc pour Lalande une illustration privilégiée de la loi générale qui gouverne la marche des phénomènes vers l'égalisation. Son second principe, dont Lalande décrit une application, est ce qui rend le mieux compte de la vérification toujours finalement confirmée de cette loi :

> "Mais il peut se faire qu'avec un dispositif spécial on enlève de la chaleur à un corps froid et qu'on la transporte à un corps plus chaud. Supposons en effet une machine à vapeur, à condenseur, revenant à son état initial après un certain cycle d'opérations, c'est-à-dire ne fonctionnant que par transport et transformation de chaleur, sans dépense de matière chimique. Faisons-la fonctionner ***à rebours***, de telle sorte que le piston puise de la vapeur dans le condenseur, que nous supposerons à 100°, pour la refouler dans la chaudière, que nous supposerons à 200°. Voilà de la chaleur transportée du plus froid au plus chaud : car le condenseur tend à se refroidir de plus en plus par la détente de la vapeur qu'on lui enlève, et la chaudière à s'échauffer de plus en plus par la compression de la vapeur qu'on y refoule. Mais à quelle condition ? C'est qu'on ait disposé d'une force extérieure pour faire marcher la machine au rebours de son sens ***naturel*** ; sans cette contrainte, elle se mettrait aussitôt à fonctionner en fournissant du travail et en transportant de la chaleur de la chaudière au condenseur. Et pour obtenir cette contrainte, qu'a-t-il fallu faire ? Employer une autre machine, évidemment, fonctionnant dans le sens normal, celle-là, faisant précisément le travail inverse, et même un peu plus, puisque par hypothèse elle est la plus forte et qu'elle force sa voisine à marcher à rebours. La nature est donc satisfaite dans l'ensemble : en considérant le système total formé par la machine motrice et la machine passive, "tout compté et rabattu", il y a eu une plus grande quantité de chaleur allant du plus au moins, que de chaleur allant du moins au plus. En résumé, il est impossible de faire passer de la chaleur d'un corps plus froid sur un corps plus chaud sans dépenser du travail, ou sans qu'une quantité de chaleur plus grande passe d'un corps chaud à un corps plus froid. La marche à l'égalité a donc toujours le dernier mot : l'hétérogénéité n'augmente sur un point qu'à la condition de diminuer d'une quantité supérieure sur un autre." (pp. 55-56.)

La chaleur étant l'entité physique dont la tendance naturelle spontanée est à une répartition égale entre les corps, il reste à montrer que toutes les formes de l'énergie tendent à se transformer en elle pour prouver du même coup que la marche générale ou le "sens naturel" des transformations énergétiques est toujours orienté en dernier lieu vers une indifférenciation, une assimilation, une *dissolution*.

De même, les phénomènes de mouvement tendent naturellement au rétablissement du repos, les phénomènes de combustion et d'explosion tendent à la restitution à l'environnement de l'énergie emmagasinée par les corps combustibles et explosifs. Ces dépenses d'énergie s'accompagnent d'une diffusion de chaleur. Les machines, il est vrai, peuvent opérer la transformation inverse *sur un point du système*, mais leur fonctionnement implique la présence d'une source chaude et d'une source froide, la première fournissant une certaine quantité de chaleur qui se transforme en travail mécanique et une certaine autre quantité qui va réchauffer la source froide. Au total, les phénomènes de reconversion de l'énergie mécanique en chaleur closent le cycle du retour à l'homogène : frottements divers, pertes de chaleur subies par la machine du fait du rayonnement, de la conductibilité, de la convection des couches d'air à son contact, du tirage du foyer ; échauffement des rails, des bielles, des essieux, des roues ; l'énergie même qui est utilisée par la machine pour produire le mouvement du train est dépensée d'une façon continue pour vaincre les frottements des roues et la résistance du milieu extérieur : elle se reconvertit donc perpétuellement en chaleur ; de même, lors de l'arrêt, le reste de l'énergie est absorbé par le freinage qui le transforme entièrement en chaleur se redistribuant d'une manière égale entre les corps voisins. "La marche de la nature physique dans le sens de l'homogénéité, conclut Lalande, est donc invincible malgré les exceptions qui paraissent quelquefois se produire si l'on ne considère qu'un phénomène, isolé par l'abstraction." (p. 63.)

Lalande se pose donc, face aux évolutionnistes, comme celui qui refuse le morcellement pour s'attacher au *système total*, ou tout au moins au système le plus vaste et le plus compréhensif possible : on aboutit ainsi à une sorte de cosmologie envisagée d'un point de vue énergétique. C'est l'égalisation générale des températures qui rend possibles ces "accidents secondaires" sans lesquels la vie n'existerait pas à la surface de la terre : la chaleur solaire échauffe la terre froide, y produit la circulation des eaux, la croissance végétale, la vie animale. Et c'est la connaissance des machines thermiques qui éclaire à présent le fonctionnement de la source solaire comme dépense d'une masse importante de chaleur différenciée servant à l'échauffement du sol et de l'atmosphère, et finissant par se dissiper dans l'espace :

> "Suivons, par exemple, le mouvement de l'eau. La chaleur solaire la pompe dans la mer ; elle se vaporise en prenant de la chaleur au milieu qui l'environne, et elle s'élève. Mais, à une certaine altitude, l'atmosphère est toujours refroidie, comme le condenseur d'une machine, par le rayonnement vers les espaces interplanétaires. La vapeur élevée se condense donc, cédant sa chaleur à ce milieu plus froid, aboutissant à le réchauffer ; et c'est ainsi qu'elle redescend en pluies et en rivières vers le grand récipient où le soleil pourra la puiser encore. Une partie de la chaleur totale, pendant ce cycle, s'est convertie en mouvement visible ; mais en même temps une partie beaucoup plus considérable a marché vers l'égalisation, produisant justement comme effet accessoire ces déplacements matériels dont nous sommes témoins et dont nous utilisons à l'occasion la force vive." (p. 61.)

Là encore, dans son vœu d'embrasser les grands systèmes jusqu'aux limites extrêmes du connaissable, Lalande opère néanmoins un découpage favorable à sa démonstration : restant à l'intérieur du modèle thermodynamique et ne considérant les phénomènes que sous l'angle des échanges et des équilibres calorifiques, il illustre *de ce point de vue*, une nouvelle fois, la tendance à l'homogénéisation, sans attention pour le fait que cette source unique de chaleur qu'est le soleil produit sur terre une quasi-infinité d'effets *différenciés*, dont il a pourtant énuméré les plus généraux. Les équilibres thermiques ne sont eux-mêmes qu'*un aspect* –"isolé par abstraction"– de processus indéfiniment multiples et entrecroisés constituant la trame des causes des phénomènes, et c'est précisément cette idée qu'il avait objectée à ce qu'étaient selon lui les points de vue fragmentaires et le déterminisme trop univoque de Spencer. De cette *partialité* de l'analyse scientifique, Lalande paraît toutefois conscient, lorsqu'il écrit dans le même chapitre, et comme pour se justifier d'être tombé dans le travers qu'il combat chez l'auteur qu'il critique, "qu'une part mal définie, mais certainement considérable, revient à notre propre activité mentale dans ce que nous appelons, par raison d'universalité et d'objectivité, les lois du monde extérieur"

(p. 67). Ce qu'objectivement Lalande reproche à Spencer, c'est de ne faire, à chaque démonstration, qu'abstraire un phénomène prouvant "par exception" une marche vers l'hétérogène, d'un système plus vaste qu'il eût fallu considérer dans sa totalité. Or dans ses propres réfutations, soit il utilise le même stratagème dans le sens opposé, soit il élargit la séquence de phénomènes liés qui fait l'objet de l'interprétation –et alors le "système" considéré, s'offrant à l'interprétation inverse, ne cesse pas pour autant d'être fragmentaire–, soit il "isole par abstraction", à son tour, non un phénomène ou une séquence empirique, mais un "point de vue", un "domaine", un "monde", comme il déclare finalement l'avoir fait pour le "monde mécanique" : "Le principe de la marche à l'égalité montre en effet que dans le monde mécanique, isolé par abstraction, tout marche du divers au même, d'une hétérogénéité plus grande à une plus grande homogénéité" (p. 70). C'est donc un renversement de méthode qui conduit Lalande à élire un découpage disciplinaire contre un découpage empirique qu'il n'effectue que dans des occasions proprement polémiques. Elisant la thermodynamique, étant parti de la loi de conservation de la matière et de la loi de conservation de l'énergie, il aboutit à la marche quantitative vers l'égalité, et au phénomène "qualitatif" de la dégradation des énergies –l'aspect "qualitatif" de ce phénomène étant lié au *point de vue* de l'utilisation humaine de l'énergie–. L'entropie de Clausius peut en dernier lieu être convoquée comme terme ultime de la démonstration : la seule conclusion globale que l'on pourrait en tirer, c'est que le point de vue quantitatif de la thermodynamique produit *régionalement* la doctrine rigoureuse du *sens naturel* des phénomènes étudiés, et que ce sens naturel est bien, dans cette discipline, celui qui est orienté vers l'égalisation quantitative.

Après l'extension cosmologique, Lalande en vient à esquisser déjà l'extension à la psychologie : si toute l'industrie humaine se résume dans la conduction utile des forces qui cherchent spontanément leur équilibre, toute intensité vécue dans l'élément de l'intériorité psychique (sensation, impression, émotion) "est le sentiment d'une différence en acte". Lorsque celle-ci n'existe plus, l'indifférenciation s'installe sous les espèces de l'*absence d'objet* pour la perception et pour la pensée. Ce qui entraîne cette conséquence reconnue par Lalande, d'après laquelle "le monde sensible disparaît dès qu'on en retire la diversité". En d'autres termes, les différentes manifestations de la *vie* (sensitive, intellectuelle, cognitive) supposent et même exigent la *différenciation.* Cette concession importante vaut, chez Lalande, pour l'ordre physiologique.

Mais ce qui continue à poser un problème, c'est la distinction –apparemment pensée comme interne à la physique– que Lalande s'évertue à maintenir, dans la définition évolutionniste de l'évolution, entre un sens *quantitatif* des phénomènes (diminution de l'énergie dans un système donné) et un sens *qualitatif* (passage de l'homogène à l'hétérogène), puisqu'il choisit pour réfuter cette définition le point de vue uniquement *quantitatif* de la thermodynamique –le principe de la dégradation des énergies n'étant "qualitatif" que par référence à l'appréciation humaine de leur utilité, mais renvoyant en fait à celle d'une *quantité* de travail possible. Tout laisse deviner que c'est à ce niveau qu'une grande question théorique se pose, qui n'est nullement résolue par l'antagonisme des positions et la stratégie du contre-exemple. La distinction du qualitatif et du quantitatif est-elle jouable contre une théorie *moniste* de l'évolution ?

Dissolution physiologique

Dans l'univers physique, la singularité de la vie pourrait se définir comme la conservation de l'identité au sein du renouvellement de la matière. Elle est le "lien qui réunit les éléments passagers du corps" et qui "résiste énergiquement à l'effet dissolvant des forces incidentes" (p. 74). La vie d'autre part est liée à l'*individualité*, concept dont les étymologistes ont, suivant Lalande, faussé le sens essentiellement logique et taxinomique, conformément auquel l'individu est simplement la division dernière, celle dont on ne peut plus tirer, par dérivation ou de toute autre manière, une autre entité classable, une autre unité élémentaire. Dans l'analyse de Lalande –cela mérite d'être retenu–, ce concept s'oppose à *espèce* ou *État*, de même, précise-t-il, que l'*individualisme* s'oppose au *socialisme* dans l'ordre politique. Empruntant à Edmond Perrier (*Anatomie et physiologie animales,* p. 1) une définition de l'individualité comme "ensemble de caractères qui distinguent (un homme) immédiatement des autres hommes", par opposition aux caractères communs ou spécifiques, Lalande accepte alors comme exacte "la définition par laquelle la vie est appelée la tendance au maintien et à l'accroissement de l'individuation" (p. 78). La vie est une transformation de matière non vivante en matière vivante, par la fabrication d'une matière qui n'est pas la matière vivante en général, mais la matière vivante *de telle structure et de telle forme particulière* à l'individu appartenant à un type spécifique. L'existence d'échanges intracellulaires entre le noyau et le protoplasme d'un plastide, échanges visant au rétablissement de la composition protoplasmique altérée par la nutrition, est une confirmation de cette manière d'entrevoir le caractère distinctif de la vie. Le protoplasme d'un plastide vivant, lieu d'un grand nombre de réactions, comme le rappelle Le Dantec (*Théorie nouvelle de la vie*, pp. 88-89), voit sa quantité non pas diminuer, comme ce serait le cas pour une substance chimique ordinaire, mais au contraire augmenter *en conservant ses propriétés.* Sur le plan physique, la régénération, après mérotomie, d'un fragment de protoplasme muni d'un noyau, vient servir à compléter la définition : la vie peut se caractériser alors essentiellement comme "le maintien de la structure et de la composition d'un être", la propriété de croître et de se conserver "selon une formule spéciale et typique". Tel est le fait primitif –qui est, grossièrement, de même nature que ceux que certains anatomistes de la seconde moitié du XVIIIe siècle avaient établis par l'observation des phénomènes de régénération et de cicatrisation post-lésionnelles des tissus vivants– fait que Lalande rapproche, selon une vieille habitude de discours remontant à l'apparition du newtonisme (et sensible notamment chez Maupertuis, Buffon et Lémery au siècle précédent) de l'affinité chimique et de la pesanteur : cette reconnaissance d'un inconnaissable actuel au niveau de l'explication détaillée de l'une des propriétés principales de la vie n'implique chez lui aucun obscurantisme vitaliste, puisqu'il marque nettement et en toutes lettres que rien se s'oppose *a priori* à une explication purement mécanique du phénomène vital manifesté par la régénération (p. 84). La question principale reste donc ouverte à la spéculation : "Cette loi fondamentale, écrit Lalande, qu'on pourrait nommer loi de persistance et d'accroissement du type vital, et qui maintient la forme en dépit du courant de matière qui traverse sans cesse l'individu, peut-on l'expliquer ?" (p. 87). Lalande, bien entendu, n'explique rien, mais, contre un évolutionnisme strictement mécaniste, tente de réhabiliter une sorte de finalisme (relativisé par une référence à l'*idée organique* de Claude Bernard qui rend difficile toute interprétation vitaliste), finalisme relatif, donc, dominé par la saisie d'une analogie permanente entre les phénomènes intimes de la vie organique et les opérations courantes de la vie psychologique :

> "Aux confins extrêmes où l'observation nous conduit, nous voyons des cellules qui se scindent ou se réduisent ***pour*** se reproduire, et sans que nous sachions comment ; des sphères directrices qui se divisent ***pour*** aller à la rencontre l'une de l'autre, et sans que nous en puissions trouver d'autre raison que le but atteint. Tout se passe donc comme si ce que nous appelons désir, tendance, cause finale était la vraie clef des phénomènes vitaux, et non pas une ***vis a tergo*** qui nous échappe aussi complètement pour la vie de la cellule que pour celle de l'organe ou de l'organisme entier, qu'elle contient d'ailleurs implicitement, puisqu'elle manifeste quelquefois le pouvoir de les reproduire. – Et, ce qui résume tout le reste, comme toute une série de phénomènes physiques se résume parfois dans une équation mathématique, observez que le finalisme est identique au phénomène élémentaire de la vie, tel que nous l'avons défini plus haut : le ***maintien*** d'une formule fixe de composition chimique, d'un plan fixe de structure physique ; ces modèles donnés d'avance et s'imposant à l'organisation de la matière étant d'ailleurs multiples, mais extrêmement stables, chacun à chacun, dans les limites de notre expérience." (p. 103.)

Ce qui revient à dire en résumé que "les phénomènes proprement vitaux s'expriment d'une façon plus intelligible en fonction du *désir* ou de l'*activité* qu'en fonction du mécanisme mathématique, c'est-à-dire de la pure *pensée logique*" (p. 104). Nous retrouvons là les thèmes et les termes d'une théologie physique post-newtonienne, dont le vague s'accorde d'ailleurs avec toutes ses versions historiques antérieures : ce discours, qui rend compte d'une apparente conformité de l'objet *vie* avec les structures gnoséologiques mises en œuvre pour le percevoir, peut être "rempli" par des représentations analogues à celles du "moule intérieur" de Buffon ou du "désir" (affinité et mémoire) que Maupertuis conjecturait à l'intérieur des particules élémentaires des corps organisés. Cette ancienne idéologie scientifique s'est simplement repliée derrière la tendance spontanée et reconnue du sujet humain à se prendre pour terme des analogies qui gouvernent son appréhension du monde. On ne loge plus expressément l'*âme* dans l'objet, mais on représente l'esprit comme spontanément porté à le faire. Ce qu'un tel discours n'aperçoit pas, c'est qu'il ramène l'intuition scientifique au niveau de l'animisme et de cette pensée "pré-logique" qui sera pourtant thématisée par lui conformément à une vision relativement infériorisante. En effet, il devient clair à l'époque de Lalande que ce qui différencie la mentalité animiste et l'esprit scientifique est précisément, dans le cas du second, le divorce avec la tendance qui consiste à projeter dans les phénomènes et dans les objets des facultés analogues à celles du sujet qui les perçoit. Le finalisme spontané qui règne, d'après Lalande, sur l'appréhension "philosophique" de la nature, est donc défendu par lui –malgré cette objection qu'on est en droit de lui adresser– au titre d'une tendance gnoséologique *inévitable*, car s'accordant à la structure même de l'esprit connaissant, et ne pouvant de ce fait opposer un réel obstacle à la connaissance scientifique qui s'ordonne nécessairement, elle aussi, selon ses lois. Ce discours de la "biophilosophie", dernier avatar d'une théologie physique qui ne livre pas toujours le secret de son rattachement à ses anciennes références, n'est pas mort : il suffit de parcourir par exemple le livre *D'Aristote à Darwin et retour* d'Etienne Gilson (11) pour être convaincu de sa perpétuelle capacité d'adaptation et de résurgence.

Quant à la *lutte pour la vie* érigée en règle universelle, Lalande n'en conteste pas l'effectivité, tirée d'une généralisation empirique à partir des faits d'observation : du leucocyte luttant pour la défense d'un organisme affecté par une attaque microbienne au combat des cerfs et à la concurrence sociale, même phénomène dans le soulignement duquel on peut voir s'accorder Hobbes, Darwin, Spencer, Haeckel et, bien que cette référence soit sur ce point omise par Lalande, Malthus. La véritable question pour Lalande est de savoir *si la lutte pour la vie peut engendrer une évolution des formes vivantes par différenciation et intégration* (p. 111). Donc –ceci n'est pas dit, mais semble clairement impliqué–, de décider *si Spencer peut légitimement se référer à Darwin*.

Dans sa longue argumentation –qui suit comme à l'ordinaire la méthode accumulative du contre-exemple–, Lalande commence par minimiser l'importance de la *variation* dans la nature, en soulignant les limites de la différenciation qu'elle introduit, sa tendance à l'atténuation par retour au type primitif.

(11) Le sous-titre de cet ouvrage est *Essai sur quelques constantes de la biophilosophie*. Vrin, 1971.

Il est tout de même intéressant de remarquer à ce propos que la plupart de ces réserves et objections avaient été produites par Darwin lui-même dans *L'origine des espèces* et *La descendance de l'homme*, de même que dans la *Variation des animaux et des plantes domestiques*, aussi bien au sujet du *retour* que de la *rétrogression* et de la disparition d'organes par *défaut d'usage* ; et que Haeckel avait employé une grande partie de son œuvre de vulgarisation du darwinisme à revenir sur ces thèmes. Lalande ne fait donc rien d'autre que tenter de combattre l'évolutionnisme (Spencer) avec des armes empruntées au transformisme darwinien.

Par ailleurs, les expériences de Pasteur ont montré qu'il n'y avait pas de transformation des micro-organismes les uns dans les autres. Mais cela, de l'aveu même de Lalande, ne saurait évidemment constituer en aucun cas une réfutation du transformisme. Pour lui, le transformisme est une hypothèse *intellectuelle* en premier lieu, puisque l'observation immédiate ne le démontrera jamais *en acte*. Suivant le mot de Delage, "on est ou n'est pas transformiste, non pour des raisons tirées de l'histoire naturelle, mais en raison de ses opinions philosophiques" (12). C'est le pouvoir *explicatif* du transformisme qui en conditionne le succès : "la théorie générale de l'évolution s'accorde très bien avec le principe de l'expansion vitale" (p. 123). On comprend ici à quel point un tel discours s'éloigne, en esprit, de celui qui était tenu par les naturalistes ralliés à la théorie darwinienne, laquelle, selon eux, ne pouvait s'accommoder d'un statut d'*hypothèse* : pour Haeckel, par exemple, la théorie de Darwin "n'est pas, en effet, comme ses adversaires se plaisent à le dire, une capricieuse hypothèse, une supposition en l'air, dépourvue de corps. Il ne dépend pas de la fantaisie de chaque zoologiste ou botaniste de l'accepter ou non à titre de théorie explicative". Elle est au contraire, relativement à l'obligation pour le savant de choisir l'explication scientifique qui s'accorde le mieux avec l'identification de la "cause efficiente" des phénomènes, "une impérieuse et inévitable nécessité" (13). Ainsi, le monisme mécaniste de Haeckel, conséquence du darwinisme, ne saurait se présenter comme l'extension *philosophique* d'une *hypothèse* formulée en histoire naturelle :

(12) Yves Delage, *La structure du protoplasma et l'hérédité*, I, III, *Introduction*.

(13) Haeckel, *Histoire de la création...*, pp. 22-23.

tout le discours de Haeckel tend au contraire à l'identification des deux expressions couramment avancées dans ses textes doctrinaux : *science moniste* et *philosophie moniste.* S'y adjoindra, sur un même plan d'équivalence, l'expression de *religion moniste* (14). Théorie de l'unité des phénomènes, le monisme est aussi théorie de l'unité de la connaissance. Et cela est la conséquence obligée de la doctrine généalogique du transformisme, qui abolit les frontières et les sauts que l'idéalisme créationniste avait installés entre la matière vivante et la matière pensante. Les sciences du pensant (philosophie et sciences "humaines") sont donc nécessairement les filles de la science du vivant. La scientificité de la théorie darwinienne se déduit de l'observation des propriétés du vivant (variabilité), de sa dynamique (hérédité, adaptation, sélection), et de l'irrecevabilité de la seule hypothèse adverse (la création séparée) par incompatibilité absolue avec ses données positives. L'induction généalogique est donc plus qu'une hypothèse, et plus qu'un choix philosophique.

Quoi qu'il en soit, l'expansion vitale connaît une limite, qui est la mort, dissolution inévitable, pour ce qui est du moins des formes supérieures de la vie. Pour ce qui est de ses formes élémentaires, la question reste posée. Weismann avait soutenu en 1892 la thèse de l'immortalité potentielle des organismes unicellulaires, expliquant le phénomène de la mort chez les animaux multicellulaires qui en dérivent comme une adaptation utile survenue au cours de l'évolution. La division périodique de l'organisme unicellulaire en deux parties sensiblement égales ne pouvait selon lui être pensée sous les espèces d'une mort individuelle, dont le signe distinctif lui semblait devoir être l'existence résiduelle d'un cadavre. De même, l'enkystement temporaire de ces micro-organismes paraissait bien différent d'une mort, dans la mesure où l'on observait couramment que leurs fonctions vitales se réveillaient lorsque des conditions favorables se trouvaient de nouveau réunies.

Or de quelle conséquence pouvait être pour Lalande la reconnaissance d'une éventuelle justesse de la théorie weismannienne ? Elle eût conduit d'abord à la négation de l'universalité

(14) Cf. *Le Monisme, lien entre la religion et la science. Profession de foi d'un naturaliste*, par Ernest Haeckel, Professeur à l'Université d'Iéna ; préface et traduction de G. Vacher de Lapouge, Paris, Reinwald, Schleicher frères, 1897.

et de la nécessité de la dissolution létale, et il est clair que pour Lalande, la mort comme procès inévitable et final d'indifférenciation restait l'un des arguments les plus consistants face à la théorie de Spencer. Elle eût inscrit, ensuite, l'une des plus considérables données de l'ontologie éternelle dans le registre généalogique de l'évolution. Ces deux conséquences impliquaient donc d'une part le renoncement partiel à l'un des champs d'application privilégiés de la loi de dissolution, et d'autre part l'approbation d'une théorie selon laquelle la mort elle-même serait non seulement la conséquence du phénomène de l'évolution différenciatrice (en tant qu'elle ne "commencerait" qu'avec les organismes multicellulaires), mais aussi la manifestation ou le symptôme majeur de cette différenciation. Lalande était donc naturellement porté à découvrir dans les recherches contemporaines sur la vie et la reproduction des unicellulaires des arguments pour réfuter une telle théorie. Ces arguments, il les emprunte aux expériences de Maupas (15), qui dataient alors d'une dizaine d'années.

Maupas avait choisi d'utiliser un dispositif expérimental apte à empêcher toute reproduction des infusoires par conjugaison : il étudia ainsi la reproduction de vingt espèces qui vécurent entre deux semaines et plusieurs mois en se reproduisant uniquement par divisions successives. Il constata alors une baisse de la capacité reproductive et une dégénérescence sénile suivie d'une mort naturelle. Ainsi, l'organisme unicellulaire était lui aussi sujet à la mort, sauf apparemment dans le cas où lui était accordée la possibilité de se régénérer par conjugaison avec un autre organisme de même nature. A une période de reproduction asexuelle succédait donc nécessairement une période de reproduction sexuée ou, en cas d'impossibilité, une période de sénescence conduisant à la mort individuelle.

Lalande saisit donc l'état des recherches sur la reproduction des unicellulaires au moment où la plupart des physiologistes semblent s'être ralliés aux conclusions de Maupas. Il semble avoir ignoré les travaux de Joukovsky (1898) qui, lui, n'avait, en huit mois d'observations et au cours de 450 générations agames, constaté aucune dégénérescence, et il ne pouvait connaître ceux de Koulaghine (1899) ni son hypothèse de la

(15) Maupas, *Recherches expérimentales sur la multiplication des infusoires ciliés*, Archives de zoologie, t. VI (1888) ; *Le rajeunissement karyogamique chez les ciliés*, ibid., t. VII (1889).

dégénérescence par accumulation de sécrétions nocives dans l'organisme baignant dans un vieux milieu de culture. De 1907 à 1915 devaient se dérouler les expériences de Woodruff qui parvint à la conclusion que la cellule vivante placée dans de bonnes conditions peut se diviser indéfiniment sans recourir à la conjugaison, conclusion confirmée par d'autres expériences comme celles de Métalnikov, dont l'ouvrage *Immortalité et rajeunissement dans la biologie moderne* devait paraître chez Flammarion en 1924. On comprend ainsi pourquoi l'on ne trouve plus trace, dans *Les illusions évolutionnistes* de 1930, de la référence aux unicellulaires et aux expériences de Maupas. Mais pour lors, en 1899, il semble acquis que la dégénérescence des infusoires maintenus dans la promiscuité unique de leurs proches parents, avec lesquels ils ne se conjuguent pas, survient inévitablement après un certain nombre de générations agames, et cela suffit à ce moment pour frapper la théorie weismannienne de l'immortalité virtuelle des unicellulaires de non-conformité avec les données de l'expérimentation.

Ce qui retient Lalande, c'est évidemment l'aptitude –par laquelle les organismes unicellulaires se rapprochent des organismes plus complexes– à la reproduction par conjonction. Cette conjonction survient généralement lorsque les infusoires ne trouvent plus dans leur milieu une quantité suffisante d'aliments assimilables. Lors de l'accouplement des deux cellules, on remarque d'abord une série de modifications affectant le système nucléaire de chacune d'elles. De part et d'autre en effet, le *macronucleus* se désagrège et disparaît en se résorbant, et le *micronucleus* se divise en quatre parties dont trois disparaissent de même à leur tour. La quatrième se subdivise en deux fuseaux : on assiste alors, entre les deux cellules, à un échange de composants nucléaires par moitiés : l'un des deux fuseaux de chaque noyau émigre d'une cellule dans l'autre, le second demeurant en place. Cet échange étant réalisé, les deux moitiés nouvellement en présence fusionnent pour constituer un nouvel appareil nucléaire. Après quoi les deux infusoires s'éloignent l'un de l'autre pour reprendre une vie indépendante. Pour Lalande, il ne fait pas de doute que le résultat principal de cet échange physiologique est d'avoir effectué une régénération par *identification* des composantes vitales essentielles des cellules : le processus différenciateur que gouvernent les premières transformations intracellulaires, outre qu'il s'accompagne d'un anéantissement du grand noyau et des tois quarts du petit –la "dissolution", ici, est au service de la différenciation–, aboutit en fin d'opération à une assimilation par échange, par transmission bilatérale d'un élément structurellement identique et facteur de retour à l'identité première. Le cycle régénérateur débouche ainsi sur la reproduction de quelque chose que Lalande ne peut envisager autrement que sous la catégorie du retour à l'homogène : "C'est, écrit-il, un retour évident de l'hétérogène vers l'homogène, une dissolution" (p. 132). Ce rétablissement de l'homogénéité, cette dissolution sont proprement la chance de non-dégénérescence offerte à des cellules qui sans cela auraient poursuivi jusqu'à la mort leur procès solidaire de différenciation et d'altération.

La conclusion qui peut s'en tirer est alors plus complexe qu'il ne semble : car Lalande, cherchant à établir l'universalité de la mort comme "limite supérieure" et dissolution inévitable de tout organisme vivant, finit par démontrer qu'une autre forme de dissolution joue un rôle diamétralement opposé au sien, puisqu'elle sert à la relance du processus vital. L'équation *mort = dissolution*, établie et acquise, doit admettre à côté d'elle une nouvelle équation *dissolution = régénération = vie* qui semble *a priori* en inverser le sens et montrer que l'hégémonie de la loi de dissolution n'existe dans la nature que si l'on implique dans la compréhension de ce concept des signifiés absolument contraires. Comment penser alors *philosophiquement* l'accord de ces deux sens apparemment opposés de la dissolution ? Non pas, certes, en posant directement l'équation *dissolution = vie* –ce qui contredirait trop brutalement l'affirmation initiale de la mort comme dissolution ultime et uniyerselle–, mais en essayant la formule *différenciation→ mort*, qui présente le double avantage de lui être logiquement équivalente, et de contredire exactement, dans les termes, l'essentiel de la doctrine évolutionniste. En effet, Lalande a retenu des expériences de Maupas sur les unicellulaires que la continuation indéfinie de la division interne des cellules conduisait, à plus ou moins long terme, à la sénescence et à la mort. Il y avait là matière à induction : "toutes les probabilités sont donc pour que la cause de leur mort soit cette différenciation même que dissout leur mélange réciproque". Cette probabilité s'appuie sur la permanence de la contiguïté, dans l'être, de la différenciation et de la mort : "L'être sujet à la mort est également l'être sujet à la différenciation" (p. 135). Par contre, la dissolution par où s'opère la régénération, retour à la stabilité de l'homogène, est à la fois une "mort" partielle de l'individu –ou plutôt une désindividualisation, un "oubli" de l'individu dans la fusion : cet oubli, Lalande le rapprochera enfin du sentiment puissant de perte de soi dans l'autre, ou d' "oubli de soi-même" qui caractérise dans toute son énergie l'amour humain–, et le rétablissement régulateur des conditions de la vie continuée. De ce point de vue, la dissolution peut être mort et vie, parce qu'elle est saisie en un moment d'un *cycle* qui peut être envisagé aussi bien comme une fin que comme un commencement. Mais alors, à l'intérieur d'une causalité cyclique où l'on voit alterner différenciation et dissolution, qu'est-ce qui pourra décider de la prééminence finale de l'un ou de l'autre des moments ?

Étrange démarche de Lalande, si semblable à celle de Spencer dont elle critique l'arbitraire dans le choix et dans le découpage des phénomènes et des séquences : toute la question est de décider où l'on fixera le début ou le terme du cycle : et, en l'absence de fin et de commencement *absolus*, un tel choix ne pourra jamais être qu'*arbitraire*.

Lalande vient d'établir par une généralisation empirique qu'à toute différenciation succède une dissolution, qu'à toute vie succède une mort, et, par induction, que la seconde est ce vers quoi tend inévitablement la première. Puis il installe la même relation inductive entre la dissolution et *tous* les modes de reproduction (par régression d'une partie de l'organisme destinée à la production d'un nouvel être identique, ou par fusion d'éléments empruntés à deux organismes différents, ou encore par la conjonction des deux processus). On sait le parti que Freud tirera, du côté d'un au-delà du principe de plaisir et de l'identification d'une tendance au retour vers l'indifférencié, de méditations analogues à celles-là. Mais il n'y a rien encore chez Lalande qui puisse permettre d'ouvrir de telles perspectives. De ces deux propositions rapprochées : *la différenciation conduit à la mort*, (p. 135), et *la dissolution est une différenciation décroissante* (p. 136), il s'ensuit que, la mort étant la dissolution par excellence, la vérité de la marche des phénomènes est donnée par la formule : *la différenciation conduit à la dédifférenciation*, ou *la vie conduit à la mort*, ou encore *l'hétérogène conduit à l'homogène*, ou enfin : *l'évolution conduit à la dissolution* –ce qui est, selon la formulation choisie, une banalité philosophique ou une "réfutation" de l'évolutionnisme.* L'exemple de la multiplication des infusoires selon Maupas montrait d'abord une courbure ascendante de la différenciation, puis un ralentissement, et enfin une retombée —une extinction. C'est le modèle universel pour Lalande, où il retrouve celui du développement des organismes plus élevés —croissance, dépérissement et mort— qui fut tant sollicité pour métaphoriser la vie des sociétés, des nations et des États. A propos de ce schéma appliqué aux *langues* par Schleicher, j'ai montré comment un tel modèle, très implanté au XVIIIe siècle, était relayé par Hegel, et convenait mal au darwinisme de l'époque de *L'origine des espèces*, pour lequel l'extinction d'une espèce n'est pas nécessairement liée à une dégénérescence physique, à une usure de ses représentants : une espèce ne meurt pas de vieillesse. Le modèle en question, l'un des plus communs qui soient, qui provient d'une extrapolation à partir des caractéristiques du développement de l'organisme individuel, s'il a été beaucoup appliqué par un organicisme vulgaire à l'explication —analogique et téléologique— des phénomènes socio-historiques, a peu de pouvoir réel, à l'analyse, face au transformisme darwinien qui est le premier à l'avoir supplanté. C'est peut-être aussi pourquoi Lalande, par une obscure prudence, ne s'en prend jamais directement à Darwin.

Mais si l'on revient à ce que Lalande pense avoir établi au sujet de la fécondation, on aboutit à trois conclusions qui sont en fait parfaitement redondantes :

– L'abandon de l'individualité demeure, à tous les degrés de l'organisation, la caractéristique des fonctions génitales (p. 139).

– Le mélange, et par conséquent la *désindividualisation* des deux éléments composants sont tout l'essentiel de la fécondation (p. 140).

– La fécondation est donc une dissolution (p. 141).

Ainsi, ce qui triomphe dans la fécondation, c'est l'*indifférencié* : indifférenciation des tissus donnant naissance aux ovogonies et aux spermatogonies, indifférenciation —selon certains physiologistes— des cellules "réservées" à la reproduction ; indifférenciation, selon Milne-Edwards, Kölliker et Huxley, du plasma

(*) Réfutation en partie illusoire d'ailleurs, puisque, l'on s'en souvient, Spencer, dans les *Premiers principes*, avait signalé que la dissolution suivait généralement l'évolution.

de l'œuf ou du spermatozoïde ; indifférenciation enfin, selon Weismann, du *plasma germinatif* qui est lui-même source de tout l'indifférencié par la transmission de quoi l'être perdure dans le maintien de ses caractères héréditaires. Mais cette indifférenciation, ou ce retour à l' "homogène", en tant qu'il conditionne le départ d'une nouvelle vie –c'est-à-dire d'un processus qui sera nécessairement, par rapport à lui, *différenciateur*, prouve exactement que la croissance de l'hétérogénéité s'inscrit dans le cycle de la vie organique comme l'une de ses *phases* nécessaires, et nécessaires notamment à l'intelligence des phénomènes de dissolution, tout comme ces derniers sont nécessaires pour comprendre le mécanisme de la relance de la vie. En ce point de sa démonstration, Lalande n'a réussi à prouver que l'équivalence et la complémentarité des deux phénomènes.

Mais la physiologie –et même la physiologie de la reproduction, saisie à quelque niveau que ce soit, dans son mécanisme ou dans ses effets– peut-elle véritablement se prêter à une démonstration de la prééminence de la tendance à la dissolution ? La dissolution n'est un terme que pour l'existence du *soma* individuel, et la mort du vivant n'est une règle universelle que si l'on s'en tient aux expériences faites sur les protozoaires jusqu'à l'époque de la rédaction de la thèse de Lalande. Si l'on considère le cycle reproducteur, interminable, on est d'abord contraint, par une évidence de fait, d'y reconnaître au contraire la négation de toute dissolution finale. La vie que produit la dissolution sous les espèces de la fécondation ou de la régénération des cellules est aussi significative et aussi "universelle" que la mort qu'elle produit chez l'individu en tant que dédifférenciation et décomposition des textures somatiques. Aussi devrait-on dire qu'il y a *deux* dissolutions, aux effets opposés : celle –différenciation décroissante– qui conduit à la mort individuelle, et celle –fusionnelle et régressive– qui est le départ d'un nouvel accroissement de la différenciation : le texte –épistémologiquement faible et compensant cette faiblesse par une certaine esthétisation de la vision philosophique– où s'inscrit chez Lalande la notion de la solidarité de ces deux "cycles" n'échappe pas lui-même à l'obligation de la penser comme un *cercle* :

> "Au résumé, la différenciation conduit à la mort, et cela d'autant plus sûrement qu'elle est plus avancée. Elle se détruit donc elle-même, puisque la mort, par la plus énergique des dissolu-

tions qui nous soient connues, fera rentrer dans le rang des simples produits chimiques toute la merveilleuse multiplicité des tissus vivants et organisés. M. Le Dantec a profondément raison de dire que la vie élémentaire ne mène pas à la mort, et qu'elle est au contraire la synthèse de ce dont la mort est décomposition. Mais cette synthèse, en édifiant des systèmes de plus en plus solidaires et par conséquent de plus en plus fragiles, se place elle-même en des conditions de plus en plus précaires : de même que la famine est de plus en plus menaçante pour Paris, à mesure qu'une organisation plus raffinée lui fait tirer sa subsistance du pays tout entier. En ce sens, la différenciation, résultat de la vie, accidentel sans doute, mais inévitable, arrête la vie.

La reproduction sert de palliatif à la mort. Elle ne sauve pas l'individu, parce que pour l'individuel, différencié, il n'y a pas de salut possible ; mais en prélevant sur sa matière un impôt de substance indifférenciée, elle réserve le germe des générations futures qui remplaceront un jour les générations mortes. La fécondation vient en aide à cette régression, par laquelle la vie continue son œuvre en sacrifiant continuellement les produits mêmes de son activité. En empruntant à deux individus différents les deux moitiés constitutives de la cellule génératrice, elle diminue ce qui pourrait se trouver en excès ou supplée à ce qui pourrait se trouver en défaut même dans leur réserve indifférenciée. "Elle égalise, elle atténue constamment les différences qui sont produites par l'action des facteurs extérieurs sur les individus d'une même espèce" (O. Hertwig, *La cellule*, VII, 300). Ainsi s'établit cette "loi générale" qu'après une certaine période de multiplication cellulaire par division, "il apparaît une période dans laquelle deux cellules d'origine différente doivent fusionner ; le produit de ce fusionnement constitue alors à son tour un organisme élémentaire qui forme le point de départ d'une nouvelle période de multiplication par division" (*ibid.*, VII, 236). Bien que ces cycles se présentent dans la vie organique sous les formes les plus variables, leur ensemble est, après la nutrition, la propriété la plus universelle des vivants.

Et malgré la contradiction interne qu'ils enveloppent, ils ne sont pas rigoureusement un cercle vicieux. Quelque chose s'introduit dans leur retour sur eux-mêmes qui les déforme insensiblement, entr'ouvre leur courbe, y laisse pénétrer un nouvel élément. La retenue effectuée par la nature sur chaque individu devient d'autant plus faible que ceux-ci s'élèvent davantage dans ce qu'on nomme l'échelle des êtres. Parmi les animaux les plus simples, beaucoup meurent immédiatement après la reproduction. Les animaux supérieurs, bien qu'elle soit encore une forte dépense pour eux, en deviennent plus indépendants et prolongent de plus en plus la durée de leur vie au-delà de l'époque propre à l'activité génésique. Il ne faut donc pas dire avec les pessimistes que la personnalité humaine n'est qu'un jouet dans les mains de la nature, une dupe du génie de l'espèce et des ruses de l'inconscient. Sans doute, par cela même qu'il y a individualité, il y a contradiction et faiblesse en lui ; mais loin d'accentuer cette infirmité logique, le progrès des formes organiques la soulage ; et laissant à chaque *soma* humain une notable indépendance à l'égard de son plasma germinatif, elle lui ouvre pour ainsi dire une autre carrière, et lui fournit, en tant qu'être capable de pensée universelle, une seconde échappatoire à la nécessité de la mort." (pp. 146-148.)

Différenciation et dissolution se conditionnent ainsi l'une l'autre au sein d'une détermination circulaire. Seul meurt l'individu somatique : la fécondation (dissolution) soustrait à cette mort (autre dissolution) l'indifférencié qui est le germe des différenciations futures, promises à de nouvelles dissolutions, et ainsi de suite. Lalande reconnaît le *cercle*, mais ne le reconnaît pas comme *vicieux*, car il le métamorphose en spirale : cette spirale dans laquelle nous avons identifié la figure logique de l'évolutionnisme culturel des Lumières, qui est en fait une théorie du progrès par différenciation-intégration de l'homme et des sociétés humaines. Quel est donc ce "quelque chose" qui "s'introduit" dans le "retour sur eux-mêmes" de ces processus cycliques, qui "les déforme insensiblement, entr'ouvre leur courbe, y laisse pénétrer un nouvel élément" ?

Retour à la *différenciation*, inévitable –mais retour, semble-t-il, à une différenciation plus strictement darwinienne, en ce qu'elle n'est reconnue que dans le plan de l'évolution physiologique des organismes culminant avec la performance psychique et rationnelle de l'homme. Mais en même temps, retour qui s'effectue sous les espèces de la différenciation-intégration spiralée propre à l'anthropologie du siècle précédent, et peu étrangère, somme toute, à l'idée directrice de Spencer. Mais encore, et ultimement peut-être, ouverture d'un nouveau cycle métaphysique qui serait *dissolutoire* par l'effet d'un *retour* analogue à celui qui s'effectue dans la situation de régénération cellulaire ou dans la fécondation : c'est par la "pensée universelle" dont il devient un sujet que l'homme échappe une nouvelle fois –de même que, dans leur association, les protozoaires ou les cellules germinales– à la nécessité de la mort.

La pensée serait donc l'ultime dissolution régénératrice, réglant donc, entre elle-même et la vie du corps, des rapports dont il y a tout lieu de penser qu'ils reposeront sur un rigoureux dosage compensatoire de vie et de mort. Et tel est bien en effet le sens des dernières pages du chapitre sur la dissolution physiologique :

> "Si nous montons en effet au sommet de l'échelle, à l'homme conscient, *homo sapiens*, nous y rencontrons encore une dissolution de plus, qui ne paraît pas au premier coup d'œil dériver de la mort ni lui servir de succédané, et qui pourtant n'a pas avec elle un rapport moins étroit que la génération : c'est la dissolution physiologique qui accompagne chez lui le développement considérable de la pensée réfléchie." (p. 148)

En dépit de sa réaffirmation du "dualisme irréductible de l'esprit et du corps, Lalande reconnaît comme un fait scientifique indiscutable l'existence d'influences organiques sur le fonctionnement de la pensée, ainsi que celle d'influences inverses. Il maintient donc la coexistence du dualisme et de l'union, sur un mode qui n'est plus exactement celui du cartésianisme, mais qui reste apparemment celui d'une assurance pratique très affermie, s'opposant ainsi à tous les évolutionnistes –et en particulier à Haeckel pour qui la démonstration des conséquences mentales des lésions cervicales excluait toute possibilité de conserver la moindre distinction entre l'esprit et le corps. Ce qu'il maintient aussi, indépendamment de cela, c'est la question qui doit porter sur le *sens* de l'évolution intellectuelle, et qui cherche à déterminer "s'il y a tendance évolutive –au sens spencérien– ou la tendance contraire dans les phénomènes mêmes de l'esprit et dans la finalité qui leur est propre" (pp. 148-149).

Il y a pour Lalande deux sortes de *pensée* : l'une qui n'est que la servante des intérêts de la vie organique (*ancilla ventris*), et l'autre, la "pensée des penseurs", libérée de l'obligation de fournir des avantages pratiques, "pensée inutile", spéculation pure (art, religion, philosophie). Sans s'attarder pour l'instant sur ce qui manifeste, dans cette distinction, la poursuite évidente du dualisme, il s'agit ici de s'attacher à la description que donne Lalande de l'*état d'intellectuel*, envisagé du point de vue psycho-physiologique.

Première thèse : le développement de la sensibilité physique accompagne celui de l'activité réflexive. La sensibilité perceptive d'un artiste ou d'un homme de science est plus grande que celle d'un illettré.

Deuxième thèse : la sensibilité à la douleur croît dans le même sens : "Un cheval", écrit Lalande, "supporte presque sans douleur des plaies qui feraient hurler un singe ou un chien ; de même ceux-ci par rapport à l'homme. Dans les races noire et jaune, la sensibilité aux blessures, aux opérations chirurgicales est très faible, en même temps que la vigueur du jugement abstrait et du raisonnement est inférieure à celle de la race blanche" (p. 151). L'histoire achève cette "démonstration" : le XIXe siècle poétique et lyrique –et, sous certains aspects, philosophique– n'est qu'une vaste illustration du fait que "le développement de la pensée est inséparable d'une grande capacité d'éprouver de la douleur". Le tableau complet que forme chez Lalande cette représentation de la croissance corrélative de la sensibilité et de l'intellect renferme une fois de plus, semble-t-il, une ambiguïté attachée à la mixité de sa provenance historique : en tant que reposant sur une théorie implicite du *raffinement progressif* des mœurs et des connaissances humaines –donc de la "civilisation"–, elle porte la marque du XVIIIe siècle : développement qualitatif de l'acuité perceptive né de l'exercice réitéré des facultés, solidaire d'une augmentation des capacités intellectuelles et de l'ouverture de l'âme à l'aperception du sublime. En tant que comportant la mention explicite d'inégalités d'évolution entre les races humaines, elle porte la marque d'un transformisme plus récent dont le modèle se trouve chez Darwin. Cela ne va pas sans contradiction : car ce que l'on peut tirer de la lecture de tous les livres où Darwin parle de l'*homme*, c'est au contraire l'idée selon laquelle la sensibilité physique des peuples "naturels" est plus développée que celle des peuples hautement civilisés. La vue, l'ouïe, l'odorat y sont maintenus par un usage constant dans un état de haute fonctionnalité, inaccessible même aux Européens transplantés depuis longtemps en milieu "sauvage". Faudrait-il alors distinguer aussi entre une sensibilité assujettie aux intérêts immédiats du corps, et une sensibilité développée en vue de son pur exercice ? Lalande ne le dit pas, mais c'est là le seul moyen de sauver la logique de son discours, en y faisant apparaître l'idée directrice d'une dualité de la sensibilité qui ferait écho à celle de la dualité de la pensée.

La sensibilité et l'intelligence, se développant ensemble et s'éloignant ensemble des motivations grossières de l'intérêt corporel, s'accompagnent donc d'une dissolution qui se manifeste cette fois sous l'aspect subjectif de la souffrance, et sous l'aspect objectif de la dégénérescence physique. L'exercice intense de la faculté d'attention, par exemple, ne se dissocie pas d'une diminution de l'action vitale périphérique, qui se trouve comme bloquée ou suspendue –phénomène porté à son acmé dans l'extase mystique. L'inhibition vitale liée à l'exercice de la pensée est telle que l'atrophie de son organe se trouve régulièrement coïncider –notamment chez certains idiots microcéphales– avec une particulière robustesse physique. D'une manière plus générale, le développement de l'intelligence a dissous les instincts vitaux qui assuraient la préservation de la santé organique, et a induit l'homme dans le risque quotidien de son auto-destruction. Une notable régression des instincts apparaît en effet "quand on passe de la bête à l'homme, et surtout à l'homme des races les plus développées intellectuellement" (p. 158). Tous ces éléments se trouvent fréquemment thématisés dans les textes de Darwin, *où ils n'enferment aucune contradiction*. Chez Lalande au contraire, il faut pouvoir penser *en même temps*, chez l'homme civilisé, *la supériorité sensitive et la baisse d'acuité des instincts*, et inversement, chez l'homme sauvage, *une supériorité des instincts qui serait compatible avec une moindre sensibilité*. On comprend ici, mieux peut-être encore qu'ailleurs, comment le discours de Lalande, cherchant à évacuer autant que possible, entre ses propres thèses et les références qu'il assume, les traces les plus manifestes de la contradiction, ne tient que par le *dualisme* "irréductible" qu'il avance comme une postulation de la pratique philosophique, et qu'il généralise en l'étendant à la division interne des principaux phénomènes psychologiques. Les contradictions précédentes ne peuvent être levées, comme on l'a déjà montré, que si l'on admet une division –d'ailleurs hiérarchique dans l'axiologie spontanée de Lalande– entre *deux* sensibilités, dont l'une serait liée à l'instinct, et l'autre détachée de lui. Mais pour que le rôle inverse joué par ces deux sensibilités –l'une conduisant à l'accroissement vital, l'autre à la souffrance et à la mort– s'explique rationnellement dans le fait même de leur opposition diamétrale, il faut opter soit pour un *dualisme radical* –que Lalande n'ose affirmer–, soit pour l'opération d'un *renversement qualitatif sans rupture*, analogue à l'*effet réversif* que nous avons identifié chez Darwin et commandé par lui –et cela n'est pas davantage reconnu par Lalande, qui refuse expressément de s'engager dans la voie des questions d'origine "souvent oiseuses, souvent insolubles" (p. 150).

Indécision logique, donc, où il faut reconnaître l'indice d'une incontestable fragilité du système. Il *faudrait* dans les deux cas, pour Lalande, distinguer une sensibilité liée à l'*instinct*, et une sensibilité liée à l'*intellect* : mais demeurerait encore la question de la provenance de la seconde, liée à celle même de la provenance d'un intellect "pur" opposé à une intelligence liée au corps. Le *dualisme* de Lalande, éprouvé par la non-résolution de ces problèmes, est pour cela un dualisme *honteux*, pris entre une tradition spiritualiste qu'il n'ose pratiquement contester et la sollicitation grandissante de l'interprétation transformiste, qui le gêne sans doute par une trop grande ressemblance logique, à ce niveau tout au moins, avec les théories empirico-sensualistes de la génération des facultés : ce qu'à travers le maintien doctrinal du dualisme philosophique, Lalande refuse, c'est l'hypothèse d'origine, l'unitarisme de toute théorie de la dérivation des facultés "élevées" à partir des facultés purement sensitives. Ce dualisme ne peut donc être, existant dans la conviction philosophique en dehors de toute preuve péremptoire, que dogmatique dans son essence et timide dans sa manifestation. Lalande, qui a lu Darwin et qui semble toujours s'y référer comme à la science, n'a pas vu dans le monisme darwinien ce qui permettait d'en inférer un *dualisme rationnel*, cohérent avec l'exigence scientifique du transformisme et hautement opératoire pour penser la singularité de l'humain : l'*effet réversif*, ou la naissance d'une intelligence et d'une morale *altruistes* à partir du développement des *instincts* sociaux, résultat de la sélection parvenue au point où celle-ci annule ses effets individuels pour donner l'avantage à la survie solidaire du groupe : c'est de là que l'homme tient, *naturellement*, son pouvoir singulier d'inverser le cours ordinaire de la nature et, entre autres, d'utiliser son intelligence à d'autres fins que celles d'un utilitarisme auto-centré. Dans la logique de Darwin, comme, toutes choses égales, dans celle de Hobbes, le sacrifice des instincts est la suite naturelle d'une certaine catégorie d'instincts, que l'on peut décrire comme des *instincts de conservation liés à une activité réfléchissante de la raison* où le rapport à l'autre est devenu spéculaire et identifiant. La différence, c'est que chez Hobbes, le renoncement aux instincts –au droit naturel de donner la mort– est pensé comme un acte de la raison saisissant la loi de nature et choisissant délibérément la convention contractuelle, et que chez Darwin, le passage à l'état de civilisation et de moralité altruiste est conçu comme l'effet du lent développement d'instincts sociaux sélectionnés. Renonçant à ses instincts primitifs –ou plutôt, dans la perspective transformiste, les voyant recouverts progressivement par des stratégies rationnelles faillibles–, l'homme, animé de cette pensée réfléchie qui, d'après Lalande, "soustrait au principe vital la direction des fonctions organiques" et en élimine l'automatisme protecteur, est devenu de ce point de vue plus vulnérable que l'animal, plus sujet à la mort. La course à la mort, si opposée en apparence, pour Lalande qui ne dépasse guère ce point de vue, aux "instincts", vient donc –au titre d'une conséquence de l'état réfléchissant lié lui-même à l'état social– d'instincts primitifs qui sont les instincts sociaux et qui sont eux-mêmes, comme fruits de la sélection, des instincts favorables à une survie améliorée de l'espèce. Seule la logique darwinienne de l'*effet réversif* permet de comprendre cette apparente contradiction comme étant en fait non contradictoire.

Il n'est donc pas faux, du point de vue du darwinisme, de dire que le développement de la pensée entraîne pour l'homme un risque de mort – ou tout au moins accroît ce risque *jusqu'à un certain point* : car l'effet réversif étant accompagné, au cours du développement de la civilisation, de démarches correctrices, restauratrices et préventives que j'ai regroupées sous le concept de *phénomènes surcompensatoires* (médecine, sport, etc.), la brèche ouverte du côté de l'instinct dans la faculté d'auto-conservation physique de l'homme est plus que colmatée par l'efficace grandissante des stratégies rationnelles.

Mais cela échappera aussi à Lalande, qui continuera à faire fonctionner ses oppositions entre l'esprit et le corps en alléguant par exemple les statistiques de Venn (16) effectuées sur trois mille élèves de Cambridge et "prouvant" que les plus sagaces sont aussi les plus défavorisés sur le plan des facultés physiques, fournissant ainsi à Lalande un argument "scientifique" supplémentaire pour accréditer l'idée selon laquelle "la

(16) *Correlation of mental and physical powers*, "Monist", oct. 1893.

pensée réfléchie, en tant qu'elle se lie au fonctionnement d'un corps organique, en est encore une dissolution" (p. 166). Mais cette "preuve", on s'aperçoit en examinant les chiffres et les conclusions de Venn que c'est Lalande qui l'a fabriquée en faisant subir aux faits des réajustements interprétatifs : d'après la comparaison des classes quant à leur position respective par rapport à l'ensemble des caractéristiques physiologiques choisies, Venn concluait qu'il n'y avait pas de différence réelle entre les étudiants des trois classes : ce n'est qu'en dissociant les paramètres physiologiques, et en rendant les uns plus significatifs que d'autres, que Lalande parvient à rétablir sa chère opposition. Il arrive même que le corps prenne sur l'intelligence une revanche sur ce qui est censé être le terrain de celle-ci, lorsque par exmple le succès à un concours vient couronner les efforts d'un esprit moyen, mais doté d'une grande résistance physique : "Les concours, écrit Lalande dans une formule qui pourrait avoir été prononcée par Haeckel, sont une lutte pour l'existence, et non pas un jugement de Dieu".

Dans cette tension entre l'endossement partiel du transformisme darwinien et la contestation philosophique de l'évolutionnisme, le discours de Lalande n'est possible, rigoureusement, que par le dualisme généralisé qui structure l'intégralité de son système : il y a *deux* aspects (quantitatif et qualitatif) des phénomènes mécaniques, il y a *deux* pensées, *deux* sensibilités, il y a l'instinct et l'intellect, il y a le corps et l'esprit, et tout cela est nécessaire pour qu'une *dissolution* soit opposée à une *évolution.*

Dissolution psychologique

Soit donnée l'irréductibilité absolue du fait psychique au fait physiologique –ce dont ont convenu, si l'on s'en remet au rapport de Lalande, les esprits les plus naturellement portés à contester ce dualisme : Stuart Mill, Spencer, Huxley, Tyndall, Romanes, Taine. Cette irréductibilité n'est pas affirmée comme un principe métaphysique, mais comme la résultante des propriétés constituantes de ces deux catégories de faits perçus en tant que phénomènes. La pensée, dans l'univers matériel vivant, déclare Lalande, est une "nouveauté inexplicable."

Soit donnée deuxièmement l'existence de ce trait singulier des phénomènes psychologiques humains qui se résume dans les "lois normatives" de Wundt : l'ajustement des moyens en vue de fins clairement proposées à l'action par le jugement et la volonté.

Il en résulte une sécession de la psychologie par rapport aux sciences de la nature, déterminée par deux concepts nouveaux : "la pensée et la détermination conscientes, autrement dit la raison et la liberté". Et Lalande ajoute qu' "il y a lieu de soupçonner que ces deux facteurs modifient sensiblement, dans l'ordre humain, la marche de l'évolution". C'est exactement à ce moment que Lalande, à qui a échappé la saisie de ce que j'ai désigné chez Darwin sous le concept de l'*effet réversif*, le ré-invente d'un point de vue dualiste pour le faire servir à une réfutation de l'évolutionnisme :

> "En effet, *ce qui doit être*, objet du jugement normatif, se présente à nous sous trois formes : dans l'ordre de la sensibilité, le beau ; dans l'ordre de la pensée, le vrai ; dans l'ordre de l'action, le bien. D'où les trois sciences qui donnent à la philosophie plus que toute autre, sa physionomie spéciale : la morale, la logique et l'esthétique.
>
> Or, il nous semble que toute action, toute parole, toute pensée, quand elle a pour fin l'une de ces trois grandes idées directrices de notre nature consciente, fait progresser le monde en sens inverse de l'évolution, c'est-à-dire y diminue la différenciation et l'intégration individuelles ; elle ont pour effet de rendre les hommes moins différents les uns des autres, et de faire tendre chacun d'eux, non plus comme l'animal à absorber le monde dans la formule de son individualité, mais à s'affranchir au contraire de l'égotisme où l'enferme la nature en s'identifiant avec ses semblables." (pp. 172-173.)

On mesure ici la dimension du *malentendu* : s'en prenant à l'*évolution* en tant qu'*idée directrice* étendue à la caractérisation du "sens" de l'ensemble des phénomènes, Lalande fait état de l'orientation de la nature consciente de l'homme vers une intelligence, une moralité et une esthétique *assimilatives* et, de ce fait, d'un *renversement*. Or Darwin a dès 1871, dans *La descendance de l'homme*, décrit ce renversement d'une manière définitive en laissant apercevoir la logique de l'effet réversif. Cette logique *généalogique* annulait le dualisme en faisant dériver les facultés "supérieures" de l'humanité des "instincts sociaux" déjà repérables au sein du règne animal : sélectionnés, ces instincts concouraient donc d'une manière avantageuse à l'amélioration de la vie de l'espèce. Et cependant, leur développement faisait que, d'une manière coextensive, le développement de sentiments et de comportements assimilatifs conduisait à la *négation tendancielle de la sélection naturelle au sein du groupe* et à l'affirmation idéale de la sympathie universelle. Ainsi, ceux qui ont cru pouvoir tirer de la *sélection* darwinienne un fondement pour une théorie socio-historique ou raciologique du triomphe naturel du plus fort ont confondu tous les niveaux d'articulation de ce concept chez Darwin. Ils ne comprennent pas notamment que la "force" intrinsèque, qu'ils essentialisent, ne doit en aucun cas, du point de vue de Darwin, être confondue avec la faculté d'accroissement numérique ni être pensée comme ce qui détermine exclusivement le succès dans le combat pour l'existence. Ils ne comprennent pas davantage que le "modèle" de la sélection entre les individus appartenant à une même espèce, ou entre plusieurs espèces distinctes, ne peut servir à penser les rapports interhumains et inter-raciaux qu'autant que ces rapports n'on pas été eux-mêmes amenés à la sympathie par l'évolution même de la civilisation, conséquence développée de l'effet réversif. S'ils se réfèrent à Darwin, c'est sans voir ce qui dans le darwinisme condamne péremptoirement l'usage qu'ils en font. Mais sans atteindre encore ce problème, et pour rester dans les limites du simple affrontement entre deux représentations –moniste et dualiste– de l'être, il faut prendre sérieusement en compte l'importance déterminante –et peu comprise des philosophes– des implications philosophiques de la théorie de la descendance de l'homme en tant qu'elle produit, à un certain moment, ce *renversement sans coupure* qu'est *l'effet dialectique de réversion dans le processus sélectif*. Ce renversement sans coupure permet d'accorder un *monisme radical* de l'évolution continue de la matière avec un *dualisme gnoséologique* qui, bien que ne pouvant être en aucune façon confondu avec l'ancien dualisme métaphysique qui reposait sur une distinction des substances désormais abolie, permet cependant, mais *autrement*, de retrouver en leur donnant un fondement rationnel les distinctions longuement thématisées par toute la tradition philosophique entre la matière et l'esprit, le corps et la pensée, la nature et la société, l'organisme et la conscience, et de rendre ces distinctions opératoires dans le cadre d'autres sciences particulières. L'*effet réversif* implique donc nécessairement que les lois qui régissent l'évolution de l'individu pensant et socialisé, de même que l'évolution du groupe humain civilisé, soient *différentes* de celles qui gouvernent l'évolution de l'organisme individuel considéré comme pur organisme, ou de l'espèce considérée comme collection de purs organismes. En conséquence, *on ne peut fonder sur Darwin aucun organicisme*, psychologique ou sociologique. Le texte même de *La descendance*, dans ce moment essentiel, l'interdit. Tout laisse au contraire logiquement penser que dès qu'apparaissent la conscience développée en rationalité politique, les instincts sociaux développés en sympathie élargie et la société développée en civilisation, Darwin devient *naturellement* un théoricien de l'*assimilation*. C'est donc en vérité sans le savoir que Lalande se retrouve du côté de Darwin pour réfuter tout un pan de l'idéologie évolutionniste.

L'illustration par Lalande de la tendance assimilative s'effectue d'abord sur le terrain de l'intelligence. L'acte premier de celle-ci est de "poser la perception comme objective", c'est-à-dire comme une entité placée devant le sujet, indépendamment de lui, dans un espace assez incompréhensiblement conçu comme extériorité. Or il s'agit de définir l'avantage qui s'en retire, étant donné que cette sorte d'évidence immédiate qui accompagne chaque perception n'est pas justifiable du point de vue rationnel, et ce dans quelque système philosophique que ce soit (17). L'avantage de cette postulation d'extériorité pour les objets de la perception, et de leur localisation dans un espace "objectif" distinct du corps propre, "c'est que l'objectif, n'appartenant à personne, appartient à tout le monde. Ce que la psychologie individuelle n'explique pas, l'existence d'un ordre social intellectuel le réclame : c'est la révolution communiste de la connaissance" (p. 176). Ainsi, sans pour cela commencer d'être mieux expliquée, se constitue l'unicité universellement exigée et admise de tout objet singulier de la perception, pensé comme identique à soi dans son être objectif postulé en dépit des différences de points de vue et de la multiplicité indéfinie des impressions individuelles. Toute problémati-

(17) C'est une lecture insuffisante de Condillac qui permet à Lalande de reporter l'insuffisance sur Condillac lui-même et sur ce qu'il écrit de la perception des choses *en dehors de nous*. J'ai montré, à ce propos –*L'ordre du corps*, 1980– que dès l'auto-affection qui révèle au sujet son identité une et divise à travers le contact réciproque de deux surfaces corporelles –le corps se touchant lui-même–, l'intuition de l'extériorité objective est acquise au sein même de l'unité subjective sensible.

que de l'origine est une fois de plus écartée. C'est ce *passage à l'objectif*, en soi irrationnel, et que Lalande se garde précisément d'intérroger comme *passage*, qui est considéré par lui comme l'empreinte psychologique d'une "raison morale" imposant un certain ordre à la connaissance. On perçoit ici l'un des ressorts du *style* philosophique de Lalande –lequel n'est évidemment pas unique à l'époque où il se développe– : l'idée d'une *raison morale* s'inscrivant sous les phénomènes avant même que ne soit expressément posée la question de la constitution de la morale, et que la morale constituée reconnaît comme un bien : structure providentialiste larvée du rapport au monde, sous l'évacuation objective du rapport à l'histoire. En définitive, c'est parce qu'il *est* social et moral que l'homme *doit* percevoir chaque *étant* dans son extériorité d'objet offert à tous, et d'objet possédant des caractères constants *pour* une reconnaissance universelle : *la perception est, ontologiquement, oblative*. L'altruisme est une structure *a priori* de la sensibilité. L'*universalité* de l'idée d'espace, l'*homogénéité* de l'espace géométrique, l'*identité* fixe et reconnue de la mesure et du chiffre, la *régularité* de l'induction, la *communauté* des résultats sanctionnés de la science, la représentation mathématique du temps –il faudrait ajouter : les conventions du langage– concourent à affermir la marche progressive de l'humanité vers la cohésion mentale, l'*assimilation des esprits*. L'épistémologie de Lalande est en réalité une *ontologie du savoir et de la méthode scientifiques*, où la marche générale du savoir humain se résume en l'énoncé d'une *idée directrice* : c'est ce type d'épistémologie que Bachelard a évacué avec une certaine violence qui n'était sans doute pas inutile, même si elle n'a pu éviter de compter au nombre de ses effets l'établissement d'un dogmatisme inverse. La dissolution, c'est aussi l'*unification* –et l'unification évolutionniste des sciences sous le monisme, chez Haeckel surtout, aurait pu facilement être analysée par Lalande comme un phénomène paradoxalement dissolutoire au niveau gnoséologique– et c'est dans une unification analogue que le discours de Lalande offre, à la différence des évolutionnistes qui paraissent s'y contredire, sa plus visible cohérence : théoricien de l'assimilation, il en donne lui-même une illustration parfaite dans ses propos sur les sciences – ce pluriel tendant à être dissous, réduit, unifié. Ce qui est facteur d'unification, c'est pour Lalande –qui sans doute en cela se rapproche sensiblement de Meyerson– la nature même et le fonctionnement le plus spontané de la *raison* humaine :

> "Elle (*la raison*) fonde tous ses procédés de raisonnement, même les plus qualitatifs et les plus empiriques, sur cette hypothèse fondamentale qu'elle pourrait calculer et déduire si elle en savait assez. Or, le calcul et la déduction supposent une réduction préalable du multiple au même ; et là où cette possibilité s'arrête, cesse aussi l'intelligibilité du phénomène. Le son a donc été représenté par un mouvement dans l'espace ; puis la lumière, puis la chaleur, puis l'électricité. M. Berthelot a même montré que la spécificité des corps chimiques pouvait peut-être se réduire à un schématisme spatial (*Communication à la Société chimique de Paris*, 1863). L'idéal logique du physicien serait de devenir mathématicien, et il s'en rapproche de siècle en siècle ; celui du chimiste de se suffire par les seules forces de la physique ; celui du biologiste, de faire rentrer dans la mécanique et la chimie le plus grand nombre possible d'actions vitales. M. Duclaux ou M. le Dantec ne sont pas moins fermes sur ce point que Claude Bernard ; et tous ensemble ne parlent pas autrement que Descartes, dans le *Discours de la méthode*, ou Bacon, dans ce chapitre capital du *De Dignitate*, où il fait de toutes les sciences un édifice de forme pyramidale aboutissant à l'unité pure, "et dont la plus haute est celle qui débarrasse l'entendement humain de la multiplicité des objets." (pp. 179-180.)

On comprend ici les raisons de l'ambiguïté du rapport de Lalande au condillacisme. Hostile à l'empirisme, critique par rapport à un sensualisme qu'il pénètre mal, il n'en a pas moins retenu le projet affirmé par Condillac dès 1746 dans le titre de l'*Essai sur l'origine des connaissances humaines*, "ouvrage où l'on réduit à un seul principe tout ce qui concerne l'entendement". Pour Lalande, Condillac représente l'alliance étonnante d'un discours *évolutionniste* avant la lettre –pour lequel tout progrès humain s'ordonne selon un processus spiralé de différenciation-intégration– et d'un *projet gnoséologique unificateur*, parcourant la spirale différenciatrice en sens inverse de son ouverture afin de retrouver à l'origine l'unité première de la conscience saisie dans le phénomène élémentaire de la sensation. Mais cette unité, cette homogénéité sont, effectivement, *à l'origine*, ouvrant sur un processus d'hétérogénéisation intégrée, et c'est pourquoi en toute logique Condillac aurait dû être rejeté par Lalande, d'un seul bloc, du côté du mode de pensée évolutionniste. Comment, toutefois, s'expliquer que Lalande, en un point avancé de sa réflexion sur la dissolution physiologique, n'ait pu s'empêcher de recourir à l'image de la spirale évolutive ? A cette image même, commune à l'anthropologie dominante au siècle des Lumières et à l'évolutionnisme du siècle suivant, à laquelle il cherche en même temps, comme on l'a vu, à substituer l'image baconienne de la pyramide ? La réponse à ce paradoxe est peut-être livrée par une troisième métaphore conciliatrice : "Tandis que la nature va toujours différenciant et subdivisant, et tandis que nos sens sont obligés de suivre cette multiplicité dans son détail pour saisir l'objet de notre connaissance, nous revenons donc en sens inverse pour constituer cette connaissance même. Nos idées générales forment un arbre, comme celui dont Porphyre traçait le modèle, mais où le mouvement va des branches au tronc, où l'accroissement se fait par assimilation ; et le succès même de l'hypothèse évolutionniste, qui prétend à nous faire voir l'arbre généalogique du monde, vient de ce qu'avec elle il nous semble pouvoir saisir par un simple retour chronologique en arrière tous ces degrés d'unité et de généralité croissantes dont la nature actuelle est si éloignée." (pp. 181.) Machine *réversible* de la connaissance : la connaissance suit l'ordre inverse du monde, qui est de *différenciation*. Accord affirmé avec Condillac –la spirale reparcourue en sens inverse, vers l'unité du principe– et avec l'évolutionnisme –l'arbre généalogique, schéma de l'évolution différenciatrice–. Et repli de la première image sur la seconde : les branches sont les affluents du tronc, qui s'accroît de leur dissolution en lui. Ce que Lalande approuve maintenant –une différenciation effective de la nature, dominant l'ensemble des phénomènes–, c'est ce qu'il contestait dans les deux chapitres précédents. Mais il y a plus : à travers ces quelques phrases, Lalande reconnaît qu'en tant que théorie de la connaissance, l'évolutionnisme est engagé dans une logique de l'unification et de la dissolution, exactement comme le condillacisme et le lalandisme, qui se rejoignent au moins en cela. Et ce qui est le plus unificateur et le plus dissolutoire dans l'évolutionnisme, c'est, assurément, le *monisme*.

En tant qu'explication unitaire des phénomènes, le monisme évolutionniste correspond entièrement à ce que Lalande essaie d'identifier comme la loi générale de la connaissance. Cette conclusion imposée par la logique, Lalande n'en brisera pas la rigueur, et se contentera simplement de ne pas l'amener à sa formulation. Ce qui est hautement significatif, c'est la remarque que fait constamment Lalande de la nécessité de l'effet réversif qui joue entre la nature et la connaissance, et c'est, simultanément, le ratage de la dialectique immanente qui permettrait de le penser : s'il avait à rendre compte de la singularité du renversement, Lalande la penserait sans nul doute comme l'effet d'une transcendance qui demeure indéterminée, et qu'il ne fait qu'évoquer d'une manière notablement évasive : "Je ne prétends pas ici, écrit-il, à montrer pourquoi l'homme possède cette remarquable puissance de l'entendement et de la raison, c'est-à-dire à faire voir, en partant de quelque donnée plus haute, que la nature devait en lui rebrousser chemin" (p. 180). Pas un instant Lalande ne se défera de l'idée de cette "donnée plus haute", pour regarder ce qui, en l'occurrence dans le discours de Darwin, peut permettre de penser dialectiquement le phénomène réversif, sans recourir à une postulation dualiste ou à une quelconque prédélinéation particulière à l'homme. Sa propre contradiction, il tentera au contraire de la reporter sur les évolutionnistes, et spécialement du côté de leur vocabulaire théorique : retombant ainsi dans ses premières critiques –ce qui est différenciation à un certain égard est dissolution à un autre, et cela permettrait selon lui au discours évolutionniste de s'auto-justifier en toute circonstance–, il déclare que "les évolutionnistes, ne pouvant nier ce caractère généralisateur et assimilant de la pensée réfléchie", jouent perpétuellement sur le double *sens* des termes : problème *sémantique*, par conséquent, que le *Vocabulaire* tentera de réduire par ses définitions et ses critiques, plutôt que problème *dialectique* : problème de *sens* des mots plutôt que de *sens* (direction) des démarches intellectuelles par rapport au devenir de l'espèce. Double sens du sens : l'idéal d'univocité dans la *définition* des termes cherche à réduire l'existence pourtant pressentie du renversement dialectique qui s'opère dans la *direction* des phénomènes.

Les évolutionnistes –Spencer et les autres– reconnaissent, cependant qu'ils maintiennent le principe de la différenciation continue des états de conscience, le fait de l'assimilation intellectuelle, et ce d'autant plus notoirement que leur propre théorie est elle-même une somme procédant de l'unification et de la convergence. Cherchant à trouver le lieu de cette contradiction, Lalande s'en prend aux *définitions* avec une rigueur toute lexicographique, expliquant la distinction qui doit s'établir entre une "production de différence" et une "différenciation" qui consiste avant tout en un "passage de l'homogène à l'hétérogène" : l'adjonction d'idées ou de perceptions différentes ne fait qu'augmenter ou complexifier, sans produire de divergence, la *matière de la pensée*, et non la pensée elle-même. Cette fois, c'est la référence au dualisme matière/forme qui régit la critique de Lalande. C'est au nom de la même "rigueur" définitionnelle qu'il s'oppose à ce que Spencer puisse légitimement confondre l'assimilation entre certains états de conscience et d'autres états de conscience antérieurs de même nature, avec une *intégration* pensée sur le modèle des combinaisons organiques : "Si l'intégration, dit-il, c'est la coordination d'éléments divers qui s'organisent et collaborent de manière à former une unité physiologique, ainsi qu'il est exposé avec justesse dans les *Principes de Biologie* (5e partie, ch. V, ch. VII), l'assimilation des idées l'une à l'autre par l'entendement est le contraire d'une intégration, les divers cas particuliers fondus en une loi générale n'y étant évidemment pas organisés comme les cellules dans les organes, ou les organes dans un corps." (p. 186)

L'emploi du mot *intégration* est donc chez Spencer coupablement amphibologique. D'une part, le domaine biologique implique que l'intégration y soit définie comme "le concomitant direct de la différenciation", et fasse signe vers une opération d'ordonnancement organique, et, d'autre part, le point de vue psychologique entraîne l'intégration vers un sens directement opposé, lequel n'est pas celui d'une constitution organique, mais celui d'une série juxtapositive –ou fusionnelle– homogène, corrélative de l'assimilation des idées par l'entendement.

De l'assimilation des idées naît le concept, et la conceptualisation, en tant que production d'idées générales, est une opération dé-différenciatrice, réduisant le divers à l'identique. Dans la génération du concept, on assiste selon Lalande à "une organisation graduelle où l'idée directrice d'une généralité à atteindre se pose la première, et présente à l'esprit un cadre à remplir avant même qu'il possède les éléments qu'il y disposera". Il en donne pour preuve le tableau comparé des classifications successivement élaborées depuis Linné. Ce qu'il tire de cette référence, c'est l'idée que l'existence même d'une *typologie* démontre la préexistence psychologique de la disposition à *identifier*. Le désir classificatoire, actualisé dans des réalisations multiples, est la preuve que la tendance taxinomique est une structure *a priori* de l'intelligence, laquelle suppose elle-même *a priori* la possibilité de classer, c'est-à-dire de ramener au type.

Cela étant admis, il faut examiner s'il en est de même lorsque l'on suit l'axe des temps. Au niveau des progrès historiques des connaissances humaines, l'option logique de l'évolutionnisme doit être normalement de les envisager sur le modèle d'une différenciation croissante des opinions, des croyances et des savoirs. A cela répond contradictoirement, en particulier, l'universalité des résultats de la science, qui tient à la tendance, démontrée par les faits, à en rapporter les notions et les énoncés à une formule universellement intelligible. La négation de la marche vers la différence se retrouve également du côté des sciences morales. De même que la philosophie grecque s'est constituée par uniformisation à partir d'une mosaïque de tendances intellectuellement et géographiquement hétérogènes, de même la philosophie moderne, qui se constitue à la Renaissance, se présente comme la rencontre et la combinaison de modes de penser venus des horizons les plus différents, et culmine, dans le projet d'uniformisation, avec les œuvres pour ainsi dire législatrices de Bacon et de Descartes, puis de Kant. Historien de la pensée, Lalande découvre, là encore, des cycles. Il trace une analogie entre la réaction sceptique à la diversité de la métaphysique grecque, et la critique de Kant par rapport à la multiplicité des systèmes métaphysiques antérieurs. Mais cette identité de rapports, cette analogie de situations ou de positions relatives, ne sont pas une répétition pure : Kant n'est pas sceptique, puisqu'il veut substituer au scepticisme naturellement issu de la diversité indéfinie des spéculations métaphysiques "l'invariable fixité de la science" (*Critique de la raison pure*, préface de la deuxième édition) ; ainsi pour Lalande "l'histoire de la pensée humaine ne comporte pas de recommencements absolus, mais seulement une sorte d'*hélice dont chaque spire reste parallèle à la précédente tout en s'élevant d'un degré au-dessus d'elle* : dans l'intervalle, en effet, est apparu le beau développement de la science positive, acquisition perpétuelle, "qui ne court plus le risque d'être réfutée, mais seulement de n'être pas comprise". Par cette science, le but de l'effort intellectuel s'est trouvé satisfait sur quelques points ; en elle, Kant croit reconnaître, et sans doute avec raison, le type parfait de la valeur universelle "infifiniti erroris et terminus legitimus" (*Bacon*). D'où l'espoir bien naturel de satisfaire ainsi sur tous les points le désir d'unité intellectuelle entre les hommes et de fixer à jamais, même dans l'ordre philosophique, les certitudes sur lesquelles viendront s'entendre tous les esprits" (p. 203. Nous soulignons.)

Ainsi a évolué chez Lalande l'image que l'on pouvait prendre au départ pour celle de la spirale condillacienne : il ne s'agit plus, comme chez Condillac, d'une spirale plane dont on pourrait tracer, avec une pointe, le mouvement réglé d'ouverture ; il s'agit d'une *hélice*, représentée dans l'espace naturel, et qui se déploie dans la dimension verticale. L'*identité* est préservée quant à l'illusion de la forme qui, en perspective droite, n'offre à la vue qu'un seul cercle, dans des conditions idéales. Mais la différenciation, inévitable, est alors symbolisée par l'élévation verticale dans l'espace, par le passage d'un "degré" à un autre. Toutefois, si Lalande choisit ce modèle de l'hélice contre celui de la spirale archimédienne plane, c'est parce qu'effectivement, elle n'offre à la différenciation qu'une concession minime tôt résorbée dans l'exacte identité des tours de spire entre eux. Alors que du point de vue de la stricte géométrie, la spirale plane ne permet à aucun de ses moments d'ouverture d'être la pure répétition d'un moment antérieur, et peut donc dans cette mesure symboliser totalement l'accroissement différenciateur. Au contraire, l'hélice se compose de la pure répétition d'éléments qui, se trouvant dans l'espace, restent parallèles entre eux dans leur courbure revenant sur elle-même, et pour lesquels le passage au niveau supérieur *n'est pas une différenciation*, au sens défini par Lalande (d'après l'une des définitions de Spencer) de passage à l'hétérogène. L'hélice se substitue à la spirale, le fleuve à l'arbre, symbolisant le renforcement de l'uniformité vers quoi tendent irrésistiblement toutes les hétérogénéités premières. L'arbre et ses ramifications continuent cependant, avec l'aveu de Lalande, à pouvoir représenter d'une manière adéquate *la vie* et ses effets multiplicateurs et différenciateurs. Concession unique compensée d'ailleurs par l'affirmation de l'activité constamment unificatrice de la réflexion humaine, dans les actes de la science aussi bien que dans ceux du droit, de la religion et de la philosophie. A cet égard, il y a véritablement, comme cela paraît naturel, un *continuisme* de Lalande, qui consiste en la négation des commencements absolus dans l'histoire de la pensée –Descartes lui-même n'a pas tout recommencé *ab integro*, comme il l'a prétendu–. Il s'agit d'un *continuisme tensionnel*, dans lequel ce qui sert d'élément dynamique n'est pas la conception positiviste d'une poussée vitale portant un germe à son développement, mais bien plutôt un *principe d'action et de réaction*, incluant donc la nécessité de *révolutions* :

> "On voit par là que le progrès de la connaissance n'est point un accroissement régulier, mais une suite de *révolutions* où

rien ne se fait de soi-même, où tout est précaire, où l'on a toujours lieu de se demander si le dernier coup d'état fut avantageux et légitime : car d'une part on peut toujours suspecter la solidité des compromis trouvés entre toutes les prétentions préexistantes ; et d'autre côté, on peut également se demander si bientôt quelque flot de matière nouvelle, quelque apport imprévu résultant d'un nouveau contact, ne viendra pas faire craquer les cadres et en imposer la réfection. Je ne veux point, en indiquant une sorte de loi de génération dans le développement des idées, diminuer par là le rôle des grands hommes dans la pensée humaine. Il me semble au contraire que l'importance de leur action se trouve mieux relevée par une vue *dissolutionniste*, si l'on me permet ce mot, que par une vue évolutionniste des affaires humaines. En effet, si nous ne nous égarons pas en affirmant que la force intellectuelle travaille en ce monde en sens inverse des forces physiologiques, l'histoire véritable de ses efforts, de ses succès et de ses défaites ne doit pas être la marche lente et régulière d'une amélioration fatale ; au lieu d'un fleuve majestueux qui suit son cours, et dans lequel les plus grands esprits ne sont qu'une vague, dont la crête domine seulement la surface de l'eau qui l'emporte, selon une célèbre comparaison de Taine, le progrès des idées et des civilisations doit être une lutte continuelle, bien différente de la lutte pour la vie ; il doit se préparer par des crises et s'accomplir par des victoires. Or, les idées, par elles-mêmes, sont lettre morte ; un théorème de géométrie descriptive est incapable de tailler une pierre. Il faut qu'elles prennent leur point d'appui dans la chair et le sang des êtres réels. En toute chose, les véritables agents sont des hommes ayant leur individualité, leur nom, leurs qualités et leurs défauts. Si l'idée n'était pas d'abord aimée par ceux qui se font les martyrs du droit, de la science ou de la religion, elle resterait éternellement, comme les dieux d'Epicure, dans l'impuissance de sa perfection". (pp. 209-210.)

La connaissance ne suit donc pas le mouvement régulier de l'accroissement vital. Lalande, on s'en souvient peut-être, se servait à peu près des mêmes termes lorsqu'il cherchait à définir *la vie*, par un *courant* ou un *renouvellement* de matière, constant sous le maintien de la forme : dans le domaine de la connaissance au contraire, le "flux de matière nouvelle" risque toujours de "faire craquer les cadres et en imposer la réfection". La connaissance progresse donc à travers le changement de ses formes, ce qui implique non l'extinction, mais le réaménagement ou la "réfection" de ces formes préexistantes par formation de "compromis". Il y a lutte, mais cette lutte agit en sens inverse du combat pour la vie, n'étant jamais totalement disqualifiante ni totalement éliminatoire, et obéissant finalement à une grande visée assimilative et unificatrice : étrange épistémologie qui procède par métaphores et réajustements de métaphores : le *fleuve* qui tout-à-l'heure encore symbolisait la marche assimilative de la connaissance –image d'accroissement par confluence, dissolution et homogénéisation– est habité maintenant de turbulences et traversé de contre-courants. L'effort singulier du savant ou du penseur est de réussir la réduction à l'homogénéité des données hétérogènes, des courants opposés, des troubles de la confluence. Sa révolution, simplificatrice et unifiante, se donne comme un *remaniement*. Son effort peut être ou non couronné de succès, selon que son génie rencontre ou non les conditions d'une assimilation des esprits réalisée ou réalisable à l'époque où il s'exprime. L'exigence d'accord est l'indice psychologique irrévocable de la démarche forcément unificatrice de la science qui, selon une formule courante, ne peut, ni objectivement ni subjectivement, "se former sur le particulier".

La science est ainsi l'espace d'homogénéisation où la nature est rendue adéquate au concept –ce qu'entreprend déjà toute "pensée". L'exigence subjective d'identification des jugements objectifs dans des concepts universels est une loi de la nature rationnelle, et ces concepts, ces "idées vraiment générales" sont pour Lalande ce qui relève *a priori* de la nature spécifique de l'esprit. On voit ici qu'à l'inverse de toute théorie empiriste de la connaissance, qui requiert d'interroger comme un processus économique la *génération* des idées abstraites, la conception de Lalande, refusant toute vision génétique, se donne la conceptualité comme déjà réalisée dans la pensée et dans le langage, la posant ainsi non comme effet, mais comme moteur du processus de connaissance, aspiration uniformisatrice, et, à ce titre, élément nucléaire de la science.

Quant à la morale, Lalande l'envisage de même dans ses aspects assimilatifs, prenant acte d'un consensus sur les grands préceptes, et refusant là encore de poser la question de l'origine. Il écrira quelques années plus tard que "la morale ne peut se déduire d'autre chose que de la morale" (18), et c'est conformé-

(18) *Sur une fausse exigence de la raison dans la méthode des sciences morales*, dans la *Revue de métaphysique et de morale*, janvier 1907.

ment déjà à cette idée qu'il affirme que "cette existence d'une morale réellement donnée, qui dépasse tous les systèmes, et dont toutes les éthiques s'efforcent d'approcher, est encore ce qui conduisait Descartes à se défendre "d'avoir rien changé en la morale" (19), aussi bien que M. Herbert Spencer, quand il affirme que les conclusions de sa morale "scientifique" coïncident avec celles de la morale "surnaturelle" (20) et que des critiques malveillants pourront seuls y découvrir un antagonisme en tronquant sa pensée". Jugement rapide de la part de Lalande qui place indistinctement Descartes et Spencer devant une morale "réellement donnée" sans doute, mais dont l'un et l'autre ne pouvaient penser identiquement le "don". La perspective évolutionniste de Spencer, anti-innéiste, anti-révélationniste et anti-intuitionniste, impliquait une *étiologie de la morale* comme fait d'*évolution*, c'est-à-dire comme *avantage sélectionné et transmis* : ce qui, du reste, explique rétroactivement le fait de la préexistence de la morale et des grands consensus éthiques par rapport à la saisie intellectuelle des ressorts de leur universel progrès. Pour Spencer, le bonheur et le malheur sont ce qui pour toute société conditionne prioritairement l'orientation du comportement moral, lequel présente en réalité des caractéristiques qui sont loin d'être universelles, comme le souhaiterait l'intuitionnisme : l'éloge du meurtre dans certaines sociétés est là pour démontrer que l'intuition morale, du fait de ses racines ethno-historiques et de ses déterminations utilitaires propres à la singularité des groupes sociaux et culturels considérés, plonge dans le plus complet relativisme, et ne correspond de ce fait à aucune législation intérieure dans laquelle se reconnaîtrait le caractère universellement identificatoire de l'espèce. Il est clair que pour Spencer, le darwinisme, relayé par l'évolutionnisme biologique et extra-biologique qui s'y est rallié dans le but, plus ou moins nettement formulé, de constituer une théorie scientifique unitaire des phénomènes, est l'élément déterminant qui, dans la modernité, a provoqué la considérable baisse de crédibilité des croyances dogmatiques, et par voie de conséquence des prescriptions de la morale spiritualiste. D'où se déduit le sens même d'un ouvrage comme *La morale évolutionniste* : celui d'une *sécularisation de la morale* (*Préface*, p. VI) qui, loin d'ouvrir sur un bouleversement complet de la vie pratique,

(19) *Lettres à la princesse Elisabeth*, *Oeuvres*, IX, p. 186.

(20) *La morale évolutionniste*, *Préface*.

maintient les réquisits de l'ancienne moralité en leur apportant seulement une justification fondée sur la science, c'est-à-dire une nouvelle crédibilité. Il s'agit donc, sur un plan d'objectivité, non d'une destruction, mais d'un *sauvetage*. La science aboutit en ce domaine aux mêmes prescriptions pratiques que la religion. Toutefois, cette théorie de la *coïncidence,* bien que procédant au sauvetage des conduites morales accréditées jusque-là par l'autorité de la religion, transfère totalement cette autorité à la science : car la science seule est apte à produire rationnellement la justification de la morale comme nécessité naturelle et historique, accompagnant le passage nécessaire et *naturel* de la nature à l'histoire. J'ai montré de même que Darwin aurait pu, aussi bien que Spencer et avant lui, déclarer que sa morale scientifique –produite par l'intelligence de l'effet réversif, coextensif au développement de la conscience– coïncidait avec la morale anciennement référée à l'instance supra-naturelle et aux principaux préceptes de la religion, et que de même sa logique continuiste et moniste impliquait, en raison de l'opération de cet *effet*, la substitution d'un dualisme rationnel et *opératoire* du type nature / culture –sans solution de continuité naturelle et généalogique entre ses deux termes– à l'ancien dualisme dogmatique dont il retrouve, opératoirement toujours, les grandes divisions : animal / humain, corps / âme, nature / société, etc. En somme, l'*a posteriori* de la science remplace l'*a priori* du dogme, mais les énoncés moraux, dans leur qualité de préceptes normatifs et dans l'orientation générale et particulière de ces préceptes, ne changent pas.

Aussi bien la critique de Lalande n'a-t-elle pas de prise réelle sur ce qui chez Spencer peut procéder sans altération du darwinisme : lorsqu'il résume l'orientation de *toutes les morales* –et il importe de remarquer qu'il n'évoque que celles de l'antiquité classique et de l'Occident moderne– dans ce qu'il nomme "la condamnation de l'individuel et de ses tendances instinctives au développement infini", Lalande continue à ne pas voir que la morale dérivée sans altération du darwinisme tend elle aussi vers l'universalisation de la loi et l'homogénéisation des principes éthiques. Dans cette mesure, l'*évolution* spencérienne est effectivement contredite, à condition que l'on s'en tienne à l'une seulement de ses définitions (passage de l'homogène à l'hétérogène), ce que Lalande, polémiquement, ne manque pas de faire. Mais en tant qu'elle doit beaucoup à Darwin, la morale de Spencer ne saurait en contredire, elle, la donnée fondamentale, déduite de l'effet réversif : la morale se développe en sens inverse de la vie, ou plus exactement dans le sens d'une vie qui a inversé ses procédures sélectives en déplaçant *consciemment* ses objectifs de perfectionnement. Darwin décrit une humanité en évolution dont la moralité devient *de plus en plus assimilative* Spencer ne changera rien à ce schéma général, dans le développement duquel il use fréquemment de la notion de *sympathie,* que Darwin avait employée. De même que chez Darwin la culture, comme moment de l'évolution, prend sa source dans la nature, de même chez Spencer la moralité trouve son fondement dans l'ordre physique, ce qui, du fait de l'opération de l'effet réversif, n'implique pas un repliement du devenir moral sur le devenir physique qui reste soumis au principe de la *divergence* des caractères, mais précisément le contraire : une *convergence* et une *assimilation* au sein desquelles se poursuit toutefois le processus de *différenciation* du groupe humain en tant que groupe spécifique, aussi bien que le processus de *complexification* interne des prescriptions morales et des dispositifs législatifs et juridiques. Lalande ici paraît confondre les niveaux : l'*assimilation* éthique, législative et juridique est certes tendanciellement effective au niveau d'une humanité de plus en plus unifiée, tout en ne s'opposant nullement à sa différenciation spécifique qui ne cesse de s'accentuer *par cette voie même* : ce à quoi l'assimilation s'oppose désormais n'est plus la différenciation prise dans un sens trop vague ou général, mais la *divergence individuelle*. Tout se passe donc comme si la critique de Lalande se trompait d'objet, ou plutôt s'inventait un objet –en jouant elle aussi sur des flous conceptuels– pour dissimuler ce qui reste *de facto* un accord parfois exprès avec certaines thèses de *La morale évolutionniste* : Il n'y a rien, par exemple, dans toute la fin du sous-chapitre sur la morale –ni le thème de la justice comme contradiction majeure à la loi de nature (227), ni celui de la lutte contre l'égoïsme instinctif (*ibidem*), ni celui de la tendance historique des sociétés humaines à l'établissement de l'égalité interindividuelle (230), ni celui de l'extension du "savoir-vivre" (231)– qui n'eût pu être dans l'instant contresigné par Spencer. Ce à quoi s'en prend Lalande en cet endroit de son texte, c'est à l'organicisme social de Spencer, qui constitue, comme je l'ai montré au précédent chapitre, l'investissement idéologique propre à Spencer et aux évolutionnistes (comme Haeckel en particulier), l'écart par rapport à Darwin. Pour le reste, on peut dire qu'objectivement, il approuve tout ce qui, chez Spencer, développe sans altération la logique esquissée au niveau éthique par Darwin dans *La descendance de l'homme*.

Dissolution sociale

La conscience affleurante de l'effet réversif apparaît chez Lalande lorsqu'il s'agit pour lui, abordant les questions sociologiques, de produire ce que l'on peut reconnaître comme étant les motifs idéologiques-pratiques *réels* de son opposition à l'évolutionnisme. Rien toutefois ne permet d'affirmer que dans ce chapitre Lalande a mieux compris ou mieux approché ce qu'il en est en toute rigueur de l'effet réversif *chez Darwin*. Nulle référence n'y est faite, mais *La descendance de l'homme* y est au moins signalée, dans une note de la page 312. Cependant, ayant admis que le développement physiologique s'effectue par différenciations successives, Lalande se trouve dans l'obligation de produire quelque part l'opérateur de *renversement* qui lui permettra de légitimer en théorie ses positions quant au "sens" nécessairement assimilatif et dissolvant du développement humain : l'*analogue*, donc, de l'effet réversif darwinien. Cette analogie apparaît, dès le début du chapitre, dans l'affirmation d'une conviction qui découle de la reconnaissance des paliers déjà atteints dans l' "assimilation des volontés" et la "liaison des hommes entre eux", c'est-à-dire d'une *inversion des rapports agonistiques impliqués par la situation de concurrence vitale* :

"... il est à croire que ces idées, sentiments et croyances, produits au cours de l'évolution et contraires au développement de la vie instinctive, produisent à la longue une déviation et peut-être par degrés un rebroussement complet dans la marche des phénomènes que considèrent le sociologue et l'historien". (p. 254.)

Au sein de cette coïncidence partielle avec le darwinisme –qui donne à penser que Lalande a bien lu les textes cruciaux de Darwin sur l'effet réversif dans la civilisation–, coïncidence dont on identifie aisément les déterminations logiques, il faut pourtant apercevoir une différence radicale dans le fait que l'auteur de *La Dissolution*, se gardant comme toujours de poser la question de l'origine –qui le rapprocherait, sous des modalités diverses, de l'anthropologie dix-huitiémiste dont il assigne à Spencer le modèle et l'influence, et du transformisme biologique, matérialiste–, ne produit aucune explication du phénomène, et l'interprète comme une question de fait analysable dans diverses situations historiques découpées par tranches synchroniques :

"La question est donc de savoir si ces normes mentales ont été jusqu'ici dans les rapports matériels des hommes un épiphénomène inactif, en telle sorte que les transformations politiques et sociales se soient poursuivies simultanément suivant les lois seules de l'évolution vitale –concurrence, intégration, différenciation– ; ou si tout au contraire les faits accomplis portent déjà dans leur progrès un caractère de dissolution." (p. 254.)

On ne saurait dire si c'est tactiquement que la réponse dialectique fournie par Darwin à cette question depuis près de trente ans demeure inaperçue, mais il est clair que cet aveuglement évite à Lalande de penser un matérialisme qu'il tient avant tout à rejeter : en effet, considérer la réversion des opérations instinctives individuelles comme la conséquence de la sélection d'une certaine catégorie d'instincts –les instincts sociaux, base de la vie communautaire et d'une socialité réfléchie s'autorégulant sous les espèces de l'universalisation de la loi morale–, et considérer que cette réversion est *à la fois* la *continuation* et la *contradiction* de la *sélection naturelle*, c'était entrer dans une théorie qui, bien que traduisant une orientation assimilative des phénomènes humains, réduisait les plus hautes productions de la conscience et de la moralité sociale à une sorte de monisme de l'instinct et de ses différenciations au cours du devenir. En tout état de cause, le dualisme synchronique –anti-généalogique– de Lalande, qui s'accroche aux descriptions de faits et aux inductions de tendances saisis hors des grandes échelles évolutives, et qui de ce fait ne se prononce jamais sur la valeur de vérité du transformisme biologique, est inapte par choix délibéré à juger de la référence proprement darwinienne –lorsqu'elle est effective– des théories évolutionnistes, car, comme je l'ai déjà montré, il se serait mis, autrement, dans la nécessité d'en approuver la logique –donc le monisme radical. L'attitude épistémologiquement *juste* eût été de critiquer l'évolutionnisme comme idéologie au nom du noyau de scientificité du darwinisme et de sa logique : mais c'est précisément ce que Lalande, argumentant au nom d'*une autre idéologie*, ne pouvait faire.

Le chapitre sur la *dissolution sociale* suit donc le type d'argumentation développé par les chapitres antérieurs : la preuve par accumulation de contre-exemples. La réfutation de l'organicisme social en est le premier objectif :

> "L'opinion commune, admise par la plupart des contemporains, est qu'un État est semblable, par sa constitution et ses lois, à un véritable animal, qui est aussi, comme on sait, une colonie d'individus. Le citoyen est la cellule, les grands corps sociaux sont les organes, les provinces sont les segments, le pays entier est le nouvel individu composé. On en tire d'ordinaire cette conséquence, rationnelle en apparence, et séduisante pour l'unité qu'elle prête à l'univers, que les découvertes biologiques doivent éclairer la science sociale, et que les lois de la vie, au moins dans leurs formules les plus générales, doivent convenir aux agrégats supérieurs comme aux agrégats inférieurs. Les rapports des éléments composants et la marche des transformations sont les mêmes dans l'animal et dans la nation. Le grand principe de l'évolution doit donc s'appliquer aux unes comme aux autres. De même que les tissus se différencient par des fonctions diverses, se spécialisent et se distinguent de plus en plus, de même les hommes en société doivent, par un progrès naturel, présenter des caractères d'une divergence croissante, devenir de plus en plus irréductibles au même type. Ils doivent passer, en un mot, d'une ressemblance homogène et indéterminée à une spécialisation bien organisée et hétérogène : telle est la loi principale de la sociologie". (pp. 254-255.)

Cette description de l'organicisme globalement assigné à la *doxa* évolutionniste comprend deux propositions de base : I. L'État *est structuré comme* un organisme. 2. L'État *évolue comme* un organisme. D'où il semble que l'on puisse tirer normalement une troisième proposition, synthèse des deux précédentes : l'État est semblable à un individu organique en évolution. Dans cette proposition, le terme d' "évolution" prend le sens qu'il a précisément lorsqu'il renvoie au développement d'un processus organique individuel : naissance, croissance, dépérissement et mort –et l'on retombe ainsi sur le schéma de type hégélien longuement analysé dans l'étude qui portait sur Gobineau et Schleicher. Ce n'est évidemment plus de cela qu'il s'agit. La première proposition, postulant une analogie de structure entre l'organisme et l'État, est facile à comprendre, et se trouve complétée par l'analogie fonctionnelle perçue entre la *division sociale* et la *division physiologique du travail*. Par contre, la seconde proposition, composée de l'affirmation de l'analogie entre l'*évolution* de l'État et celle de l'organisme individuel, est le lieu d'un délicat problème sémantique. En effet, il est sûr, de par la tactique de Lalande et de par le texte même, que le terme d'*évolution*, en chacune de ses occurrences, s'y trouve rigoureusement fixé à sa signification spencérienne de *différenciation* et d'*intégration* croissantes, et de *marche à l'hétérogène*. Or l'individu ne se différencie et ne s'hétérogénéise en lui-même que durant l'embryogénèse et, à la limite et sous d'autres rapports, la phase de croissance, jusqu'au point où s'atteint le commencement du processus de déclin qui est au contraire une désintégration et un retour à l'inorganique à travers un mouvement progressif de dédifférenciation. L'analogie établie par Lalande comme étant celle véhiculée par le discours évolutionniste est donc *improprement* une analogie entre l'évolution des *sociétés* humaines et l'évolution des *individus* organiques : lorsqu'il évoque en parallèle la différenciation progressive des tissus en vue de fonctions diverses et l'évolution des hommes vivant en société, il prend nécessairement pour référence biologique du processus différenciateur soit l'évolution embryogénétique, soit la chaîne darwinienne des transformations interspécifiques, conçue comme progrès de la différenciation organique et de la spécialisation fonctionnelle. L'évolution embryogénétique étant exclue car elle possède un terme et ouvre sur une dissolution, il faut alors obligatoirement reconnaître que c'est l'autre modèle, celui de l'évolution *darwinienne,* qui peut *logiquement* s'appliquer. Or dans ce modèle d'évolution, il y a précisément, sous les espèces de l'*effet réversif*, ce qui s'oppose le plus à l'organicisme sociologique et à la thèse de la *divergence* croissante des individus socialisés.

Tel est donc le *malentendu*. Malentendu, car le seul modèle adéquat de la différenciation sociale indéfinie des théoriciens évolutionnistes ne peut être que celui de la différenciation interspécifique, et il ne peut l'être qu'*inadéquatement*, car la différenciation sociale ne concerne qu'une seule espèce, et l'on se trouve là devant une mauvaise analogie. Par ailleurs, la connaissance effective et complète du discours darwinien, auquel on ne peut manquer de se reporter, interdit l'import du modèle de l'organisme dans le champ des opérations de la conscience, de même qu'elle s'objecte à celui de la sélection naturelle *stricto sensu* dans la sphère des relations sociales nouées au cœur de la civilisation. Malentendu des évolutionnistes, bien sûr, mauvais manipulateurs d'analogies. Malentendu aussi de Lalande qui s'obstine à vouloir ignorer Darwin.

Il ne peut donc s'agir pour Lalande, une fois encore, que d'établir la liste la plus longue et la plus extérieurement convaincante des contre-illustrations aptes à invalider l'interprétation évolutionniste des phénomènes humains. S'il faut bien reconnaître l'effectivité d'une croissance de la division sociale du travail dans les temps modernes, déjà thématisée par Adam Smith, et s'il ne faut pas moins admettre, au vu des subdivisions de plus en plus nombreuses de la science, que la division du travail intellectuel a suivi le même cours, Lalande entend incriminer cependant la tendance à la projection rectilinéaire, simpliste selon lui, sur l'avenir, des formes évolutives d'un passé biologique ou culturel lointain. Cette attitude projective venait d'être illustrée en sens inverse, à propos de l'histoire probable des sociétés humaines, par la méthode dite "anthropologique" :

> "Elle consiste à déterminer les états ***antérieurs*** des races les plus civilisées par la considération des états ***actuels*** des races que nous appelons inférieures. Les plus hardis, en cette matière, vont même jusqu'à faire partir leurs considérations de "l'homme primitif" auquel ils font jouer suivant les besoins de l'argumentation à peu près le même rôle que donnait Condillac à sa statue, ou Buffon à l'Adam fictif dont il raconte les sensations originelles. Pour donner un corps à ce concept, qui revient sans cesse dans les ouvrages de Haeckel, de Fischer, de Romanes, de sir J. Lubbock, que fait-on ? Deux choses : par le raisonnement, on lui attribue une taille moins grande que la taille actuelle, des jambes moins lestes, un appareil alimentaire moins perfectionné ; toutes conclusions qui supposent précisément que l'ensemble des doctrines évolutionnistes est déjà démontré. On cherche alors, par une méthode identique à celle du XVIIIe siècle, quelles sont les "idées primitives naturelles" que devait avoir un tel homme, quelles sont les inférences que raisonnablement il a dû faire.– D'autre part, par une soi-disant méthode ***a posteriori***, on l'assimile systématiquement à tel ou tel sauvage, pris parmi ceux qui vivent à présent et qui, "autant qu'on peut en juger par leurs caractères physiques et leurs ustensiles, se rapprochent le plus de lui." (pp. 257-258.)

Tous ces traits sont empruntés essentiellement aux *Principes de*

Sociologie de Spencer, qui reprend à son compte les thèses de Lubbock (*L'origine de la civilisation et la condition primitive de l'homme, ou condition mentale et sociale des sauvages*), et leur esprit se trouve résumé au terme de quelques lignes du Dr Letourneau (*L'évolution du mariage et de la famille*, ch. XX, 426), citées par Lalande :

"Considérer les races inférieures actuelles comme des survivances, comme des types préhistoriques ayant persisté à travers les âges et s'étant arrêtés à des degrés divers de l'échelle du progrès, c'est là une vue féconde, en étroite corrélation avec la méthode évolutionniste qui seule l'a mise en crédit."

Lalande reproche donc à cette théorie le défaut de méthode qui consiste à remplir les lacunes de l'histoire qui sépare les nations civilisées de l'Adam primitif par des échantillons gradués de cultures ou de sous-cultures contemporaines des observateurs, ceux-ci effectuant à travers cette graduation ce qui était requis *a priori* par leur propre projet théorique, "en sorte qu'il suffira de ranger dans un ordre convenable les peuplades présentant des caractères appropriés, pour qu'elles constituent une suite vraisemblable de l'humanité, confirmant en apparence d'une façon solide la théorie du progrès social par la différenciation et l'intégration." (p. 258.) D'où un échange permanent et trompeur, entre ethnologistes et philosophes, d'arguments favorables à l'idée directrice de l'évolution, et se consolidant par étayage réciproque. Même si son argumentation souffre de multiples défauts et n'est jamais sans appel, il faut reconnaître ici à Lalande une remarquable intuition historique. En effet, ce qu'il établit en cherchant à identifier les travers de la démarche qu'il critique, c'est, une fois de plus, que l'évolutionnisme –et spécialement le spencérisme– *est une survivance du XVIIIe siècle* opérant à travers un renouvellement du champ des illustrations "scientifiques". Il nous appartient ici de démontrer que ce point de vue est *juste* dans une grande mesure, et même, comme nous l'avons dit beaucoup plus haut (21), plus juste pour nous que pour Lalande, en ce qu'aucune méconnaissance idéologique du darwinisme ne nous porte plus à assimiler confusément la science transformiste et le système général de l'*Évolution*.

L'attitude incriminée par Lalande consiste à loger dans les interstices, dans les zones d'ombre de la connaissance historique,

(21) Cf. p. 37.

dans les lacunes actuelles, les failles obscures de l'histoire du progrès culturel, des chaînons dont la matière est empruntée à des échantillons de civilisations "inférieures" qui ne sont pas fournis par une paléontologie ou par une archéologie disposant de traces positivement interprétables, mais par une induction à partir d'observations ethnologiques contemporaines, et qui sont alors classés suivant l'ordre déduit d'une conception *a priori* et univoque du *sens* de ce même progrès. La civilisation occidentale, qui produit cet acte de classification, se désigne elle-même comme le point d'acmé de la ligne évolutive qu'elle tente simultanément d'inventer et de décrire. A l'autre extrémité, en position d'origine, se trouvent les données de la paléontologie humaine. Entre les deux sont ordonnées, à titre de *témoins* d'étapes intermédiaires, les sociétés "sauvages" et "barbares", présentification simultanée des variétés successives de l'archaïque. C'est en cela que Lalande reconnaît la trace opérante du XVIIIe siècle –ou du moins la pressent dans une intuition juste–, bien qu'il ne développe expressément que la ressemblance entre la fiction évolutionniste de l'homme primitif et la fiction d'origine propre aux théoriciens des Lumières. En effet, une démarche strictement identique avait été utilisée au XVIIIe siècle dans l'espace de théorisation où apparut pour la première fois (22) d'une manière systématique une logique de l'évolution culturelle : celui de l'analyse comparée des systèmes d'écriture. Un comparatisme méthodique s'était établi entre différentes formes de l'écriture idéogrammatique saisies dans des régions comme l'Egypte, la Phénicie, l'Éthiopie, Israël, la Chine et la Grèce, et ces lieux étaient devenus en fait les moments, les repères emblématiques d'une diachronie, les phases ou les stades d'une évolution générale régulière qui paraissait conduire des pictogrammes mexicains à l'écriture phonético-alphabétique des cultures européennes. Du *manque de monuments* –thème fréquent chez les spécialistes des inscriptions occupés au XVIIIe siècle à produire les preuves archéologiques de cette évolution– naissait une théorie des transformations historiques de l'écriture qui permettait d'induire les formes intermédiaires à partir des repères existants, de la même façon déjà qu'au siècle suivant allait être induite la forme reconstituée de l'indo-européen. S'ensuivait une théorie de la généalogie des systèmes graphiques

(22) Voir à ce propos le rappel de nos travaux antérieurs, au début de ce livre, et dans le chapitre sur Haeckel.

semblable à ce que devait être plus tard la théorie de la dérivation des langues, et semblable aussi à ce qu'allait être la reconstitution hypothétique, par le transformisme, des "formes intermédiaires" disparues par extinction au cours de l'évolution interspécifique. Les noms des abbés académiciens Barthélémy et De Guignes illustrent d'une façon particulièrement saillante, vers 1758, le développement de ce courant à base de comparatisme dont l'initiateur avait été, vingt ans plus tôt, Warburton, et qui, en dépit des intentions ouvertement diffusionnistes de ses auteurs, restés fidèles à l'esprit du dogme chrétien de l'origine unique, n'en constituait pas moins, parfois contradictoirement, le premier évolutionnisme cohérent, au sens que l'on a donné à ce terme un siècle plus tard. Le rapport entre ces faits et la situation théorique décrite par Lalande apparaît avec évidence lorsque l'on sait que ce sont ces historiens chrétiens des inscriptions qui ont produit, dès le XVIIIe, et peut-être même dès le XVIIe siècle, à propos de la Chine, la notion d'une *évolution bloquée* des systèmes de notation de la pensée, et qui se sont de ce fait autorisés à se servir des caractères chinois modernes comme de *témoins* contemporains et figés d'un stade archaïque de l'évolution générale de ces systèmes. Nous sommes ici, une fois encore, devant un cas parfait de *parallélisme logico-discursif* : ici et là, une *anthropologie* se révèle dans les lacunes du savoir positif de l'histoire, une *idéologie* naît d'une impatience systématisante devant une science qui se tait. Les silences de l'archéologie, comme les zones d'ombre de l'histoire culturelle de l'humanité, n'ont pas médiocrement contribué à l'apparition des théories évolutionnistes, dans la mesure où celles-ci assuraient la satisfaction de la tendance à produire un discours où triomphait uniformément une représentation sans rupture et totalement intelligible des processus. On vérifie là encore que l'évolutionnisme culturel a précédé celui des sciences de la nature, prouvant en quelque sorte, par une illustration historique, que les phénomènes humains restent l'enjeu primordial des grandes synthèses interprétatives du devenir. Tout cela, on peut admettre que, sans en avoir absolument rendu compte et s'en être efficacement servi, Lalande l'a perçu. Ce qui a changé cependant, c'est que le darwinisme existe sous la forme d'une théorie scientifique qui a, elle, fondé d'une façon suffisamment démonstrative la nécessité de formes intermédiaires porteuses de certains caractères, entre les repères connus de l'évolution biologique des organismes, et que son traitement épistémologique doit nécessairement différer de celui que l'on est en droit de réserver aux produits de l'évolutionnisme culturel des Lumières. En conséquence de cela, et même si pour ses structures argumentatives et quant à ses fins idéologiques en anthropologie, le spencérisme suit, pour l'essentiel, l'axe dominant des logiques ethnocentristes du XVIIIe siècle, l'existence même de la théorie darwinienne et son articulation plus ou moins nette comme référence scientifique de son discours aurait dû faire varier les modalités de la critique dont Spencer pouvait être l'objet, et ce d'autant plus que le surgissement même du darwinisme, s'il avait été intégralement compris, aurait pu contribuer à construire *contre* les extensions interprétatives de Spencer un système d'argumentation autrement efficace que celui de Lalande, et fondé sur le concept d'*effet réversif* –ainsi nommé par nous pour se substituer à la notion défaillante de *saut qualitatif*. Mais il est clair que si Lalande méconnaissait l'opération et le sens de l'effet réversif *chez Darwin*, c'est précisément parce qu'il y est l'opérateur de l'extension naturelle du matérialisme à l'anthropologie. Or cette anthropologie dont il vient d'être question, qui recherche l'archaïque dans le présent pour lui faire prendre rang dans une série évolutive à effets directement hiérarchiques, Lalande lui trouve essentiellement deux défauts : celui, d'abord, de considérer les peuples-témoins dont elle se sert pour figurer des stades probablement antérieurs de l'évolution, comme ayant eux-mêmes cessé d'évoluer, ce qui semble devoir être contredit par la permanence universellement constatable de phénomènes de modification. Renan (*Origine du langage*, ch. I) avait approuvé, il est vrai, le point de vue selon lequel le catalogue des races primitives actuellement existantes pouvait aider à reconstituer la série des âges culturels de l'humanité, de même qu'il avait à sa manière renchéri sur la théorie obscure des arrêts de développement culturel à propos de l'enfance perpétuelle des races "non perfectibles". Cependant, il ajoutait –et cette réserve est soulignée par Lalande comme la partie la plus juste de sa réflexion– que "les misérables êtres dont le Papou et le Boschiman sont les héritiers ressemblent peu sans doute aux graves pasteurs qui furent les pères de la race religieuse des Sémites, aux vigoureux ancêtres de la race essentiellement morale des peuples indo-européens". Lalande retourne donc tendanciellement à une théorie des différences originelles, utilisant des références à forte résonance essentialiste, qu'il tempère toutefois en la raccordant au passage à des justifications de type naturaliste fournies par l'influence modificatrice du milieu (cosmique, climatique et culturel).

Le second défaut de la démarche évolutionniste consisterait à interpréter la "primitivité" comme l'indice d'un développement figé dans l'enfance, alors que l'on y pourrait voir à plus juste titre, pense-t-on, un *retour* à l'enfance, une dégénération, une décadence, une sénilité de la race. Ainsi, pour Lalande, "les sauvages peuvent être, soit des races incapables de développement, soit des races finies" (p. 261). En fait, cette dénégation de l'évolutionnisme, si elle ne reconduit pas tout à fait à l'affirmation –orthodoxe du point de vue du christianisme– de Joseph de Maistre selon laquelle les peuples barbares ont *chu* d'une civilisation antérieure, aboutit à faire que les différences prennent racine dans l'originel, et que le primitif se trouve condamné, par son essence au statisme, ou par son histoire à la mort. Là encore, la notion de dégénérescence et la notion d'imperfectibilité renvoient bien plus à des modèles ethno-philosophiques du XIXe siècle allemand (Hegel, Humboldt) qu'à une théorie clairement articulée à l'intérieur du darwinisme. Et d'une façon assez révélatrice, Lalande ne cite aucun exemple de retour à la barbarie ou de décadence d'un peuple qui ne soit historiquement lié au phénomène historique de la colonisation : Nègres de l'Afrique occidentale et méridionale, indigènes du Mexique et du Pérou. Lalande semble même se rapprocher de Darwin lorsqu'il déclare que "la plupart des races dites inférieures, loin de se développer au contact de notre civilisation, y périssent au contraire très rapidement, même lorsque ces hommes ne sont pas traités en ennemis." Mais là où il s'en écarte, c'est lorsqu'il affirme que "non seulement donc ils ne se montrent pas perfectibles, ce qui empêche toute conclusion de leur état actuel à notre état passé, mais ils ont bien l'air d'être à la fin de leur vie, et de n'attendre que leur coup de grâce". C'est manifestement refuser d'apercevoir ce que Darwin avait pourtant mis en relief dans le chapitre VII de *La descendance de l'homme*, consacré à l'extinction des races humaines, savoir : que le contact des nations civilisées, avec son train de défrichements du sol, de nouvelles maladies, de vices inconnus, d'incitations à l'alcoolisme et de changements de toutes sortes dans les conditions d'existence, a été la raison suffisante d'une destruction qui ne nécessitait pour s'accomplir aucune prédisposition intrinsèque de la race malheureusement vouée par l'histoire à en être la victime. Les peuples colonisés ou conquis étaient donc, pour Lalande, des peuples en voie d'extinction, des peuples séniles attendant leurs bourreaux ; lesquels, tient-il à préciser, sont en revanche jeunes et bien portants : "Une race jeune, et comparable par conséquent à la jeunesse de nos races, ce serait bien plutôt la nation yankee, ou la population coloniale de l'Australie ; mais quels singuliers primitifs que ces hommes de sang multiple, peuples nouveaux poussés par bourgeonnement sur les vieux troncs européens !" (p. 264.) Là encore, on peut difficilement interpréter l'intention démonstrative de Lalande qui affirme en même temps la jeunesse d'un peuple et son ancienneté, sans préciser si l'on doit comprendre ces notions en un sens biologique ou en un sens culturel : en tout état de cause, on comprend mal, sur un plan comme sur l'autre, que ces populations coloniales puissent être dites ressembler à la jeunesse des races dont elles ne font que descendre. L'exemple des États-Unis avait effectivement été employé par de nombreux théoriciens de l'évolution, et repris par Darwin lui-même dans *La descendance*, mais pour montrer en principe tout autre chose, savoir : le rôle probable de la sélection initiale d'individus doués de vigueur physique et d'esprit d'entreprise pour rendre compte de la rapidité particulière des progrès de la nation américaine. En fait, Lalande, concevant comme normale et fatale la destruction –pour cause de décadence avancée– des populations colonisées par les peuples colonisateurs, tombe ici dans une naturalisation du triomphe du plus fort que l'on aurait pu attendre plus légitimement, si l'on s'en tient au schéma général de sa critique, de la philosophie à laquelle précisément il s'oppose. On comprend bientôt que sous le rapport critique à Spencer se dissimule un rapport peut-être plus essentiel, plus problématique, fait d'endossements partiels et d'occultations d'accords dont la reconnaissance pourtant semblerait naturelle : le rapport à Darwin, qui se rejoue sans cesse à travers les prétextes polémiques de Lalande. A propos du problème des sauvages contemporains considérés comme témoins de stades archaïques de l'évolution des races modernes, une phrase capitale de Darwin prouve l'effectivité de l'un –entre autres– de ces accords qui seront voilés ou tus par Lalande : au chapitre VI de *La descendance* ("Affinités et généalogie"), Darwin, au sujet des vertébrés, dont l'organisation culmine avec l'homme, note en toutes lettres que si la persistance de formes anciennes protégées par des conditions locales particulières permet souvent "de reconstituer nos généalogies", il faut cependant "se garder de considérer les membres actuellement existants d'un groupe d'organismes inférieurs comme les représentants exacts de leurs antiques prédécesseurs". C'était déjà la mise en garde de Lalande, et l'on peut s'étonner, plus que du nombre relativement élevé de ces coïncidences, du fait qu'elles n'aient jamais été signalées.

Si par ailleurs Lalande refuse l'extension applicative à la sociologie des lois qui régissent l'évolution du domaine biologique, il est, ce faisant, en accord logique avec Darwin, le manifeste souvent dans ses positions, mais ne le dit jamais, faute peut-être d'avoir clairement produit la désassimilation nécessaire entre la science darwinienne et ses versions idéologiques. Il semble qu'il se tienne, devant ce qu'il imagine être le *bloc* évolutionniste, dans une attitude qui demeure indécise. Il ne produit pas en fait, bien que cela ait pu paraître constituer l'essentiel de son propos, la distinction de la science et l'idéologie. Insistant sur la différence de rythme qui se laisse appréhender entre les transformations biologiques et les transformations sociales, sur la capacité accélératrice de la réflexion humaine, de ses anticipations et de ses projets, sur les fins conscientes qu'elle se fixe et les moyens qu'elle se donne pour les atteindre au mieux et au plus vite, et sur sa faculté de se prendre elle-même pour objet de connaissance, il en vient à opposer assez platement à l'*évolution* la *révolution* qui serait le propre de l'activité rationnelle, sans apercevoir, une fois de plus, qu'il ne fait là que décrire l'une des conséquences directes de l'*effet réversif*, lui-même fonction de la croissance des instincts sociaux (assimilatifs) et de la diminution corrélative de la force de la sélection naturelle (différenciatrice) qui se reverse à travers eux en force égalisante de protection collective. Les instincts sociaux ayant été eux-mêmes *sélectionnés,* il est possible de dire que l'effet réversif est l'*effet en retour* de ces instincts développés sur la force qui les a produits. C'est pourquoi l'idée d'un *progrès culturel assimilatif*, loin d'être une idée anti-darwinienne, est au contraire, suivant certaines modalités et à un certain moment, impliquée par le darwinisme, et n'a pas à être opposée sans nuance, comme le fait Lalande, à une vision rétrécie de la sélection naturelle dont on exclut arbitrairement la forme réversive qu'elle prend *en milieu de civilisation*. La révolution sociale, en tant que corrélat de l'essence révolutionnaire de la pensée réfléchie, et forme modifiée du perfectionnement historique, est la nouvelle force qui préside aux transformations –accélérées– des groupes humains. L'anticipation rationnelle ainsi que l'économie de temps et d'erreurs qui en découle permettent cette accélération et cette maîtrise qui, si elles s'opposent bien aux "hasards" lents de la sélection naturelle, n'ont cependant été rendues possibles que par elle. Dans ce contexte, dire que "la réflexion et la raison sont essentiellement révolutionnaires", c'est reconnaître implicitement que l'évolution, qui produit la socialité et la conscience, culmine dans la dissolution et le nivellement révolutionnaires : Lalande toutefois ne reconnaît que le résultat tout en continuant à méconnaître le processus, conformément à une sorte d'idéal humaniste d'assimilation qui refuse d'envisager son propre déterminisme matériel, en continuant à opposer le biologique et le culturel, et à se représenter comme coupure ce qui n'est, dans le vivant parvenu à son stade le plus élevé d'organisation, qu'un retournement dialectique –la sélection naturelle travaillant, à travers l'affinement de la conscience, à sa propre exténuation–, retournement accompagné d'effets compensatoires, assurant d'une façon désormais non discriminatoire l'amélioration du groupe. Telle est donc bien la *limite* de Lalande dans l'intelligence du transformisme darwinien et de sa logique originale. C'est sans l'excéder une seule fois qu'il persistera pendant de longues pages à produire des exemples de la marche assimilative, dédifférenciatrice et homogénéisante du processus civilisateur. Inlassablement, il évoquera la rigoureuse division en castes des sociétés égyptienne, indienne, perse, assyrienne, puis la moindre différenciation de la cité grecque, puis celle encore moindre de la civilisation chrétienne, et enfin l'unification tendancielle des classes –ou plutôt des *ordres* féodaux– à la fin de l'Ancien Régime, suggérant même sans équivoque que les changements à venir suivront nécessairement le même cours. Il opposera à la fixité des castes la mouvance sociale des individus à l'époque moderne, aux signes vestimentaires anciennement représentatifs de l'appartenance à un corps social ou professionnel, l'uniformisation croissante du costume, etc.

Le fait de la division du travail social semblerait *a priori* devoir opposer à Lalande, de par son incontournable évidence pratique, une plus grande résistance. Revenant à une critique de l'organicisme, il affirme que "la spécialisation qui résulte du travail collectif... ne saurait... être assimilée en aucune façon à la différenciation qui se produit dans les tissus vivants au cours de l'évolution organique". Une fois de plus, on ne sait absolument pas si l'expression "évolution organique" renvoie à l'embryogénèse et à la croissance fœtale, ou au progrès interspécifique des êtres vivants.

Lorsqu'il est dit que la cellule du foie est "enfermée dans sa fonction comme l'artisan égyptien dans la sienne", on a manifestement quitté la comparaison de deux *processus* (évolutifs) pour aborder celle de deux *états*. Cette faute dans la logique des analogies se poursuit par une comparaison au niveau des fonctionnements respectifs de l'organisme animal et de la société moderne –comparaison qui a momentanément rompu tout lien avec le problème de l'évolution : "La division du travail se fait entre les hommes comme entre les parties des animaux, mais elle n'a plus ni la même forme, ni les mêmes conséquences. Suivant l'énergique expression du philosophe moderne qui l'a le plus particulièrement étudiée (*Durkheim*), cette division est à fleur de peau. Elle se passe à la surface de la vie sociale et de l'esprit individuel" (p. 287). Affirmation purement dogmatique, qui n'est suivie d'aucune justification, mais dont l'esprit va peser sur toute la suite. Un seul regard sur le marxisme aurait au contraire révélé que l'ouvrier prolétaire, par l'effet du maintien de la pression exercée sur ses conditions d'existence par l'économie de marché et l'entreprise industrielle dont il est le salarié, se trouve, toutes choses égales, aussi rivé à sa classe que pouvait l'être l'artisan égyptien –la seule différence réelle étant la faculté théorique d'en sortir, et là encore la mobilité concevable de certains individus ne change rien à l'existence permanente des différences de classes. Ainsi, si l'on peut dire entre autres choses, et à quelques nuances près, que le discours de Spencer est un essai de légitimation d'une forme d'organisation socio-économique (la société industrielle capitaliste), par le biais du thème du triomphe des plus aptes, on doit reconnaître alors que celui de Lalande opère la même justification, mais par le biais du thème de l'assimilation sociale. Ce qui oppose les deux philosophes, c'est seulement les *modalités* de la valorisation de la "société moderne" à laquelle tous deux ils réfèrent, et cela démontre objectivement qu'un type dominant d'organisation socio-économique peut être "légitimé" par des arguments idéologiques absolument opposés.

Revenant à l'axe des temps, Lalande déclare ensuite que "l'élément le plus net et le plus caractéristique d'une véritable différenciation, pénétrante et profonde, est l'hérédité". Or le fait qu'une fonction sociale ne soit plus *juridiquement* héréditaire suffit à lui masquer le mécanisme sociologique de la reproduction des classes. Lorsque cependant cette reproduction devient trop évidente, il revient, pour l'expliquer, à la métaphore du fleuve et de ses turbulences : "Dans la grande assimilation sociale, des évolutions secondaires n'ont pu trouver place que par la réalisation de cette condition essentielle : la constitution de la ploutocratie contemporaine, qui détruit en partie l'œuvre de la Révolution, est un de ces *remous* du courant de la vie." (p. 287. Nous soulignons.) Lalande, multipliant troubles et parasistes dans sa théorie des faits principaux du développement historique, en arrive ainsi à ne plus disposer d'aucun principe de systématisation. Alors qu'il avait fait de l'argent la force cohésive qui avait, à la fin de l'Ancien Régime, dé-différencié les deux ordres de la Noblesse et du Tiers-état (sans apercevoir la préalable différenciation économique interne de celui-ci), Lalande reconnaît à présent que "dans l'homogénéité de l'égalité civile, obtenue par la Constitution et par le Code, la force matérielle de l'argent a rétabli des classes, parce qu'elle s'accumulait d'héritage en héritage...". Ce phénomène, Lalande l'indentifie donc non comme une conséquence de l'organisation socio-économique décrite, mais comme un trouble, une perturbation, une inversion maligne (de forme différenciative) du courant assimilatif de la civilisation. Par ailleurs, citant en référence les théoriciens transformistes de Lamarck à Weismann, il reconnaît dans l'hérédité de la différenciation une loi fondamentale de la vie. Dans cette logique, la constitution d'une ploutocratie étant à mettre –métaphoriquement– au compte d'une différenciation héréditaire, son irruption et son maintien devraient alors être interprétés comme un phénomène de *retour* –au sens biologique– à l'ancienne organisation par castes. Ce "trouble" serait une régression : "Ce qui ressemble à la durable différenciation des tissus et des organes, c'est l'ancienne forme sociale à castes, où les enfants suivaient indéfiniment la carrière de leurs parents ; où la spécialisation occupe même souvent des régions spatiales déterminées." L'organicisme vaudrait ainsi, à la limite, pour l'Inde et l'Egypte anciennes, mais serait inadéquat à la civilisation moderne, où le "brassage des conditions" et la promotion sociale feraient que "loin de différencier les hommes, la division du travail social les nivellerait plutôt à ce point de vue, car elle les prend dans les milieux les plus différents pour les conduire aux mêmes fonctions" (p. 289). Pour illustrer cette mobilité caractéristique de la société moderne, Lalande ira jusqu'à évoquer "ces irréguliers" qui parcourent dix fois dans leur vie l'échelle sociale dans les deux sens, en précisant avec une certaine naïveté que la position momentanée qu'ils y occupent se détermine "suivant qu'ils ont un peu plus ou un peu moins d'argent". Outre que l'on pourrait voir dans ces variations du numéraire la source d'une différenciation indéfinie, l'aveu de Lalande prend ici une saveur particulière, née d'une contradiction dont il ne peut sortir en feignant de l'ignorer.

Les "remous" de la dissolution générale produisent donc, selon Lalande, des différenciations momentanées, des hétérogénéités qui font suite à une homogénéité première sans toutefois en être le produit par évolution. C'est ainsi que le brassage des conditions va provoquer, à l'intérieur des différents corps sociaux, durant une certaine période, une juxtaposition de diversités sensibles par exemple au niveau des costumes et des modes de vie, et qu'il faudra absorber avant de les résoudre dans un équilibre assimilatif comparé par Lalande à celui atteint par un ballon d'eau porté à l'ébullition et parvenu ensuite, au terme de son refroidissement, à une égalisation thermique avec son milieu extérieur : la désuniformisation de la température à l'intérieur du ballon au cours du refroidissement – la surface refroidissant plus vite que le centre– figurant la nécessité d'un *passage par l'hétérogène* au sein d'un système en contact avec un afflux extérieur d'hétérogénéité. "Arrêtez cet afflux", dit Lalande, renvoyant aussi bien au ballon d'eau refroidissant qu'à tel milieu socio-professionnel sujet, du fait de la mobilité, à une diversification de ses membres –et l'équilibre interne se reformera. On comprend mal ici comment Lalande envisagerait d'arrêter cet afflux d'hétérogénéité dans une société caractérisée précisément par la mobilité des individus, lesquels cependant n'ont pas cessé d'appartenir à des classes dont l'étagement reste fixe. Produisant en apparence les effets d'une *évolution*, la division sociale du travail serait donc l'une des inversions momentanées, l'un des "remous" producteurs d'hétérogène qui affectent un courant assimilatif tendant au contraire à la diminution de la spécialisation, "en tant qu'elle pénètre les individus en profondeur", et "marque les progrès de la conscience et de la culture, soit personnelle, soit collective" (p. 293). Un vieux thème théologien fait ici résurgence :

> "La division du travail demeure en nous comme la marque de notre nature animale, comme une sorte de péché originel dont nous portons les conséquences avec nous. Condamnés à vivre dans une nature où l'on ne mange son pain qu'à la sueur de son front, aspirant en vain à la divine paresse que les hommes d'autrefois

> mettaient dans le paradis terrestre, et que les socialistes modernes pensent entrevoir dans les progrès de l'organisation économique, nous sommes arrivés du moins à rendre cette nécessité moins pressante, à nous dégager par un côté de la *fonction* par laquelle nous assurons notre vie en même temps que celle de la société." (pp. 293-294)

La division du travail est donc un mal nécessaire, ancré dans la nature et la destination de l'homme, le prix qu'il faut payer pour parvenir *par ailleurs* à l'assimilation morale et spirituelle des individus :

> "La division du travail se produit nécessairement, sous la pression extérieure des circonstances. En faire une intervention réfléchie de l'homme, soit en vue de son bonheur, soit en vue d'une production plus parfaite est chose absurde, puisqu'au contraire nous venons de voir que tout le progrès de cette réflexion consistait à canaliser cette lutte pour la vie, quand on ne peut la supprimer, ou du moins la suspendre ; à limiter les effets spécialisants de la différenciation sociale, imposée à des êtres pensants par la force des choses, et par leur condition d'êtres mangeants". (p. 294)

La politique de Lalande se déduit alors d'un parallèle dont la matière est empruntée à Auguste Comte : de même que le remède apporté aux dangers de la spécialisation scientifique devait être la création d'une "classe de savants spécialisés dans la connaissance des généralités" et travaillant à prévenir l'isolement des disciplines : les philosophes, de même le remède apporté aux dangers de la dispersion des opinions et des centres d'intérêt devait être la création d'une classe de fonctionnaires spécialisés dans le rôle de "ciment social". Ainsi, l'assimilation se ferait *par le haut*, et de même que l'instance gouvernante travaillerait à l'unification des classes de la société, les philosophes recevraient en partage ultime le gouvernement des sciences. La spécialisation poussée à l'extrême devient facteur d'assimilation : tel est l'effet réversif de Lalande. Assimilation illusoire, et qui ne concorde même plus avec la métaphore de l'équilibre thermique d'un liquide, puisque aucune égalisation matérielle ne s'y réalise. Les classes demeurent hétérogènes l'une à l'autre, car l'unification opérée par le gouvernement est une unification *morale*. De même la philosophie renvoie les disciplines scientifiques à leur hétérogénéité première : c'est bien ce qui semble résulter de l'activité philosophique de Lalande s'opposant *en fait* à la grande tentative évolutionniste d'unification des sciences. Une fois la nouvelle classe mise en place –et cette "nouveauté" elle-même serait difficilement intelligible à tout philosophe qui ne refuserait pas de poser la question de l'*origine*–, "les barrières qui séparent les groupes de travailleurs s'abaissent beaucoup plus vite, car elles sont attaquées d'en haut par réflexion et par raison logique, au lieu de s'écrouler petit à petit, morceau par morceau, sous le lent travail de ceux qu'elles séparent et qui la perforent graduellement". Dans cette unification seulement spirituelle et morale promue par l'instance dirigeante, on déchiffre clairement la prévention des effets réellement unificateurs de la lutte des classes. L'éloge de la Révolution s'arrête à 1789. Marx est ici la cible véritable de Lalande. Poussée à son terme extrême, la division du travail, nécessité biologique pour l'animal productif et consommateur, le porte à une révolte intellectuelle et morale –lisons : *seulement* intellectuelle et morale– qui le sauve des effets "dégradants" qu'une division moins poussée eût à coup sûr provoqués. On n'est plus, certes, dans un système de pensée organiciste. Mais cette sortie hors de l'organicisme se produit au prix d'une retombée sans précédent dans un *mécanisme* dont on peut supposer qu'il sert aussi bien que l'organicisme de Spencer, en masquant le fait préservé de l'inégalité socio-économique par des compensations assimilatives au niveau "spirituel", les intérêts du mode de production industrielle capitaliste :

> "... plus l'homme, dans le travail par lequel il gagne sa vie, est visiblement rouage, et rouage infime de la grande machine, plus il revendique énergiquement le droit de jouir honorablement de cette vie une fois gagnée, c'est-à-dire d'être un homme, l'égal de tous les hommes, et même, dans la mesure où la grande assimilation scientifique, artistique et morale lui en donne les moyens, leur frère par le cœur et par l'esprit." (p. 297.)

La division du travail est ainsi un "trouble" destiné à durer toujours, de même en réalité que la division de la société en classes. Pour Lalande, l'histoire de la marche à l'égalité est celle du charisme éclairé des philosophes, non celle de la lutte des peuples : il est assez remarquable que dans ce contexte, comme ailleurs, le nom du philosophe de la société sans classes, c'est-à-dire de la dissolution portée à son terme logique, ne soit pas même mentionné. Ce qui apparaît en revanche, c'est le fait très clair que l'idéal stabiliste de Lalande a besoin d'une *hétérogénéité* de base, *et qui demeure*, comme la garantie ultime de fonctionnement pour son système, pérennisant les différences qui permettront indéfiniment à l'assimilation de s'opérer. C'est pourquoi Lalande retire au peuple l'initiative de la conquête de l'égalité –car dans le cas d'une égalité conquise par le peuple, celle-ci serait une égalité *matérielle*. D'où, pour que les vraies différences soient sauves, l'énoncé de ce dogme : "La marche à l'égalité ne doit pas sortir des couches profondes du peuple ; en fait, elle n'en sort pas".

Le rebroussement

La sociologie et la politique étaient premières, à examiner chronologiquement les choses, dans l'œuvre de Spencer, qui commence avec ses lettres de 1842 sur *La sphère propre du gouvernement* et se poursuit en 1850 avec la *Statique sociale*. On les retrouve, dans leur lien essentiel à la morale, lorsque le système –ou plutôt la *somme* évolutionniste–, sous l'impulsion du désir de Spencer vieillissant, tend à combler les places encore vides qui porteront, une fois comblées, les sceaux définitifs de son achèvement. La phase terminale de l'œuvre de Spencer commence en 1879 avec la publication des *Data of ethics* (*Les bases de la morale évolutionniste*) dans la *Préface* desquelles il annonce, sous l'empire de la maladie, l'ordre dans lequel la nécessité d'achever son *Système de philosophie synthétique* inscrira la suite de ses travaux : d'abord, finir les *Principes de morale* et, en tout premier lieu, la quatrième partie : *La morale de la vie sociale* : *la Justice*, qui sera livrée dans sa version intégrale en juin 1891. Entre-temps sera publié, en 1884, *L'individu contre l'État*, aboutissement doctrinal –faisant appel à une critique circonstanciée du fonctionnement des institutions anglaises– des convictions politiques libérales de Spencer.

Au début et à la fin se trouvent donc en fait la politique et la morale, signalant d'une manière suffisamment claire, à travers leur liaison et leur position dans la configuration du système et dans l'ordre de constitution de la somme, qu'il s'agit bien là de motifs stratégiques, d'enjeux cruciaux pour le désir de systématisation du philosophe. On retiendra aussi que dans l'ordre de la genèse, la politique et la morale renvoient à la biologie, comme l'indiquait déjà d'une manière générale la *Statique sociale* de 1850.

Il est intéressant et révélateur que l'on retrouve, à l'échelle d'une œuvre moins immense, certes, mais directement polémique contre l'évolutionnisme, celle de Lalande, la même ordination tactique des préoccupations philosophiques : parti spontanément de la morale, ainsi qu'en témoigne l'*Avertissement* mis en tête des *Illusions évolutionnistes* (23), il va devoir créer face au spencérisme un contre-système (dissolutionniste) et une contre-somme (mécanique, physiologique, psychologique, sociologique) pour revenir, à la fin de ce parcours, aux considérations éthico-politiques qui n'auront jamais cessé d'être le *mobile* des démonstrations antérieures.

L'évidence, c'est que l'on ne peut plus parler *sans détour* de morale et de politique –même si, d'avance, les choix sont faits : Spencer était libéral libre-échangiste *avant* d'avoir entrepris de "fonder" ce credo économique, politique et moral sur l'immense *détour* physique, psychologique, sociologique et surtout biologique qui constitue son œuvre. Plus précisément, ce qui est premier chez Spencer, c'est l'idée déjà ancienne de la *naturalité de l'ordre économique*, et l'intuition corrélative de la solidarité du biologique et du social. Spencer n'a pas inventé le libéralisme : la critique qu'il applique à l'intervention étatique dans l'économie et le commerce s'effectue dans les mêmes termes, et souvent avec le même ton que l'on retrouve chez Turgot et les pionniers de l'économie libérale (24). De même, Lalande obéissait à une

(23) Comme nous l'indiquions au début de ce chapitre, d'après Lalande lui-même, la thèse commencée en 1892 portait sur "La morale et l'Évolution". Si l'on se reporte au titre de 1899 (*L'idée directrice de la Dissolution, opposée à celle de l'Évolution, dans la méthode des sciences physiques et morales*), on comprend que Lalande, *comme Spencer*, ait rencontré l'obligation de *passer par la physique* : on peut ainsi trouver mal venu qu'il ait cru devoir reprocher à Spencer ce versant surajouté de sa réflexion.

(24) A propos de la répression par le gouvernement des fraudes particulières commises dans le commerce, Turgot écrit dans l'*Eloge de Vincent de Gournay* (1712-1759), éd. Guillaumin, t. I p. 272 :

"Vouloir que le gouvernement soit obligé d'empêcher qu'une pareille fraude n'arrive jamais, c'est vouloir l'obliger de fournir des bourrelets à tous les enfants qui pourraient tomber".

Les textes politiques de Spencer sont pleins de traits de ce genre.

réaction anti-moniste dès avant le commencement de sa réfutation systématique de Spencer, et cette réaction était d'abord d'ordre moral et politique : la morale de Lalande est cette morale républicaine que l'évolution de la Troisième République depuis Jules Ferry, avec le succès de la loi scolaire en 1882, de la loi Waldeck-Rousseau autorisant en 1884 la formation des syndicats professionnels, la création en 1895 de la Confédération Générale du Travail et la réapparition du socialisme comme force politique et parlementaire, plaçait nécessairement sous le triple signe de la conquête de l'égalité, de la tolérance et du volontarisme en politique.

Si l'on ne peut plus parler de morale *sans détour*, c'est, comme on l'a déjà fait sentir, parce que la tendance généalogique et continuiste des sciences de la nature n'autorise plus à s'incliner devant le privilège d'isolement et de particularisme qui affectait traditionnellement certaines manifestations "élevées" de la *vie*.

Or la réflexion éthique se trouve de ce fait dans une situation pour le moins paradoxale : il faut opter entre la continuité et la rupture : si l'on choisit la rupture, la morale retourne à son état antérieur d'indépendance radicale et se trouve renvoyée au thème théologique de l'obligation transcendante, ce qui contrarie l'impulsion généalogique donnée par le transformisme aux sciences naturelles et humaines. Si l'on choisit au contraire de penser que la morale s'inscrit dans la continuité de la nature, on entre dans la perspective d'un utilitarisme naturaliste qui reste muet sur le phénomène de la *valorisation* des conduites et des sentiments moraux, ou le dénonce –c'est le cas de Spencer– comme illusion psychologique. La morale perd ici sa spécificité, et le jugement moral est réduit au statut de proposition émise par les sciences de la vie. Or l'évolutionnisme lui-même est contraint d'affirmer que c'est cette illusion, sélectionnée en tant que telle, qui représente l'un des facteurs les plus puissants de l'évolution des sociétés. Le sentiment de la *valeur* éthique, même lorsqu'il n'est envisagé que dans son rôle matériel, reste le moteur psychologique du progrès humain, son raffinement étant en quelque sorte, de ce dernier, la mesure. On comprend alors qu'il n'ait pu s'agir pour la morale évolutionniste de s'en prendre aux résultats *pratiques* de cette "illusion" : au contraire, l'éthique spencérienne, quoique moniste et désillusionnante, se signalera, comme je l'ai déjà dit, par un accord de fait avec les prescriptions et préceptes des grandes morales traditionnelles (dualistes) de l'humanité. Mais ayant détruit l'illusion des déterminations transcendantes –auxquelles tenait le sentiment de la *valeur*–, elle devait nécessairement y substituer un *mobile* aussi fort, et découvrir, curieusement, que ce mobile ne pouvait être l'intérêt individuel. Spencer aura ainsi recours à l'*altruisme* comme à un relais nécessaire et, malgré lui, *valorisant*. Dans la logique généalogique du discours éthique de Spencer, l'*égoïsme* est au début et à la fin : il est celui de la préservation de la vie individuelle et celui qui rend possible son accroissement. L'altruisme occupe une position intermédiaire entre ces deux figures initiale et finale de l'égoïsme. Il est ce qui rend *organiquement* possible de parvenir à satisfaire le second égoïsme tout en garantissant la satisfaction du premier, au sein d'une société coopérative qui aurait éliminé le risque mortel de la lutte ouverte des individus : quelque chose de Hobbes se retrouve ici. L'altruisme est ce qui rend organiquement possible l'accroissement des plaisirs égoïstes. Or la contradiction insoluble de Spencer est que, cantonnant l'altruisme dans cette position instrumentale de relais organique, il l'exhibe cependant comme *signe* de l'*élévation* de la moralité et de la civilisation, donc, contradictoirement, comme *valeur* et comme *fin*. Sans pousser jusqu'à ce point l'analyse, Lalande aura sourdement conscience des données du problème. Refusant comme de coutume toute spéculation généalogique –ce qui ne l'engage pourtant jamais dans une dénégation apriorique de la scientificité du transformisme biologique–, il tentera de le résoudre par la dissociation du *fait* et du *droit* (25).

Le *fait*, c'est la réalité de l'évolution biologique, de l'évolution humaine et de l'évolution sociale.

Le *droit*, c'est ce que les hommes peuvent faire, dans le présent, pour conduire leur vie conformément aux principes librement établis au sein de leur délibération rationnelle.

L'*erreur* évolutionniste, c'est de penser que le fait détermine univoquement le droit, que le passé reconnu et enregistré dans la forme de son devenir détermine une forme de l'*avenir* qui ne serait que son développement *conforme*, homogène et réglé. "La confusion de ce qui est et de ce qui doit être, ou, comme dit Wundt, de l'explicatif et du normatif, est la cause la plus active

(25) C'est cette dissociation argumentative finale qui donne lieu à la division des deux derniers chapitres de *La dissolution* : *Conséquences de fait* ; *Conséquences de droit*.

des erreurs systématiques dans les sciences morales." (p. 417.) Et tel est bien en effet l'un des plus constants ressorts de l'*idéologie*, dont le propre est de répondre sans attendre au désir de "faire rapidement profiter les sciences morales des progrès accomplis par les sciences de la nature ; et, pour cela, de subordonner la détermination de la fin, qui est une question de droit, à la découverte des moyens, qui est une question de fait et d'observation" (p. 418).

Quelle épistémologie pourra alors effectuer les distinctions fondamentales entre ce qui est scientifiquement recevable et ce qui est contestable en tant qu'idéologique ? Quelle méthode d'analyse pourra identifier, et à partir de quelles marques ou symptômes, l'idéologie comme catachrèse de la science ? Doit-on, pour atteindre aux conditions de validité d'un tel jugement, limiter d'abord les hypothèses "au domaine d'une seule et même science", c'est-à-dire travailler au rétablissement de l'isolement et de la division rigoureuse des disciplines scientifiques, suivant l'adage "*ne sutor ultra crepidam*" ? Mais ce serait aller précisément à contre-courant du mouvement d'extension trans-régionale et d'inter-communication des disciplines scientifiques elles-mêmes, dont il faut nécessairement tenir compte comme d'un phénomène inscrit dans le champ épistémique : "Les chimistes", écrit Lalande, "ont renouvelé la physiologie ; les idées transformistes, du domaine de la morphologie, ont gagné toutes les sciences ; les mathématiques pénètrent même dans les études morales. Que la psychologie ou la logique, s'étendant ainsi, rattache les différentes branches de l'étude de la nature, on ne saurait donc s'y opposer que par esprit de tendance, en se défiant du genre de résultats qu'elle peut fournir, mais non pas au nom d'un principe qui ferme les communications entre les petites caves où s'est réparti le savoir humain. L'extension des généralités jusqu'à leur dernière limite et la recherche d'une formule représentant les rapports les plus larges de la vie et de la pensée, de l'homme et de la nature, n'est donc en aucune façon une œuvre extérieure à la science." (p. 369.) La "philosophie naturelle comparée" a donc droit –Lalande le dit en toutes lettres– à l'existence, et à son intégration dans le champ scientifique, sous le titre même de cette "philosophie générale" qui pour Lalande s'assimile à la science par son projet de vérité. L'idée comtienne du philosophe spécialiste des généralités revient ici pour s'accorder avec le fait que toute découverte étant, à quelque degré que ce soit, toujours "particulière", la philosophie a pour but, au lieu de véritablement inventer ou découvrir, d'aboutir plutôt à des synthèses générales et à la vérification de l'adéquation au réel des hypothèses transdisciplinaires formulées dans les sciences. Telle est la définition –partielle– qu'aujourd'hui encore il serait possible de donner de l'épistémologie. Et Lalande, qui se montre ici partisan d'une épistémologie scientifique identifiable sous l'appellation de "philosophie", se trouve en accord à la fois avec sa propre théorie de la démarche dissolvante de l'esprit et avec la conception évolutionniste d'une philosophie qui serait primordialement le lieu de convergence et d'unification des sciences, et de production des vérités générales : l'unification moniste de la connaissance autour de la loi d'évolution déduite de la loi de substance apparaît en effet tout naturellement à Lalande comme l'incarnation paradoxale, chez les évolutionnistes eux-mêmes, de la tendance à l'assimilation des esprits. On pourrait ici objecter à Lalande que la délimitation du *domaine* philosophique comme lieu réservé à l'établissement des généralités a pour conséquence de *différencier* la fonction du philosophe : mais c'est, paradoxalement encore, l'évolutionnisme qui viendrait à son secours en montrant que la "philosophie" moniste équivaut à la science parvenue à son plus haut degré d'intégration , et que par conséquent elle est *intégrée à la science*, au point de rendre équivalentes, comme elles le sont en effet chez Haeckel, les expressions couramment utilisées de "science moniste" et de "philosophie moniste".

De part et d'autre, la morale et la politique, affaires de philosophes, entretiendront donc un lien de co-essentialité avec la démarche scientifique qui culmine dans la généralité "philosophique", laquelle est avant tout, semble-t-il, affaire d'épistémologues.

Il faut se garder, à propos de l'œuvre philosophique de Lalande, d'interprétations radicalisantes qui tendraient à surévaluer l'opposition qu'elle manifeste par rapport au scientisme évolutionniste. En fait, elle ne se situe nullement dans ce courant qu'Alfred Fouillée avait tenté d'identifier comme celui d'une réaction idéaliste contre la science positive (26). Ce n'est pas un pur retour vers l'idéalisme spiritualiste qui caractérise l'intervention de Lalande, malgré ce que pourrait laisser croire sa fidélité

(26) Alfred Fouillée, *Le mouvement idéaliste et la réaction contre la science positive*. Dans ce livre, Fouillée consacre même un passage assez sévère à Spencer, considéré et critiqué uniquement en tant qu'auteur d'une théorie dogmatique de l'Inconnaissable. (*Alcan*, 1898.)

personnelle au christianisme, mais bien plutôt ce rationalisme de la *raison constituante* qui s'exprimera plus largement dans certains de ses ouvrages ultérieurs, et qui s'allie aux thèmes humanistes du personnalisme, et à cette défense de l'initiative historique de l'homme qui repose sur une anthropologie irréductiblement dualiste :

> "Tout d'abord, ***l'homme est double***. Il a une nature inférieure semblable à celle des autres animaux et une nature supérieure, qui est sa vraie différence spécifique au milieu d'eux, et qui exprime sa participation à un nouvel ordre de valeurs. L'homme, considéré comme la suite et le plus haut degré d'évolution des êtres vivants, plus perfectionné, mais n'ayant point d'autres fins que les fins biologiques ; l'esprit considéré comme étant dans son fond un instrument vital, voilà en première ligne ce que rejettent les défenseurs de la raison. L'individu, pour eux, se distingue nettement de la personne morale : en tant que différents des autres hommes, numériquement et qualitativement, sanguins ou nerveux, irritables ou placides, ressentant plus ou moins l'instinct de conservation et l'impulsion sexuelle ; en tant qu'adaptés à la division du travail, à une organisation économique et sociale qui rappelle celle des membres et de l'estomac, nous sommes des individus, nous entretenons et nous défendons notre individualité. Mais pour celui qui admet la raison, nous sommes aussi quelque chose d'autre et de plus, qu'il s'agit de préciser, et qui fait de nous des personnes." (27)

Ce dualisme anthropologique est donc un *dualisme rationnel* –expression déjà employée par nous à propos de Darwin. La Raison existe sous deux modalités distinctes, *raison constituée* et *raison constituante*. La raison constituée est celle qui a pris corps dans l'élément impur des faits et des situations historiques, et à propos de laquelle on peut établir une forme dominante de déterminisme. Elle est, pour reprendre les termes mêmes de Lalande, "l'ensemble des idées et des règles acquises à une époque donnée, des 'principes rationnels' dont on peut faire la liste plus ou moins précise, aujourd'hui, pour les peuples qui participent à la civilisation. C'est une espèce de législation constituée peu à peu, grâce à ce

(27) A. Lalande, *Raison constituante et raison constituée*, Revue des cours et conférences, avril 1925, texte reproduit par Georges Davy dans son intéressant recueil intitulé *André Lalande par lui-même*, Vrin, 1967, pp. 40-41.

qu'on a nommé quelquefois une 'évolution convergente', c'est-à-dire une série de transformations qui ne se font pas au hasard des circonstances, ou plus exactement dans lesquelles le hasard des circonstances est sans cesse utilisé par une tendance générale qui profite de tout ce qui la favorise, et qui constitue l'autre pôle de la nature rationnelle." (28) La raison constituante, pure, active, insaisissable, est l'*élan* qui décide de l'orientation générale de ce qui advient, mais qui ne saurait ce qu'il y a d'irrationnel dans une matière non entièrement ductile et opposant l'obstacle de son opacité à cette "lumière sans ombre". La raison constituée, mêlée d'éléments étrangers à la pure rationalité du projet de la raison constituante, investie dans un état présent des faits, des idées, des mœurs et des institutions, peut donner lieu de ce fait à des descriptions précises, mais qui décriront toujours en fait autre chose que la pure rationalité. Selon Lalande, cette raison constituée, objet des sciences de l'homme, comprend :

– 1° "des vérités acquises, des catégories et des concepts consacrés par l'usage, des valeurs acceptées en commun" ;

– 2° "des règles de pensée, c'est-à-dire de procédure logique, efficace et tenue en droit pour valable" (la *ratio* du moyen-âge) ;

– 3° "des règles de conduite sanctionnées" et "des règles de jugement esthétique".

La raison constituée requiert ainsi l'observation empirique des faits singuliers. Elle n'est pas définitive, mais indéfiniment modifiable et ré-ajustable, suivant des processus lents, tendant asymptotiquement vers l'équilibre.

Un tel dualisme n'est qu'en apparence celui de l'esprit et de la matière, de l'âme et du corps. En réalité, même si des liens obscurs le rattachent à ce dernier, il doit être compris comme un dualisme des *tendances* de la raison dans son activité propre, une division de la matière et de la forme au sein même de l'instance rationnelle. La raison constituée, c'est la raison particulière, marquée au sceau égocentrique ou ethnocentrique d'un conformisme limité. La raison constituante, à l'inverse, est ce qui, en vue de l'universel, approuve les normes établies de la raison constituée ou en conteste au contraire librement la valeur. La raison constituée

limité. La raison constituante, à l'inverse, est ce qui, *en vue de l'universel*, approuve les normes établies de la raison constituée ou en conteste au contraire librement la valeur. La raison constituée

(28) A. Lalande, *ibid.*, p. 53.

est *déterminée* en tant qu'inconsciente des fins universelles et dissolvantes de la raison même. La raison constituante est seule créatrice et anticipatrice, instance d'analyse et de dépassement volontaire des déterminations prochaines vécues dans l'obéissance aveugle et le conformisme. Elle est puissance de rattachement des attitudes aux *principes*, force supra-organique qui, dépassant l'acquis de la raison constituée, permet de choisir l'universel contre le particulier, l'unité projetée contre la pluralité donnée, l'assimilation contre la différence. Le rationalisme, puissance permanente de rupture avec le passé, est ainsi naturellement du côté de l'égalité : "Le mouvement rationaliste", écrit Lalande, "est toujours un mouvement critique, destructeur des différenciations préexistantes : castes, classes, corps privilégiés, organisations traditionnelles, barrières ou oppositions de caractère entre les nationalités. On en a pour témoin les plaintes constantes des historicistes et des conservateurs contre la puissance dissolvante de la Raison". (29)

Ainsi, l'instauration possible par la raison constituante d'une normativité dissolvante s'inscrit aux antipodes de l'évolutionnisme spencérien, libéral par conservatisme et anti-interventionniste par fidélité à l'ordre naturel et confiance dans le naturalisme de la raison constituée. La raison, pour Lalande, est révolutionnaire, en ce sens –et en ce sens seulement– qu'elle revendique, en tant que puissance *constituante*, d'être législatrice du changement aussi bien que la continuité. Chez Spencer, le droit sort du fait, et en fait n'en *sort* pas. Chez Lalande, *en plus de cela*, c'est le droit qui *crée* le fait.

Mais poser la raison constituée comme historique et parler de la raison constituante en s'écartant volontairement du problème de l'origine, paraît traduire une certaine *gêne* philosophique. Pour l'évolutionnisme et le matérialisme historique –compte non tenu des considérables différences de doctrine–, comme en général pour toute forme de monisme matérialiste, la rationalité se pense en termes d'acquisition progressive. Or Lalande, en raison de sa polémique contre les idées de Spencer, se cantonne quant à lui sur une position non généalogique qui reconnaît simplement l'historicité de la raison constituée comme un fait actuel, déterminé et déterminant, et l'irréductibilité perpétuelle de la raison constituante qui serait en quelque sorte purement déterminante. La

(29) *Ibid.*, p. 65.

raison constituée s'est incarnée dans une histoire, et face à cette raison adultérée par son incarnation, sa "descente" dans une matière historico-culturelle demeure, hors de l'histoire mais susceptible à tout instant d'en faire varier le cours, la raison constituante comme *instance*. L'*instance*, c'est ici ce qui existe comme possibilité permanente de passage à la manifestation : puissance intérieure d'intervention extérieure et ici, précisément, d'institution, d'instauration, d'infléchissement. Or de quel droit Lalande peut-il refuser à cette instance d'être envisagée elle aussi sous l'angle de sa généalogie ? C'est, semble-t-il, en raison du droit même qu'il se donne de distinguer le droit du fait : or le fait, c'est, je le repète, l'évolution et ses règles objectives ; c'est le rythme mesuré et enregistré du progrès et, aussi bien, de ses turbulences et de ses "remous" ; c'est donc, d'une certaine façon, la raison constituée. Pour Spencer, d'après les *Principes de sociologie*, l'équivalent de la raison constituée aurait été le conservatisme spontané de tout système d'institutions tendant par son inertie propre à se perpétuer identique à lui-même, sa résistance au changement ; pour Lalande, la raison constituée, c'est la résistance de la *théorie de l'évolution*, institution intellectuelle de l'Angleterre victorienne, à un changement qui prendrait la forme d'une instauration en vue de l'universel. Ce que Lalande reproche à l'évolutionnisme, c'est d'être une raison constituée qui s'érige en raison constituante, conformément à un monisme naturaliste à l'intérieur duquel le fait détermine univoquement le droit : la raison constituante dès lors n'est pas qualitativement distincte de la raison constituée, qu'elle approuve et perpétue dans ses formes, la tendance à la différenciation demeurant indéfiniment la règle du devenir. Or la démarche polémique de Lalande contre cet état de fait théorique et pratique est étrange dans la mesure où il ne se contente pas d'établir face à ce déterminisme la raison constituante comme faculté permanente d'instauration et de divergence, mais ressent d'abord la nécessité de prouver que la marche réelle du progrès de la nature et de l'histoire illustre en fait une autre "idée directrice" qui est celle, opposée, de la dé-différenciation dissolvante et de l'assimilation des esprits : il s'agit d'abord pour lui de montrer que la raison constituée au sein des phénomènes physiques, vitaux et historiques, est en réalité –c'est-à-dire en *nature*– constituée *dans l'autre sens*. La raison constituée a donc changé de sens. Certes, Lalande relèvera dans ce mouvement dominant de dissolution quelques "remous" différenciateurs, quelques "évolutions partielles"

(30). Mais c'est pour en revenir toujours à l'unidirectionnalité du phénomène dominant : "Le monde physique se dissout, et c'en est la loi principale" (31). *La raison constituée de la thermodynamique se substitue sans recours à la raison constituée de l'évolutionnisme.* Exactement comme l'avait fait Spencer, mais en sens inverse, il prétend que les exceptions à la loi générale sont négligeables, perturbations, contre-courants momentanés dans un fleuve dont le cours ne s'en trouve que très localement affecté. Exactement comme Spencer, il établit que ce qui *doit être* sera conforme à la marche dominante de ce qui a été. Le célèbre *Vocabulaire* de la philosophie en est la preuve la plus manifeste : encyclopédie de la raison constituée dans ses concepts les plus chargés de significations et d'histoire, travaillant avec une volonté persévérante à substituer à la pluralité des sens historiques la généralité fusionnelle de la définition et l'apport rectificateur de la critique, il est en même temps l'œuvre de la raison constituante en tant qu'il est sciemment destiné –d'après ce qu'en disait (voir au début) Lalande lui-même– à favoriser l' "assimilation des esprits", laquelle était déjà en cours, puisque inscrite dans la logique générale de la dissolution. L'intervention éclairée de la raison constituante ne fait donc ici, au mieux, qu'approuver, favoriser ou hâter un processus qui habitait déjà et guidait de l'intérieur le cours spontané de la raison historique. Exactement comme chez Spencer, la généralisation philosophique et son pouvoir d'éclairement n'ont pu qu'ajouter un peu de conscience et d'approbation à ce qui de toute façon se serait déroulé en vertu de la tendance générale où la philosophie aura simplement distingué l'effet d'une *loi.* La raison constituée –celle qui se déchiffre à partir des histoires singulières, et dans le cadre de ces histoires singulières– détermine donc bien les formes de la raison constituante, car c'est *autrement que Spencer,* car mû par d'autres forces socio-historiques et d'autres motifs idéologiques, que Lalande en fera usage en vue d'un "universel" qui aura changé de couleur et d'idéal, sinon fondamentalement de structure. D'où une philosophie différente de l'*individualisme :*

> "Au lieu d'être un rouage, l'homme devient une fin, une personne morale. Il se différencie donc dans une certaine mesure de

(30) *La dissolution,* p. 392.

(31) *Ibidem.*

> ceux de son groupe, mais justement dans la mesure où il s'assimile aux membres d'autres groupes. Il ne faut pas confondre l'individu et la personne morale : ce qu'on loue et ce qu'on cherche à développer sous le nom d'individualisme, c'est le développement de la personnalité, c'est-à-dire la faculté pour chacun de ne pas subir l'opinion toute faite d'un milieu, mais de participer à la culture générale et d'y puiser ses principes d'action. L' "individualisme" moderne a précisément pour base le rationalisme, en tant qu'il s'oppose à l'autorité, à la tradition, à l'obligation pour l'individu de rester dans une classe sociale, dans un métier, ou même dans une profession de foi héréditaires. Il est l'adversaire de la raison d'État et il y oppose l'esprit d'universalité, qui est celui de la raison constituante." (32)

L'universalisme éthique de la *personne* remplace l'égoïsme téléologique de l'individu organique de Spencer. Le rationalisme moderne défend le libre-arbitre en politique dans l'exacte mesure où il s'oppose au déterminisme exclusif et au particularisme de la raison constituée –opposition qui trouve sa justification de fait dans le constat non génétique d'un dualisme intra-rationnel. Ces lignes de 1925 ne font ainsi que reprendre et développer le message politique et le credo éthique contenus dans les derniers passages de *La Dissolution* de 1899 :

> "Nous sentons vaguement ce qu'il y a de monstrueux et d'absurde dans cet évolutionnisme à outrance, dans ce rêve de l'univers entier intégré en un seul organisme, d'une bouche colossale savourant l'infini, voire même d'une pensée unique réduisant à l'état d'organes le reste de l'humanité. C'est que l'histoire (sans parler de la question morale) nous fait voir précisément que dans le mouvement organique commencé d'abord par les sociétés, une inflexion se dessine bientôt : à ce moment apparaît chez eux la civilisation, la pensée réfléchie, la volonté commune d'arriver à certaines choses, conçues d'avance comme des fins. Dès lors, toute l'évolution est détournée. Cette réflexion, premièrement causée par l'arrêt même de la vie, entravée par la logique extérieure des choses, prend à son tour le premier rang et commence à refouler les différenciations qui pèsent sur elle : toute conscience réclame alors ses droits. Cette période se caractérise par un état d'individualisme énergique, ce qui peut faire illusion sur sa nature. Mais cet individualisme n'est plus

(32) *Raison constituante et raison constituée*, p. 64.

> celui de l'instinct, qui pétrit sans limites les unités inférieures, et les différencie pour en construire des vivants plus élevés. C'est au contraire la protestation de l'élément qui ne veut plus se réduire à ce rôle, ni jouir par procuration ; c'est l'opposition de la pensée à cette marche indéfinie des choses, qu'elle reconnaît pour contraire à sa nature et à ses lois. L'évolution alors fait place à la révolution. Lente ou brusque, sanglante ou paisible, elle fait rebrousser chemin à la ligne de conduite que suivait d'abord la société. Elle dissout les inégalités sociales que la conquête extérieure ou la lutte interne avaient produites. Les esprits craintifs s'écrient qu'on se précipite vers des régions inconnues ; les esprits organicistes, que l'on désagrège le corps social, condition même de la vie. Mais un examen plus exact des choses atteste que, s'il y a crise, il n'y a point corruption ; et que dans cette métamorphose graduelle de l'ordre organique, apparaît un ordre nouveau et plus satisfaisant pour sa pensée, celui de la liberté, de l'égalité et, à la limite, de l'assimilation." (33)

Que tout organicisme soit par vocation dominante totalitaire et conservateur, et qu'à cet égard l' "évolution" soit le contraire du changement, c'est le mérite de Lalande, sur des bases en réalité fort peu "révolutionnaires", de l'avoir reconnu et fortement souligné. Il n'est pas difficile de comprendre que le grand débat de l'évolutionnisme se déroule autour d'un foyer qui n'est que l'éternelle question du déterminisme et de la liberté. L'évolutionnisme, dans sa référence à l'histoire transformiste de la nature, a contribué d'une façon déterminante à faire de cette question autre chose qu' un appel à y répondre d'une façon rigoureusement disjonctive. Il incite au contraire à penser, à travers tout un réseau d'illustrations emprunté aux nouvelles sciences de l'homme (par exemple à l'ethnologie ou à l'histoire comparée des civilisations, qui est plus ancienne), que la liberté –ou ce qui correspond le mieux, dans la nouvelle orientation de la pensée monistique, à cet ancien concept– se développe au sein du déterminisme suivant un processus de maturation sociale et intellectuelle. Spencer lui-même, en dépit de son biologisme permanent, a toujours reconnu ce versant du progrès, qui s'accompagne nécessairement de transformations parallèles au sein de la vie éthique, sans toutefois renoncer à maintenir, sous sa forme sociologique, la prédominance de la sélection et de la concurrence vitale. Le transformisme moniste installait une relation de

(33) *Ibid.*, pp. 393-394.

continuité nécessaire entre le naturel et le culturel, l'organique et le spirituel, l'instinctuel et l'éthique. Ce faisant, il heurtait la hiérarchie dualiste des substances dans la philosophie classique, mais surtout ne pouvait, en tant que pure théorie biologique, rendre compte du phénomène que Lalande désigne ici comme un "rebroussement" : en d'autres termes, le passage de la "nature" et de ses démarches ordinairement différenciatrices et sélectives à un "artifice" qui inverse dans les faits la logique de ses choix initiaux. Or personne, au XIXe siècle, ni d'ailleurs, selon nous, au XXe, n'a *lu* Darwin avec assez de rigueur et d'objectivité pour reconnaître dans son texte même l'existence d'une théorie de l'*effet réversif* gouvernant l'intelligence du passage entre la *nature de la nature* et la *nature de la culture.* Or comment expliquer que ni Spencer, ni Haeckel et tout le "darwinisme social" d'une part, ni Lalande, ni Fouillée et toute la critique de l'évolutionnisme philosophique d'autre part, aient pu *ne pas voir* ce qui s'inscrit en toutes lettres dans la première partie de *La descendance de l'homme* ? La cause de cet aveuglement peut être découverte à plusieurs niveaux de l'histoire.

Dans la prégnance propre du dogme dualiste en anthropologie, d'abord. Elle se manifeste par exemple dans le fait que la théorie hobbesienne du contrat a toujours été déchiffrée selon la vieille grille de l'opposition nature/convention, instinct/raison, et que l'on n'a pour ainsi dire jamais aperçu que l'artifice contractuel d'où naît chez Hobbes la société civile procède en réalité d'une exigence vitale, donc naturelle, et que par voie de conséquence le passage *réflexif* de l'état de nature à l'artifice social doit être compris comme un passage *naturel* (34). Le monisme évolutionniste de Spencer a donc été contraint, en quelque sorte pour la première fois, de penser l'étrange phénomène d'une continuité qui produit cependant un effet de rupture : il lui fallait ainsi décrire non comme une irruption, mais comme un processus continu l'émergence de la morale de la vie sociale –en tant qu'opposée, en apparence, à l'individualisme égoïste et spontané de la nature biologique– et de ses codes de régulation de la vie pratique. L'organicisme et la généalogie lui en donnèrent pour ainsi dire les moyens rhétoriques, alors que les moyens théoriques réels s'en trouvaient dans le texte de Darwin, si souvent sollicité par ailleurs. Si Spencer n'a pas *vu* dans ce texte la présence significative de l'effet réversif, c'est que l'intérêt du

(34) Voir là-dessus notre étude sur le *Corps politique* de Hobbes, *Physique de l'État,* Vrin, 1978.

philosophe, mû par l'intérêt pratique de justifier et de fonder dans l'ordre de la nature la structure politico-économique à laquelle il était personnellement attaché, était de sauver son principe : la perpétuation sociale du principe "naturel" de la lutte et de la concurrence, et les rections "naturelles" (inconscientes, donc non arbitraires) du devenir humain. Ainsi, pas d'*effet réversif* ni de *rebroussement,* si ce n'est momentanément, du côté de l'éthique, par les voies détournées –et, comme je l'ai montré, contradictoires– d'un altruisme purement instrumental.

Quant à Lalande, l'intérêt qu'il défendait sur le plan éthico-politique était inverse : il s'agissait pour lui de sauver la liberté et l'initiative de la raison politique contre les déterminismes aveugles du libéralisme biologiste de Spencer, et de préserver la raison constituante en tant qu'instance susceptible à tout moment d'infléchir le cours de l'histoire dans le sens de l'universel. Ce n'est donc pas simplement par fidélité à une tradition idéaliste que Lalande reste dualiste malgré son acceptation du transformisme biologique. Par le fait d'une véritable pression idéologique caractéristique de ce momoment de la réflexion autour des sciences de la nature, être moniste conduisait à accepter ou même revendiquer en même temps la rection biologique des phénomènes culturels, et s'il est démontré aujourd'hui que le monisme de fait de Darwin n'impliquait pas cette conséquence, mais précisément le contraire, le bloc de l'idéologie évolutionniste se définissait cependant avec une apparente cohérence, à l'époque de Lalande, comme la projection légitime du déterminisme biologique sélectif sur l'ensemble de la vie morale, sociale, politique et intellectuelle. Cette réduction du darwinisme était un *état de fait,* une idéologie régionalement dominante et en extension. L'occultation du véritable et intégral discours de Darwin par l'écran unificateur de l'évolutionnisme spencérien ayant eu lieu, il ne pouvait être question pour Lalande de lutter contre lui sur des bases équivoques, en cherchant un appui à l'endroit même d'où semblait provenir le discours qu'il avait précisément à combattre. On a pu voir toutefois à quel point le thème lalandien du "rebroussement" semblait proche, extérieurement, de l'*effet réversif* identifié chez Darwin. Mais à aucun moment Darwin n'est mentionné *quant à cela,* et le parti-pris dualiste de Lalande interdit absolument que cette référence puisse être faite. Même si les résultats pratiques sont les mêmes, la démarche justificative est nécessairement autre, et c'est sur des positions "classiques" que le progressisme universaliste de Lalande, bien que proche en cela de l'éthique darwinienne quant au *sens* du devenir humain, combat l'évolutionnisme individualiste de Spencer.

On constate ainsi, dans cet affrontement entre deux idées directrices rattachées d'une manière auto-justificative à deux théories scientifiques que l'on sait être, en réduisant les choses à l'essentiel, le transformisme et la thermodynamique, quelque chose comme une *double gêne*. Gêne de Spencer à reconnaître dans Darwin ce qui contredit le dogme de l'universalité de la sélection. Gêne de Lalande à reconnaître, précisément, la même chose, parce que ce contre quoi il doit combattre est *justement* cette version réduite et idéologique du darwinisme. Le seul Darwin qui existait alors pour la philosophie était le théoricien sélectionniste de *L'origine des espèces*.

Le débat entre Lalande et Spencer était donc fondé sur une méconnaissance commune du darwinisme saisi dans ses prolongements de 1871. Cette méconnaissance partielle, elle-même sélective, était sa condition de possibilité, comme elle était la condition commune de possibilité de chacun des deux discours apparemment cruciaux qui alors s'affrontèrent.

Thèse n° 32

Il y a une *stabilité relative* des grandes idéologies para-scientifiques.

Thèse n° 33

Ces idéologies sont, en conséquence, passibles d'une *typologie* plus que d'une *histoire*.

Thèse n° 34

La problématique propre à la théorie des complexes discursifs est celle des relations entre l'*historicité* des sciences et la *trans-historicité* répétitive qui est celle des grandes *rections idéologiques* au sein desquelles ces sciences, moyennant des conditions gnoséologiques, historiques et politico-économiques précises, sont régulièrement soumises au même type de *catachrèse logique* par où s'opère leur annexion.

Conclusion
La vérité en histoire

De la longue séquence d'analyses dont ce livre est composé, on serait tenté ici, obéissant à une tradition rhétorique de synthèse, de retrouver le *lien,* et, comme pour justifier d'y avoir privilégié certains "objets", l'*unité.*

Or le concept même de *complexe discursif* s'oppose à ce que j'appellerai, visant le projet ordinaire de l'historien des sciences ou des "idées", la *présomption d'unité,* qui est toujours une présomption de *clôture.* En effet, j'appelle *complexe discursif un ensemble non clos d'énoncés susceptibles dans un premier temps d'être ramenés à la forme nucléaire d'une expression prédicative (1),* et dont les déterminations sont de nature économique, politique, idéologique et scientifique, sans que l'on puisse *a priori* en reconnaître la hiérarchie réelle dans ce qu'avance le discours lui-même : l'objet de l'analyse des complexes discursifs est précisément l'identification de cette hiérarchie et de ses problématiques.

Un complexe discursif est la *résultante logique* d'un nombre difficilement recensable de forces qui tendent, sous une forme directe ou indirecte, découverte ou voilée, à être *représentées* ou *servies* dans le discours.

(1) Par exemple, comme nous le verrons plus loin, une expression du type : "Une société est un organisme", qui engendre, dans un contexte déterminé, tous les énoncés importants de la sociologie spencérienne.

Il est donc le lieu d'un entrecroisement, et c'est par là justement qu'il échappe à toute caractérisation en termes métaphoriques de forme, de configuration ou de clôture. L'apologétique chrétienne des missionnaires de Chine aux XVIIe et XVIIIe siècles met en œuvre un complexe de démarches discursives –reconnaissance de l'altérité culturelle, quête des similitudes avec la civilisation et les croyances dominantes de l'Occident chrétien, valorisation de ces similitudes, appel à l'assimilation religieuse "vers le haut" (c'est-à-dire en fait à la conversion) et au retour au syncrétisme originel, mission "civilisatrice" de l'Europe dans l'expansion de la foi catholique– complexe que l'on reverra à l'œuvre en 1945 dans l'ouvrage du missionnaire belge Placide Tempels intitulé *La philosophie bantoue.* Cet absolu parallélisme des tactiques discursives à deux ou trois siècles de distance indique que la stratégie qui les commande est toujours rigoureusement *la même,* et que des forces identiques identiquement combinées en fonction de déterminations semblables et s'exerçant sur une situation semblable produisent nécessairement les mêmes comportements discursifs. On pourrait trouver de ce phénomène une multitude d'autres illustrations : ainsi ce qui, depuis la publication en 1975 de l'ouvrage d'Edward O. Wilson, a pris le nom de *Sociobiologie,* ne contient, en dehors de la nouveauté des connaissances spéciales de la génétique proprement dite, *aucune idée* qui n'ait été amplement développée un siècle auparavant par la réflexion bio-sociologique de Spencer et par le dogmatisme scientiste du "darwinisme social" : même prétention à instaurer une morale et une politique nouvelles (Spencer, Vacher de Lapouge, etc.), même volonté de pratiquer l'extension à la sociologie et à la politique des lois biologiques de la concurrence vitale (Spencer), même confusion entre la philosophie et la science (Haeckel), même appréhension des phénomènes de la division du travail, même *mécanisme* fondamental résurgent, même référence à un "altruisme biologique" réductible à un égoïsme du groupe spécifique (l'unité n'étant plus l'individu organique, mais le gène d'un certain type), même fausse induction, déjà dénoncée par Lalande dans l'œuvre de Spencer, du fait au droit, même emprise hégémonique de la biologie à travers une même entreprise d'unification-réduction des sciences de l'homme, même scepticisme à l'égard du pouvoir de l'initiative consciente et de l'intervention culturelle, même préférence déclarée en faveur de l'économie de marché et de l'ordre établi. Or de l'évolutionnisme spencérien à la sociobiologie, ce qui change, c'est la référence à la science génétique, apparue en 1900 après trente-cinq ans de silence sur les travaux de Mendel, et développée depuis 1962 sur la base des recherches de Watson, Crick et Wilkins. Encore cette génétique est-elle sous-tendue par un prétendu néo-darwinisme qui est la même version réduite au *struggle for life* dont l'évolutionnisme philosophique et le pseudo-darwinisme social étaient en mesure de se réclamer (2). La science biologique moderne s'est accrue de la génétique, mais le discours idéologique qui assume et défend l'extension de la "grille" biologique au traitement théorique et pratique des réalités socio-politiques, n'a changé ni dans ses stratégies, ni dans ses concepts, ni dans sa logique, ni dans ses enjeux. Ce complexe de discours est ainsi, face à l'historicité de la science biologique qui accuse un mouvement normal d'accroissement des connaissances positives, étrangement figé au sein même de sa résurgence.

Le spencérisme et la sociobiologie, saisis dans leur similitude logique, se peuvent donc définir comme un seul et même axe de discours dont l'occasion de surgissement ou de re-surgissement est, chaque fois, la rencontre entre une situation historique dominée par *les incertitudes et les difficultés du libéralisme* –crises jalonnant la révolution industrielle anglaise et le développement économique du *Reich* allemand, crise de la politique libérale de Bismarck, etc.– et un accroissement particulier des sciences de la nature –sélection naturelle de Darwin et théorie de la descendance de l'homme, invention de la notion d'information génétique et développement de la biochimie moléculaire sur fond de "néo-darwinisme"–. Ce qui à chaque fois change et se remodèle, c'est la science : ce qui ne change pas et se répète, c'est l'idéologie, pour laquelle les inventions des sciences auxquelles elle réfère ne sont que le prétexte à justifier sa propre relance.

Un *complexe discursif* peut donc encore se définir comme *un réseau de relations repérables,* car manifestant une certaine régularité, *entre l'historicité des transformations de la connaissance scientifique* saisie dans telle ou telle région, *et la trans-historicité de la répétition idéologique,* qui ne se modifie que dans ses contenus citationnels ou, si l'on préfère, au niveau des contenus de ses

(2) Pour une appréhension d'ensemble de tous ces éléments caractéristiques, on peut lire l'excellent compte rendu critique de Pierre Thuillier intitulé *La sociobiologie et ses enjeux,* où il est question essentiellement de la doctrine de Wilson et de Dawkins, dans le n° 172-173 du *Magazine littéraire* consacré aux *enjeux de la science.*

références justificatives aux sciences qui lui servent de supports. C'est *identiquement* en effet que Spencer *se sert* du transformisme et que la sociobiologie *se sert* de la génétique. Les énoncés "philosophiques" qui résultent de ces deux références sont rigoureusement *les mêmes.* A cet égard, l'idéologie, semblable sous ses masques successifs, n'est qu'*un certain rapport citationnel à la science.* Rapport qui possède ses habitudes fixes, ses tactiques de méconnaissance, ses procédures d'oubli et de fragmentation, sa hâte généralisante, sa volonté enfin de se nier comme citation et comme écart pour s'affirmer comme le développement nécessaire et homogène du discours même de la science. *Il y a une stabilité relative des idéologies,* lesquelles dans cette mesure se révèleront peut-être plus passibles d'une *typologie* que d'une histoire. Et cette typologie, parvenue à son plus haut degré de compréhensivité, serait sans nul doute *dualiste :* d'un côté, les idéologies *hiérarchiques* –fondées sur la reconduction sociologique des modèles de structure et de processus tirés de la biologie– ; de l'autre les idéologies assimilatives –fondées sur la reconnaissance d'un renversement dialectique survenu au cœur du devenir humain. Aux premières appartiennent, sous des modalités opposées, le fixisme créationniste, l'évolutionnisme spencérien et le pseudo-darwinisme social ; aux secondes, le transformisme darwinien saisi dans ses développements anthropologiques, et le matérialisme dialectique.

Un complexe discursif est donc constitué d'une quantité jamais entièrement dénombrable d'éléments empruntés aux sciences et d'éléments idéologiques constitués le plus souvent par la modalité même de ces emprunts. J'ai dit plus haut qu'un complexe de discours pouvait être ramené à une forme dominante d'expression prédicative, de jugement. Cela signifie que l'ensemble ouvert constitué par le réseau des énoncés considérés *gravite* –j'assume ici pleinement, pour une fois, une métaphore– autour d'une proposition axiale qu'il importe d'identifier sous sa forme la plus générale si l'on veut savoir exactement *de quoi l'on parle.* La *formule axiale* de l'évolutionnisme sociologique de Spencer, c'est la proposition : "une société est un organisme", et ses différentes réinscriptions plus ou moins rectifiées. A cet énoncé fondamental se rattachent *tous* les autres éléments du système par un lien plus ou moins visible et plus ou moins direct. Son caractère nucléaire apparaîtra aisément à qui voudra faire l'examen du schéma suivant :

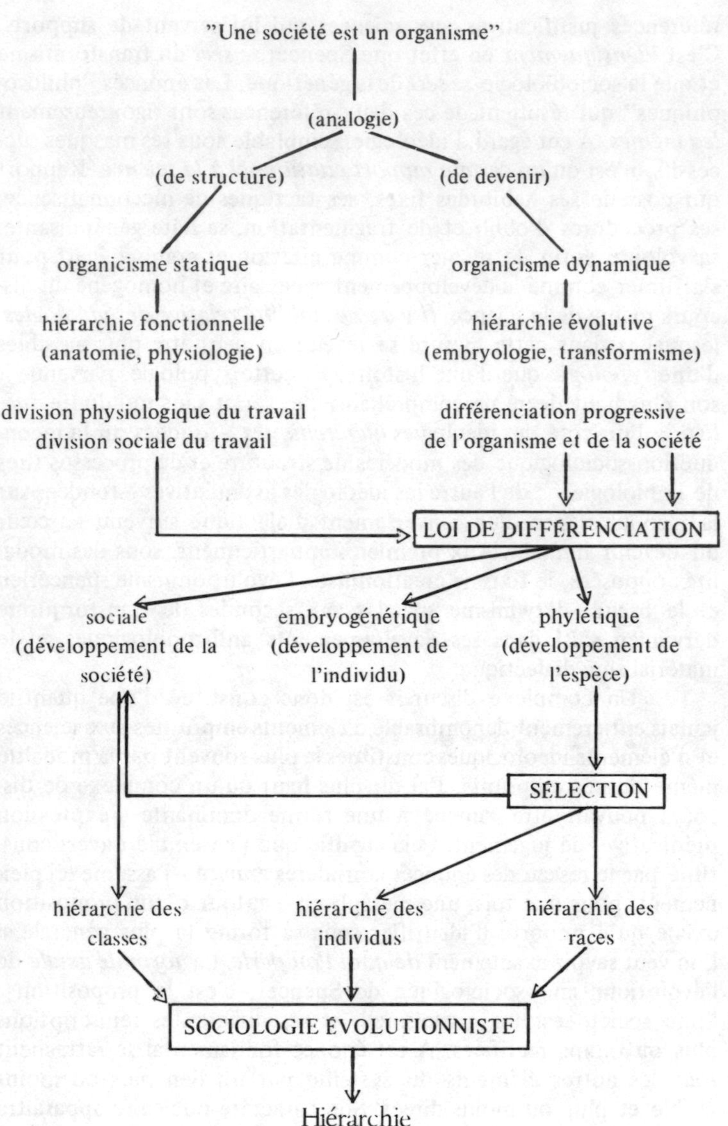
"Une société est un organisme"
(analogie)
(de structure)
(de devenir)
organicisme statique
organicisme dynamique
hiérarchie fonctionnelle
(anatomie, physiologie)
hiérarchie évolutive
(embryologie, transformisme)
division physiologique du travail
division sociale du travail
différenciation progressive
de l'organisme et de la société
LOI DE DIFFÉRENCIATION
sociale
(développement de la
société)
embryogénétique
(développement de
l'individu)
phylétique
(développement de
l'espèce)
SÉLECTION
hiérarchie des
classes
hiérarchie des
individus
hiérarchie des
races
SOCIOLOGIE ÉVOLUTIONNISTE
Hiérarchie
des formes culturelles, politiques, religieuses, éthiques, etc.
Théorie de l' "ordre naturel", idéologie libérale individualiste.

Ce schéma est encore trop simple pour figurer l'ensemble du système de Spencer, et *a fortiori* le complexe de discours au sein duquel celui-ci s'articule. Il représente seulement l'un des axes majeurs et constitutifs de la systématisation spencérienne, et montre déjà le lieu de sa contradiction interne, qui consiste à vouloir maintenir une analogie impraticable, comme je l'ai indiqué plus haut, entre le développement de l'espèce –qui n'existe qu'en vertu de la concurrence et de la sélection– et le développement de l'organisme individuel et son fonctionnement –qui eux ne sauraient s'accommoder d'aucune sélection éliminatoire déterminée par une quelconque concurrence vitale entre les parties nécessairement coopératives du tout corporel vivant (3).

Ainsi, le simple énoncé "Une société est un organisme" ne suffit pas à constituer ce qui doit ici se dénommer *complexe discursif.* En effet, à la proposition axiale du système de Spencer et au dispositif qu'il met en place pour lui donner un corps d'illustrations justificatives, répondent, du côté de Lalande, la proposition inverse et un corpus équivalent d'illustrations contraires. Le complexe de discours, au lieu de s'ordonner autour d'une unité thématique développée dans l'homogénéité d'une thèse unique, s'organise en fait au sein de la tension qui s'établit entre cette thèse et la thèse diamétralement opposée : ainsi, la proposition axiale du *complexe,* non pas simple mais duelle, prend la forme d'une problématique :

"*Une société est / n'est pas un organisme.*"

Le second dispositif, celui de Lalande, pourrait être construit symétriquement à celui de Spencer comme l'édifice argumentatif conçu pour lui répondre point par point. Ce schéma, pour des raisons techniques, ne pourrait faire apparaître autant d'éléments qu'il en a été recensé par nous au cours du précédent chapitre. L'opposition terme à terme, proposition à proposition, entre les deux systèmes, est moins intéressante ici que l'extrême ressemblance de leurs modalités argumentatives. J'ai montré précédemment comment Lalande, en dépit de ses propres affirmations, fondait comme Spencer la raison constituante sur une raison constituée, et comment chez lui une raison constituée rattachée à la

(3) On notera ici, pour prévenir la seule objection imaginable, que la loi du *balancement des organes* d'Étienne Geoffroy Saint-Hilaire ne saurait déterminer l'*élimination* d'une partie organique fonctionnelle.

thermodynamique se substituait polémiquement à une raison constituée rattachée au transformisme. Comment, alors, procède l'idéologie ? Essentiellement, par une double démarche de *réduction* et d'*extension.* Spencer commence par réduire le transformisme à sa sphère d'application purement zoologique, ainsi qu'à ses caractéristiques lamarckiennes, éliminant une bonne part de l'originalité du darwinisme proprement dit et l'intégralité des développements anthropologiques de Darwin. *Puis il étend ce transformisme réduit à l'anthropologie elle-même.* L'idéologie de Spencer, comme sans doute toute idéologie, se définit négativement par ce qu'elle esquive, par ce qu'elle ne *peut* pas ou ne *veut* pas *voir.* De son côté, Lalande réduit la thermodynamique à son second principe, et en fait la raison constituée du devenir du monde, de l'homme et des productions de l'esprit. Ce qui ne signifie pas exactement que le devenir humain –social, moral, scientifique, politique, philosophique– *doive* de toute nécessité obéir aux lois de la thermodynamique : s'il avait prononcé cette assertion, Lalande serait tombé expressément dans la même faute qu'il dénonçait chez Spencer et les évolutionnistes, celle qui consiste à induire univoquement le droit du fait. Mais ce que l'on peut affirmer pour le moins, c'est que, malgré le sauvetage de la liberté de la raison constituante, le *sens* des phénomènes humains *s'accorde* avec le *sens* général et normal de tous les phénomènes naturels. Au niveau des conclusions globales du système, c'est bien une *loi générale* de *dissolution* qui s'oppose, dans la sphère spirituelle aussi bien que dans la sphère physique, à la *loi générale* d'*évolution.* Ce qui redonne cohérence au système, c'est que la liberté de la raison constituante se détermine dans le sens de l'universel, c'est-à-dire de l'assimilation, c'est-à-dire encore de la dissolution. Ce qui rend la situation théorique de Lalande plus confortable que celle de Spencer, c'est qu'à aucun moment Lalande n'a eu à contredire les textes fondamentaux de la thermodynamique, qui ne concernaient que les phénomènes énergétiques du monde matériel, alors qu'au contraire Spencer avait été conduit à s'opposer au texte même de Darwin, dont l'idée directrice en anthropologie tendait à contredire le dogme de la différenciation continue pour y substituer une dialectique assimilative. Mais de même que Spencer était amené par sa logique même à traiter l'illusion de la rupture entre nature et moralité comme produisant des effets réels et une efficace inscrits dans l'évolution objective des sociétés humaines et dans le "sens" général et nécessaire de leur progrès, Lalande, lui, bien que refusant en principe les généalogies hypothétiques et postulant le dualisme radical, est obligé de retomber implicitement sur une continuité dès qu'il affirme l'existence d'un "sens" des phénomènes sociaux qui s'accorde avec celui des phénomènes physiques. Le sauvetage dualiste de la liberté de la raison constituante ne l'a pas empêché d'inscrire cette dernière dans la continuité de la "raison constituée" de la nouvelle physique –la dissolution–, donc d'une "nature" réfléchie par la raison et lui imposant son déterminisme. Spencer rencontre ainsi, contre son gré, un certain dualisme, et Lalande, contre son gré, un certain monisme.

C'est donc l'échec de ces deux tentatives symétriques et inverses qui rend le discours darwinien sur le rapport nature/culture si profondément convaincant. Car Darwin maintient l'exigence de continuité au cœur même de la reconnaissance du fait de rupture, et *vice versa* ; *la rupture naît de la continuité des transformations* : elle ne saurait de ce fait être un *saut,* et doit être pensée comme un *renversement progressif* survenant lorsque la sélection naturelle a sélectionné des éléments comportementaux (instinctuels et psychologiques) qui, se développant, produisent une baisse corrélative dans l'efficacité de l'ancienne formule de sélection par les seuls aptitudes et avantages biologiques. La rupture est indéterminable quant à son moment précis, car son effet qualitatif ne surgit pas à un moment singulier qui marquerait le seuil entre les deux états ainsi distingués de "nature" et de "civilisation", mais survient comme la conséquence devenue progressivement visible d'un processus passible d'une représentation vaguement quantitative, celle d'une corrélation entre le développement des instincts sociaux et des gains culturels qui lui sont associés d'une part, et la rétrogradation des mécanismes de pure sélection biologique et des bénéfices naturels qui en résultaient pour la santé du groupe spécifique, d'autre part. La culture ronge la nature, mais non comme une entité essentiellement autre, extérieure ou adverse, car son élection par la sélection naturelle lui assure de ne pouvoir jamais en droit être considérée comme une anti-nature. Pour Darwin, la "civilisation" est le développement dialectique de la nature. Dès lors, on peut comprendre comment l'interprétation du rapport nature/culture en termes d'altérité radicale a pu se constituer, étant donné l'utilité pratique –politico-idéologique– d'une telle distinction, et de l'élaboration d'une doctrine dualiste assurant définitivement l'emprise de l'ordre culturel sur l'ordre naturel. Ainsi l'utilitarisme moniste en morale, qui est celui de Spencer (4), est-il une tentative pour produire une explication rationnelle et psychologique du sentiment de la transcendance de l'obligation morale en le rapportant à l'utilité sociale qu'a pu revêtir, pour la préservation des anciens régimes socio-politiques (le régime militaire par exemple), l'établissement et le maintien d'une telle croyance. C'est simplement la crise du dogme religieux, coextensif à la naissance de l'ère industrielle et de l'avancée décisive des sciences de la nature dans la voie du transformisme, qui rendait nécessaire la substitution d'une morale fondée sur l'ordre naturel à une morale fondée sur l'ordre transcendant. Mais, au cœur même de cet essai de substitution, Spencer, comme je l'ai montré, maintient à un certain moment une sorte d'inexplicable transcendance de l'altruisme qui ruine la cohérence de son propos, et qui ajoute à la contradiction fondamentale qui réside entre son éthique et l'éthique de Darwin.

Ce qui rend par contre la position de Lalande plus "légitime" que celle de Spencer, c'est qu'aucune contradiction de ce type n'habite sa référence à la science qu'il privilégie. Il y a certes réduction/extension, mais non contravention pure et simple. La méconnaissance d'une partie significative du discours de Darwin reste la pierre d'achoppement commune aux deux systèmes, selon le mécanisme de cette "double gêne" que j'ai déjà évoquée. C'est ainsi que ces deux idéologies rattachées respectivement aux idées directrices d'*évolution* et de *dissolution* sont, dans le fait, plus concurrentes –au sens d'opposées et convergentes– que proprement rivales. Mais, dira-t-on, si ces deux systèmes sont désignés comme idéologiques essentiellement par le fait de contradictions internes et d'inexactitude ou de fragmentation dans leur rapport aux sciences auxquelles elles réfèrent comme au fondement de leur autorité, et parce qu'elles ignorent le renversement opéré par Darwin dans l'approche transformiste des questions anthropologiques, comment décider que ces mêmes questions anthropologiques sont traitées par Darwin d'une façon non contradictoire et qu'elles constituent non une extension idéologique, mais *le discours même de la science* ? Comment faire participer univoquement l'*effet réversif* darwinien du seul discours scientifique, et admettre que l'idéologie l'a laissé intact

(4) A distinguer, bien sûr, de celui de l' "école" utilitariste, dont il se rapproche tout en la critiquant.

de toute contamination ? La réponse à cette question doit faire apparaître la dimension qui manque aux deux systèmes en présence, et qui existe chez Darwin : la dimension *dialectique*. Il y a bien en effet *contradiction* chez Darwin –contradiction objective. Le transformisme est une logique de la *continuité* des phénomènes naturels. Cependant, l'éthique manifeste la *rupture* de cette continuité, et la contradiction même apportée au principe implicite d'égoïsme biologique contenu dans la seule loi de sélection et de survivance des plus aptes dans la lutte interindividuelle et interspécifique. Si l'on fait provisoire abstraction de Darwin, les solutions apportées jusqu' alors au problème de cette contradiction étaient duelles et opposées : ou bien l'on privilégiait l'idée d'une continuité absolue, et l'on se trouvait, comme Spencer, contraint de traiter la rupture éthico-sociale comme une *illusion* entretenue par un système d'obligations et de coercitions imposées à l'intériorisation individuelle en vue du maintien de l'autorité politique –théorie qui a des antécédents dans une certaine tradition de réflexion sur l'État et les sociétés politiques– ; ou bien l'on privilégiait l'idée d'une rupture absolue et l'on se retrouvait, comme Lalande, au sein d'un univers structuré d'après le dualisme initial de la "double nature" de l'homme. Il fallait donc que Darwin prît acte de deux réalités en apparence opposées quant à leur interprétation respective : la continuité nécessaire, nécessité logique du transformisme, et la rupture nécessaire, nécessité de fait de la morale contrariant la nature et le processus sélectif. La seule voie de synthèse était donc de dépasser dialectiquement l'opposition-contradiction entre nature et morale en avançant l'hypothèse de l'effet réversif –ainsi nommé par nous–, qui pense la rupture éthique comme l'effet visible produit par un long et progressif retournement interne de la sélection naturelle. Ce qui fait que la théorie darwinienne de ce renversement est juste du point de vue de la science, c'est que d'une part elle est dépourvue des contradictions qui grèvent les deux autres systèmes –c'est-à-dire les deux autres possibilités logiques en présence–, et que d'autre part elle s'accorde avec les faits. *Le dualisme naît ainsi du monisme par opportunité sélective, et sans rupture.* Cependant, *l'effet de rupture* est assuré grâce à l'effectivité du renversement de la tendance sélective, qui marche de pair avec l'accroissement de la rationalité. Le darwinisme éthique reste moniste tout en donnant naissance à un dualisme pratique fondé en théorie, et qui préserve l'autonomie de la sphère culturelle. Ainsi, tout conduit à penser que l'ignorance de la genèse dialectique du dualisme pratique à partir du processus évolutif a laissé le champ libre à la doctrine dualiste qu'on n'a cessé d'opposer au monisme transformiste. Comme doctrine en effet, elle sert d'écran idéologique pour masquer l'existence des déterminations utilitaires et purement immanentes de la morale dans une société à forte composante hiérarchique, comme la société militaire. La politique se sert du dualisme aussi longtemps qu'elle a besoin de maintenir la transcendance de son système d'exigences éthiques et comportementales afin d'en assurer pratiquement le respect. La politique moniste de Spencer, qui avait au moins compris cela, devait donc, pour s'élaborer, supposer atteint un niveau d'égalité sociale ayant aboli les tensions primitives qui rendaient nécessaire la présence régulante des frayeurs et des coercitions liées au sentiment de l'obligation transcendante. La contradiction de Spencer réside dans le fait que son libéralisme réduit finalement l'individu à la seule performance de ses avantages ou désavantages naturels –étant donné un état d'égalité sociale fictif–, ce qui est proprement le réinscrire dans une nature objectivement inégalitaire, où il existe des "supérieurs" et des "inférieurs", et où l'on retrouve, toutes choses égales, les conditions primitives de concurrence et d'affrontement qui, dans les sociétés archaïques, avaient produit et entretenu la superstition dualiste et les régimes de castes.

A l'inverse, la morale de Darwin proscrit tendanciellement l'affrontement et les différenciations hiérarchiques –sans toutefois préjuger à leur propos d'une élimination complète : ce qui importe ici est l'identification d'une tendance beaucoup plus que la fixation abusive d'un état idéal de perfection stabiliste, et ce d'autant que Darwin ne semblait guère penser que l'humanité "civilisée" eût atteint un niveau suffisant de "civilisation" pour travailler aussitôt à étendre ses "sympathies" (5). La morale de Darwin est une morale de l'inégalité combattue, celle de Spencer une morale de l'inégalité promue.

(5) C'est ce que semble montrer cette remarque pessimiste que l'on trouve au chapitre VI de *La descendance de l'homme :*

"Dans un avenir assez prochain, si nous comptons par siècles, les races humaines civilisées auront très certainement exterminé et remplacé les races sauvages dans le monde entier". (p. 171.)

Le mode d'être de l'idéologie

Ce livre aurait déjà accompli une tâche importante s'il n'avait servi qu'à rétablir la vérité quant au darwinisme et à tout ce qu'on s'obstine encore à vouloir faire dériver de lui. S'il n'avait servi qu'à frapper d'ineptie tous les pauvres discours qui aujourd'hui encore renvoient à son texte morcelé et à sa logique travestie pour en tirer –avec des chances non négligeables de succès auprès d'un certain public– un simulacre d'argumentation en faveur d'un système oppressif, d'une idéologie élitiste ou d'une sociologie inégalitaire.

Ce livre aurait fait plus s'il avait réussi à montrer d'une façon convaincante qu'*aucune idéologie ne peut naître d'une science,* si par ce terme de "naître" on entend, au sens le plus courant, tirer son être d'une source déterminée par sa nature à produire ce qu'elle produit, qui par nécessité est de la même "nature" qu'elle.

Impossible en droit –car la science, du coup, y perdrait son être même et la possibilité d'être distinguée de ce qui n'est pas elle, et que pourtant elle aurait engendré–, cette naissance, je l'ai montré à travers plusieurs études de cas (Gobineau, Darwin, Spencer, Lalande), est impossible également en fait, si l'on admet cette distinction opératoire fondamentale que j'ai installée entre le *discours de la science* et le *texte du savant.* Si l'on s'interroge encore sur le sens et la portée de cette distinction, je dirai d'une façon nécessairement simplificatrice qu'appartiennent de fait au discours de la science les propositions qui ont contribué à l'accroissement des positivités dans le domaine de cette science particulière, cette contribution ayant été testée par les développements ultérieurs validés et validants de la science en question. Nous ne faisons ici en réalité rien d'autre que revenir à l'idée assez répandue que la scientificité d'une démarche –tout au moins dans les domaines des sciences de la nature au sens large– ne peut être assurément connue en tant que telle que d'une manière récurrente, et à travers une certaine épaisseur d'histoire et d'opérativité avérée de la science où elle s'est affirmée et qui en a de ce fait plus ou moins longuement éprouvé la valeur. Le discours historique de la science est donc constitué d'un *enchaînement de positivités* –et par "positivités" nous entendons désigner également toutes les erreurs "utiles" du cheminement de la recherche, en tant que leur dépassement est occasion de vérité– enchaînement de positivités qui ne retient comme appartenant au discours de vérité de la science que les positivités vérifiées dans l'universel par un bénéfice opératoire reconnu dans l'exercice de cette science même. Ainsi la détermination qui existe entre une *idéologie scientifique* –au sens canguilhemien–, cette "science d'avant la science" dont nous parlions au début, et la science advenue, est une détermination *positive*, même si elle aboutit, la science étant advenue, à sa propre destitution, ou tout au moins à sa relégation partielle ou quasi totale. "En chimie, écrit Engels, c'est la théorie du phlogistique qui, grâce à un siècle de travail expérimental, a fourni d'abord les matériaux à l'aide desquels Lavoisier a pu découvrir dans l'oxygène décrit par Priestley le correspondant dans la réalité du phlogiston imaginaire et rejeter de ce fait toute la théorie du phlogistique. Mais cela n'éliminait pas du tout les résultats expérimentaux de la théorie du phlogistique. Au contraire. Ils ont subsisté ; seule, la façon dont ils étaient formulés a été retournée, traduite de la langue phlogistique dans le langage chimique désormais valable, et ils ont continué à garder leur validité". (6). Dans ce rapport historique entre une idéologie scientifique et la science qui en naît, il y a un lien d'homogénéité qui sauve la possibilité de cette naissance, et qui est la justesse de l'acquis observationnel. C'est le même lien que l'on retrouvera entre Lamarck et Darwin : il y a une positivité de l'observation lamarckienne et de l'hypothèse qui s'en induit, positivité qui n'est assurément pas sans conséquences sur l'élaboration de la théorie darwinienne ; de même il y avait une positivité des observations de Buffon, qui a pu être méditée par Lamarck. Dans le cas particulier de Buffon, la situation est plus complexe, car l'idéologie scientifique d'un transformisme seulement ébauché entre en conflit avec une idéologie autrement opérante et puissante, que j'ai nommée le *devoir-dire métaphysique de la science* : et j'ai démontré dans mon analyse du cas Buffon que son discours génétique était structuré selon une équivoque –inconsciente ou tactique, cela n'est pas essentiel– qui le conduisait à préserver jusqu'au sein de l'hypothèse d'une évolution inter-spécifique les éléments qui travaillaient au contraire à maintenir l'emprise de la thèse officielle du fixisme chrétien.

Une idéologie pré-scientifique contient donc les éléments qui, sous certaines conditions de réajustement ultérieur, déterminent positivement l'apparition de la science véritable. Cela nous conduit donc, puisque nous reconnaissons ici et conservons comme fructueuse la notion canguilhemienne d'idéologie pré-scientifique, à marquer une distinction importante entre cette dernière

(6) Engels, *Dialectique de la nature,* Éditions Sociales, 1971, pp. 54-55.

et l'idéologie *para-scientifique* dont l'objet de ce livre était d'identifier et de décrire les modes de comportement discursif, et qui n'est proprement qu'*une forme de l'idéologie dominante* –actuellement ou anciennement– *cherchant à se donner un mode de représentation scientifique.* Ainsi de Gobineau et de Spencer, agis respectivement par les valeurs idéologiques de l'aristocratie d'ancien régime et du libéralisme. Cette distinction, qui n'a pas été produite par G. Canguilhem, aurait peut-être pu lui éviter de dire de la seconde –l'idéologie para-scientifique, par exemple l'évolutionnisme spencérien– ce qu'il dit à juste titre de la première –l'idéologie (pré-)scientifique–, savoir : qu'elle se trouve destituée du fait même de l'irruption de la science vraie. L'idéologie para-scientifique, du fait même qu'elle opère sur un terrain où la science est par elle-même inapte à opérer les distinctions nécessaires à une juste interprétation d'elle-même, ne sera jamais rendue *inopérante* –c'est le terme employé par Canguilhem à propos de l'évolutionnisme spencérien– par le fait d'un consensus impraticable autour de la vérité scientifique, qui advient dans un autre lieu, qui est le sien propre. Le rôle et la justification majeurs de l'épistémologie et de l'histoire des sciences est de ce fait, à notre sens, d'établir entre ces deux lieux nécessairement distincts une communication qui soit explicative et critique. Que le spencérisme soit aujourd'hui autre chose et plus qu'un "résidu inopérant", c'est ce que prouve l'existence même de cette attristante compulsion de répétition idéologique qui s'est investie dans la mode dérisoire dont s'entoure, avec un sérieux et un prophétisme tout à fait dignes du XIXe siècle, la "sociobiologie" (7).

(7) Comme un exemple parmi d'autres de la capacité de résurgence adaptative de l'idéologie sociobiologique et de l'extrême médiocrité d'analyse dont elle s'accompagne nécessairement, on citera l'ouvrage récent d'Yves Christen, journaliste "scientifique", intitulé *Le grand affrontement : Marx et Darwin* (Albin-Michel, 1981). Particulièrement préoccupé de prendre le contre-pied des idées reçues, l'auteur ne manque pas d'accumuler les erreurs les plus courantes de la vulgarisation douteuse en histoire des sciences : recours incessant aux "précurseurs", incapacité remarquable à distinguer l'idéologie de la science et donc propension à taxer la science d'idéologisme, goût hypertrophié de l'anecdote "révélatrice" au détriment de toute analyse rigoureuse des textes et des théories. Les jeunes gens non prévenus y apprendront que Marx était "un bourgeois entretenu" et que le darwinisme social

Dans le cas de l'import, à l'intérieur d'une science donnée, d'éléments scientifiques hétérogènes –par exemple l'import d'éléments mathématiques en physique–, et lorsqu'il s'agit d'un import légitime, le discours de la science d'origine se trouve renforcé par les positivités fournies par les éléments scientifiques importés : aux positivités de la physique s'ajoutent et se combinent les positivités des mathématiques –et ce faisant, elles deviennent elles-mêmes par intégration les positivités de la physique nouvelle–, et la légitimité de cet import est vérifiée dans l'universel par l'obtention d'une opérativité accrue pour la physique. Or ce bénéfice réel devient bénéfice illusoire et nul lorsqu'il s'agit d'un import illégitime, c'est-à-dire idéologique. La sociologie ne s'accroît pas de positivités nouvelles en empruntant, sur le mode de l'analogie, des éléments de référence à la science biologique, car on a suffisamment démontré que ces éléments étaient faux, ou bien articulés au sein d'une construction analogique contradictoire, qui était en l'occurrence celle de l'analogie organiciste. On peut formuler comme une affirmation de portée générale que l'emprunt idéologique d'une science à une autre –d'une science "humaine" à une science "pure"– utilise toujours le véhicule de l'*analogie*, alors que l'emprunt réel et légitime entre deux sciences –"pures" ou "humaines" entre elles– se négocie directement sur le mode de l'intégration et de la combinaison opératoires au sein de la science importatrice qui, alors, progresse.

Ces considérations d'ensemble demanderaient bien sûr à être relativisées et, le cas échéant, réajustées en fonction d'études spéciales d'*emprunts* effectifs entre sciences "pures", entre sciences "humaines", et entre celles-ci et celles-là. Ce travail pourrait être d'ailleurs d'un grand prix pour l'épistémologie en tant que science préoccupée des démarcations à établir entre l'idéologie et la science. L'objet de ce livre était peut-être aussi d'ouvrir la voie à l'entreprise systématique d'un tel travail. Il était encore de montrer que dans ce rapport longuement interrogé, l'idéologie est toujours l'instance qui ne bénéficie d'aucun avancement réel au sein de son organisation intime et qui, ne recevant de sa référence à une science en évolution que des modifications de surface, reste indéfiniment semblable à elle-même dans ses axes majeurs et dans la teneur intellectuelle de ses différentes

était de gauche. Et aussi que Helmholtz a découvert le principe de conservation de l'énergie en 1947 (p. 139). Mais il s'agit là, sans aucun doute, d'une faute d'impression.

manifestations historiques. Cela signifie en termes clairs que *les grandes idéologies para-scientifiques n'offrent pratiquement, au cours de l'histoire, aucune profonde et véritable modification de structure.* L'idée de *complexe discursif* s'en trouve singulièrement éclairée. Un complexe de discours est une entité constituée des conflits manifestes et latents qui caractérisent les rapports historiques et logiques des sciences et des idéologies. Cette entité complexe à forte composante idéologique, on comprend à présent que nous ayons tenu à ce qu'elle ne puisse d'emblée donner lieu à une représentation impliquant l'idée d'un *contour* ou d'une *clôture* liée à une quelconque périodisation d'historien des idées. Un complexe discursif est un réseau de rections et de vections dont l'un des caractères est de demeurer *ouvert* à la *réactivation historique* de ses problématiques nucléaires. La sociobiologie réactive, sous le prétexte et avec l'alibi de la génétique, la sociologie biologiste de Spencer et jusqu'aux polémiques auxquelles cette dernière avait pu donner lieu. Le spencérisme réactive à son tour la représentation spiralée du progrès que l'on trouvait au siècle antérieur chez Condillac, et son libéralisme est, à un siècle de distance et avec les mêmes tactiques argumentatives et critiques, ce qu'était chez ce même Condillac la défense du libre-échangisme, ou l'optimisme libéral de Turgot.

Ainsi, tenant compte de la distinction établie entre idéologie (pré-) scientifique et idéologie para-scientifique, on dira d'une façon plus complète que toute science résulte, dans son apparition, d'une idéologie scientifique historiquement antérieure à elle, et qu'elle rectifie –cette rectification étant l'équivalent d'une "destitution" de fait. *Mais une idéologie para-scientifique ne saurait aucunement "naître" d'une science.* Il importe de préciser tout de suite que l'un des comportements-types de l'idéologie para-scientifique est de renvoyer, beaucoup plus réellement qu'à la science qui lui est contemporaine, à l'idéologie scientifique qui l'a prédédée. L'exemple de Spencer, qui puise ses modèles dans le lamarckisme beaucoup plus fréquemment que dans le darwinisme, pourrait être, à cet égard, l'un des plus caractéristiques parmi ceux que nous avons étudiés.

Cela étant vu, il faut ici, au risque de nous répéter, insister sur le fait que si une idéologie avait pu une seule fois "naître" d'une science, il en aurait fallu conclure que cette science même, qui eût en l'occurrence engendré son autre radical sans que l'on pût après cela le distinguer d'elle (étant de même *nature* qu'elle du fait de cette naissance), eût aussi, au cœur de cette étrange contradiction, perdu son identité. Il n'en faut pas inférer –comme tout ce qui précède l'a suffisamment montré– la proposition réciproque, selon laquelle l'idéologie en général n'aurait aucun pouvoir de détermination positive dans la "naissance" d'une théorie scientifique. L'histoire des sciences fait voir à tout instant qu'une théorie scientifique, lors même qu'elle s'instaure d'une rupture et qu'elle peut être présentée comme un commencement absolu, doit à l'idéologie qui l'a précédée la chance même qu'elle a eue de pouvoir rompre avec elle. Le continuisme ici s'accorderait au discontinuisme, pourvu que ce dernier admît qu'il y a dans ce domaine de causalité historique et logique des déterminations négatives qui sont des positivités. Ainsi, l'on ne peut dire à quel moment la figure de la terre aurait été déterminée avec exactitude si, à la thèse nouvelle et vraie du sphéroïde aplati aux pôles, soutenue par Huyghens et Newton, ne s'était opposée celle du sphéroïde allongé défendue par Cassini père et fils, et par les cartésiens de l'Académie des Sciences de Paris, opposition qui conduisit aux mesures décisives faites par Maupertuis, Clairaut, Le Monnier et Outhier lors de leur voyage au cercle polaire (1736-1737), au terme duquel les positions newtoniennes se trouvèrent renforcées. En même temps, l'idéologie pré-scientifique qui s'exprimait dans la théorie tourbillonnaire de Descartes faisait place à la physique newtonienne de l'attraction, non sans avoir favorisé, par sa résistance même, une exposition soigneusement argumentée de cette dernière.

Il semble par ailleurs indiscutable que les motifs idéologiques participent sans cesse à la conduction de la recherche scientifique dans certaines voies : par exemple –et nous sommes obligés là de faire incursion dans la psychologie de l'invention scientifique–, il est hautement probable que des déterminations extra-scientifiques –notamment le souvenir très présent de Hobbes à la conscience de tout intellectuel anglais du XIXe siècle– ont guidé Darwin dans l'identification du phénomène généralisé de la *lutte pour l'existence.* Mais cette influence, sans nul doute effective au niveau des méandres psychologiques et réflexifs du processus d'élaboration de la théorie, ne l'est plus au niveau des *résultats,* dès que ces derniers reçoivent de leur accord avec les faits et la logique des sanctions objectives qui les retirent à la singularité événementielle de leur découverte pour les intégrer au discours de vérité de la science.

Hobbes peut avoir influencé Darwin –et ce "fait" restera de toute façon inclus dans les limites de l'assertion aléatoire qui relève d'une historiographie individuelle psychologiste et conjecturale–. Hobbes a même très certainement influencé Darwin. Mais il est vain, puéril et faux de vouloir en déduire, comme tend à le faire un certain commentaire évolutionniste attaché au thème de la lutte, que Darwin est *né* de Hobbes, à moins que l'on n'ait, comme c'est le cas en fait, l'intention d'aller ensuite chercher dans le darwinisme une approbation "scientifique" de thèmes qui sont en définitive restés *hobbesiens*. Or nous touchons là au *mode d'être même de l'idéologie*. Présente à la conscience du savant, elle peut déterminer positivement tel ou tel procès original d'invention scientifique, lequel, parvenu à son terme, ne manquera pas néanmoins de *l'exclure* formellement comme hétérogène. Ainsi, si l'on admet l'influence de Hobbes sur Darwin, au niveau du processus d'élaboration mentale de la théorie de la concurrence vitale et, partant, de la sélection naturelle, il faut en revanche reconnaître qu'à l'arrivée, la théorie darwinienne ne peut plus admettre cet aspect de la théorie hobbesienne comme compatible avec elle, pour la simple raison que Darwin a transposé dans le monde organique la lutte universelle que Hobbes décrivait au sein de l'humanité vivant à l'état de nature, et a soustrait cette même humanité, dès qu'atteinte par la "civilisation", à la nécessité de cette lutte, cessant ainsi de faire de l'absolutisme et du pouvoir fort et individualisé l'idéal politique de l'avenir. Cependant, l'idéologie continue, négligeant l'aspiration véritable du darwinisme et aveugle aux conséquences logiques de l'effet réversif, à ne lire chez lui que ce qui s'accorde avec une théorie de la guerre généralisée. La lecture "libérale" (spencérienne) est ainsi celle qui, tout en enregistrant le "progrès" qui permet aux sociétés de s'affranchir des régimes militaires, prolonge l'état de guerre sous la forme en principe atténuée de la concurrence économique et sociale des individus. En conséquence, Hobbes n'était pas le "précurseur" de Darwin, mais le précurseur de l'idéologie évolutionniste en tant que celle-ci a cru pouvoir ré-instaurer la loi de l'état de guerre généralisée au sein de la société humaine développée. Gobineau, quoi qu'il ait prétendu à ce sujet, n'était pas non plus le "précurseur" de Darwin, mais de Vacher de Lapouge et du national-socialisme, ses précurseurs à lui étant à chercher du côté du nationalisme allemand et de l'anthropologie linguistique qui s'était constituée outre-Rhin vers la même époque.

Ce qu'il faut comprendre, c'est que le mode d'être de l'idéologie elle-même *est* la *précursion,* précisément. Tout énoncé idéologique –nous parlons ici, bien entendu, d'idéologies para-scientifiques–, tout faisceau de discours idéologiques identifiable dans une situation historique déterminée, *a déjà existé* sous une forme à peine différente dans une situation antérieure analogue. C'est pourquoi seule l'idéologie admet des précurseurs. Et c'est pourquoi, seule aussi, elle en requiert.

De l'analyse des complexes discursifs

La distinction entre science et idéologie n'est pas, en épistémologie, une préoccupation nouvelle ; et si c'est d'elle qu'en premier lieu ce livre entend proposer un creusement conceptuel et méthodologique, c'est qu'elle reste le préalable majeur à toute analyse valide des réseaux discursifs *hétérogènes* que j'ai désignés, pour cette raison même, du terme de *complexes.* Par "préalable" j'entends ici, naturellement, exigence préalable ou, si l'on préfère, réquisit opératoire. Pour qu'*il y ait* une épistémologie, cette distinction *doit* pouvoir être produite. En fait, *produire* cette distinction d'une manière effective et démonstrative constitue déjà un moment -clé de l'activité d'élucidation de l'épistémologue aux prises avec cet objet impur qu'est le discours où la science –mais pas seulement elle– se produit.

Pour y parvenir, il fallait nécessairement convenir, au niveau de l'analyse de ce –ou de ces– discours, d'une distinction de même nature, et qui doit être remise en œuvre chaque fois qu'un nouvel "objet" sollicite –ou est sollicité par– l'interrogation épistémologique : celle qui impose de ne jamais confondre le *discours de la science* et le *texte du savant.* Aussi simple et naturelle qu'elle paraisse, cette distinction est la seule qui rende possible le repérage objectif des composantes de ce discours inévitablement *mixte* qui est tenu par un sujet qui est toujours, dans des proportions difficilement appréciables, auteur de science et sujet d'idéologie. Pour répondre ici à la question, toujours susceptible d'être objectée, qui porterait sur les moyens problématiques d'effectuer ce partage dans le moment même où la scientificité d'une théorie ou d'une méthode ne fait encore que se chercher au sein d'un dispositif d'hypothèses, je dirai que nous ne devons pas considérer comme un obstacle le fait que dans la plupart des cas, ce partage lui-même ne puisse être opéré que d'une manière récurrente. Cela semble alors impliquer une légère différence de *situation* entre l'histoire des sciences et l'épistémologie, différence que du reste nous avons signalée –mais non comme *essentielle*– au début de cet ouvrage. L'*histoire* d'une science particulière, elle-même historiquement postérieure à l'irruption de ce qu'elle étudie, bénéficie quant à elle de toutes les garanties de la récurrence. Aussi son propos n'est-il pas à proprement parler *d'instaurer* une distinction entre science et idéologie, puisque cette distinction s'est pratiquement opérée dans le prélèvement validant que la science ultérieure a effectué des éléments opératoires de la théorie ou de la démarche dont l'historien étudie la naissance et accomplit l'analyse. Son véritable propos, je l'ai dit, est d'examiner le mécanisme et les facteurs de la dissociation qui s'est (déjà) produite. Cet examen, je l'ai également dit sous une forme un peu différente, est plus celui de l'emprise et des résistances de l'idéologie que du dynamisme propre de la science. Le plus précieux apport de l'histoire des sciences est sans nul doute de fournir à la connaissance générale des mécanismes discursifs une description aussi pénétrante que possible des différents obstacles idéologiques à l'élaboration d'une théorie scientifique. Cette description, conduite cas par cas, doit ouvrir, ainsi que j'en ai fait plus haut la suggestion, sur une *typologie,* étant donné ce qui a été dit à propos du caractère répétitif des grandes idéologies para-scientifiques. Il est clair par ailleurs que cette typologie ne se satisfera pas d'être une classification formelle des "genres" du discours idéologique, mais qu'elle aura pour tâche essentielle la mise en rapport de l'irruption de telle ou telle catégorie de fonctionnements idéologiques avec ses conditions concrètes –situation économiquc, système politique, conjoncture scientifique, crise des "valeurs", etc.– de production historique, c'est-à-dire en fait avec les déterminations réelles ou les stimulations pratiques et théoriques de sa résurgence. C'est en effet grâce à ce perpétuel pouvoir de résurgence, à cette *transhistoricité* des grandes rections idéologiques qui structurent suivant les différents moments de l'histoire l'entourage discursif de telle ou telle science particulière "élue" en ces moments-là, que l'histoire des sciences peut être, selon une formule qui n'a rien perdu de son exactitude, le "laboratoire de l'épistémologie". En ce sens qu'elle est l'ouvroir où s'élabore le *soupçon* de cette régularité –non de rythme, mais de structure et de comportement– des mécanismes recteurs de l'idéologie, sous certaines conditions de *convenance* avec certaines situations et stratégies historiques d'un système politico-économique donné. Si, comme nous le pensons, l'utilité première de l'épistémologie est de *déceler* dans le présent l'idéologie sous ce qui se donne pour de la science, alors ce qu'elle "emprunte" à l'histoire des sciences, et qui lui permet de ne pas se conduire en aveugle, ne peut être que ce savoir des mécanismes directeurs de l'idéologie, et cette conscience, encore obscure, du fait qu'ils peuvent, sous leurs multiples travestissements, être *reconnus*. Sous ces travestissements, l'idéologie "n'a pas d'histoire" parce qu'elle ne présente pas les différences qualitatives et structurelles profondes qui lui permettraient d'en avoir une. L'idéologie "n'a pas d'histoire" *parce qu'elle est de toutes les histoires*, à l'intérieur d'un système socio-économique donné. C'est pourquoi les complexes discursifs, qui mêlent toujours sur un mode tensionnel les données historiques de la science qui se fait, et les données réitératives de l'idéologie qui s'empare selon des modes réguliers d'appropriation de ce que fait la science, sont des *structures sans contours* qui, du fait de leur composante idéologique, ne possèdent pas de clôture historique assignable dans le cadre d'une périodisation achevée. La théologie physique n'est pas une *étape* dans l'histoire de l'idéologie, mais un *type* de rection idéologique ré-asservissant le savoir libéré par la science au cours de son histoire, type auquel appartiennent, malgré l'évolution formidable des sciences de référence, le discours de Nieuwentyt et celui de Teilhard de Chardin.

L'épistémologie recevrait alors de son laboratoire historique ce *soupçon*, qui y aurait été isolé et produit par épuration de l'expérience, par schématisation des situations-types, et sous une forme appropriée à chaque cas, partant du postulat général, établi au cœur d'une observation répetée, du mode d'être transhistorique et réitératif des grandes idéologies para-scientifiques. En fait d'innovation, l'idéologie n'a à offrir qu'un *répertoire. L'idéologie n'invente pas*. Ce qu'il faut comprendre en tout premier lieu, c'est que si tout complexe de discours est *ouvert* du fait de sa composante idéologique, cette "ouverture" ne peut elle-même être pensée que comme la conséquence forcément réitérative de la *clôture* du répertoire idéologique. *Cette "ouverture" n'ouvre que sur la répétition*. Cela n'entraîne nullement que l'analyse historique des complexes discursifs mette en évidence une *pure répétition*. Les sciences évoluent, et avec elles, précisément, l'intuition épistémologique de la clôture du répertoire des idéologies para-scientifiques et de leur histoire comme éternelle résurgence de schèmes profondément intransformés. Ce qui donc évolue et se transforme au cours de l'histoire des complexes discursifs, c'est d'une part le discours des sciences, et d'autre part le degré de force –ou d'usure, ou de crédibilité– de ces schèmes idéologiques, ce degré étant pour une bonne part fonction du développement d'une épistémologie critique, apte à opérer le partage entre ces instances dont la dissociation *théorique* n'a commencé de s'affirmer qu'à une époque très récente. Telle est donc l'importance de l'épistémologie, dont seul le développement sur une base solide d'information historique est en mesure de transformer le rapport réel des sciences et des idéologies, qui est "spontanément" un rapport d'asservissement des premières par les secondes, attendu qu'aucune science n'est réellement ni constitutionnellement apte à opposer sa propre logique à une idéologie qui feint de la promouvoir –si ce n'est au nom d'une idéologie adverse, ce qui la fait de toute façon sortir de son propre élément. Le fait que Darwin se soit opposé à toute interprétation sociologique et politique de sa théorie n'a pas un instant empêché ces interprétations d'avoir lieu, et de conquérir une audience proportionnée à l'approbation que Darwin, sur un autre plan, strictement biologique, a pu donner aux études et travaux de leurs auteurs. Les deux cas de Haeckel et de Spencer sont ici certainement les plus représentatifs de cet inévitable mécanisme.

Ainsi, une périodisation est possible et praticable pour l'histoire des sciences réduite au seul recensement des faits, tâtonnements, erreurs et positivités qui jalonnent son parcours. Il y a *en effet* une physique d'*avant* et d'*après* Galilée, d'*avant* et d'*après* Newton, d'*avant* et d'*après* les théories relativistes et quantiques. Une périodisation du même type est en revanche impossible et impraticable pour une éventuelle "histoire" des idéologies, puisque la *structure* des idéologies n'évolue pas, puisque celles-ci ne présentent au regard de l'analyste aucune différence qualitative et fonctionnelle profonde entre un *avant* et un *après*. La conséquence en est qu'une périodisation en matière d'étude historique des complexes discursifs –combinant sciences et idéologies dans leur entrecroisement réel– est rendue problématique par cette tension entre ce qui la rend praticable et ce qui de l'autre côté la frappe d'une inanité relative. Cette problématique est celle d'une "histoire des idées" repensée dans ses fondements et dans ses perspectives, et telle que nous avons essayé dans ce livre d'en produire quelques illustrations. L'analyse des complexes discursifs, qui est sa base méthodologique, nécessitait quant à elle une re-situation complète de la pratique et des fins de l'histoire des sciences, de l'épistémologie, et de la représentation globale des "systèmes de pensée". Cette analyse aboutit à une *théorie des conditions logiques et historiques de résurgence adaptative des idéologies* par rapport à la mouvance générale des faits et des doctrines scientifiques. Cette théorie est elle-même l'instrument de *dissociation* entre idéologie et science que l'histoire des sciences et l'épistémologie doivent mettre au point pour être simultanément, et conformément à un impératif pratique dont l'urgence ne fait peut-être qu'apparaître, histoire et logique descriptives de l'heuristique propre aux sciences diverses qu'elles étudient en particulier, d'une part, et critique logique et historique de leurs déformations, d'autre part. Pour être opératoire quant aux fins que nous lui assignons, une telle critique doit contenir un moment *logique* —d'analyse interne du texte idéologique, aboutissant à l'exhibition de sa structure contradictoire— et un moment *historique*, au cours duquel les devoir-dire et les contradictions dévoilés de l'idéologie sont expressément rapportés à leur étiologie réelle. Ainsi avons-nous procédé pour l'analyse de la théorie évolutionniste en sociologie, et pour celle de la critique même de Lalande. La même démonstration s'effectue dans tous les cas : toute idéologie para-scientifique est une *pseudo-logique,* au sens où elle tente de faire passer pour un rapport homogène à la science ce qui n'est, en elle, qu'une opération *rhétorique* de *réduction/extension analogique* dont la structure même est celle de l'*abus de langage* : *l'idéologie est la catachrèse de la science*.

Dans la mesure où l'analyse et la théorie des complexes discursifs doivent déboucher sur une pratique transformée de l'histoire des grandes solidarités entre les forces matérielles, l'édification des sciences et les résurgences des schèmes idéologiques, elles devront s'astreindre, dans leur premier moment, à étudier les types de dépendances logiques (intra-discursives et inter-discursives) entre des propositions émises dans l'ordre du discours, et, dans leur second moment, à étudier, ou même d'abord à découvrir, les types de dépendances qui rattachent ces propositions, et leur articulation cohérente, contradictoire ou conflictuelle, aux forces productives de l'histoire. L'horizon du premier moment de ce travail est une formalisation. Celui du second, une *pratique*.

INDEX

TABLE

L'impression de ce livre
a été réalisée sur les presses
des Imprimeries Aubin
à Poitiers/Ligugé

Achevé d'imprimer en décembre 1982
N° d'édition, 1661. — N° d'impression, L 15098
Dépôt légal, janvier 1983

Imprimé en France